BELLISSIMA

# Nora Roberts

*A Pousada do Fim do Rio*

*O Testamento*

*Traições Legítimas*

*Três Destinos*

*Lua de Sangue*

*Doce Vingança*

*Segredos*

*O Amuleto*

*Santuário*

*Resgatado pelo Amor*

*A Villa*

*Tesouro Secreto*

*Pecados Sagrados*

*Virtude Indecente*

*Bellissima*

*Escândalos Privados*

*Mentiras Genuínas*

*Ilusões Honestas*

*Riquezas Ocultas*

## Trilogia do Sonho

*Um Sonho de Amor*
*Um Sonho de Vida*
*Um Sonho de Esperança*

## Trilogia do Coração

*Diamantes do Sol*
*Lágrimas da Lua*
*Coração do Mar*

## Trilogia da Magia

*Dançando no Ar*
*Entre o Céu e a Terra*
*Enfrentando o Fogo*

## Trilogia da Gratidão

*Arrebatado pelo Mar*
*Movido pela Maré*
*Protegido pelo Porto*

## Trilogia da Fraternidade

*Laços de Fogo*
*Laços de Gelo*
*Laços de Pecado*

## Trilogia do Círculo

*A Cruz de Morrigan*
*O Baile dos Deuses*
*O Vale do Silêncio*

## Trilogia das Flores

*Dália Azul*
*Rosa Negra*
*Lírio Vermelho*

# Nora Roberts

# Bellissima

6ª edição

*Tradução*
Maria Clara Mattos

BERTRAND BRASIL

Título original: *Homeport*

Capa: Leonardo Carvalho

Editoração: DFL

Texto revisado segundo o novo
Acordo Ortográfico da Língua Portuguesa

2018
Impresso no Brasil
*Printed in Brazil*

CIP-Brasil. Catalogação na fonte
Sindicato Nacional dos Editores de Livros, RJ

R549b Roberts, Nora, 1950-
6ª ed. Bellissima/Nora Roberts; tradução Maria Clara Mattos. – 6ª ed. – Rio de Janeiro: Bertrand Brasil, 2018.
542p.

Tradução de: Homeport
ISBN 978-85-286-1440-4

1. Romance americano. I. Mattos, Maria Clara. II. Título.

10-2993 CDD – 813
CDU – 821.111 (73)-3


EDITORA BERTRAND BRASIL LTDA.
Rua Argentina, 171 – 2º andar – São Cristóvão
20921-380 – Rio de Janeiro – RJ
Tel.: (0xx21) 2585-2070 – Fax: (0xx21) 2585-2087



Atendimento e venda direta ao leitor:
mdireto@record.com.br ou (21) 2585-2002

*Para Marianne e Ky,*
*com amor, esperança e admiração*

PARTE UM

# Porto Seguro

*A beleza é sua própria desculpa para existir.*

EMERSON

# *Capítulo Um*

O vento gelado e úmido perfurava os ossos até a medula. A neve da tempestade do começo da semana empilhava-se de maneira irregular nas montanhas ao longo da estrada. O céu era de um cinza-chumbo, carregado. Árvores tristes, de galhos despidos, destacavam-se na paisagem de grama ressecada, balançando seus galhos como punhos cerrados lutando contra o frio.

Era março no Maine.

Miranda aumentou a potência do aquecedor até o máximo, programou o CD player para tocar *La Bohème*, de Puccini, e acelerou, o som do carro nas alturas.

Estava voltando para casa. Depois de dez dias de palestras, pulando do hotel para o campus da universidade, para o aeroporto e de volta para o hotel, Miranda estava mais que pronta para voltar para casa.

O alívio que sentia talvez tivesse a ver com o fato de detestar falar em público; sofria miseravelmente toda vez que precisava

encarar aquelas filas de rostos famintos e ansiosos. Mas a timidez e o medo da ribalta não tinham permissão para interferir em seus deveres.

Ela era a dra. Miranda Jones, uma Jones de Jones Point. E não tinha permissão para esquecer isso, nunca.

A cidade fora fundada pelo primeiro Charles Jones, homem que deixara sua marca no Novo Mundo. Os Jones, Miranda sabia, precisavam deixar a sua marca, manter sua posição de líderes de Point, deviam dar sua contribuição social, comportar-se de acordo com o que se esperava dos Jones de Jones Point, Maine.

Animada com a possibilidade de se distanciar do aeroporto, ela adentrou o litoral e acelerou. Dirigir em alta velocidade era um de seus pequenos prazeres. Gostava de se mover rapidamente, de ir de um ponto a outro no menor espaço de tempo possível. Uma mulher de quase um metro e oitenta, descalça, cabelos da cor de um carro de bombeiros, raramente passava despercebida. Mesmo quando não estava no comando, dava a impressão de liderança.

E, como se movia com a precisão e o calor de um míssil em movimento, a estrada à sua frente geralmente se abria.

Sua voz já fora comparada por um homem apaixonado a um corte de veludo embrulhado em papel rústico. Compensava a sensualidade, que considerava um acidente do destino, cultivando uma fala rápida, direta, quase sempre muito precisa.

Funcionava.

Seu corpo poderia ser herança de algum guerreiro celta, mas seu rosto era típico da Nova Inglaterra. Estreito e suave, o nariz fino e comprido, o queixo levemente arrebitado e maçãs do rosto que poderiam cortar gelo. A boca, grande, normalmente aparentava seriedade. Os olhos eram da cor azul da bandeira americana refletindo os fogos do Quatro de Julho, e, na maioria das vezes, sóbrios.

Agora, enquanto se entretinha com a longa e ampla estrada que abraçava as montanhas enfeitadas de neve, seus lábios e olhos sorriam. Além das colinas, o mar estava revolto e cinza-chumbo. Ela

adorava seus humores, seu poder de acalmar ou excitar. Enquanto a estrada declinava como um dedo torto, ela podia ouvir o chacoalhar vigoroso da água batendo nas pedras, depois recuando como um punho cerrado preparando-se para novo ataque.

A neve refletia a luz suave do sol e o vento lançava punhados dela na estrada. Ao longo da orla, as árvores nuas curvavam-se como homens velhos, retorcidas ano após ano de tempestades. Quando era criança, e fantasiosa ao extremo, Miranda imaginava as árvores reclamando umas com as outras enquanto se uniam contra o vento.

Apesar de não se considerar mais tão cheia de imaginação, ainda gostava da aparência delas, retorcidas e cheias de nós, porém alinhadas como velhos soldados a postos.

A estrada ascendia e se estreitava, água insinuando-se nas laterais. O mar e seu rugido, ambos temperamentais, muitas vezes sóbrios, desgastavam o litoral com uma fome perpétua. O pedaço irregular de terra irrompia na paisagem, o pico mais alto envergado como uma junta artrítica agraciada pela antiga casa vitoriana que vigiava o mar do topo. Acima dela, onde o solo novamente descia e encontrava a água, estava a torre do farol que guardava a costa.

A casa fora seu refúgio e sua alegria na infância, devido à mulher que morava ali. Amelia Jones transgredira a tradição dos Jones e vivera da maneira que escolhera, dizia o que pensava, e, sempre, sempre guardara um lugar em seu coração para os dois netos.

Miranda a adorava. A única dor verdadeira que conhecera fora quando Amelia morrera — sem alarde ou aviso, dormindo, oito anos antes.

Ela deixara a casa, uma carteira de títulos inteligentemente organizada ao longo dos anos, e sua coleção de arte, para Miranda e o irmão. Para seu filho, o pai de Miranda, deixara o desejo de que fosse metade do homem que esperava quando voltassem a se encontrar. Para a nora, Elizabeth, deixara um colar de pérolas, porque era a única coisa que pensava ser de sua total aprovação.

Isso era a cara dela, Miranda pensava agora. Aqueles comentários incisivos no testamento. Ficara na enorme casa de pedra por anos, vivendo só, tendo sobrevivido ao marido por mais de uma década.

Miranda pensou na avó ao chegar ao final da estrada do litoral, e entrou na rua comprida e sinuosa que levava à propriedade.

A casa ao final do caminho sobrevivera aos anos e aos vendavais, ao frio sem piedade do inverno, ao repentino e chocante calor do alto verão. Agora, Miranda pensava com uma pontinha de culpa, estava sobrevivendo ao abandono.

Nem ela nem Andrew pareciam encontrar tempo para cuidar da pintura ou do gramado. A casa, que fora um lugar mágico quando ela era criança, agora apresentava desgaste e cicatrizes. Ainda assim, achava-a adorável, uma velha mulher sem medo de aparentar a idade. Em vez de desmoronar, mantinha-se firme, ereta, como um soldado, digna em suas pedras acinzentadas, cume e torreão distintos.

Na lateral, uma pérgula oferecia charme e sofisticação. Trepadeiras subiam pelos lados da casa, cobrindo o telhado de flores no verão. Miranda sempre quisera ter tempo de sentar-se em um dos bancos de mármore sob aquela árvore e deliciar-se com seu perfume, sua sombra, o silêncio. Mas, de alguma maneira, a primavera adentrava o verão, o verão o outono, e ela nunca se lembrava de sua promessa até que fosse inverno, quando os galhos grossos desnudavam-se.

Talvez uma parte do piso da ampla varanda da frente precisasse de reforma. Certamente os remates e as persianas, passadas de azul a cinza, precisavam de raspagem e pintura. A trepadeira na pérgula certamente precisava de poda e trato, e de todo o resto necessário nesses casos.

Ela o faria. Mais cedo ou mais tarde.

Mas as janelas cintilavam e os rostos ferozes das gárgulas acocoradas nos beirais sorriam. Terraços compridos e varandas estreitas ofereciam vista em todas as direções. A chaminé liberava fumaça —

quando alguém se dava o trabalho de acender a lareira. Grandes carvalhos antigos, altos, e uma densa fileira de pinheiros aparavam o vento ao norte da casa.

Ela e o irmão dividiam o espaço de maneira igualitária — ou o haviam feito, até que o alcoolismo de Andrew se tornasse habitual. Mas ela não pensaria nisso. Gostava de tê-lo por perto, amava-o, e o fato de trabalhar com ele, de dividir uma casa com ele, era um prazer.

O vento soprou o cabelo em seus olhos assim que saltou do carro. Ligeiramente irritada, ela o colocou de volta no lugar, depois inclinou-se para pegar o laptop e a pasta. Pendurou os dois no ombro, cantarolando o finalzinho da ópera de Puccini, deu a volta até o porta-malas e o abriu.

O cabelo caiu-lhe no rosto novamente, fazendo com que deixasse escapar um suspiro irritado. Suspiro que se transformou em um quase engasgo, visto que seu cabelo foi agarrado com um puxão e usado como uma corda para trazer sua cabeça para trás. Pequenas estrelas brancas brilharam diante de seus olhos, enquanto dor e choque tomavam conta de seu crânio. E a ponta de uma faca pressionou seu pescoço.

O medo era constante em sua cabeça, uma chama primitiva que queimava em suas entranhas e apertava-lhe a garganta. Antes que pudesse gritar, foi virada, empurrada de encontro ao carro e a pontada de dor em seu quadril nublou-lhe a visão, enfraqueceu-lhe as pernas. A mão puxou-a pelo cabelo novamente, sacudindo sua cabeça como se fosse uma boneca.

O rosto dele era hediondo. Branco como cera e marcado por cicatrizes, suas feições eram duras. Foram precisos vários segundos antes que, aterrorizada, pudesse ver que ele usava uma máscara — tinta e borracha misturadas e transformadas em deformidade.

Ela não lutou, não poderia. Não havia nada de que tivesse mais medo que uma faca afiada, a lâmina lisa e mortal. A ponta aguda fazia pressão pouco abaixo de seu maxilar, e cada vez que respirava, sentia um tremor de dor e medo.

Ele era grande. Um metro e noventa mais ou menos, ela percebeu, esforçando-se para prestar atenção aos detalhes enquanto sentia o coração na garganta, onde a lâmina a pressionava. Devia pesar uns cem quilos, os ombros largos, o pescoço curto.

Meu Deus!

Olhos castanhos. Escuros. Foi tudo que pôde ver através das frestas na máscara de borracha que ele usava. E os olhos eram inexpressivos, frios como os de um tubarão, e pareciam sem paixão, enquanto ele pressionava a faca, deslizando a lâmina em sua garganta, ferindo-lhe a pele delicada.

Sentiu uma pequena ardência e uma linha fina de sangue escorreu até a gola de seu casaco.

— Por favor! — As palavras saíram de sua boca enquanto ela instintivamente atacava o punho da mão que segurava a faca. Todo pensamento racional era apagado por um medo gelado enquanto ele puxava sua cabeça para trás, deixando exposta a linha vulnerável de sua garganta.

Na sua mente, imagens da faca rasgando-lhe a pele uma vez, rápida e silenciosamente, atingindo-lhe a carótida, deixando escapar um jorro de sangue quente. E ela morreria aos pés dele, abatida como um cordeiro.

— Por favor, não. Eu tenho trezentos e cinquenta dólares em dinheiro. — Por favor, Deus, permita que seja dinheiro o que ele quer, ela pensou, frenética. Permita que seja somente dinheiro. Se fosse estupro, rezou para ter coragem de lutar, mesmo sabendo que não venceria.

Se fosse sangue, desejou que fosse rápido.

— Eu te dou o dinheiro — começou a falar enquanto ele a sacudia como se fosse um pano de chão.

Ela caiu de joelhos, as mãos no chão de pedrinhas, a ardência dos cortes nas palmas. Podia ouvir os próprios gemidos, odiava o desamparo, o medo paralisante que tornava impossível fazer mais que olhar para ele, os olhos embaçados pelas lágrimas.

Olhar para a faca que brilhava sob o sol. Mesmo que sua mente gritasse por socorro, para fugir dali, ela se encolhia, paralisada.

Ele pegou sua bolsa, sua pasta e virou a faca de maneira que o sol refletisse um feixe de luz em seus olhos. Depois, ele se inclinou e enfiou a ponta da lâmina no pneu de trás do carro. Deu um passo na direção dela e ela começou a engatinhar em direção à casa.

Esperou que ele a golpeasse novamente, que rasgasse suas roupas, que enfiasse a faca nas suas costas com a mesma força descuidada que usara para perfurar o pneu, mas, mesmo assim, continuou se arrastando na grama ressecada pelo inverno.

Quando alcançou os degraus, olhou para trás com os olhos atordoados e murmúrios de pavor escapando-lhe por entre os lábios.

E viu que estava só.

A respiração curta atravessava-lhe a garganta, queimava-lhe os pulmões enquanto ela se arrastava subindo os degraus. Precisava entrar em casa, fugir. Trancar a porta. Antes que ele voltasse e usasse aquela faca contra ela.

Sua mão escorregou na maçaneta uma vez, duas vezes, antes que conseguisse firmar seus dedos nela. Trancada. Claro que estava trancada. Não havia ninguém em casa. Não havia ninguém ali para ajudá-la.

Por um momento, simplesmente encolheu-se ali, do lado de fora, tremendo de choque e de frio, o vento rasante nas montanhas.

Mexa-se, ordenou a si mesma. Você precisa se mexer. Pegue a chave, entre, chame a polícia.

Seus olhos percorreram o ambiente rapidamente, como os de um coelho atento à presença de lobos, e seus dentes começaram a bater. Usando a maçaneta para apoiar-se, levantou-se. Suas pernas ameaçaram ceder, o joelho esquerdo doía, mas ela disparou portão afora, passadas trôpegas, procurando freneticamente pela bolsa antes de se lembrar que ele a levara.

Balbuciou palavras, orações, xingamentos, pedidos de ajuda, enquanto abria a porta do carro e suas mãos buscavam algo no

porta-luvas. Com os dedos apertando o chaveiro reserva na mão, um som a fez girar e olhar em volta desvairadamente, as mãos para cima, em posição de autodefesa.

Não era nada além do vento correndo por entre os galhos enegrecidos e nus das árvores, castigando as roseiras repletas de espinhos, a grama ressecada.

Respirando com dificuldade, partiu em direção à sua casa numa corrida desajeitada e manca, enfiou a chave na fechadura com desespero e gemeu de alívio ao entrar.

Entrou aos tropeções, bateu a porta, trancou-a. Quando apoiou as costas na madeira sólida, as chaves escaparam-lhe pelos dedos, caindo no chão com ruído quase musical. Sua visão ficou turva, ela fechou os olhos. Tudo estava dormente agora, corpo e mente. Precisava dar o próximo passo, agir, superar, mas não conseguia lembrar o que fazer.

Os ouvidos zumbiam e sentiu uma onda forte de enjoo. Cerrando os dentes, deu um passo à frente, depois outro, o hall pareceu balançar suavemente de um lado a outro.

Estava perto da base da escadaria quando se deu conta de que não eram seus ouvidos que zumbiam, mas o telefone que tocava. Mecanicamente, cruzou o cômodo até o gabinete, onde tudo parecia tão normal, tão familiar, e atendeu o telefone.

— Alô? — Sua voz soou distante, fraca como a nota única de um instrumento de percussão. Inclinando-se ligeiramente, percebeu os raios do sol que atravessavam a janela e marcavam o chão de tábuas corridas. — Certo. Ok, entendi. Eu vou. Tenho que... — O quê? Sacudindo a cabeça como quem busca as palavras, Miranda tinha dificuldades em lembrar o que deveria dizer. — Tenho que resolver umas coisas... antes. Não, vou assim que puder.

Depois, uma sensação cresceu dentro dela, mas estava muito zonza para reconhecer a própria histeria. — Minhas malas já estão prontas — disse e riu.

Ainda ria quando desligou o telefone. Ria quando deixou-se cair numa poltrona, sem perceber que se enroscara em posição fetal, sem perceber que o riso transformava-se em soluço.

SEGURAVA UMA CANECA DE CHÁ QUENTE COM AS DUAS MÃOS, mas não o bebia. Sabia que a caneca tremia, mas era reconfortante segurá-la, sentir o calor nos seus dedos enregelados, acalmando suas palmas cansadas e feridas.

Fora coerente — era imperativo ser coerente, clara e precisa quando fez seu relato à polícia.

Assim que se sentiu capaz de pensar novamente, deu os telefonemas apropriados, falou com os policiais que foram à sua casa. Mas, agora que tudo fora providenciado e ela estava sozinha outra vez, não parecia conseguir sustentar um só pensamento coerente por mais de dez segundos.

— Miranda! — O grito foi seguido pelo estrondo da porta da frente batendo. Andrew entrou apressado e, preocupado, estudou o rosto da irmã. — Jesus. — Correu até ela, ajoelhou-se a seus pés e passou os longos dedos pelo rosto pálido dela. — Ah, minha flor!

— Eu tô bem. Só uns ferimentos. — Mas o controle que ela se esforçara para aparentar não era convincente. — O susto foi pior que a agressão física.

Ele viu os rasgos na calça à altura dos joelhos, o sangue seco no tecido. — Filho da mãe! — Seus olhos, de um azul mais plácido que os da irmã, imediatamente se tornaram sombrios de horror. — Ele... — Suas mãos buscaram as dela, de maneira que também envolveram a caneca. — Ele estuprou você?

— Não. Não. Não foi nada disso. Ele só roubou minha bolsa. Só queria dinheiro. Desculpa ter pedido à polícia pra te ligar. Eu mesma devia ter feito isso.

— Tudo bem. Não se preocupa com isso. — Ele apertou as mãos da irmã, depois as soltou rapidamente quando ela gemeu. —

Ah, baby. — Tirou-lhe a caneca das mãos, colocou-a de lado, depois levantou as palmas feridas da irmã. — Eu sinto tanto. Vem, vou levar você pro hospital.

— Eu não preciso de hospital. São só uns ferimentos. — Ela respirou fundo, achando tudo mais fácil agora que ele estava ali.

Ele podia enfurecê-la, e a desapontara. Mas, em toda a sua vida, fora o único sempre presente, o único pronto a estar ao seu lado.

Ele pegou a caneca de chá, colocou-a de volta nas mãos da irmã.

— Bebe um pouquinho — ordenou, antes de se levantar e andar um pouco para afastar o medo e a raiva.

Tinha o rosto fino, anguloso, que combinava com o corpo esguio. A tonalidade de sua pele era a mesma da irmã, apesar de o cabelo ser de um vermelho mais escuro, quase mogno. O nervoso fazia com que batesse com as mãos nas pernas enquanto andava.

— Queria estar aqui. Droga, Miranda! Eu devia estar aqui.

— Você não pode estar em todos os lugares, Andrew. Ninguém podia prever que eu ia ser assaltada no nosso próprio jardim. Eu acho, e a polícia também acha, que ele provavelmente ia invadir a casa, roubar a gente, e como eu apareci, ele mudou os planos.

— Disseram que ele tinha uma faca.

— É. — Cautelosamente, ela levou a mão até o discreto corte em sua garganta. — E posso dizer que não superei minha fobia. Bastou eu olhar pra faca e meu cérebro simplesmente parou de funcionar.

Os olhos de Andrew ficaram sombrios, mas ele falou gentilmente enquanto voltava e sentava-se a seu lado. — O que foi que ele fez? Conta.

— Ele simplesmente apareceu do nada. Eu tava tirando minhas coisas da mala do carro. Ele me puxou pelo cabelo, espetou a faca no meu pescoço. Achei que ia me matar, mas ele me jogou no chão, pegou minha bolsa, minha pasta, furou os pneus e sumiu. — Conseguiu esboçar um sorriso frágil. — Não era exatamente a recepção que eu esperava.

— Eu devia estar aqui — ele disse mais uma vez.

— Para, Andrew. — Ela se recostou nele, fechou os olhos. — Você está aqui agora. — E isso, aparentemente, era o suficiente para equilibrá-la. — A mamãe ligou.

— O quê? — Ele havia passado o braço em volta dos ombros dela, e agora trazia o tronco à frente para encarar a irmã.

— O telefone estava tocando quando eu entrei em casa. Meu Deus, ainda estou zonza — ela reclamou e passou a mão na testa. — Tenho que ir pra Florença amanhã.

— Deixa de ser ridícula! Você acabou de chegar em casa e tá machucada, instável. Caramba, como é que ela pode pedir pra você entrar num avião logo depois de ser atacada?

— Eu não contei pra ela. — Ela deu de ombros. — Não estava concatenando as ideias. De qualquer jeito, o chamado foi em alto e bom som. Tenho que fazer uma reserva.

— Miranda, você vai pra cama.

— Claro. — Ela sorriu novamente. — Já, já.

— Eu ligo pra ela. — Ele engoliu o ar como um homem faz quando depara com uma tarefa difícil. — Eu explico pra ela.

— Meu herói. — Com amor, Miranda beijou-lhe o rosto. — Não, eu vou. Um banho quente, uma aspirina e vou ficar bem. E depois dessa pequena aventura, uma distração não vai ser nada mal. Parece que ela quer que eu dê uma olhada numa escultura de bronze. — Como o chá havia esfriado, ela o deixou de lado novamente. — Ela não me chamaria na Standjo se não fosse importante. Quer alguém pra datar a peça, e rápido.

— Ela tem gente pra fazer isso na equipe.

— Exatamente. — O sorriso de Miranda foi suave e inteligente. "Standjo" significava Standford-Jones. Elizabeth certificara-se de que não somente seu nome, mas tudo o mais em sua agenda, viesse em primeiro lugar na operação de Florença. — Então, se ela tá me chamando, é porque a coisa é grande. Quer que fique tudo em família. Elizabeth Standford-Jones, diretora da Standjo em Florença, está

atrás de um expert em estátuas italianas renascentistas de bronze, e quer um Jones. Não pretendo ser motivo de desapontamento pra ela.

ELA NÃO TEVE A SORTE DE MARCAR UM VOO PARA O DIA seguinte, de manhã, e teve que se contentar com um noturno para Roma, com troca de aeronave para Florença.

Quase um dia inteiro de atraso.

Isso seria um problema.

Enquanto tentava se livrar das dores dentro de uma banheira de água quente, Miranda calculou a diferença de fuso horário e chegou à conclusão de que não fazia sentido ligar para a mãe. Elizabeth estaria em casa, provavelmente já na cama.

Nada pode ser feito esta noite, disse para si mesma. De manhã, telefonaria para a Standjo. Um dia não faria tanta diferença, mesmo para Elizabeth.

Contrataria um carro para levá-la ao aeroporto, porque, do jeito que seu joelho latejava, dirigir poderia ser um problema, mesmo que conseguisse trocar os pneus rapidamente. Tudo o que tinha de fazer era...

Sentou-se ereta na banheira, espalhando água pela borda.

Seu passaporte. O passaporte, a carteira de motorista, os documentos de identificação da empresa. Ele levara sua pasta — levara todos os seus documentos.

— Ai, que inferno! — Foi o que conseguiu exclamar enquanto esfregava as mãos no rosto. Isso só melhorava a situação.

Arrancou o tampão da banheira. Estava fervendo agora, o lampejo de raiva fazendo com que ficasse de pé, e buscasse a toalha antes que seu joelho dolorido cedesse. Engolindo um uivo de dor, apoiou uma das mãos na parede e sentou-se na borda da banheira, a toalha escorregou e caiu na água.

As lágrimas queriam saltar de seus olhos, lágrimas de frustração, de dor, do medo súbito que voltava a atacá-la. Ficou ali sentada,

nua, tremendo, o ar sendo expelido em pequenos engasgos assoviados, até que pudesse controlar-se.

Lágrimas não a ajudariam a recuperar seus documentos, sarar suas feridas, nem fariam com que chegasse a Florença. Engoliu-as e torceu a toalha. Cuidadosamente, usou as mãos para levantar as pernas e tirá-las de dentro da banheira, uma de cada vez. Ficou de pé, um suor gelado grudava-lhe na pele, fazendo com que lágrimas despontassem em seus olhos mais uma vez. Mas manteve-se de pé, agarrando-se à pia em busca de apoio, conferindo a própria imagem no espelho de corpo inteiro perto da porta.

Seus braços estavam feridos. Ela não se lembrava de ter sido agarrada por ele ali, mas as marcas eram de um cinza-escuro, portanto, isso obviamente acontecera. O quadril tinha manchas roxas e estava incrivelmente dolorido. Isso, ela se lembrava, era o resultado de ter sido jogada de encontro ao carro.

Seus joelhos estavam lanhados, o esquerdo, nada atraente, vermelho e inchado. Deve ter sido o mais atingido na hora da queda, talvez tivesse torcido. A parte inferior das mãos ardia devido ao rude encontro com as pedras do chão.

Mas foi o corte longo e pouco profundo na garganta que fez com que sua cabeça ficasse aérea e seu estômago revirasse de náuseas. Fascinada e chocada, levou os dedos até a ferida. A um milímetro da jugular, pensou. Um milímetro da morte.

Se ele a quisesse morta, ela teria morrido.

E isso era pior que os ferimentos, que as dores. Um estranho tivera sua vida nas mãos.

— Nunca mais. — Ela se afastou do espelho e caminhou claudicante até o robe, pendurado num gancho atrás da porta. — Não vou deixar acontecer de novo.

Congelando de frio, enrolou-se no robe o mais rápido que pôde. Enquanto esforçava-se para amarrá-lo, uma movimentação do lado de fora da janela fez com que virasse rapidamente a cabeça, o coração aos saltos.

Ele voltara.

Ela queria correr, esconder-se, gritar por Andrew, enroscar-se atrás da porta trancada. E com os dentes cerrados, esgueirou-se até a janela e olhou para fora.

Era Andrew, pôde ver com uma onda de alívio. Vestia seu casacão preferido para cortar lenha ou escalar as montanhas. Acendera as luzes, logo ela conseguiu enxergar o objeto brilhante que tinha na mão, algo que balançava enquanto ele caminhava pelo jardim.

Intrigada, aproximou o rosto da janela.

Um taco de golfe? O que ele estaria fazendo do lado de fora, cruzando o jardim coberto de neve com um taco de golfe?

Depois compreendeu, e uma onda de amor a inundou, acalmando-a mais que qualquer analgésico.

Ele a estava guardando. As lágrimas voltaram. Uma acabou escapando. Depois, ela o viu parar, tirar algo do bolso e suspender o objeto.

E ela o viu dar um gole numa garrafa.

Ah, Andrew, ela pensou, enquanto seus olhos se fechavam e seu coração sucumbia. Que confusão nós somos!

A DOR A ACORDOU, O JOELHO LATEJANDO. MIRANDA TATEOU em busca do interruptor e retirou comprimidos de um frasco que colocara na mesa de cabeceira. Enquanto engolia, deu-se conta de que devia ter seguido o conselho de Andrew para ir até o hospital, onde algum médico simpático teria receitado drogas mais potentes.

Olhou na direção do visor iluminado do relógio, viu que já passava das três. Pelo menos o coquetel de ibuprofeno com aspirina que tomara à meia-noite lhe dera três horas de descanso. Mas estava acordada agora, lutando contra a dor. Melhor acabar com isso e encarar as consequências.

Com a diferença de fuso horário, Elizabeth estaria no escritório. Miranda pegou o telefone e fez a ligação. Gemendo um pouco, ajeitou os travesseiros na cabeceira de ferro da cama e recostou-se.

— Miranda, ia deixar um recado no hotel, pra quando você chegasse amanhã.

— Vou ter que adiar a viagem. Eu...

— Adiar? — A palavra soou como a ponta de uma pedra de gelo, fria e aguda.

— Desculpe.

— Eu achei que tinha deixado claro que esse projeto é prioridade. Dei minha palavra ao governo que começaríamos os testes hoje.

— Vou mandar o John Carter. Eu...

— Não chamei John Carter, chamei você. Seja qual for o outro trabalho que você tenha, pode ser passado para outra pessoa. Achei que tinha deixado isso bem claro também.

— É, você deixou. — Não, ela pensou, os comprimidos não ajudariam dessa vez. Mas a raiva fria que começava a revolver em seu interior começava a afastar a dor. — Eu tinha toda intenção de estar aí, como combinado.

— Então, por que não está?

— Meu passaporte e meus outros documentos foram roubados ontem. Vou providenciar a segunda via assim que puder e remarcar o voo. Como hoje é sexta-feira, duvido que consiga ter os documentos antes do meio da semana.

Ela sabia como funcionava a burocracia, Miranda pensou com alguma irritação. Crescera numa.

— Mesmo num lugar calmo como Jones Point, é uma tolice não trancar o carro.

— Os documentos não estavam no carro, estavam comigo. Aviso assim que estiver com tudo pronto e o horário da viagem. Peço desculpas pelo atraso. O projeto vai contar com meu tempo integral e toda a minha atenção assim que eu chegar. Tchau, mãe.

Desligar antes que Elizabeth pudesse dizer mais alguma coisa deu a ela uma perversa satisfação.

EM SEU ESCRITÓRIO ESPAÇOSO E ELEGANTE, A QUASE CINCO mil quilômetros de distância, Elizabeth olhava para o telefone num misto de irritação e confusão.

— Aconteceu alguma coisa?

Distraída, Elizabeth desviou o olhar e viu a ex-nora, Elise Warfield, sentada, prancheta no colo, os grandes olhos verdes com uma expressão intrigada, a boca viçosa num ligeiro sorriso.

O casamento de Elise e Andrew não dera certo, o que era frustrante para Elizabeth. Mas seu relacionamento pessoal e profissional com Elise não fora prejudicado pelo divórcio.

— Aconteceu. Miranda vai se atrasar.

— Atrasar? — Elise levantou as sobrancelhas, de modo que elas desapareceram sob a franja. — A Miranda não é disso.

— Roubaram o passaporte e os outros documentos dela.

— Nossa, que horror! — Elise levantou-se. Não chegava a um metro e sessenta. Seu corpo tinha curvas femininas e aparentava delicadeza. Com o cabelo preto e muito liso, os olhos de cílios fartos, a pele de marfim e a boca vermelha, parecia uma fada sensual e eficiente. — Ela foi roubada?

— Não sei detalhes. — Os lábios de Elizabeth se comprimiram ligeiramente. — Ela vai tirar a segunda via dos documentos e remarcar o voo. Isso talvez leve alguns dias.

Elise ia perguntar se Miranda se ferira, mas desistiu. Pelo olhar de Elizabeth, ou ela não sabia ou essa não era sua maior preocupação. — Sei que você quer começar os testes hoje. A gente pode resolver isso. Eu coloco alguém fazendo meu trabalho e começo eu mesma a fazer os testes.

Considerando a possibilidade, Elizabeth se levantou e virou-se para a janela. Sempre pensava com mais clareza quando apreciava a vista da cidade. Florença era seu lar, assim era desde a primeira vez que estivera ali. Tinha dezoito anos, era uma jovem universitária com uma paixão desesperada pela arte e uma sede secreta de aventura.

Apaixonara-se perdidamente pela cidade e por seus telhados vermelhos, suas cúpulas majestosas, as ruas sinuosas e as praças agitadas.

E apaixonara-se por um escultor que a levara para a cama com seu charme, cozinhara uma massa para ela e lhe mostrara o que era o amor.

Obviamente, ele não era apropriado. Completamente inapropriado. Pobre e selvagemente apaixonado. Seus pais a mandaram rapidamente de volta a Boston no momento em que souberam do *affair*.

E isso, é claro, foi o fim de tudo.

Ela se restabeleceu, irritada por se ter deixado levar daquela maneira. Fizera as próprias escolhas, e elas eram excelentes.

Agora era a cabeça de um dos maiores e mais respeitados estabelecimentos de pesquisa de arte do mundo. A Standjo podia ser um dos braços das organizações Jones, mas era dela. Seu nome vinha à frente, e, aqui, ela também.

Ficou olhando pela janela, uma mulher ajeitada, atraente aos cinquenta e oito anos. O cabelo de um louro suave, discretamente pintado e mantido em um dos melhores salões de Florença. Seu gosto impecável refletia-se no corte perfeito do terno Valentino cor de berinjela, de botões dourados. A cor do sapato de couro combinava perfeitamente.

A pele clara e o porte altivo, herança da Nova Inglaterra, superavam os traços da idade que se atreviam a dar sinais de vida. Os olhos azuis eram argutos e impiedosamente inteligentes. A imagem era a de uma mulher tranquila, fashion, profissional e muito bem-sucedida.

Nunca teria se contentado com menos.

Não, pensou, nunca se contentaria com nada que não fosse o melhor.

— Vamos esperar por ela — disse e virou-se para Elise. — É a especialidade dela. Vou entrar em contato pessoalmente com o ministro e explicar o pequeno atraso.

Elise sorriu. — Ninguém entende de atraso como os italianos.

— É verdade. Vamos terminar esses relatórios mais tarde, Elise. Quero dar esse telefonema agora.

— Você é a chefe.

— Sou. Ah, John Carter vai chegar amanhã. Ele vai trabalhar na equipe com Miranda. Fique à vontade para passar algum outro trabalho para ele nesse meio-tempo. Não faz sentido ele ficar aqui sem fazer nada.

— O John está vindo? Que bom! Ele sempre pode ser útil no laboratório. Vou providenciar isso.

— Obrigada, Elise.

Quando ficou só, Elizabeth voltou para sua escrivaninha e observou o cofre do outro lado da sala. Pensou no que havia ali dentro.

Miranda encabeçaria o projeto. Sua decisão fora tomada no momento em que vira a estatueta de bronze. Seria uma operação da Standjo, com uma Jones no comando. Era esse seu plano, sua expectativa.

E assim seria.

# Capítulo Dois

Miranda estava cinco dias atrasada, portanto movia-se rapidamente, atravessando as portas medievais da Standjo, Florença, e caminhava de maneira que seus saltos soavam como tiros rápidos de revólver no piso de mármore absolutamente branco.

Fixou o crachá de identificação que a assistente de Elizabeth providenciara da noite para o dia na lapela do paletó enquanto rodeava a excelente reprodução em bronze, de Cellini, da figura de Perseu segurando a cabeça sem vida de Medusa.

Miranda muitas vezes se perguntara o que o tipo de objeto de arte escolhido pela mãe para o lobby de entrada dizia sobre ela. Derrubaria todos os inimigos, imaginava, com um só e eficiente golpe.

Parou no balcão do lobby, girou o livro de presenças e assinou-o rapidamente, conferindo o horário no relógio de pulso para anotar junto à assinatura.

Vestira-se de maneira cuidadosa, até mesmo estratégica, para o dia: terno de seda azul-rei de corte reto, tradicional. Miranda o considerava ao mesmo tempo alinhado e poderoso.

Quando você vai encontrar o diretor de um dos mais importantes laboratórios de datação de peças de arte do mundo, sua aparência é inevitavelmente importante. Mesmo que esse diretor seja sua mãe.

Principalmente se o diretor é sua mãe, Miranda pensou com o mais pálido dos sorrisos de escárnio.

Pressionou o botão do elevador e esperou, a impaciência latente. O nervoso dava voltas em seu estômago, subia-lhe pela garganta, fazia zumbir sua cabeça. Mas ela não deixava transparecer.

No minuto em que entrou no elevador, abriu o pó compacto e retocou o batom. Um batom seu poderia durar um ano, às vezes até mais. Só se preocupava com essas pequenas coisas quando elas não podiam ser evitadas.

Satisfeita por ter feito seu melhor, guardou a maquiagem e passou a mão no cabelo para conferir o sofisticado coque que levara tempo demais para ser feito. Empurrou firmemente alguns grampos de volta aos lugares assim que as portas voltaram a se abrir.

Entrou no lobby sofisticado e silencioso do que pensava ser um lugar sagrado. O carpete perolado e as paredes de marfim, as cadeiras antigas de encosto rígido, tudo combinava com sua mãe, pensou. Bonito, de bom gosto e desapegado. O console lustroso onde a recepcionista trabalhava com telefones e o computador de última geração era também a cara de Elizabeth. Tudo muito eficiente, ágil e absolutamente moderno.

— *Buon giorno.* — Miranda aproximou-se da recepcionista e apresentou-se brevemente num italiano impecável. — *Sono la Dottoressa Jones. Ho un appuntamento con la Signora Standford-Jones.*

— *Sì, Dottoressa. Un momento.*

Miranda imaginou-se mudando o pé de apoio, ajeitando o paletó, girando os ombros. Às vezes, imaginar-se mudando de posição ajudava a manter o corpo quieto. Acabara de pensar numa ligeira caminhada quando a recepcionista sorriu e liberou sua entrada.

Miranda atravessou a porta de vidro dupla à sua esquerda e cruzou o corredor frio e branco que levava à sala da *Signora Direttrice.*

Bateu à porta. Era sempre preciso bater a qualquer porta de Elizabeth. A resposta, "*Entri*", foi imediata.

Elizabeth estava à sua mesa, um elegante móvel assinado, de madeira clara, que se adequava perfeitamente ao seu visual aristocrático da Nova Inglaterra. Emoldurada pela janela ao fundo, via-se Florença em todo o seu esplendor ensolarado.

Uma de cada lado do cômodo, olharam-se, avaliando-se brevemente.

Elizabeth falou primeiro: — Como foi sua viagem?

— Normal.

— Ótimo.

— Você tá com a cara ótima.

— Estou ótima. E você?

— Tudo bem. — Miranda imaginou-se dançando sapateado no escritório perfeitamente decorado, e manteve-se ereta como um cadete sendo inspecionado.

— Você quer um café? Uma bebida gelada?

— Não, obrigada. — Miranda levantou uma sobrancelha. — Você não perguntou sobre o Andrew.

Elizabeth indicou a cadeira. — Como vai seu irmão?

Péssimo, pensou Miranda. Bebendo demais. Com raiva, deprimido, amargo. — Tudo bem. Mandou lembranças — mentiu sem pestanejar. — Imagino que você tenha dito à Elise que eu vinha.

— Claro que sim. — Como Miranda continuasse de pé, Elizabeth levantou-se. — Todos os chefes de departamento, e os membros das equipes, sabem que você vai ficar trabalhando aqui temporariamente. O Bronze Fiesole é prioridade. Naturalmente você terá livre acesso aos laboratórios e aos equipamentos, e contará com a cooperação e a assistência de qualquer pessoa da equipe que escolher.

— Falei com John, ontem. Você ainda não fez nenhum teste.

— Não. Esse atraso já nos custou tempo e espero que você comece imediatamente.

— É por isso que eu estou aqui.

Elizabeth inclinou a cabeça. — O que aconteceu com a sua perna? Você está mancando um pouco.

— Fui assaltada, lembra?

— Você disse que tinha sido roubada, não ferida.

— Você não perguntou.

Elizabeth deixou escapar o que qualquer um que não fosse Miranda teria considerado um suspiro. — Você devia ter explicado que tinha sido machucada durante o incidente.

— Devia. Mas não fiz. A prioridade era, afinal de contas, a perda dos meus documentos e o atraso que isso causou. — Ela inclinou a cabeça, espelhando o gesto de Elizabeth. — Isso ficou bem claro.

— É, acho que sim... — Elizabeth interrompeu o que começava a dizer, gesticulando com a mão de maneira que parecia demonstrar perturbação ou derrota. — Por que você não senta, enquanto eu te relato um pouco da situação?

Então o assunto seria exposto. Miranda esperara por isso. Sentou-se, cruzando as pernas.

— O homem que descobriu o bronze...

— O encanador.

— Isso. — Pela primeira vez Elizabeth sorriu, um movimento rápido de lábios que parecia mais reconhecimento do absurdo da situação do que sinal de diversão. — Carlo Rinaldi. Aparentemente, no fundo ele é um artista, se não é de fato. Nunca conseguiu viver da pintura, e o pai da mulher tem uma empresa de serviços hidráulicos, então...

A sobrancelha de Miranda moveu-se rapidamente em sinal de ligeira surpresa. — O currículo dele importa?

— Só no caso da ligação dele com a estatueta. Que parece ser nenhuma! Ele, pelo que se sabe, literalmente tropeçou nela. Alega

que encontrou a peça escondida debaixo de um degrau quebrado no porão da Villa della Donna Oscura. E isso, até onde se verificou, parece ser verdade.

— Existia alguma dúvida quanto a isso? Alguém acha que ele inventou a história, e o bronze?

— Se existia, o ministro está satisfeito com a história de Rinaldi, agora.

Elizabeth cruzou as mãos meticulosamente manicuradas sobre a borda da mesa. Sua coluna, rigidamente ereta como uma régua. De modo inconsciente, Miranda moveu-se discretamente, endireitando a postura.

— O fato de ele ter encontrado a peça — continuou Elizabeth — e guardado na caixa de ferramentas, para depois procurar os canais apropriados e relatar o achado, tudo isso causou uma preocupação no início.

Confusa, Miranda cruzou as mãos para impedir-se de bater com os dedos no joelho. Não lhe ocorreu que reproduzia exatamente a pose da mãe. — Há quanto tempo ele tá com a peça?

— Cinco dias.

— Não houve nenhum dano? Você examinou o bronze?

— Examinei. Prefiro não fazer nenhum comentário antes que você mesma dê uma olhada.

— Ok. — Miranda inclinou a cabeça. — Vamos dar uma olhada.

Em resposta, Elizabeth foi até o armário e abriu a porta, revelando um pequeno cofre de ferro.

— Você tá guardando a peça aqui?

— Minha segurança é mais que adequada. Algumas pessoas têm acesso às coisas de valor nos laboratórios, e eu preferi limitar o acesso nesse caso. E achei que seria menos arriscado se você a examinasse aqui.

Com a unha de esmalte coral, Elizabeth pressionou os botões com o código, esperou, depois teclou outra série de números. Abriu a porta reforçada e retirou do cofre uma caixa de metal.

Depois de colocá-la sobre a mesa, abriu a tampa e pegou um pequeno volume embrulhado em veludo dobrado.

— Vamos datar o pano também, e a madeira do degrau.

— Com certeza. — Apesar de seus dedos coçarem, Miranda levantou-se e foi à frente devagar, quando Elizabeth colocou o embrulho sobre seu bloco de notas impecavelmente branco. — Não tem nenhum documento, certo?

— Até agora, não. Você conhece a história da villa.

— Claro. Já foi a casa da prostituta de Lorenzo, o Magnífico, Giulietta Buonadoni, conhecida como a Senhora Sombria. Depois da morte dele, as pessoas achavam que ela passara a ser acompanhante de outro Médici. Várias vezes, expoentes da Renascença de Florença, ou dos arredores, foram vistos e bem-vindos na casa dela.

— Então você sabe quais são as possibilidades.

— Eu não lido com possibilidades — Miranda disse secamente.

— Exatamente. É por isso que você está aqui.

Delicadamente, Miranda passou um dedo sobre o veludo envelhecido que embrulhava o bronze. — É?

— Eu queria o melhor, e estou em posição que me possibilita ter o que quero. Também exijo discrição. Se as informações sobre essa descoberta vazarem, as especulações vão fugir do controle. Isso é uma coisa que a Standjo não pode arriscar. O governo não quer nenhuma publicidade, nenhuma especulação pública, até o bronze ser testado e datado.

— O encanador provavelmente já contou tudo pros companheiros de copo.

— Acho que não. — Mais uma vez, aquele sorriso pálido se formou nos lábios de Elizabeth. — Ele tirou a estatueta de um prédio do governo. Está bem avisado, a esta altura, de que, se não fizer exatamente o que o mandaram fazer, pode ir preso.

— O medo é uma mordaça eficiente.

— É. Mas isso não é da nossa alçada. Fomos encarregados de testar a peça e fornecer ao governo todas as informações científicas

que pudermos. Devemos ter uma visão objetiva, acreditar nos fatos, não em histórias de ficção.

— Não existe lugar pra ficção na ciência — Miranda murmurou e desembrulhou cuidadosamente o veludo.

Seu coração deu um pulo dentro do peito quando o bronze apareceu sob o pano. Seus olhos eficientes e experientes reconheceram a excelência do trabalho da peça, como era gloriosa. Mas ela franziu o cenho, ocultando instintivamente a admiração sob o ceticismo.

— É muito bem concebida e executada, com certeza o estilo tá dentro dos moldes da Renascença. — Retirou os óculos da caixa e colocou-os antes de suspender o bronze. Conferiu o peso, virando a estatueta lentamente.

As proporções eram perfeitas, a sensualidade do objeto, óbvia. Os mínimos detalhes — unhas dos pés, cada mecha de cabelo, a definição dos músculos da perna — eram impressionantemente retratados.

Ela era gloriosa, livre, maravilhosamente ciente de seu poder. O longo corpo sinuoso arqueado para trás, os braços para o alto, não em oração ou súplica, Miranda reparou. Em triunfo. O rosto não era delicado, mas impressionante, os olhos semicerrados, em êxtase, a boca maliciosamente desenhada pelo prazer.

Ela se equilibrava na ponta dos pés, como uma mulher prestes a mergulhar numa piscina de água morna e perfumada. Ou nos braços de um amante.

Era desavergonhadamente sensual, e, por um breve instante, Miranda teve a sensação de poder sentir seu calor. Era vida.

A pátina indicava a idade, mas essas coisas podiam enganar, ela sabia. Pátinas podem ser criadas. O estilo do artista era inequívoco. Mas isso era quase impossível. Estilos podem ser copiados.

— É a Senhora Sombria — ela disse. — Giulietta Buonadoni. Não tenho dúvida. Já vi esse rosto muitas vezes em pinturas e esculturas da época. Mas nunca vi nem ouvi falar do bronze. Vou fazer

uma pesquisa, mas duvido que essa informação me tenha passado despercebida.

Elizabeth estudou o rosto de Miranda, mais que o da estatueta. Já vira aquele lampejo de excitação, de deleite, sentimentos rapidamente controlados. Exatamente como ela esperava.

— Mas você concorda que é um bronze de estilo renascentista.

— Concordo. Mas isso não quer dizer necessariamente que seja uma peça perdida do século quinze. — Seus olhos estreitaram-se enquanto ela girava lentamente a estatueta nas mãos. — Qualquer estudante de arte com olhar atento já rabiscou e copiou o rosto dela ao longo dos anos. Eu mesma já fiz isso uma vez. — Arranhou de leve o azul-esverdeado da pintura com o polegar. A superfície corroída era visivelmente espessa, mas ela precisava de mais, muito mais.

— Vou começar os testes imediatamente.

VIVALDI SOAVA BAIXINHO NO LABORATÓRIO. AS PAREDES eram de um verde-claro de hospital, o piso de linóleo branco, impecável, sem manchas. Cada compartimento era militarmente organizado, equipado com microscópios, computadores, frascos, tubos ou sacos de amostras. Não havia artigos de uso pessoal, nenhum porta-retratos com fotografia de família, nenhum enfeite ou peça de estimação.

Os homens usavam gravata, as mulheres vestiam saia e, para onde quer que se olhasse, o que se via eram jalecos brancos com a logomarca da Standjo costurada em preto no bolso superior.

A conversa era sussurrada, ínfima, e o equipamento zumbia ininterruptamente.

Elizabeth desejava contar com uma equipe coesa e eficiente, e sua ex-nora sabia como comandar uma.

A casa no Maine, onde Miranda crescera, apresentava precisamente a mesma atmosfera. Era um lar frio, ela pensou ao vislumbrar o laboratório, mas um ambiente eficaz de trabalho.

— Já faz um tempo que você não vem aqui — Elizabeth comentou. — Mas Elise vai refrescar sua memória. Você tem livre acesso a todas as áreas, claro. Estou com seu cartão de segurança e todos os códigos.

— Ótimo. — Miranda plantou um sorriso educado nos lábios enquanto Elise deixava um microscópio e caminhava na direção delas.

— Miranda, bem-vinda a Florença. — O tom de Elise era suave, baixo, sem chegar a ser um sussurro sensual, mas com a promessa embutida de sê-lo, se propriamente estimulada.

— É bom estar de volta. Como vai você?

— Bem. Ocupada. — Lançou um sorriso límpido e segurou a mão de Miranda. — Como vai o Drew?

— Não tão bem... mas ocupado. — Ela levantou uma sobrancelha quando Elise apertou sua mão.

— Que pena!

— Eu não posso fazer nada.

— Mesmo assim, que pena! — Ela soltou a mão de Miranda e voltou-se para Elizabeth. — Você vai comandar o tour ou quer que eu faça isso?

— Não preciso de um tour — Miranda disse, antes que a mãe pudesse responder. — Preciso de um jaleco, de um microscópio e de um computador. Quero tirar fotos, e fazer raios X, é claro.

— Olha você aí. — John Carter andou até elas. O gerente do laboratório de Miranda tinha uma aparência amavelmente amarrotada em meio àquele estilo de eficiência impecável. Sua gravata, com desenhos tolos de vaquinhas pastando felizes, estava ligeiramente torta. Rasgara o bolso do jaleco, de modo que as pontas estavam soltas. Tinha um machucado no queixo, onde ele se cortara ao barbear-se, um toco de lápis atrás da orelha e manchas nas lentes dos óculos.

Miranda sentiu-se acolhida.

— Você tá bem? — Deu três tapinhas no braço dela. Depois: — E o seu joelho? Andrew me contou que o cara que te assaltou te jogou no chão.

— Jogou no chão? — Elise virou-se rapidamente. — A gente não sabia que você tinha se machucado.

— Foi só o susto. Está tudo bem. Estou bem.

— Ele espetou uma faca no pescoço dela — Carter anunciou.

— Uma faca. — Elise levou as mãos à própria garganta. — Isso é terrível. É...

— Tudo bem — Miranda disse mais uma vez. — Ele só queria dinheiro. — Virou-se e encontrou os olhos da mãe. — E acho que ele já custou bastante do nosso tempo precioso.

Por um minuto, Elizabeth não disse nada. Havia desafio no olhar de Miranda, e ela decidiu que o momento para simpatias havia passado.

— Então. Elise vai organizar tudo para você. Seu crachá e seu cartão de segurança estão aqui. — Elizabeth entregou um envelope a Miranda. — Elise deve ser capaz de cuidar do que você precisa. Ou você fala comigo. — Olhou para o relógio de pulso. — Tenho outro encontro agora, então vou deixar você começar. Espero um relatório preliminar no fim do dia.

— Você vai ter — Miranda murmurou enquanto a mãe se afastava.

— Ela não perde tempo. — Com outro sorriso, Elise gesticulou. — Fico muito sentida de você ter passado por uma experiência tão terrível, mas o trabalho aqui deve tirar isso da sua cabeça. Tem um escritório montado para você. O Bronze Fiesole é prioridade total. Você tem autorização para escolher qualquer pessoa do time A para sua equipe.

— Miranda! — Havia uma lufada de prazer na palavra, e ela foi pronunciada com os tons pesados e exóticos da Itália. Miranda pegou-se sorrindo antes de virar-se e ter as mãos seguras e beijadas de maneira extravagante.

— Giovanni. Você não muda. — De fato, o químico era incrivelmente bonito, pelo que Miranda se lembrava. Moreno e esguio, com olhos que pareciam chocolate derretido, e um sorriso que irradiava charme. Era alguns centímetros mais baixo que ela, e, mesmo assim, fazia com que se sentisse feminina e pequena. Usava o cabelo brilhoso e negro num rabo de cavalo, algo que Elizabeth apenas permitia porque, além de ser bonito de olhar, Giovanni Beredonno era um gênio.

— Mas você muda, *bella donna*. Está ainda mais adorável. Mas que história foi essa de terem machucado você? — Passou os dedos sobre o rosto dela.

— Não é nada, só uma lembrança.

— Quer que eu vá partir alguém ao meio pra você? — Beijou-a delicadamente, uma face, depois a outra.

— Posso pensar um pouco e responder depois?

— Giovanni, Miranda tem que trabalhar.

— Claro, claro. — Ele dispensou as palavras duras e desaprovadoras de Elise com um gesto descuidado, mais um motivo para Miranda sorrir. — Eu sei disso. Um projeto importante, muito sigiloso. — Mexeu as sobrancelhas expressivas. — Quando a *direttrice* manda vir uma expert da América, não é pouca coisa não. Portanto, *bellissima*, você precisa de mim?

— Você é o primeiro da minha lista.

Ele enfiou a mão dela em seu braço, ignorando o aperto de reprovação nos lábios de Elise. — Quando a gente começa?

— Hoje — Miranda disse enquanto Elise apontava na direção do corredor. — Quero testes nas camadas de erosão e de corrosão do metal o mais rápido possível.

— Acho que Richard Hawthorne pode ser útil pra você. — Elise deu um tapinha no ombro de um homem debruçado sobre o teclado de um computador.

— Dr. Hawthorne. — Miranda observava enquanto o homem careca piscava como uma coruja através dos óculos, atrapalhando-se

para tirá-los. Havia algo vagamente familiar nele, mas ela não sabia exatamente o que era.

— Dra. Jones. — Ele lhe lançou um sorriso tímido que acrescentava certo apelo ao seu rosto. O queixo era miúdo, os olhos de um azul pálido e distraído, mas o sorriso era doce como o de um menino. — É bom te ver novamente. Estamos felizes de ter você aqui. Li seu artigo sobre o princípio do humanismo florentino. Achei brilhante.

— Obrigada. — Ah, sim, ela lembrou. Ele trabalhara no instituto alguns anos antes. Depois de ligeira hesitação, que Miranda só percebeu depois de um sinal indicativo de Elise, ela retomou: — Elise montou um escritório para mim. Você poderia vir com a gente um minuto? Queria mostrar o que eu tenho comigo.

— Eu adoraria. — Atrapalhou-se novamente com os óculos e apertou várias teclas do computador para salvar seu trabalho.

— Não é muito grande. — Elise começou a desculpar-se enquanto indicava uma porta a Miranda. — Equipei o escritório com o que achei que ia precisar. Claro que você pode requisitar o que quiser, se precisar de mais alguma coisa.

Miranda deu uma rápida olhada. O computador parecia eficiente. Havia uma grande bancada branca com microscópios, projetor de slides e pequenas ferramentas manuais necessárias ao seu trabalho. Um gravador fora providenciado para detalhamento de notas. Não havia janela, somente uma porta, e, estando os quatro ali dentro, quase não havia espaço para se movimentarem.

Mas havia também uma poltrona, um telefone, e os lápis estavam apontados. Era o suficiente, ela pensou.

Colocou sua pasta na bancada, depois a caixa de metal. Cuidadosamente, retirou a estatueta embrulhada. — Queria sua opinião, dr. Hawthorne. Queria que desse uma olhadinha no bronze.

— Claro. Eu adoraria.

— Esse projeto tem sido o tema mais quente por aqui nos últimos dias — Giovanni acrescentou enquanto Miranda desdobrava o

veludo. — Ah. — Ele deixou escapar um suspiro, enquanto ela colocava a estatueta desembrulhada na bancada. — *Bella, molto bella.*

— Muito bem-feita. — Richard colocou os óculos novamente no lugar e apertou os olhos para analisar a estatueta. — Simples. Fluida. Forma e detalhes maravilhosos. Perspectiva.

— Sensual — Giovanni disse, inclinando-se para olhar de perto. — A arrogância e a sedução femininas.

Miranda franziu uma sobrancelha para Giovanni, prestando atenção em Richard. — Você reconhece?

— É a Senhora Sombria dos Médici.

— Foi essa a minha opinião, também. E o estilo?

— Renascentista, inquestionavelmente. — Richard esticou o dedo na intenção de alcançar a face esquerda do bronze. — Não diria que a modelo foi usada para representar uma figura mítica ou religiosa, mas a si mesma.

— Isso. A senhora no papel de senhora — Miranda concordou. — O escultor fez um retrato dela, eu acho, exatamente como ela era. Pensando como artista, eu diria que eles se conheciam, intimamente. Preciso fazer uma pesquisa de documentos. Sua ajuda vai ser inestimável.

— Fico feliz de poder ajudar. Se isso chegar a ser autenticado como uma obra maior do período renascentista, vai ser uma grande conquista pra Standjo. E pra você, dra. Jones.

Ela já havia pensado nisso. De fato, pensara. Mas sorriu friamente. — Não conto com o ovo dentro da galinha. Se o bronze ficou qualquer período de tempo no lugar onde foi encontrado, e parece que foi isso que aconteceu, a extensão da corrosão foi afetada. Quero testes para confirmar essa possibilidade, claro — acrescentou, dirigindo-se a Giovanni —, mas não posso depender só disso como se fosse uma verdade comprovada.

— Você vai fazer testes comparativos, testes de termoluminescência.

— Vou. — Ela sorriu para Richard novamente. — Também vamos testar o pano e a madeira do degrau da escada. Mas a documentação vai ser conclusiva.

Miranda apoiou o quadril na borda da pequena escrivaninha de carvalho. — Ela foi encontrada no porão da Villa della Donna Oscura, escondida debaixo do último degrau da escada. Vou entregar um relatório com os detalhes que a gente tem até agora pra vocês três. Vocês três, o Vincente e ninguém mais — ela acrescentou. — Segurança é uma das maiores preocupações da diretoria. Qualquer pessoa solicitada pra te assistir tem que ter liberdade total, e as informações que você vai fornecer têm que ser mínimas, até a gente ter concluído todos os testes.

— Então, por enquanto, ela é toda nossa. — Giovanni piscou para ela.

— Minha — Miranda o corrigiu com um sorriso discreto, sério. — Preciso de toda e qualquer informação sobre a villa, sobre a mulher. Quero saber quem ela é.

Richard concordou com a cabeça. — Vou começar imediatamente.

Miranda se virou para a estatueta. — Vamos ver do que ela é feita — murmurou.

ALGUMAS HORAS DEPOIS, MIRANDA RELAXOU OS OMBROS E recostou na poltrona. O bronze diante dela, sorrindo dissimuladamente. Não havia sinal de latão ou silicone, nenhum metal ou material não utilizado na Renascença na lasca de tinta que extraíra. O bronze tinha o interior de argila, exatamente como uma peça da época deveria ter. Os testes iniciais dos níveis de corrosão indicavam o final do século quinze.

Não seja apressada, ordenou a si mesma. Testes preliminares não eram o suficiente. Até agora, estava trabalhando com as negativas. Não havia nada fora do lugar, nenhuma liga que não pertencesse à

época, nenhum sinal de manuseio de alguma ferramenta que não se encaixasse na era em questão, mas ela precisava determinar a parte afirmativa, positiva.

A *Senhora Sombria* era verdadeira ou falsa?

Calmamente, tomou uma xícara de café com biscoitos que Elise providenciara para ela à hora do almoço. A mudança de fuso horário a deixara sonolenta, mas ela recusava-se a se entregar. O café, forte, puro e potente como somente os italianos eram capazes de torrar, adentrou seu sistema e pareceu uma máscara de cafeína para o cansaço. Ela cairia em algum momento, mas não ainda.

Dirigiu-se ao teclado do computador e começou a preparar o relatório preliminar para a mãe. Era tão duro e seco quanto uma tia solteirona, até o momento desprovido de especulações e com pouquíssima personalidade. Deveria pensar no bronze como um quebra-cabeça, um mistério a ser resolvido, mas nem um pedaço desse romance entrou em seu relatório.

Mandou o texto por e-mail. Salvou-o na memória do computador com a proteção de sua senha, depois levou o bronze consigo para o último teste do dia.

A técnica do laboratório falava muito mal o inglês, e se mostrava muito encantada com a filha da *direttrice* para que Miranda se sentisse confortável. Ela criou uma nova tarefa e mandou a moça buscar mais café. Sozinha, começou os testes de termoluminescência.

A radiação ionizada prenderia elétrons em estados elevados de energia no interior de argila da estatueta. Quando aquecidos, os cristais da argila promoveriam pequenas explosões luminosas. Miranda preparou o equipamento, anotando rapidamente cada passo e os resultados num bloco de papel. Tomou nota das medições das pequenas explosões, adicionando-as às notas pessoais de referência. Aumentou a radiação e voltou a aquecer a argila para medir o quanto era suscetível ao aprisionamento de elétrons. As medições foram anotadas cuidadosamente, cada uma a seu tempo.

O próximo passo seria testar os níveis de radiação da localidade onde o bronze fora encontrado. Testou o pedaço de pano empoeirado e a madeira.

Era uma questão matemática agora. Apesar de a acuidade do método ser dificilmente comprovada na sua totalidade, era mais um elemento a ser adicionado ao todo.

Final do século quinze. Ela não tinha dúvida quanto a isso.

Savonarola pregava contra a luxúria e a arte pagã durante esse período, Miranda meditou. A peça era um glorioso chute na bunda daquele ponto de vista limitado. Os Médici controlavam Florença, com o incompetente Piero, o Desafortunado, assumindo as rédeas por um curto período antes de ser expulso da cidade pelo rei Carlos VIII de França.

A Renascença estava deixando sua glória inicial quando o arquiteto Brunelleschi, o escultor Donatello e o pintor Masaccio revolucionaram a concepção e as funções da arte.

Depois, veio a próxima geração com o alvorecer do século dezesseis — Leonardo, Michelangelo, Rafael, inconformados, em busca da originalidade pura.

Ela conhecia o artista. Conhecia-o de coração, por instinto. Não havia nada criado por ele que ela não houvesse estudado tão intensa e completamente quanto uma mulher estuda o rosto de seu amante.

Mas o laboratório não era lugar para usar o coração, lembrou a si mesma, ou o instinto. Faria todos os testes novamente. E ainda uma terceira vez. Compararia a fórmula conhecida dos bronzes daquela época e checaria mais de uma vez cada ingrediente e cada liga utilizados na estátua. Pressionaria Richard Hawthorne para que providenciasse a documentação.

E encontraria as respostas.

# Capítulo Três

O nascer do sol sobre os telhados e as cúpulas de Florença era um momento magnífico. Pura arte e glória. A mesma luz delicada cintilara sobre a cidade quando homens conceberam e construíram as grandes cúpulas e as grandes torres, cobriram-nas com mármore colhido nas montanhas e as decoraram com imagens de deuses e santos.

As estrelas desapareceram e o céu passou do veludo negro ao cinza perolado. A silhueta dos pinheiros compridos e esguios salpicava as colinas toscanas, que, embaçadas pela mudança de luz, balançavam, fluorescentes.

A cidade estava calma, coisa rara, enquanto o sol subia e enchia o ar com fragmentos dourados. As portas de ferro das bancas de jornal e revistas chacoalhavam enquanto o proprietário bocejava e se preparava para o dia de trabalho. Somente algumas poucas luzes acesas nas muitas janelas da cidade. Uma delas era a de Miranda.

Ela se vestiu rapidamente, o olhar na direção oposta do maravilhoso quadro que se pintava calmamente, sozinho, do lado de fora de seu quarto de hotel. Sua cabeça estava no trabalho.

Quanto progresso faria naquele dia? Quão mais perto chegaria das respostas? Lidava com fatos e se ateria a eles, não importava quão tentador fosse passar para o nível seguinte. Nem sempre se pode confiar nos instintos. Na ciência, sim.

Prendeu o cabelo para trás, depois calçou sapatos sem salto e um terno azul-marinho simples.

Chegar cedo garantiria a ela algumas horas de trabalho solitário. Apesar de gostar de ter experts à disposição, a *Senhora Sombria* já se tornara sua propriedade. Pretendia que cada passo daquele projeto tivesse a sua marca.

Levantou seu cartão de identificação para o guarda atrás da porta de vidro. Ele relutou para abandonar seu café da manhã e arrastou-se na sua direção, franzindo o cenho para o cartão, para ela, depois novamente para o cartão. Pareceu suspirar ao destrancar a porta.

— Chegou muito cedo, *Dottoressa* Jones.

— Tenho muito trabalho.

Americanos, até onde o guarda sabia, pensavam muito pouco em outra coisa. — A senhora tem que assinar o livro de presença.

— Claro. — Ao aproximar-se da bancada, o cheiro do café do guarda a alcançou. Ela fez o que pôde para não salivar enquanto assinava seu nome e anotava a hora da chegada.

— *Grazie.*

— *Prego* — ela murmurou e dirigiu-se ao elevador. Faria um café antes de começar, disse para si mesma. Não estaria acordada o suficiente enquanto não tomasse pelo menos uma dose de cafeína.

Usou o cartão-chave para acessar o andar correto, depois digitou seu código quando chegou ao guichê de segurança, do lado de fora do laboratório. Quando apertou os interruptores, algumas lâmpadas fluorescentes se acenderam. Uma rápida olhada em volta indicou

que tudo estava em ordem, que o serviço começado fora muito bem guardado ao final do dia de trabalho.

Era essa a expectativa de sua mãe, pensou. Não toleraria nada menos que eficiência e organização por parte de seus empregados. E dos filhos. Miranda encolheu os ombros, como se tentasse expulsar o ressentimento.

Logo depois, fez café, o computador já ligado, e transcreveu as anotações do dia anterior.

Se gemeu ao contato do primeiro gole de café quente, forte, não havia ninguém para escutar. Recostou-se na cadeira de olhos fechados, sorriso sonhador nos lábios, não havia testemunhas. Por cinco minutos, permitiu-se o mimo de ser uma mulher perdida num dos pequenos prazeres da vida. Seus pés escorregaram para fora dos sapatos de mulher prática, e seu rosto endurecido suavizou-se. Ronronava.

Se o guarda a visse agora, aprovaria completamente seu comportamento.

Depois levantou-se, serviu-se de mais um café, vestiu o jaleco e pôs-se ao trabalho.

Separou primeiro a poeira do lugar, mediu a radiação, fez contas. Mais uma vez, testou a argila que fora cuidadosamente extraída. Colocou um pouquinho de cada um numa palheta, depois preparou uma terceira com as amostras de bronze e tinta, estudando cada uma através das lentes do microscópio.

Analisava a tela do computador quando os primeiros funcionários começaram a chegar. Lá estava Giovanni, procurando-a com uma xícara de café e um bolinho.

— Me diz o que você tá vendo — pediu a opinião dele e continuou avaliando as cores e formas na tela.

— Uma mulher que não sabe relaxar. — Ele descansou as mãos nos ombros de Miranda, afagando-os levemente. — Miranda, você já tá aqui há uma semana e não tirou um minuto sequer de folga.

— A imagem, Giovanni.

— Ah. — Ainda massageando-a, ele mudou de posição, de maneira que suas cabeças ficassem mais próximas. — O primeiro passo no processo de decadência, corrosão. A linha branca é a superfície do bronze, *não*?

— Isso.

— A corrosão está densa na superfície e vai avançando de encontro ao metal, o que pode ser típico num bronze de quatrocentos anos.

— A gente precisa localizar a escala desse avanço.

— Isso nunca é fácil — ele disse. — E ela estava num porão úmido. A corrosão avançaria muito rápido lá.

— Eu estou levando isso em conta. — Ela tirou os óculos para aliviar a pressão nas laterais do nariz. — A temperatura e a umidade. A gente pode calcular a média nesse caso. Nunca ouvi falar de níveis de corrosão assim serem falsificados. Estão lá, Giovanni, dentro dela.

— O pano não tem mais de cem anos. Menos, eu acho, uma ou duas décadas menos.

— Cem? — Irritada, Miranda virou-se para encará-lo. — Tem certeza?

— Tenho. Você vai fazer seus próprios testes, mas vai ver que eu estou certo. Oitenta a cem anos. Não mais que isso.

Ela voltou a olhar para o computador. Seus olhos viam o que já vira, seu cérebro soube o que já sabia. — Tudo bem. Então, vamos imaginar que o bronze tenha sido embrulhado naquele pano e guardado naquele porão há oitenta, cem anos. Mas todos os testes indicam que a estatueta é muito mais antiga.

— Talvez. Vai, toma seu café.

— Humm. — Ela pegou o bolinho e mordeu-o, distraída. — Oitenta anos atrás, começo do século. Primeira Guerra Mundial. Objetos de valor frequentemente são escondidos em tempos de guerra.

— Verdade.

— Mas onde é que ela ficou antes disso? Por que a gente nunca ouviu falar dela? Escondida de novo? — murmurou. — Quando Piero de Médici foi expulso da cidade. Mas esquecida? — Insatisfeita, ela balançou a cabeça em negativa. — Isso não é trabalho de amador, Giovanni. — Deu um comando para imprimir a imagem da tela. — É trabalho de mestre. Tem que existir algum documento, alguma prova em algum lugar. Eu preciso saber mais sobre aquela villa, sobre a mulher. Pra quem ela deixou as suas coisas, quem foi morar lá logo depois que ela morreu? Ela teve filhos?

— Sou químico — ele disse com um sorriso —, não historiador. Pra isso, você precisa do Richard.

— Ele já chegou?

— Ele é superpontual. Espera. — Ele riu, pegando seu braço antes que pudesse escapar. — Janta comigo hoje à noite.

— Giovanni. — Ela deu um aperto carinhoso na mão dele, depois afastou a sua. — Gosto de ver que você se preocupa comigo, mas eu estou bem. Ando muito ocupada pra sair pra jantar.

— Você anda trabalhando demais, e não tá se cuidando. Como eu sou seu amigo, é minha obrigação tomar conta de você.

— Eu prometo que vou pedir um jantar excelente no hotel enquanto trabalho hoje à noite.

Ela encostou os lábios no rosto dele e a porta foi aberta. Elise levantou uma sobrancelha, a boca tensa, em desaprovação.

— Desculpem a interrupção. Miranda, a diretora quer que você dê um pulo na sala dela às quatro e meia pra vocês discutirem o progresso dos seus testes.

— Claro. Elise, você sabe dizer se o Richard tá livre um minuto?

— Todo mundo está à sua disposição.

— Foi exatamente o que eu disse pra ela. — Claramente imune ao gelo, Giovanni sorriu, depois deixou a sala.

— Miranda. — Depois de uma breve hesitação, Elise entrou na sala e fechou a porta. — Espero que você não se ofenda, mas acho que tenho que te avisar que o Giovanni...

Maliciosamente divertida com o desconforto óbvio de Elise, Miranda limitou-se a sorrir discretamente. — Giovanni?

— Ele é brilhante no trabalho, uma peça valiosa pra Standjo. Mas na vida pessoal é um mulherengo, um conquistador.

— Eu não diria isso. — Com a cabeça inclinada, Miranda colocou os óculos, baixando-os um pouco para olhar sobre a armação. — Um conquistador usa as mulheres. O Giovanni é um doador.

— Isso pode ser verdade, mas o fato é que ele flerta com todas as mulheres da equipe.

— Inclusive você?

As sobrancelhas arqueadas de Elise juntaram-se. — Uma vez, e entendo isso como parte da personalidade dele. Ainda assim, o laboratório não é lugar pra isso, nem pra beijos roubados.

— Meu Deus, você tá parecendo a minha mãe! — E nada teria irritado mais Miranda. — Mas vou ficar com isso na cabeça, Elise, da próxima vez que Giovanni e eu resolvermos brincar de fazer sexo selvagem no laboratório.

— Eu não quis te ofender. — Elise suspirou, levantou as mãos, impotente. — Eu só queria... é só porque ele pode ser muito sedutor. Eu quase caí nessa quando fui transferida pra cá. Estava me sentindo tão deprimida, tão infeliz.

— Estava?

A frieza no tom de Miranda fez com que Elise contraísse os ombros. — O divórcio do seu irmão me fez sair correndo atrás de alegria, Miranda. Foi uma decisão difícil e dolorosa, e eu só posso esperar ter feito o que era certo. Eu amava o Drew, mas ele... — Sua voz fraquejou e ela sacudiu energicamente a cabeça. — Só posso dizer que isso não era o suficiente pra nenhum de nós.

Os olhos marejados de Elise suscitaram em Miranda uma pontada de vergonha. — Desculpe — murmurou. — Aconteceu tão rápido. Achei que você não tinha dado a mínima.

— Mas eu dei. Ainda dou — ela suspirou, depois piscou os olhos, tentando fazer com que as lágrimas ameaçadoras desaparecessem do seu rosto. — Queria que tivesse sido diferente, mas o fato é que não foi, e não é diferente. Tenho que viver a minha vida.

— Claro. — Miranda encolheu os ombros. — Andrew anda tão mal, e é mais fácil pra mim culpar você. Nunca acho que o fim de um casamento é culpa só de uma pessoa.

— Eu acho que nenhum dos dois tinha talento pro casamento. Pareceu mais limpo, honesto e até mesmo mais gentil acabar do que continuar fingindo.

— Como meus pais?

Elise arregalou os olhos. — Ah, Miranda, eu não queria...

— Tudo bem. Concordo com você. Meus pais não vivem sob o mesmo teto há mais de vinte e cinco anos, mas nenhum deles se deu o trabalho de terminar, honesta ou gentilmente. O Andrew pode ter ficado mal, mas, no final das contas, eu prefiro a sua maneira de resolver as coisas.

Era, ela admitia, o caminho que teria tomado — se alguma vez tivesse cometido o erro de se casar, em primeiro lugar. Divórcio, decidira, era a alternativa mais humana à pálida ilusão do casamento.

— Posso me desculpar pelos pensamentos perversos que tive a seu respeito no último ano?

Os lábios de Elise se curvaram. — Não precisa. Eu entendo sua lealdade ao Drew. Admiro isso, sempre admirei. Sei como vocês dois são próximos.

— Juntos, ficamos de pé; divididos, temos que correr pra terapia.

— A gente nunca conseguiu realmente ser amiga. Fomos colegas, fomos parentes, mas nunca amigas, mesmo com tudo que temos em comum. Talvez seja impossível, mas eu gostaria de pensar que pelo menos a gente tem uma relação amigável.

— Eu não tenho muitos amigos. — Muita intimidade é um risco, Miranda pensou com uma pitada de desgosto. — Seria bobagem da minha parte recusar uma oferta de amizade.

Elise abriu a porta novamente. — Eu também não tenho muitas amigas — disse baixinho. — É bom que você seja uma.

Tocada, Miranda acompanhou Elise até a saída da sala, depois juntou as suas impressões e provas para trancá-las no cofre.

Pressionara Carter rapidamente, designando-o para checar todas as fontes para fórmulas de estatuetas da era apropriada — apesar de já tê-lo feito ela mesma, e apesar de que o faria mais uma vez.

Encontrou Richard praticamente enterrado no computador e nos livros. Seu nariz arranhava as páginas como um cão farejador.

— Encontrou alguma coisa útil?

— Ahn? — Ele piscou diante da página, mas não levantou o olhar. — A villa foi finalizada em 1489. Lorenzo de Médici contratou um arquiteto, mas a função ficou a cargo de Giulietta Buonadoni.

— Ela era uma mulher poderosa. — Miranda puxou uma cadeira, remexeu os papéis. — Não era comum pra uma amante ser dona de uma propriedade tão valiosa. Ela conseguiu uma coisa incrível.

— As mulheres muito bonitas já têm um poder enorme — ele balbuciou. — As inteligentes sabem como usar esse poder. A história revela que ela era inteligente.

Intrigada, Miranda tirou a foto da estatueta de sua pasta. — Dá pra ver no rosto dela que era uma mulher que sabia quanto valia. Que mais?

— O nome dela aparece de vez em quando. Mas não tem muitos detalhes. A linhagem, por exemplo, está enterrada, perdida no tempo. Não consigo descobrir nada. As primeiras menções a ela que encontrei começam em 1487. Existem indicações de que ela era membro da família dos Médici, provavelmente prima de Clarice Orsini.

— Então, seguindo por aí, Lorenzo pegou a prima da mulher como amante. Manteve tudo em família — disse com um sorriso. Richard simplesmente concordou com um gesto de cabeça.

— Isso explicaria como ela chamou a atenção dele. Apesar de outra fonte indicar que ela pode ter sido a filha ilegítima de um dos

membros da Academia Neoplatônica de Lorenzo. Isso também teria feito com que estivesse na mira dele. Seja lá como se conheceram, ele a colocou dentro da villa em 1489. Segundo todos os relatos, ela era tão devota às artes quanto ele, e usou seu poder e influência para juntar as estrelas da época sob seu teto. Ela morreu em 1530, durante o sítio a Florença.

— Interessante. — Mais uma vez, ela pensou, uma época em que coisas de valor deveriam ser guardadas em segredo. Inclinando-se para trás, levantou os óculos. — Então ela morreu antes de ter certeza de que os Médici continuariam no poder.

— Parece que sim.

— Filhos?

— Não descobri nada sobre filhos.

— Me empresta alguns desses livros — ela resolveu. — Vou te ajudar a procurar.

VINCENTE MORELLI ERA QUASE UM TIO PARA MIRANDA. Conhecia os pais dela desde antes de seu nascimento, e, por muitos anos, administrara a publicidade, as promoções e os eventos do instituto, no Maine.

Quando sua primeira mulher adoeceu, ele a levou de volta a Florença, seu lar, e a enterrou ali, doze anos antes. Sofreu por três anos; depois, para surpresa de todos, casou-se repentinamente com uma atriz de sucesso marginal. O fato de Gina ser dois anos mais jovem que sua filha mais velha causou algum constrangimento na família, e alguns sorrisos maldosos por parte dos sócios.

Vincente era redondo como um barril, tinha a barriga como a de Pavarotti e pernas de gambito, enquanto sua mulher parecia Sophia Loren, quando jovem, exuberante, sensual e linda. Raramente era vista sem muito ouro e pedras preciosas no pescoço, punhos ou orelhas.

Os dois falavam alto, eram escandalosos e, ocasionalmente, grosseiros. Miranda era fã dos dois, mas muitas vezes se perguntava

como um casal tão extrovertido conseguia manter-se associado à sua mãe.

— Mandei cópias dos relatórios lá pra cima — Miranda disse a Vincente quando ele adentrou seu escritório, enchendo-o com seu corpanzil e sua personalidade. — Achei que você ia querer acompanhar a evolução das coisas pra, quando chegar a hora de fazer os pronunciamentos para a mídia, já ter dado tempo de ter explorado bem os arquivos.

— Claro, claro. Os fatos são simples de descrever, mas o que você acha, *cara*? Me dê alguma tinta nova.

— Eu acho que a gente ainda tem algum trabalho a fazer.

— Miranda — ele disse devagar, com um sorriso persuasivo, e reclinou-se na cadeira, que gemeu de maneira alarmante sob seu peso. — Sua linda mãe atou minhas mãos até ter... como é que se diz?... até ter todos os pingos nos *is*. Então, quando eu puder levar essa história pra imprensa, ela tem que causar impacto, paixão e romance.

— Se ficar comprovado que o bronze é verdadeiro, você vai causar impacto.

— Claro, claro, mais do que isso. A adorável e talentosa filha da *direttrice* vem do outro lado do oceano. Uma lady para cuidar da outra. O que você acha dela? O que você sente por ela?

Miranda levantou uma sobrancelha e bateu com o lápis na beirada da mesa. — Eu acho que a estátua tem noventa centímetros e quatro milímetros de altura, vinte e quatro quilos e sessenta e oito gramas de peso. É um nu feminino — continuou, contendo um sorriso enquanto Vincente virava os olhos e mirava o teto —, concebida em estilo renascentista. Os testes até agora indicam que foi feita na última década do século quinze.

— Você é parecida demais com a sua mãe.

— Você não vai conseguir nada me insultando — Miranda o advertiu, e sorriram um para o outro.

— Você dificulta meu trabalho, *cara*. — Quando chegasse a hora certa, ele pensou, usaria seu próprio ponto de vista no press release.

ELIZABETH VISTORIOU OS RELATÓRIOS COM OLHOS ATENTOS. Miranda fora bastante cuidadosa com os fatos, os números, as fórmulas, com cada passo e cada etapa de todos os testes. Mas ainda era possível ver qual a sua tendência, e que resultado acreditava que aquilo teria.

— Você acha que é verdadeira.

— Todos os testes indicam que a idade do bronze está entre quatrocentos e quinhentos anos. Você tem as cópias das fotos e dos testes químicos no computador.

— Quem fez os testes?

— Eu.

— E a termoluminescência? Quem conduziu?

— Eu.

— E a datação do estilo também é sua. A documentação é resultado de sua pesquisa. Você supervisionou os testes químicos e testou pessoalmente a tinta e o metal, comparou as fórmulas.

— Não foi pra isso que você me trouxe aqui?

— Foi, mas eu também providenciei uma equipe de peritos pra você. Esperava que fizesse mais uso deles.

— Quando eu mesma coordeno os testes, tenho mais controle das coisas — Miranda disse secamente. — As chances de erro são menores. Esse é o meu campo. Já autentiquei quatro peças dessa época, três delas eram de bronze, uma delas um Cellini.

— O Cellini tinha documentação incontestável e registros de escavação.

— Independentemente disso — Miranda falou com ressentimento latente. Apesar de imaginar-se sacudindo as mãos, os punhos no ar, manteve os braços levemente pendidos nas laterais do corpo. — Fiz precisamente os mesmos testes pra poder descartar a hipótese de falsificação. Consultei o Louvre, o Instituto Smithsoniano, o Bargello. Acredito que minhas credenciais estejam em ordem.

Elizabeth inclinou-se para trás, cansada. — Ninguém está questionando suas credenciais ou sua capacidade. Eu dificilmente chamaria você se duvidasse de uma das duas coisas.

— Então, por que tantos questionamentos agora que eu já concluí o trabalho?

— Estou só comentando a falta de trabalho de equipe, Miranda, e estou preocupada, porque acho que você formou sua opinião no instante em que viu o bronze.

— Reconheci o estilo, a época e o artista. — Exatamente como você, Miranda pensou, furiosa. Inferno, exatamente como você! — No entanto — continuou, friamente —, conduzi todos os testes de praxe, depois parei, documentei todo o procedimento e todos os resultados. A partir de então, pude concluir que o bronze atualmente trancado no cofre é uma representação de Giulietta Buonadoni, feita por volta do fim do século quinze, e é obra de Michelangelo Buonarroti, quando jovem.

— Concordo que o estilo seja o mesmo da escola de Michelangelo.

— O bronze é um trabalho muito antigo pra ser da escola dele. Ele não tinha ainda vinte anos. E só gênios produzem gênios.

— Que eu saiba, não existe nenhuma documentação sobre um bronze desse artista que diga respeito a esse trabalho.

— Então essa documentação ainda vai ser encontrada ou nunca existiu. Temos documentos de várias obras que desapareceram. Por que não ter uma peça sem a documentação? O desenho do afresco da Batalha de Cascina. Perdido. O bronze de Júlio II, destruído e derretido, muitos dos desenhos aparentemente queimados por ele mesmo pouco antes de morrer.

— De qualquer forma, sabemos que existiram.

— *A Senhora Sombria* existe. A idade está correta, o estilo idem, principalmente de acordo com os primeiros trabalhos. Ele devia ter uns dezoito anos quando essa peça foi fundida. Já havia feito a *Madona da Escada*, a *Batalha dos Centauros contra os Lápidas*. Já havia mostrado sua genialidade.

Considerando-se uma mulher paciente, Elizabeth simplesmente concordou com a cabeça. — Não se discute que o bronze é um trabalho superior, e que tem o estilo dele. Isso, no entanto, não prova a autoria.

— Ele viveu no palácio dos Médici, era tratado como filho de Lorenzo. Ele a conhecia. *Existe* documentação comprovando que eram bem chegados. Ela foi muitas vezes usada como modelo. Seria mais estranho se nunca tivesse posado pra ele. Você sabia que existia essa possibilidade quando mandou me chamar.

— Possibilidade e fato são coisas bem diferentes, Miranda. — Elizabeth cruzou as mãos. — Você mesma disse que não lida com possibilidades.

— Eu estou te dando fatos. A fórmula do bronze tá correta, absolutamente correta, os raios X comprovaram que a ferramenta utilizada é autêntica da época. O interior de argila e as amostras foram datados. Os testes revelaram o avanço de corrosão profunda. A pátina tá correta. O bronze é do final do século quinze. Mais provavelmente da última década.

Ela levantou a mão antes que a mãe pudesse falar. — Sendo especialista no campo, e depois de uma análise cuidadosa e objetiva da peça, minha conclusão é que o bronze é um trabalho de Michelangelo. Tudo o que falta é a assinatura dele. E ele não assinava as peças, com exceção da *Pietà* em Roma.

— Não vou discutir os resultados dos seus testes. — Elizabeth inclinou a cabeça. — Mas tenho restrições às suas conclusões. Não posso correr o risco de deixar seu entusiasmo pesar em todos os lados. Você não vai dizer nada disso a ninguém da equipe, por enquanto. E insisto que não diga nada fora do laboratório. Se algum rumor vazar para a imprensa, vai ser um desastre.

— Dificilmente eu ligaria pra todos os jornais, pra anunciar que autentiquei um Michelangelo perdido. Mas eu autentiquei. — Ela colocou as mãos sobre a mesa e inclinou o corpo à frente. — Eu sei disso. E, mais cedo ou mais tarde, você vai ter que admitir isso.

— Nada me dará mais prazer, garanto a você. Mas, até lá, isso deve ser mantido em segredo.

— Eu não estou nisso pela glória. — Apesar de poder experimentá-la, na ponta da língua. Podia senti-la, fazendo coçar as pontas dos dedos.

— Todos nós estamos nisso pela glória — Elizabeth corrigiu a filha com um ligeiro sorriso. — Por que fingir o contrário? Se sua teoria se comprovar, você terá uma glória enorme. Se não, e for prematura em suas declarações, vai arruinar sua reputação. E a minha, além da desta instituição. Isso, Miranda, eu não vou permitir. Pode continuar a pesquisa dos documentos.

— É o que eu pretendo fazer. — Miranda girou nos calcanhares e saiu indignada. Juntaria uma pilha de livros, levaria tudo de volta ao hotel, e, por Deus, disse a si mesma, encontraria a conexão necessária.

ÀS TRÊS DA MANHÃ, QUANDO O TELEFONE TOCOU, ELA SE sentou na cama, rodeada de livros e documentos. Os dois toques a tiraram de algum sonho colorido em meio a colinas e jardins com estátuas de mármore, fontes musicais e som de harpas.

Desorientada, piscou diante das luzes deixadas acesas e agarrou o telefone.

— *Pronto.* Dra. Jones. Alô?

— Miranda, eu preciso que você venha até minha casa o mais rápido possível.

— O quê? Mãe? — Olhou a imagem embaçada do relógio na mesa de cabeceira. — São três da manhã.

— Sei exatamente que horas são. Assim como o assistente do ministro, que foi acordado há mais ou menos vinte minutos por um repórter pedindo detalhes do bronze perdido de Michelangelo.

— O quê? Mas...

— Não quero discutir isso por telefone. — A voz de Elizabeth apresentava frieza e fúria muito pouco disfarçadas. — Você lembra como se chega aqui?

— Claro que sim.

— Espero você em trinta minutos — ela disse, segundos antes de desligar o telefone.

Miranda chegou em vinte.

A casa de Elizabeth era pequena e elegante, uma residência de dois andares típica de Florença, com paredes em tom de marfim e telhas vermelhas. Flores jorravam de vasos e jardineiras nas janelas, e eram cuidadas religiosamente pela empregada.

No escuro, as janelas brilhavam, fachos de luz atravessavam as persianas fechadas. Era espaçosa, pelo que Miranda recordava, um espaço atraente para o entretenimento. Não teria ocorrido nem à mãe nem à filha dividirem o espaço enquanto Miranda estivesse em Florença.

A porta foi escancarada antes que ela pudesse bater. Elizabeth estava de pé, com boa aparência e perfeitamente apresentável no robe de cor pêssego.

— O que foi que aconteceu?

— É exatamente a minha pergunta. — Controle absoluto era o que impedia Elizabeth de bater a porta. — Se essa foi a sua maneira de provar seu argumento, de expor sua *expertise* ou de me causar constrangimento profissional, tudo que você conseguiu foi a última opção.

— Não sei do que você tá falando. — Miranda não perdera tempo ajeitando o cabelo e passava a mão impaciente nos fios, na tentativa de tirá-los dos olhos. — Você disse que um jornalista ligou...

— Exatamente.

Ereta como um general, Elizabeth voltou-se e andou até o gabinete. A lareira estava preparada, mas ainda não acesa. A luz dos abajures fazia com que o chão encerado de madeira luzisse. Havia um

vaso de rosas brancas na cornija da lareira e nada mais. As cores eram suaves e pálidas.

Parte da mente de Miranda registrava o de sempre quando entrava naquele ou em qualquer cômodo da casa. Era mais um showroom que um lar, tão frio quanto.

— O jornalista, é claro, se recusou a revelar a fonte. Mas ele tinha muitas informações.

— O Vincente nunca iria prematuramente à imprensa.

— Não — Elizabeth concordou friamente. — O Vincente não faria isso.

— Será que o encanador, como é mesmo o nome dele?, falou com um repórter?

— O encanador não poderia dar fotos com os resultados dos testes do bronze.

— Resultados dos testes? — Como seus joelhos de repente fraquejaram, Miranda sentou-se. — Dos meus testes?

— Testes da Standjo — Elizabeth disse entre os dentes. — Apesar de você ter conduzido o processo, os resultados ainda são responsabilidade do meu laboratório. E a segurança desse laboratório foi quebrada.

— Mas como... — Ela voltara ao lar agora, com o tom, o olhar no rosto da mãe. Levantou-se devagar. — Você acha que eu liguei pra um jornalista e dei as informações? Que ofereci fotos e resultados de testes?

Elizabeth simplesmente estudou o rosto enfurecido de Miranda.
— Você fez isso?

— Não, eu não fiz. Mesmo que a gente não tivesse discutido as consequências, eu nunca prejudicaria um projeto dessa maneira. A minha reputação também tá em jogo.

— E é exatamente a sua reputação que você poderia estar tentando valorizar.

Miranda olhou Elizabeth nos olhos e viu que sua opinião já estava formada. — Você pode ir pro inferno!

— O repórter fez citações do seu relatório.

— Direto pro inferno! E pode levar seu precioso laboratório junto. Ele sempre foi mais importante pra você do que seu próprio sangue.

— Meu precioso laboratório deu a você treinamento e emprego, além do potencial para que chegasse ao topo na sua área. Agora, por causa da pressa, da teimosia e do ego, minha integridade profissional está em jogo, e a sua reputação pode muito bem ter sido arruinada. O bronze está sendo transferido para outro lugar hoje.

— Transferido?

— Fomos demitidos — Elizabeth despejou, depois pegou o telefone, que começara a tocar numa mesa ao seu lado. Os lábios se contraíram e o ar saiu-lhe num fio, de uma vez só. — Sem comentários — disse em italiano e desligou. — Outro jornalista. O terceiro que liga para o meu número particular.

— Não importa. — Apesar do estômago revirado, Miranda falou calmamente. — Que transfiram a estatueta! Qualquer laboratório sério vai confirmar as minhas descobertas.

— Foi exatamente esse tipo de arrogância que nos colocou onde estamos agora. — Seus olhos destilavam tanta frieza que Miranda não reparou as olheiras escuras. — Trabalhei anos para chegar onde estou, para construir e manter uma instituição que está, sem sombra de dúvida, entre as melhores do mundo.

— Isso não vai mudar. Esse tipo de vazamento de informação acontece até mesmo nas melhores instituições.

— Não na Standjo. — A seda do robe de Elizabeth balançava enquanto ela andava de um lado para outro. Os chinelos combinando não faziam barulho algum ao pisarem as rosas em flor do tapete. — Vou começar a reparar esse erro imediatamente. Espero que você evite a imprensa e pegue o primeiro voo disponível de volta para o Maine.

— Não vou embora enquanto isso não estiver terminado.

— Está terminado para você. Seus serviços não são mais necessários na Standjo, em Florença. — Deu as costas para a filha, o rosto

composto, os olhos cansados, frios e diretos. — Sua permissão de ir e vir está cancelada.

— Entendi. Uma execução rápida, sem julgamento. Eu não devia estar surpresa — disse meio para si mesma. — Por que será que fiquei?

— Isso não é hora para drama.

Como seus nervos estavam à flor da pele, Elizabeth foi indulgente consigo mesma e dirigiu-se ao armário de bebida. Um latejamento insistente na base do crânio lhe causava mais irritação que dor.

— Vai me dar um trabalho enorme manter o nível da Standjo depois de uma coisa como essa. E vou ser questionada, vão fazer muitas perguntas. — De costas para Miranda, Elizabeth jogou duas doses de conhaque na coqueteleira. — Seria melhor você não estar no país quando começar a sessão de perguntas.

— Eu não tenho medo de perguntas. — O pânico insinuava-se agora, escalando, sorrateiro, sua espinha. Ela seria mandada embora, *A Senhora Sombria* lhe seria tirada. Seu trabalho seria questionado, sua integridade, abalada. — Não fiz nada ilegal ou que não fosse ético. E vou sustentar minha autenticação do bronze. Porque é correta. Porque é real.

— Para o seu próprio bem, espero. A imprensa está com seu nome, Miranda. — Elizabeth levantou sua bebida, num brinde inconsciente. — Acredite-me, eles o usarão.

— Que usem!

— Arrogância — Elizabeth disse entre os dentes. — Obviamente você não se deu conta de que suas atitudes vão ter reflexo em mim, pessoal e profissionalmente.

— Você pensou nisso — Miranda rebateu — quando me trouxe pra verificar e corroborar sua própria suspeita. Você pode dirigir a Standjo, mas não tem qualificação pra esse tipo de trabalho. Você queria a glória. — O coração de Miranda batia dolorosamente em

sua garganta quando se aproximou da mãe. — Você me chamou porque carrego o seu nome, o seu sangue, por mais que nós duas lamentemos isso.

Os olhos de Elizabeth estreitaram-se. A acusação não era inexata, mas também não estava completa. — Eu dei a você a oportunidade da sua vida, por causa da sua qualificação e, é verdade, porque você é uma Jones. Você estragou essa oportunidade, e a minha instituição no caminho.

— Eu não fiz nada além do que me trouxe aqui. Não falei com ninguém de fora da instituição, e com ninguém de dentro que não estivesse dentro dos seus critérios de segurança.

Elizabeth respirou fundo. Sua decisão já fora tomada, lembrou a si mesma. Não havia sentido continuar discutindo. — Você vai deixar a Itália hoje. Não vai voltar ao laboratório, nem contatar ninguém que trabalha lá; se você não concordar, serei forçada a extinguir sua função no museu.

— Você não dirige mais o instituto, nem o papai. Andrew e eu dirigimos.

— Se você quer que continue a ser assim, vai fazer o que estou dizendo. Acredite ou não, estou tentando evitar constrangimentos para você.

— Não quero que você me faça nenhum favor, mamãe. Não é bom manchar a sua ficha. — Banida, era tudo em que conseguia pensar. Cortada do trabalho mais excitante de sua vida, e mandada embora tão impotente quanto uma criança de castigo no quarto.

— Dei a você uma opção, Miranda. Se ficar, estará sozinha. E não será mais bem-vinda em nenhuma das instalações da Standjo, nem mesmo no Instituto de História da Arte da Nova Inglaterra.

Miranda sentiu um tremor percorrer-lhe o corpo, um tremor de medo e raiva. Mesmo ouvindo ecos de gritos internos de pavor e ódio, disse calmamente: — Nunca vou te perdoar por isso. Nunca. Mas eu vou embora, porque o instituto é importante pra mim.

E porque, quando isso tudo acabar, você vai ter que pedir desculpas, e eu vou te mandar pro inferno. Essas vão ser as últimas palavras que vou dizer pra você.

Pegou a coqueteleira das mãos da mãe.

— *Salute* — disse, e bebeu tudo com confiança. Jogou o objeto no chão, o ruído de vidro se quebrando, virou-se e saiu. Ela não olhou para trás.

# Capítulo Quatro

Andrew Jones estava pensando em casamento e fracasso enquanto bebia Jack Daniel's, puro, num copo pequeno. Sabia muito bem que todo mundo que o conhecia achava que já havia passado da hora de virar a página do divórcio e seguir em frente.

Mas ele não sentia assim, agora que era tão confortante chafurdar na lama.

O casamento fora um grande passo para ele, passo que considerara cuidadosamente, apesar de estar loucamente apaixonado na época. Assumir um compromisso assim, traduzir uma emoção em documento legal, lhe proporcionara muitas noites em claro. Ninguém do lado dos Jones conseguira ter sucesso no casamento.

Ele e Miranda chamavam isso de maldição dos Jones.

Sua avó sobrevivera ao marido por mais de uma década e nunca — pelo menos que o neto soubesse — tivera algo de bom a dizer sobre o homem com quem vivera por mais de trinta anos.

Era difícil culpá-la, já que o último e não chorado Andrew Jones era conhecido por sua infame afeição às louras jovens e ao Jack Daniel's Black.

Seu xará também sabia que o avô era bastardo, inteligente e bem-sucedido, mas um bastardo, mesmo assim.

O pai de Andrew preferira as escavações aos incêndios caseiros e passara a maior parte da infância do filho longe, escovando poeira antiga de ossos antigos. Quando estava em casa, concordava com tudo o que a esposa dizia, piscava para as crianças, como se esquecido de como haviam ido parar no seu campo de visão, e trancava-se por horas em seu escritório.

Mulheres e uísque não eram o problema de Charles Jones. Seu objeto de adultério e negligência sempre fora a ciência.

Não que a grande dra. Elizabeth Standford-Jones desse a mínima, Andrew pensou enquanto bebericava o que intencionara ser um drinque amigável no bar Annie's Place. Ela entregara as crianças aos cuidados dos empregados, geria a casa como um general nazista e ignorava o marido de maneira tão sublime quanto ele a ignorava.

Andrew sempre estremecia ao imaginar que pelo menos duas vezes esses dois sangues-frios, autorreferentes, tinham se embolado na cama por tempo suficiente para conceber um casal de filhos.

Quando menino, Andrew sempre fantasiara que Charles e Elizabeth haviam comprado os filhos de algum casal pobre que chorara copiosamente ao trocar as crianças por dinheiro para o aluguel.

Quando ficou mais velho, gostava de imaginar que ele e Miranda haviam sido criados em laboratório, experimentos concebidos através da ciência, em vez de sexo.

Mas o triste fato era que havia muito de Jones nele para que não fosse algo natural.

Sim, pensou, e levantou o copo. Charles e Elizabeth se enroscaram na cama em carícias quentes. Ele fizera o melhor para que o

casamento desse certo, para fazer Elise feliz, para ser o tipo de marido que ela queria e quebrar a maldição dos Jones.

E falhara completamente.

— Vou tomar outro, Annie.

— Não vai, não.

Andrew revirou no banco, suspirou. Conhecia Annie McLean desde sempre, e sabia como lidar com ela.

Quando tinham dezessete anos, em pleno verão, embolaram-se sobre um lençol velho na areia e fizeram amor à beira das ondas do Atlântico.

Ele achava que o sexo casual — a primeira vez para os dois — tinha tanto a ver com a cerveja que haviam consumido, a noite em si e a tolice da juventude quanto as ondas de calor que esbanjavam de seus corpos.

E nenhum dos dois poderia saber o que aquela única noite, aquelas poucas horas ardentes ao mar, faria a ambos.

— Anda, Annie, me deixa tomar mais um.

— Você já tomou dois.

— Então, mais um não vai fazer diferença.

Annie abriu a cerveja e deslizou a garrafa graciosamente pelo balcão de cerejeira do bar em direção ao cliente. Rapidamente, limpou as mãos estreitas no avental.

Com um metro e sessenta e oito, e cinquenta e oito quilos bem distribuídos, Annie McLean aparentava competência.

Um grupo seleto — incluindo o ex-marido traidor — sabia que havia uma delicada borboleta azul tatuada em seu bumbum.

Seu cabelo cor de trigo era curto e espetado, e emoldurava um rosto mais interessante que bonito. O queixo era pontudo, o nariz ligeiramente para o lado e salpicado de sardas. Seu sotaque era típico da Nova Inglaterra e tendia a não valorizar as vogais.

Podia, e já o fizera, expulsar homens adultos de seu bar com as próprias mãos calejadas, mãos de trabalhadora.

O Annie's Place era dela por esforço próprio. Usara cada centavo das economias do tempo de garçonete no bar — cada centavo

que o ex-marido escorregadio não levara. Implorara e pegara emprestado o resto. Trabalhara noite e dia para transformar o que fora nada mais que um porão num confortável bar de bairro.

Dirigia um lugar limpo, conhecido por frequentadores regulares, suas famílias, seus problemas. Sabia quando oferecer uma nova rodada, quando servir o café para o cliente, quando pedir as chaves do carro e chamar um táxi.

Olhou para Andrew e balançou a cabeça. Beberia até cair, se deixasse.

— Andrew, vai pra casa. Come alguma coisa.

— Eu não tô com fome. — Ele sorriu, sabendo como usar suas covinhas. — Tá frio lá fora e tá chovendo, Annie. Só quero tomar uma coisinha pra esquentar o sangue.

— Tudo bem. — Virou-se para a máquina de café e encheu uma caneca. — Tá quentinho e fresco.

— Jesus! Posso descer a rua e conseguir um drinque sem tanto sofrimento.

Ela simplesmente arqueou as sobrancelhas. — Toma o seu café e para de reclamar. — Com isso, continuou seu trabalho.

A chuva mantivera a maioria de seus clientes em casa. Mas aqueles que corajosamente haviam desafiado a tempestade estavam grudados a seus bancos, bebendo cerveja, vendo o canal de esportes na tevê, envolvidos em conversas.

Havia fogo queimando na pequena lareira de pedra, alguém colocara moedas na jukebox e selecionara Ella Fitzgerald.

Era seu tipo de noite. Quente, amigável, fácil. Era esse o motivo que a levara a arriscar cada centavo, a escalavrar as mãos, a ficar acordada e preocupada na cama, noite após noite. Poucas pessoas acreditaram que ela poderia ser bem-sucedida na empreitada: uma mulher de vinte e seis anos cuja única experiência era servir canecas de cerveja e contar gorjetas.

Sete anos depois, o Annie's Place era tradição em Jones Point.

Andrew acreditara nela, ela se lembrou com uma pontada de culpa ao vê-lo sair do bar. Ele lhe emprestara dinheiro quando os bancos não o fizeram. Levava sanduíches quando ela estava pintando as paredes e o chão de madeira. Dera ouvidos aos seus sonhos quando outros os ignoraram.

Ele achava que lhe devia alguma coisa, ela pensava agora. E era um homem decente que pagava as próprias contas.

Mas ele não poderia apagar a noite dezesseis anos antes, quando, perdida de amor por ele, ela lhe entregara sua inocência, tomando a dele. Ele não a faria esquecer que com isso haviam criado vida, vida que brilhara por pouco tempo.

Ele não a faria esquecer o olhar em seu rosto quando, com a alegria dando voltas sob o medo, ela lhe contara que estava grávida. Andrew empalidecera, enrijecera sentado na pedra da praia, os olhos fixos no mar.

E sua voz soara seca, fria, impessoal, ao fazer a oferta de casar-se com ela.

A oferta de pagamento de uma dívida, ela pensava agora. Nada mais, nada menos. Oferecendo o que a maioria consideraria honrado ele partira seu coração.

Perder o bebê, duas semanas depois, fora parte do destino, ela imaginou. Livrara a ambos de decisões onerosas. Mas ela amara o que crescia dentro de seu corpo, assim como amara Andrew.

Quando finalmente aceitou que o bebê se fora, deixou de amar. Isso, ela sabia, fora mais um alívio para Andrew que para ela.

Era muito mais fácil dançar o ritmo da amizade que as batidas desgovernadas do coração.

DROGA, MULHERES ERAM A MALDIÇÃO DA EXISTÊNCIA, Andrew concluiu ao destrancar o carro e postar-se atrás do volante. Sempre lhe dizendo o que fazer, como fazer e, acima de tudo, como você sempre está fazendo tudo errado.

Estava feliz de ter encerrado a carreira com elas.

Estava muito melhor enterrando-se no trabalho do instituto de dia e embaçando seus limites com uísque à noite. Ninguém se feria dessa maneira. Especialmente ele.

Agora estava mais sóbrio, e a noite que tinha pela frente era muito longa.

Dirigiu sob a chuva, perguntando-se como seria simplesmente continuar dirigindo. Até ficar sem combustível e começar de novo em qualquer lugar. Poderia mudar de nome, conseguir um trabalho numa construção. Era forte e tinha boas mãos. Talvez o trabalho árduo, manual, fosse a resposta.

Ninguém saberia quem ele era ou esperaria algo dele.

Mas ele sabia que não o faria. Nunca deixaria o instituto. Era, como nada em sua vida fora, seu lar. Precisava dele tanto quanto era necessário à instituição.

Bem, ele tinha uma garrafa ou duas em casa. Não havia razão alguma para não tomar alguns drinques em frente à sua própria lareira, para relaxar, até que sentisse o sono se aproximando.

Mas viu luzes piscando sob a chuva ao subir a estradinha sinuosa. Miranda. Não esperava encontrar a irmã em casa, não por alguns dias. Seus dedos apertaram o volante quando pensou nela em Florença, com Elise. Precisou de vários minutos depois de estacionar o carro até que fosse capaz de se sentir relaxado.

O vento o recebeu com uma rajada ao abrir a porta do carro. A chuva lambeu-lhe o rosto e encharcou seu colarinho. Acima das cumeeiras da casa, o céu explodia em relâmpagos.

Uma noite tempestuosa. Imaginou Miranda dentro de casa, apreciando a chuva. Ela adorava uma boa tempestade. Para si, ele queria paz, silêncio e esquecimento.

Apressou-se em direção à porta, depois sacudiu-se como um cachorro, assim que entrou no hall. Pendurou o casaco encharcado no velho suporte de carvalho e passou a mão no cabelo sem olhar-se

no espelho antigo. Podia ouvir os tons funestos do *Réquiem*, de Mozart, ecoando no gabinete.

Se Miranda estava ouvindo isso, sabia que a viagem não tinha ido bem.

Encontrou-a enroscada numa poltrona em frente à lareira, embrulhada no seu robe cinza preferido, tomando chá na melhor louça da avó.

Todas as suas ferramentas de conforto organizadamente em seus lugares.

— Você voltou cedo.

— Parece que sim. — Ela estudou o irmão. Tinha certeza de que estivera bebendo, mas seus olhos estavam claros, a cor normal. Pelo menos estava ligeiramente sóbrio.

Apesar de querer um drinque, Andrew sentou-se diante dela. Era fácil perceber os sinais de irritação na irmã. Mas ele a conhecia melhor do que ninguém, e também foi capaz de ver a tristeza escondida. — Então, o que foi que houve?

— Ela tinha um projeto pra mim. — Como esperava que ele chegasse em casa antes que fosse para a cama, Miranda havia trazido duas xícaras. Serviu o chá e fingiu não ouvir o gemido de desgosto do irmão.

Ela sabia muito bem que ele preferia uma dose de uísque.

— Um projeto incrível — Miranda continuou, estendendo a xícara. — Encontraram um bronze no porão da Villa della Donna Oscura. Você conhece a história daquele lugar?

— Me ajuda.

— Giulietta Buonadoni.

— Ah, lembrei. A Senhora Sombria, amante de um dos Médici.

— Lorenzo, o Magnífico, pelo menos ele era o protetor dela — Miranda acrescentou, grata ao fato de que o irmão tinha conhecimento vasto o suficiente da época. Isso pouparia tempo. — O bronze era dela, era ela, não tem como confundir aquele rosto. A Elizabeth queria que eu fizesse alguns testes pra datar a peça.

Ele esperou um pouco. — Elise podia ter feito isso.

— A área da Elise é um pouco mais ampla que a minha. — Havia um quê de irritação no tom de Miranda. — A Renascença é a minha época, os bronzes são a minha especialidade. Elizabeth queria o melhor.

— Ela sempre quer. Então, você fez os testes.

— Fiz. Fiz de novo. Tinha as melhores pessoas da equipe me ajudando. Fiz tudo pessoalmente, passo a passo. Depois, fiz tudo de novo.

— E?

— Era verdadeiro, Andrew. — Ele inclinou o corpo à frente, extravasando um pouco de sua excitação. — Final do século quinze.

— Isso é incrível! Maravilhoso! Por que a gente não tá celebrando?

— Tem mais. — Ela precisou respirar fundo para controlar-se. — É um Michelangelo.

— Jesus! — Ele deixou a xícara de lado rapidamente. — Tem certeza? Não tenho nenhuma lembrança de um bronze perdido.

Uma linha cavava teimosamente seu caminho entre as sobrancelhas de Miranda. — Eu apostaria minha reputação nisso. É uma peça do começo da carreira dele, maravilhosamente executada, é linda, lembra a sensualidade do *Baco* bêbado dele. Eu ainda estava trabalhando na pesquisa de documentação quando vim embora, mas já tenho material suficiente pra sustentar essa afirmação.

— O bronze não tava catalogado?

Miranda começou a bater o pé, irritada. — Giulietta provavelmente escondeu a estatueta ou, pelo menos, manteve a peça guardada. Política. As coisas se encaixam — insistiu. — Eu teria provado isso se ela tivesse me dado mais tempo.

Sem conseguir ficar sentada, Miranda descruzou as pernas, levantou-se e foi atiçar o fogo da lareira. — Alguém deixou a informação vazar pra imprensa. A gente não estava pronto pra fazer um anúncio oficial, e o pessoal do governo ficou nervoso. Destituíram a Standjo do encargo e ela me destituiu. Me acusou de ter passado a

informação. — Furiosa, deu um giro e voltou para perto do irmão. — Me acusou de ter arriscado o projeto em nome de glória. Eu nunca faria isso.

— Não, claro que não. — Ele podia descartar essa hipótese sem pensar. — Eles dispensaram a mamãe. — Apesar de ser muito baixo da parte dele, não conseguia parar de sorrir. — Aposto que ela deve ter ficado furiosa.

— Ela ficou lívida. Se as circunstâncias fossem outras, talvez eu até ficasse satisfeita com isso. Mas agora eu perdi o projeto. Não só não vou ganhar crédito nenhum por ele, como a única maneira de eu ver aquela estatueta de novo vai ser no museu. Droga, Andrew, eu tava tão perto!

— Você pode apostar que quando o bronze for oficialmente autenticado ela vai dar um jeito de colocar o nome da Standjo associado a ele. — Levantou a sobrancelha e olhou para a irmã. — E, quando ela fizer isso, você só tem que garantir que o seu nome não fique de fora.

— Não é a mesma coisa. — Ela tirou isso de mim, era tudo em que Miranda conseguia pensar.

— Pega o que der pra pegar. — Ele também se levantou e foi até o armário de bebidas. Porque precisava perguntar: — Você encontrou a Elise?

— Encontrei. — Miranda enfiou as mãos nos bolsos do robe. Porque teria que responder. — Ela me pareceu bem. Acho que ela é perfeita pra dirigir o laboratório lá. Perguntou por você.

— E você disse que eu tava ótimo.

Miranda acompanhou-o com o olhar enquanto o irmão se servia do primeiro drinque. — Achei que você não ia querer que eu dissesse pra ela que você tava virando um bêbado autodestrutivo e deprimido.

— Eu sempre fui deprimido — ele disse, levantando um brinde. — Todos nós somos; então, isso não conta. Ela tá saindo com alguém?

— Não sei. A gente não chegou a discutir nossa vida sexual. Andrew, você precisa parar com isso.

— Por quê?

— Porque é perda de tempo e é estúpido. E, honestamente, apesar de eu gostar dela, ela não vale isso tudo. — Miranda levantou os ombros. — Ninguém vale isso.

— Eu amava a Elise — ele murmurou, olhando para o líquido dentro do copo, antes de bebê-lo. — Dei o meu melhor pra ela.

— Você alguma vez considerou a possibilidade de ela não ter dado o melhor pra você? Que talvez ela não estivesse à sua altura?

Ele olhou para Miranda por sobre as lentes dos óculos.

— Não.

— Talvez você devesse fazer isso. Ou talvez devesse considerar que o seu melhor e o melhor dela não eram o melhor juntos. Casamentos acabam o tempo todo. As pessoas superam.

Ele observou a bebida, analisando a luz através do copo.

— Talvez se as pessoas não superassem com tanta facilidade, os casamentos não falhassem com tanta frequência.

— E, talvez, se as pessoas não fingissem que o amor é o que faz o mundo girar, escolhessem os parceiros com mais atenção.

— O amor faz o mundo girar, Miranda. É por isso que o mundo é tão errado.

Ele levantou o copo e bebeu tudo de uma vez só.

# Capítulo Cinco

O céu, ao amanhecer, estava tomado por nuvens cinzentas, raivosas. Incansável, sombrio e barulhento, o mar batia nas pedras e subia para atacar o ar com seus punhos brancos. A primavera teria de brigar para abater o inverno.

Nada poderia ter dado mais prazer a Miranda.

Ela estava de pé na beira da colina, o humor tão instável quanto as águas agitadas abaixo. Observou o borrifo das ondas depois de se chocarem contra as pedras, geladas e furiosas, e deixou-se penetrar pela fragrância clássica de seu perfume.

Dormira mal, envolta em sonhos cuja culpa atribuía ao próprio temperamento e ao cansaço da viagem. Não era do tipo que sonhava. Ainda estava escuro quando desistira de dormir e vestira uma suéter grossa verde e calças largas de lã. Retirara o resto do café do pote — Andrew não ficaria satisfeito quando acordasse — e tomara metade dele.

Agora tomava seu café, puro e forte, numa caneca grande e branca enquanto assistia ao amanhecer ganhando vida no céu infeliz da costa leste.

A chuva parara, mas voltaria, pensou. E a temperatura caíra consideravelmente durante a noite; provavelmente nevaria ou haveria chuva de granizo. Tudo bem, isso era agradável.

Isso era o Maine.

Florença, com seu sol brilhante e quente, o vento seco, parecia muito distante. Mas, por dentro, em seu coração raivoso, estava perto.

*A Senhora Sombria* era seu passaporte para a glória. Elizabeth estava certa quanto a isso, pelo menos. A glória sempre fora a sua meta. Mas, por Deus, ela trabalhara para isso. Estudara, esforçara-se arduamente para aprender, absorver, lembrar, enquanto seus contemporâneos iam de uma festa à outra, de um namoro a outro.

Não houvera um período de revolta em sua vida, nunca se rebelara contra as regras e tradições enquanto estava na universidade, não tivera nenhum *affair* louco, de partir o coração. Reprimida, uma colega de quarto assim a classificara. Entediante, essa fora a opinião de outra. Como uma parte secreta de si concordava, resolvera o problema mudando-se do campus e indo morar sozinha num pequeno apartamento.

Fora melhor assim, Miranda sempre pensara. Não tinha habilidade para interações sociais. Sob a armadura de compostura e a dureza do treinamento, era absolutamente tímida com as pessoas, e sentia-se muito mais confortável com a informação e o conhecimento.

Lera, escrevera e aproximara-se de outros séculos com uma disciplina alimentada pela luz quente da ambição.

Essa ambição tinha um foco. Ser a melhor. E, sendo a melhor, ter os pais olhando-a com orgulho, com deleite assombrado, com respeito. Ah, irritava-a saber que essa motivação ainda estava cravada em seu peito, mas nunca fora capaz de se livrar dela.

Estava perto dos trinta, tinha um doutorado, uma posição no instituto, uma sólida reputação em arqueometria. E a patética necessidade de ouvir o aplauso dos pais. Bem, ela simplesmente teria de superar isso.

Não demoraria muito, pensou, sua descoberta seria comprovada. Então garantiria que lhe fosse dado o crédito merecido. Escreveria um artigo sobre *A Senhora Sombria*, sobre seu envolvimento nos testes e na autenticação da peça.

O vento aumentou, insinuando-se por dentro da suéter como mãos agarrando-lhe a carne. Os primeiros flocos finos e molhados de neve começaram a dançar no ar. Miranda virou-se e afastou-se do mar, as botas triturando as pedras ao descer a colina.

O facho de luz firme do grande farol continuava a circular na torre branca, refletindo na água e nas pedras, apesar de não haver nenhum navio ao seu alcance. Noite e dia, ano após ano, pensou, ele nunca falhava. Alguns o olhariam e veriam romance, mas, quando Miranda observava a torre sólida, branca, sentia-se segura.

Mais, pensava agora, do que se sentia normalmente com as pessoas.

A distância, a casa ainda dormia no escuro, silhueta elegante de outro tempo, erguida sob um céu impiedoso.

A grama estava amarelecida pelo inverno e estalava sob seus saltos e a neve. Os vestígios do jardim um dia adorável da avó pareciam ralhar com ela.

Este ano, Miranda prometeu a si mesma ao passar pelas folhas escurecidas e galhos secos, daria a ele mais tempo e atenção. Faria da jardinagem um hobby — sempre prometera a si um hobby.

Na cozinha, serviu o resto do café na sua xícara. Depois de um último olhar para a neve que caía rapidamente lá fora, decidiu ir cedo para o instituto, antes que as estradas estivessem cobertas de branco.

Do CONFORTO DE SEU MERCEDES ALUGADO, ELE OBSERVOU o Land Rover deslizar sem esforço sobre a camada fina de neve da rua, depois entrar no estacionamento do Instituto de História da Arte da Nova Inglaterra. Aquele parecia ser um veículo a ser dirigido por um general durante uma pequena guerra elegante.

Ela era uma figura, ele pensou divertido, vendo-a saltar do carro. Um metro e oitenta de mulher dentro de um par de botas, pensou, a maior parte envolta por um casaco cinza-chumbo que garantia mais calor do que senso estético. O cabelo era de um vermelho sensual e escapava do capuz preto em cachos despenteados. Carregava uma pasta cheia, quase explodindo, e se movia com uma precisão e um propósito que teriam feito aquele general de guerra orgulhoso.

Mas sob aquelas passadas longas estavam a arrogância e a sexualidade insuspeita de uma mulher que se acreditava um passo à frente das necessidades físicas de um homem. Caminhava com balanço altivo.

Mesmo na luz fraca, ele a reconheceu. Ela era, pensou com um leve sorriso, uma mulher em quem dificilmente não se repara.

Ele estivera sentado ali por quase uma hora, entretendo-se com várias árias de *Carmen, La Bohème, As Bodas de Fígaro.* Realmente tinha tudo de que precisava por enquanto, e fizera o que era preciso, mas estava satisfeito por ter vadiado o suficiente para vê-la chegar.

Uma madrugadora, concluiu, uma mulher que gostava do seu trabalho o suficiente para encará-lo numa manhã fria e com neve, antes que a maioria das pessoas da cidade tivesse saído da cama. Apreciava uma pessoa que gostava de seu trabalho. Deus era testemunha, ele adorava o seu.

Mas o que fazer quanto à dra. Miranda Jones?, perguntava-se. Imaginava-a usando a entrada lateral, mesmo agora enquanto ela enfiava seu cartão de identificação na fresta da porta e digitava seu

código no visor. Sem dúvida, zeraria os alarmes de segurança assim que entrasse.

Todos os relatórios demonstravam que era uma mulher prática e cuidadosa. Ele gostava de mulheres práticas. Era tão divertido corrompê-las...

Ele poderia trabalhar perto dela, poderia usá-la. De uma maneira ou de outra, concluiria sua tarefa. Mas usá-la seria tão mais... divertido. Como seria seu último trabalho, parecia-lhe justo incluir um pouco de diversão à emoção e aos lucros.

Pensou que valeria a pena conhecer Miranda Jones, mimar a si mesmo com ela. Antes de roubá-la.

Viu as luzes piscarem numa janela do terceiro andar do grande prédio de granito. Direto ao trabalho, divertiu-se, sorrindo novamente ao enxergar a sombra se movendo atrás da janela.

Era hora de ele mesmo começar seu trabalho. Ligou o carro, saiu do meio-fio e foi embora para se preparar para a outra parte do dia.

O INSTITUTO DE HISTÓRIA DA ARTE DA NOVA INGLATERRA fora construído pelo bisavô de Miranda. Mas fora seu avô, Andrew Jones, quem expandira seu potencial. Ele sempre tivera grande interesse pelas artes e sempre se imaginara um pintor. Fora pelo menos bom o suficiente para convencer algumas modelos a tirar a roupa e posar para ele.

Gostava de socializar com artistas, entretê-los, agindo como patrono, quando uma mulher — particularmente atraente — chamava sua atenção. Um mulherengo e bêbado entusiástico ele fora, mas também generoso, imaginativo e nunca tivera medo de colocar seu dinheiro a serviço do coração.

O prédio era um bloco firme de granito cinza e estendia-se por todo o quarteirão com suas colunas altas, suas alas laterais e arcos. A estrutura original havia sido um museu de jardins muito bem cuidados, árvores frondosas e uma fachada de dignidade discreta, em vez de rígida.

Andrew quisera mais. Enxergava o instituto como um cartão de visitas para as artes e para os artistas, como uma arena em que a arte pudesse ser exposta, restaurada, ensinada e analisada. Portanto, cortara as árvores, cobrira o chão e construíra acréscimos sofisticados no prédio original.

Havia salas de aula com janelões, laboratórios cuidadosamente planejados, grandes depósitos e muitos escritórios. Os espaços para as galerias haviam sido mais que triplicados.

Estudantes que quisessem aprender ali eram admitidos por mérito. Aqueles que pudessem pagar o faziam felizes pelo privilégio. Os que não podiam, e valiam a pena, eram subsidiados.

A arte era sagrada no instituto, e a ciência, uma divindade.

Gravadas na pedra sobre a entrada principal, estavam as palavras de Longfellow:

A ARTE É DURADOURA, E O TEMPO É FUGIDIO

Estudando, preservando e expondo essa arte, era assim que o instituto despendia seu tempo.

Mantinha-se basicamente fiel à concepção de Andrew cinquenta anos depois, sob a direção dos netos.

As galerias do museu eram indiscutivelmente as melhores do Maine, e os trabalhos expostos haviam sido cuidadosamente escolhidos e adquiridos ao longo dos anos, a começar pelas próprias coleções de Charles e de Andrew.

A área pública tomava o primeiro piso, uma galeria sucedendo a outra nos corredores de arcos. Salas de aula e estúdios ocupavam o segundo piso, sendo a área de restauração separada por um pequeno lobby, e visitantes autorizados podiam circular pelos espaços de trabalho.

Os laboratórios ficavam no térreo e espalhavam-se pelas alas laterais. Eram, apesar das grandes galerias e instalações educacionais, a alma do instituto.

Os laboratórios, Miranda sempre pensara, eram sua alma também.

Deixando a pasta de lado, dirigiu-se à bancada sob a janela para preparar café. Quando apertou o botão da máquina, seu fax tocou. Depois de abrir as persianas, foi até o aparelho e retirou a página impressa.

*Bem-vinda ao lar, Miranda. Gostou de Florença? Que pena que sua viagem tenha sido interrompida tão abruptamente! Onde você acha que cometeu um erro? Já pensou nisso? Ou está absolutamente confiante de que está certa?*

*Prepare-se para a queda. Vai ser um choque violento.*

*Esperei tanto tempo por isso. Assisti a tudo com tanta paciência.*

*Ainda estou observando, e a espera está quase no fim.*

Miranda surpreendeu-se esfregando a mão no braço, na tentativa de aquecê-lo enquanto lia a mensagem. Apesar de interromper o gesto, o calafrio persistiu.

Não havia nome, nenhum número de telefone.

Parecia uma ligeira gargalhada, ela pensou. O tom era zombeteiro e fantasmagoricamente ameaçador. Mas por quê? Quem?

Sua mãe? Envergonhou-se de o nome de Elizabeth ser o primeiro a ocorrer-lhe. Mas certamente uma mulher com o poder de Elizabeth, com sua personalidade e posição, não se rebaixaria com mensagens anônimas cifradas.

Ela já ferira Miranda da maneira mais direta possível.

Era mais provável que um empregado insatisfeito da Standjo ou do instituto o tivesse feito, alguém que achasse que ela fora injusta na política de trabalho ou na delegação de tarefas.

Claro, era isso, concluiu e tentou respirar calmamente de novo. Um técnico que ela repreendera ou um aluno infeliz com sua nota. Isso só poderia ser algo com a intenção de desestabilizá-la, e não permitiria que isso acontecesse.

Mas, em vez de descartar a mensagem, enfiou-a na última gaveta e trancou-a com a chave.

Tirando o incidente da cabeça, sentou-se para organizar seu dia no papel. Quando completou a lista das primeiras tarefas — ler a correspondência e os memorandos, organizar os recados telefônicos —, o sol estava alto e os raios adentravam o ambiente pelas frestas da persiana.

— Miranda? — Batidas rápidas à porta a assustaram.

— Oi, pode entrar. — Olhou para o relógio, notando que sua assistente era pontual, como sempre.

— Vi seu carro no estacionamento. Não sabia que você estaria de volta hoje.

— É verdade, não era... previsto.

— E como vai Florença? — Lori moveu-se agilmente pela sala, checando as mensagens, ajustando as persianas.

— Quente, ensolarada.

— Que ótimo! — Satisfeita porque tudo estava em ordem, Lori sentou-se e apoiou o bloco de notas nos joelhos. Era muito loura e tinha boca de boneca, voz de Betty Boop e um ar de eficiência de lâmina de barbear. — Que bom que você voltou — disse com um sorriso.

— Obrigada. — Como as boas-vindas eram sinceras, Miranda sorriu em retribuição. — É bom *estar* de volta. Tenho um monte de coisas para atualizar. Agora eu preciso das novidades do *Nu* do Carbello e da restauração do Bronzino.

A rotina era apaziguadora, tanto que Miranda esqueceu tudo que não fazia parte dos assuntos em pauta por duas horas. Deixou Lori marcando encontros e compromissos, e saiu da sala para ver como andavam as coisas no laboratório.

Como pensou em Andrew, Miranda decidiu passar pela sala do irmão antes de descer. Seu escritório ficava na ala do lado oposto, perto das áreas abertas ao público. As galerias, obras de arte e expositores eram seu domínio, enquanto Miranda preferia trabalhar majoritariamente nos bastidores.

Atravessou os corredores, as botas buscando seu caminho sobre o mármore. Por toda a extensão, grandes janelões quadrados deixavam entrar pálidos raios de luz solar sobre o piso, dando também passagem ao som abafado do tráfego na rua, à visão de pedaços de prédios e árvores de galhos secos.

As portas dos escritórios estavam fechadas. O som ocasional de telefones tocando ou de fax ecoava monotonamente. Uma secretária saiu do almoxarifado carregando uma pilha de papéis e encarou Miranda com olhos de coelho assustado, antes de murmurar um "Bom-dia, dra. Jones" e seguir em frente.

Ela era tão intimidadora assim?, Miranda pensou. Tão pouco amigável? Como isso a fazia pensar no fax, estreitou os olhos na direção das costas da mulher que sumia por uma porta, fechando-a em seguida.

Talvez ela não fosse tão extrovertida, talvez o staff não tivesse a mesma afeição por ela que parecia ter por Andrew, mas ela não era... difícil. Era?

Perturbou-a imaginar que sim, e perguntou-se se sua atitude naturalmente reservada seria percebida como frieza.

Como a de sua mãe.

Não, ela não queria acreditar nisso. Aqueles que a conheciam não pensariam assim. Tinha um relacionamento sólido com Lori, uma camaradagem com John Carter. Não dirigia o laboratório como se fosse um acampamento de guerra em que ninguém podia dar sua opinião ou contar uma piada.

No entanto, ninguém brincava com ela, pensou.

Estava no comando, lembrou a si mesma. O que mais podia esperar?

Deliberadamente, relaxou mais uma vez os ombros. Não podia deixar que uma secretária tímida a levasse a um momento de auto-análise.

Como, felizmente, não tinha encontros ou compromissos públicos importantes agendados, vestia a mesma roupa que colocara de manhãzinha para assistir ao alvorecer. O cabelo estava puxado

para trás numa trança malfeita e fios já escapavam do penteado desajeitado.

Pensou que já passava do meio-dia na Itália e que o bronze já estaria sendo testado intensamente. Isso fez com que seus ombros se retesassem mais uma vez.

Passou pela porta da antessala do escritório do irmão. Lá dentro havia uma escrivaninha vitoriana, robusta, duas cadeiras velhas de espaldar alto, armários cor de burro quando foge e uma mulher que tomava conta daquilo tudo.

— Bom-dia, Srta. Purdue.

A assistente de Andrew tinha algo em torno dos cinquenta, aprumada como uma freira muito severa. Usava o mesmo coque grisalho todos os dias, ano sim, ano não, e nunca estava sem sua blusa engomada e o tailleur escuro.

Era sempre a srta. Purdue.

Ela acenou, ocupada, depois removeu os dedos do teclado do computador e cruzou as mãos delicadamente. — Bom-dia, dra. Jones. Não sabia que estava de volta da Itália.

— Voltei ontem. — Tentou sorrir, pensando ser um bom momento para ser agradável com o staff. — É um pouco chocante voltar pra esse inverno gelado. — Quando a srta. Purdue respondeu com um simples aceno de cabeça, Miranda desistiu, agradecida, de bater papo. — Meu irmão tá aí?

— O dr. Jones acabou de descer para receber um convidado. Deve estar de volta em um instante. Você quer esperar ou prefere deixar um recado?

— Não. Não era nada de mais. Falo com ele mais tarde. — Virou-se ao ouvir vozes masculinas subindo as escadas. Se os olhos críticos da srta. Purdue não estivessem cravados nela, teria escapado rapidamente, em vez de se arriscar a ter de socializar com o convidado de Andrew.

Não teria ficado presa se tivesse ido direto para o laboratório, pensou, rapidamente afastando o cabelo dos olhos e esboçando um sorriso educado.

O sorriso sumiu-lhe do rosto quando Andrew e seu acompanhante chegaram ao topo da escada.

— Miranda, que bom que você tá aqui! — Os olhos de Andrew brilharam ao vê-la. — Vai me poupar o trabalho de ligar pra sua sala. Queria te apresentar Ryan Boldari, da Galeria Boldari.

Ele deu um passo à frente, pegou a mão de Miranda e a levou delicadamente até os lábios. — Que bom conhecer você finalmente!

Ele tinha um rosto que poderia ter sido reproduzido por ricas pinceladas em um dos quadros do instituto. A beleza sombria e selvagem era ligeiramente suavizada pelo terno cinza impecavelmente bem cortado e pelo nó perfeito da gravata de seda. O cabelo era cheio, preto como tinta, e elegantemente ondulado. A pele era aveludada e intrigantemente marcada por uma pequena cicatriz na ponta da sobrancelha esquerda.

Seus olhos captaram os dela e eram de um castanho-escuro com reflexos ligeiramente dourados sob a luz. A boca deveria ter sido esculpida por um mestre e estava curvada num sorriso feito para levar uma mulher a se perguntar que sensação aquele contato provocaria. E suspirar.

Ouviu um estampido — som único e animador dentro da própria cabeça —, e era a dupla batida de seu coração.

— Bem-vindo ao instituto, sr. Boldari.

— O prazer de estar aqui é todo meu. — Ele manteve a mão dela nas suas, porque isso parecia aturdi-la. Por mais educadamente que sorrisse, havia uma linha suave de irritação entre suas sobrancelhas.

Ela questionou se não deveria puxar a mão de uma vez, mas concluiu que seria um gesto muito feminino.

— Por que a gente não vai pra minha sala? — Desatento a qualquer que fosse o jogo que acontecia sob seu nariz, Andrew gesticulou em direção à porta do escritório. — Miranda, você tem um minuto?

— Na verdade, eu estava...

— Eu adoraria ter alguns minutos do seu tempo, dra. Jones. — Ryan lançou um sorriso ao soltar a mão dela e tocá-la no ombro. —

Tenho uma proposta pro seu irmão que acho que é do seu interesse. Sua área principal de trabalho é o Renascimento, não é?

Encurralada, ela permitiu que Andrew a encaminhasse até o escritório. — Isso.

— Uma época brilhante, cheia de beleza e energia. Você conhece o trabalho de Giorgio Vasari?

— Claro, do final do Renascimento, um maneirista, o trabalho dele determinou o caminho em busca da elegância.

— Ryan tem três obras de Vasari. — Andrew gesticulou em direção às cadeiras, que, graças à srta. Purdue, não estavam cheias de livros e papéis, como de hábito.

— Jura? — Miranda sentou-se e providenciou um novo sorriso. O escritório de Andrew era bem menor que o dela, porque ele preferia assim. Era também abarrotado, colorido e cheio de enfeites que gostava de ter à sua volta. Ossos antigos, fragmentos de cerâmica, pedaços de vidro. Ela preferiria ter tido esse encontro inesperado no ambiente discreto e formal de seu próprio território.

Como estava nervosa, imaginou-se tamborilando e balançando os pés.

— Verdade. — Ryan deu uma leve puxada na calça para preservar o vinco ao se sentar numa cadeira estreita de encosto de couro. — Você não acha o trabalho dele um pouco autocentrado? Meio excessivo?

— Isso também é típico do maneirismo — Miranda argumentou. — Vasari é um artista importante daquela época e daquele estilo.

— Concordo. — Ryan simplesmente sorriu. — Pessoalmente, eu prefiro o estilo do começo e do auge da Renascença, mas negócios são negócios. — Ele acenou com a mão, tinha mãos fortes, graciosas, Miranda percebeu. Palmas largas, dedos longos.

Irritou-a o fato de ter notado e constrangeu-a o de ter — por um ou dois segundos — imaginado a sensação de tê-las sobre a sua pele. Como uma adolescente diante de um astro do rock, pensou, assombrada consigo mesma.

Quando, deliberadamente, afastou o olhar das mãos dele, seus olhos se encontraram. Ele sorriu novamente, os olhos brilhando.

Mulher fascinante, pensou. O corpo de uma deusa, maneiras de pessoa modesta, senso de moda de refugiada e uma pitada muito atraente de timidez nesses olhos azuis sensuais.

Manteve o olhar grudado nela, deliciado ao perceber o leve colorido que brotava em suas faces. Na sua opinião, as mulheres quase não coravam mais hoje em dia.

Perguntou-se como ficaria com aqueles óculos que estavam pendurados na gola da suéter.

Sexy como uma estudante.

— Conheci seu irmão há alguns meses, quando estávamos os dois em Washington para a festa beneficente As Mulheres na Arte. Imagino que ele tenha ido no seu lugar.

— É, eu não pude ir.

— Miranda andava enfiada no laboratório. — Andrew sorriu. — Eu sou mais facilmente dispensável. — Reclinou-se na própria cadeira. — O Ryan tá interessado na nossa *Madonna* de Cellini.

Miranda ergueu uma sobrancelha. — É um dos nossos tesouros.

— É, acabei de ver. Gloriosa. Seu irmão e eu discutimos uma troca.

— O Cellini. — O olhar de Miranda desviou em direção ao irmão. — Andrew.

— Não é pra ser permanente — Ryan disse rapidamente, e não se preocupou em disfarçar a risadinha diante do rápido desconforto dela. — Coisa de três meses, pra benefício mútuo. Ando planejando fazer uma exposição das obras de Cellini na galeria de Nova York, e o empréstimo da sua *Madonna* seria incrível pra mim. Em troca, emprestaria meus três Vasari pro instituto pelos mesmos três meses.

— Você pode fazer a exposição dos três estilos da Renascença que vem querendo há anos — Andrew ressaltou.

Era um dos sonhos de Miranda, uma exposição completa de seu campo de interesse. Arte, artefatos, história, documentos, tudo exposto, exatamente como queria.

— É, acho que eu poderia fazer isso. — Sentiu uma leve onda de excitação, mas virou-se placidamente para Ryan. — Os Vasari foram autenticados?

Ryan inclinou a cabeça, e ambos fingiram não ouvir o gemido baixinho de Andrew. — Claro que sim. Mando pra você os documentos antes de a gente fechar o acordo. E você também me manda os documentos do Cellini.

— Posso te passar tudo hoje mesmo. Minha assistente pode mandar entregar no hotel pra você.

— Ótimo. Eu agradeço.

— Bem, vou deixar vocês dois acertarem os detalhes.

Mas, quando ela se levantou, ele também o fez, e pegou sua mão novamente. — Será que você não me levaria pra conhecer um pouco mais desse lugar? Andrew me falou que os laboratórios e as instalações de restauração são seu departamento. Eu adoraria conhecer.

— Eu...

Antes que pudesse desculpar-se, Andrew ficou de pé e deu-lhe um cutucão nada sutil nas costelas. — Você não poderia estar em melhores mãos. Te vejo de novo daqui a algumas horas, Ryan. Depois vou providenciar aquela sopa de mariscos que prometi.

— Estou contando com isso... Minhas galerias expõem obras de arte — ele começou a dizer, segurando casualmente a mão de Miranda enquanto ela caminhava pelo corredor em direção à outra ala do prédio. — Não sei quase nada sobre a ciência de manter essas obras. Você já se sentiu confusa alguma vez, misturando as duas coisas?

— Não. Sem uma, não existiria a outra. — Dando-se conta de que sua resposta fora um tanto abrupta, suspirou. O homem a deixava nervosa, nervosa o suficiente para que deixasse transparecer. Isso não era bom. — O instituto foi construído pra comportar as duas atividades, ou melhor, pra celebrar as duas. Como uma cientista que estuda a arte, eu gosto disso.

— Eu era um péssimo estudante de ciências — ele disse, com um sorriso tão sedutor que ela curvou os lábios em retribuição.

— Tenho certeza de que você tem outros pontos fortes.

— Prefiro achar que sim.

Ele era um homem observador e prestou atenção nos espaços entre as alas, na posição das escadas, dos escritórios, dos depósitos, das janelas. E, claro, das câmeras de segurança. Tudo exatamente como nas informações que recebera. Ainda assim, poderia transcrever suas observações detalhadamente mais tarde. Por ora, simplesmente as arquivaria na mente, enquanto apreciava a fragrância delicada do perfume de Miranda.

Nada era declarado na dra. Jones, pensou. Nada obviamente feminino. E o cheiro rascante com notas de madeira que ele imaginava vir do sabonete, em vez de um frasco delicado, era perfeitamente apropriado para ela, concluiu.

No final do corredor, ela virou à direita, depois parou para passar seu cartão-chave no lugar adequado, ao lado de uma porta de metal. Um ruído e as trancas se abriram. Ryan deu uma olhada discreta para a câmera logo acima.

— Nossa segurança interna é rigorosa — ela disse. — Ninguém entra sem uma chave ou alguém acompanhando. A gente faz muitos testes pra outras pessoas e outros museus.

Ela o encaminhou a uma ala muito parecida com a Standjo em Florença, embora em escala bem menor. Técnicos trabalhavam em computadores e microscópios, entravam e saíam de salas, os jalecos abertos esvoaçando.

Ela observou um membro da equipe trabalhando numa cerâmica decorada e levou Ryan até lá. — Stanley, o que é que você pode nos dizer sobre essa peça?

O técnico coçou o bigode louro e sugou o ar através dos dentes semicerrados. — Seu pai mandou da escavação em Utah, junto com vários outros artefatos. É provavelmente Anasazi, século doze, e era usada pra cozinhar.

Ele pigarreou, lançando um rápido olhar para Miranda, e, depois do aceno de concordância, continuou: — A beleza é que está praticamente intacta, só tem essa rachadurazinha na borda.

— Por que você acha que era usada pra cozinhar? — Ryan queria saber, e Stanley piscou.

— O formato, o tamanho, a espessura.

— Obrigada, Stanley. — Miranda virou-se novamente para Ryan e quase tropeçou nele, já que ele se aproximara enquanto ela estava de costas. Afastou-se imediatamente, mas não antes de perceber que ele era alguns centímetros mais alto que ela. E aquele brilho de atenção profunda nos olhos dava ao rosto dele um traço além do sensual, pura e simplesmente sexy.

Ela sentiu aquela maldita aceleração no coração.

— Somos antes de tudo um instituto de arte, mas, como meu pai tem interesses em arqueologia, temos uma sessão de exposição de artefatos, fazemos muitos testes e datações nessa área. Não é minha área. Agora...

Ela foi até um armário, abriu uma gaveta e revirou-a até encontrar um pequeno saco marrom. Transferiu um punhado de tinta para uma lâmina, depois colocou-a sob um microscópio.

— Dá uma olhada nisso — ela o convidou. — Me diz o que você vê.

Ele se inclinou, ajustou o foco. — Cor, forma, interessante... parece uma pintura de Pollock. — Ergueu-se e fixou aqueles olhos cor de conhaque nela. — O que é isso, dra. Jones?

— Um fragmento de um Bronzino que estou restaurando. A tinta é indiscutivelmente do século dezesseis. A gente sempre pega uma amostra, tanto antes de começar o trabalho quanto depois de terminar. Assim não fica dúvida de que recebemos uma obra autêntica, e nenhuma dúvida de que devolvemos a mesma peça para o dono depois de terminar a restauração.

— Como é que você sabe que a tinta é do século dezesseis?

— Quer uma aula de ciências, sr. Boldari?

— Ryan, e aí eu também posso chamar você pelo primeiro nome. Miranda é um nome encantador. — A voz dele era como uma cobertura quente sobre uísque, e ela estremeceu. — E talvez eu até goste de ter aula de ciências com a professora certa.

— Você vai ter que se inscrever pra fazer as aulas.

— Maus alunos funcionam melhor com aulas particulares. Janta comigo hoje à noite.

— Eu sou uma professora medíocre.

— Janta comigo mesmo assim. A gente pode discutir arte e ciência, e eu posso te falar sobre os Vasari. — Ele teve urgência em levantar a mão e brincar com os fios que escapavam de seu penteado. Ela pularia como uma lebre, ele concluiu. — A gente pode chamar de jantar de negócios, se te deixar mais à vontade.

— Eu não estou pouco à vontade.

— Bem, então eu te pego às sete. Sabe — ele continuou, novamente segurando a mão dela —, eu adoraria ver esse Bronzino. Gosto da pureza formal do trabalho dele.

Antes que ela pudesse imaginar como livrar sua mão, ele a enfiou confortavelmente em seu braço e encaminhou-se para a porta.

# Capítulo Seis

Ela não sabia por que concordara em jantar com ele, embora se desse conta de que não havia necessariamente concordado, ao relembrar a conversa entre ambos. O que não explicava o motivo de estar se vestindo para sair.

Ele era um associado, lembrou a si mesma. A Galeria Boldari tinha grande reputação por sua elegância e pela exclusividade. Na única vez em que conseguira uma horinha, quando estava em Nova York, para visitar o lugar, impressionara-se com a grandeza do prédio quase tanto quanto se impressionara com o acervo.

Não faria mal ao instituto se ela forjasse uma relação entre uma das mais glamourosas galerias do país e as organizações Jones.

Queria jantar para falar de negócios. Certificara-se de manter o combinado na esfera profissional, mesmo que o perfume dele acendesse fagulhas de desejo nas suas entranhas.

Se ele queria flertar com ela, tudo bem. Com o coração aos pulos ou não, o flerte não a afetava. Não era uma cabeça de vento

impressionável, afinal de contas. Homens como Ryan Boldari já nasciam com a habilidade do flerte completamente desenvolvida.

Ela gostava de pensar que nascera naturalmente imune a esses tolos talentos.

Ele tinha olhos incríveis. Olhos que olhavam para você como se todo o resto tivesse desaparecido.

Quando se deu conta de que suspirara e fechara os olhos, resmungou algo entre os dentes e fechou o zíper de trás do vestido de uma só vez.

Era somente uma questão de orgulho e cortesia profissional o fato de ter escolhido ser elegante quanto à sua aparência naquela noite. Quando ele a vira pela primeira vez, ela parecia uma estudante desleixada. Hoje à noite, veria que era uma mulher madura e sofisticada, que não tinha dificuldade para lidar com um homem durante uma refeição.

Escolhera um vestido de lã preta, com decote frontal generoso, tão generoso que era possível vislumbrar o volume de seus seios firmes sobrepondo-se à borda do tecido. As mangas eram compridas e justas, a saia, estreita e levemente mais larga à altura dos tornozelos. Adicionou uma cruz bizantina, o que lhe deu um ar inquestionavelmente sexy. A ponta vertical do objeto descansava confortavelmente no vão entre seus seios.

Puxou o cabelo para cima, prendendo-o com grampos a esmo. O resultado foi, se tivesse coragem de dizer, um visual casualmente sensual.

Estava bem, concluiu, com a aparência confiante e muito distante da jovem alta demais, socialmente inadequada, que fora nos tempos de universidade. Ninguém que olhasse para ela agora diria que tinha calafrios no estômago por causa de um simples jantar de negócios, ou que se preocupava com a possibilidade de ficar sem assunto inteligente antes dos aperitivos.

Veriam pose e estilo, pensou. Os outros — e ele — veriam exatamente o que ela queria que vissem.

Pegou sua bolsa, espichou o pescoço para espiar o bumbum no espelho e ter certeza de que o vestido não o fazia parecer muito grande, depois encaminhou-se para o andar de baixo.

Andrew estava na saleta de entrada, já no segundo uísque. Baixou os óculos quando ela entrou e levantou as sobrancelhas.

— Bem, uau.

— Andrew, você é um poeta, sabia? Tô gorda com esse vestido?

— Nunca houve uma resposta correta pra essa pergunta. Ou, se existe uma, nenhum homem descobriu. Portanto... — Levantou o copo num brinde. — Eu passo.

— Covarde. — E, como seu estômago desse cambalhotas de nervosismo, serviu-se de uma taça de vinho branco.

— Você não tá um pouco sensual demais pra um jantar de negócios?

Ela deu um gole, deixou o vinho descer e acalmar um pouco a agitação do corpo. — Não foi você que fez uma palestra de uns vinte minutos hoje à tarde sobre quantos benefícios um relacionamento com a Galeria Boldari pode trazer?

— Verdade. — Mas ele estreitou os olhos. Apesar de Andrew nem sempre enxergar a irmã como mulher, o fazia agora. Ela estava, ele pensou com desconforto, de parar o trânsito. — Ele deu em cima de você?

— Cuida da sua vida.

— Deu?

— Não. Não exatamente — ela emendou. — E se deu, ou der, eu sou bem crescidinha e sei como dar um corte ou reagir, se for o caso.

— Aonde vocês vão?

— Não perguntei.

— As estradas ainda estão bem ruins.

— Estamos em março, claro que as estradas no Maine estão ruins. Não dá uma de irmão mais velho comigo, Andrew. — Ela deu um tapinha no rosto dele ao dizer isso, mais relaxada agora que

ele estava tenso. — Deve ser o Ryan — acrescentou ao ouvir a campainha. — Comporte-se.

— Me comporto em nome de três Vasari — ele resmungou, mas franziu as sobrancelhas ao acompanhar a saída de Miranda. Às vezes ele esquecia como ela podia parecer extravagante, se quisesse. O fato de esse ter sido obviamente o objetivo deixou-o com a pulga atrás da orelha.

A desconfiança o teria perturbado caso tivesse visto o brilho nos olhos de Ryan, o fogo ardente por trás daquele olhar, quando Miranda abriu a porta.

Um soco no estômago, Ryan pensou, e ele deveria estar mais preparado para isso. — Você parece uma pintura de Ticiano. — Ele pegou a mão dela, aproximou-se e encostou os lábios no rosto de Miranda... uma face, depois a outra, à europeia.

— Obrigada. — Ela fechou a porta e resistiu à necessidade de apoiar-se nela para recobrar o equilíbrio. Havia algo poderoso e enervante na maneira como suas botas de salto alto os deixavam numa altura que permitia que seus rostos se alinhassem. Como se estivessem, digamos, na cama.

— Andrew tá na saleta — disse a ele. — Quer entrar um minuto?

— Adoraria. Você tem uma casa fabulosa. — Examinou o hall com os olhos e deu uma olhada na escada ao segui-la até a saleta. — Impressionante e confortável ao mesmo tempo. Você podia contratar alguém pra fazer uma pintura dela.

— Meu avô fez um óleo. Não é muito bom, mas a gente é fã do quadro. Quer beber alguma coisa?

— Não, nada. Oi, Andrew. — Estendeu a mão. — Vou roubar sua irmã um pouquinho hoje à noite, a não ser que você queira vir com a gente.

Ryan sempre fora um jogador, mas amaldiçoou-se ao ver que Andrew considerava a possibilidade. Apesar de não perceber que Miranda estreitava os olhos e fazia caretas ameaçadoras para o irmão, Ryan sentiu-se aliviado quando Andrew balançou negativamente a cabeça.

— Agradeço, mas eu tenho outros planos. Vocês dois, se divirtam.

— Só vou buscar meu casaco.

Andrew os viu sair, depois puxou o próprio casaco de dentro do armário. Seus planos haviam mudado. Não estava mais a fim de beber sozinho. Preferia ficar bêbado acompanhado.

MIRANDA CONTRAIU OS LÁBIOS AO ESCORREGAR PARA O banco de trás da limusine. — Você sempre viaja assim?

— Não. — Ryan sentou-se ao seu lado, pegou uma rosa branca num pequeno vaso e ofereceu a ela. — Mas tenho uma queda por champanhe que não poderia ser atendida se eu estivesse dirigindo. — Para provar o que dizia, pegou uma garrafa já aberta de Cristal num balde de gelo e serviu uma taça para ela.

— Jantares de negócios normalmente não começam com rosas e champanhe.

— Deveriam. — Serviu a própria taça e brindou com ela. — Quando incluem mulheres devastadoramente lindas. Ao começo de uma relação interessante e divertida!

— Parceria — ela corrigiu. — Eu estive na sua galeria em Nova York.

— Jura? E o que você achou?

— Intimista. Glamourosa. Uma joia polida com arte.

— Fico lisonjeado. Nossa galeria em San Francisco é mais espaçosa, tem mais luz. Nosso foco lá é arte contemporânea e arte moderna. Meu irmão Michael tem um olho ótimo, e é um apaixonado. Eu prefiro o clássico... e íntimo.

A voz dele percorreu suavemente a pele de Miranda. Um sinal, ela pensou, um sinal perigoso. — Então a família Boldari é empreendedora.

— Isso. Como a sua.

— Duvido — ela murmurou, depois encolheu os ombros. Mantenha a conversa, lembrou a si mesma. Era uma mulher con-

fiante. Era capaz de manter o diálogo. — Como você se envolveu com arte?

— Meus pais são artistas. A maior parte do tempo eles ensinam, mas as aquarelas da minha mãe são gloriosas. Meu pai é escultor, faz estruturas complicadas de metal que ninguém, fora o Michael, entende. Mas isso alimenta a alma dele.

Mantinha os olhos fixos nela enquanto falava, de maneira direta e intensa, o que fazia com que insistentes ondas sensuais atravessassem a pele de Miranda. — E você pinta ou esculpe? — ela perguntou.

— Não, não tenho mãos pra isso, nem alma. Foi um desapontamento enorme pros meus pais o fato de nenhum dos seis filhos ter talento pra fazer arte.

— Seis. — Miranda piscou quando ele encheu novamente sua taça. — Seis filhos.

— Minha mãe é irlandesa, meu pai é italiano. — Ele sorriu, charmoso. — O que mais podiam fazer? Tenho dois irmãos, três irmãs e eu sou o mais velho. Você tem um cabelo maravilhoso — ele murmurou, enrolando uma mecha solta no dedo. Ele tinha razão. Ela deu um salto. — Como é que você consegue não ficar com a mão nele o tempo todo?

— É vermelho, difícil de cuidar, e se eu não fosse ficar parecendo uma azaleia gigante, cortava bem curtinho.

— Foi a primeira coisa que reparei em você. — Seu olhar baixou, encontrando o dela novamente. — Depois, os seus olhos. Você tem cores e formas definidas e intensas.

Ela se esforçou para reprimir a ideia fascinante de agarrá-lo pelo colarinho e simplesmente juntar seu corpo ao dele até que fossem só um no banco de trás. E, apesar de seus dedos lutarem por controle, ela não conseguia fazer com que ficassem quietos. — Como a arte moderna?

Ele riu. — Não. Muita praticidade clássica pra isso. Gosto do seu visual — ele disse quando a limusine encostou no meio-fio e

parou. A porta foi aberta e ele segurou a mão dela para ajudá-la a descer. A boca quase de encontro à orelha dela. — Vamos ver se a gente gosta da companhia um do outro.

ELA NÃO SABERIA DIZER O MOMENTO EM QUE COMEÇOU A relaxar. Talvez na terceira taça de champanhe. Tinha de admitir que ele era suave — talvez um pouquinho suave demais —, mas era bom. Já fazia bastante tempo desde a última vez em que estivera numa mesa à luz de velas com um homem, e quando o homem tinha um rosto que pertencia a um quadro renascentista, era impossível não apreciar o momento.

E ele escutava. Podia alegar ter sido péssimo aluno de ciências, mas certamente sabia fazer as perguntas certas e mostrar interesse pelas respostas. Talvez quisesse simplesmente deixá-la à vontade, mantendo a conversa no campo profissional, mas ela estava agradecida pelos resultados.

Não conseguia se lembrar da última vez em que despendera uma noite falando de seu trabalho, e ao falar dele, lembrava-se da razão pela qual o amava.

— É a descoberta — disse para ele. — Estudar uma obra de arte, descobrir a sua história, a individualidade, a personalidade, eu acho.

— Como se você dissecasse a peça?

— De certa maneira, é isso. — Era tão agradável estar assim, no calor reconfortante de um restaurante, uma lareira acesa por perto, o mar escuro e gelado do outro lado da janela. — A tinta em si, depois as pinceladas, o objeto, o motivo. Todas as partes que podem ser estudadas e analisadas pra se chegar às respostas.

— E você não acha, no final de tudo, que a resposta é a arte em si?

— Sem a história e as análises, é só uma pintura.

— Quando uma coisa é bonita, isso é o suficiente. Se eu fosse analisar o seu rosto, pegaria seus olhos, o verão escaldante que vejo neles, a inteligência, uma pitada de tristeza. E a suspeita. — Acrescentou com um sorriso: — A sua boca, suave, grande, com dificuldade de sorrir. As maçãs do rosto, agudas, aristocráticas. O seu nariz, fino, elegante. Separando os traços, analisando, estudando, eu ainda chegaria à conclusão de que você é uma mulher incrível, lindíssima. E posso fazer isso simplesmente sentado aqui, olhando pro todo.

Ela remexeu a comida no prato, lutando para não se mostrar nitidamente lisonjeada ou seduzida. — Isso foi inteligente.

— Sou um homem inteligente e você não confia em mim.

Ela fixou os olhos nele mais uma vez. — Eu não te conheço.

— O que mais eu posso te contar? Sou de uma família grande, étnica, cresci em Nova York, estudei, sem grande entusiasmo, na Colúmbia. Depois, como não sou artista, passei a fazer negócios com arte. Nunca me casei, coisa que desagrada a minha mãe, tanto que uma vez cheguei a considerar a possibilidade seriamente, mas foi por pouco tempo.

Ela levantou a sobrancelha. — E descartou a possibilidade?

— Naquela época, com aquela mulher. Faltava aquela centelha. — Ele se aproximou, pelo prazer de estar perto dela e porque gostava do olhar de cautela que aparecia em seus olhos enquanto o fazia. — Você acredita nesse tipo de coisa, Miranda?

Essa centelha, ela imaginava, era prima daquela sensação no coração. — Acredito que ela alimenta uma primeira atração, mas uma centelha morre e não é o suficiente a longo prazo.

— Você é cética — ele concluiu. — Eu sou romântico. Você analisa, eu aprecio. É uma combinação interessante, não acha?

Ela moveu o ombro, descobrindo que não estava mais tão relaxada. Ele pegou sua mão tamborilando na mesa mais uma vez. Tinha o hábito do toque, ao qual ela não estava acostumada, e o dele era um toque que a deixava mais do que alerta à tal centelha.

Centelha, lembrou a si mesma, que podia pegar fogo. Mas também podia queimar.

Estar tão rapidamente, tão escandalosamente atraída por ele era algo perigoso, e ilógico. Tinha tudo a ver com hormônios e nada a ver com a razão.

Portanto, concluiu, o sentimento deveria e seria duplamente controlado.

— Não entendo os românticos. Tomam decisões baseados nos sentimentos, não nos fatos. — Andrew era um romântico, pensou, e sofreu pelo irmão. — Depois, ficam surpresos quando essas decisões dão errado.

— Mas é bem mais divertido que o ceticismo. — E ele se deu conta de que estava muito mais atraído por ela do que imaginara. Não somente pela sua aparência, concluiu quando terminaram de comer. Era aquele limiar de praticidade, de pragmatismo. Difícil de resistir.

E, sim, aqueles grandes olhos tristes.

— Sobremesa? — perguntou a ela.

— Não, eu não faria isso. A comida estava maravilhosa.

— Café?

— Já está muito tarde pra tomar café.

Ele sorriu, absolutamente seduzido. — Você é uma mulher metódica, Miranda. Gosto disso em você. — Ainda observando-a, fez sinal pedindo a conta. — Por que a gente não dá uma volta? Você pode me mostrar a praia.

— JONES POINT É UMA CIDADE SEGURA — ELA COMEÇOU A dizer enquanto caminhavam sob o vento gelado que lambia o mar. A limusine os seguia devagar, fato que a divertia e desequilibrava ligeiramente. Por mais que viesse de uma família rica, nenhum Jones jamais contratara uma limusine para escoltá-los enquanto passeavam. — É um lugar bom pra passear. Tem vários parques. Eles são

lindos na primavera e no verão. Cheios de árvores e canteiros. Você nunca tinha vindo aqui?

— Não. A sua família vive aqui há muitas gerações?

— É. Sempre vários Jones em Jones Point.

— É por isso que você mora aqui? — Seus dedos dentro das luvas enlaçaram os dela, couro deslizando sobre couro. — Porque é o que se espera de você?

— Não. É daqui que eu venho, é de onde eu sou. — Era difícil explicar, até para si mesma, quão profundas eram suas raízes no solo pedregoso da Nova Inglaterra. — Eu gosto de viajar, mas é aqui que quero estar quando é hora de voltar pra casa.

— Fale mais sobre Jones Point.

— É um lugar calmo e organizado. A cidade era uma vila de pescadores e se transformou numa comunidade com ênfase na cultura e no turismo. Vários moradores ainda fazem a vida no mar. O que a gente chama de beira-mar é, na verdade, a Commercial Street. Pescar lagostas é rentável, a fábrica de enlatados daqui vende para o mundo inteiro.

— Você já fez isso?

— O quê?

— Pescar lagosta.

— Não. — Ela sorriu levemente. — Posso ver os barcos, as boias e as redes lá de cima, atrás da minha casa. Gosto de ficar assistindo.

Observar mais que participar, ele pensou.

— Aqui é Old Port. Há muitas galerias nesta parte da cidade. Talvez você queira visitar algumas antes de ir embora.

— É. Talvez — ele disse.

— A cidade fica mais bonita na primavera, dá pra aproveitar os parques e as praias. Tem umas partes muito bonitas de areia e pântano, lugares pra ver a paisagem da Miracle Bay e as ilhas. Mas, no inverno, vira cartão-postal. O lago do Atlantic Park congela e as pessoas gostam de patinar.

— Você gosta? — Ele deslizou o braço em volta dos ombros dela para protegê-la do vento. Seus corpos se encostaram. — De patinar.

— Gosto. — Seu sangue esquentou, a garganta ficou seca. — É um ótimo exercício.

Ele riu e logo depois de passarem sob a luz de um poste de rua, virou-a para si. Agora suas mãos estavam nos ombros dela, e o vento soprava-lhe o cabelo. — Então, você patina pelo exercício, não pelo prazer.

— Eu gosto. Mas já passou a época boa.

Ele podia sentir a tensão, o tremor dela em suas mãos. Intrigado, puxou-a para perto. — E como é que você se exercita nesta época do ano?

— Eu ando à beça. Nado quando dá. — O batimento de seu pulso começou a acelerar, uma sensação na qual ela sabia não poder confiar. — Tá muito frio.

— Então por que você não pensa nisto como um exercício pra dividir o calor do corpo? — Ele não tinha a intenção de beijá-la, em algum momento, sim, é claro, mas não tão cedo. Mesmo assim, não mentira quando dissera ser um romântico. E o momento simplesmente pedia isso.

Encostou seus lábios nos dela, testando-a, seus olhos abertos, assim como os dela. A cautela fez com que os lábios de Miranda se curvassem enquanto ele provava seu gosto uma segunda vez. Era um homem que acreditava na prática até tornar-se habilidoso em um assunto de seu interesse. Ele era bastante capaz, no que dizia respeito às mulheres, e aqueceu os lábios dela pacientemente, até que ela relaxasse, até que seus cílios baixassem e ela suspirasse baixinho em sua boca.

Talvez fosse tolice, mas que mal havia nisso? A pequena guerra interna pela razão se transformou em sussurros, ao passo que as sensações assumiam o controle. A boca dele era firme e sedutora, o corpo, comprido e firme. Ele tinha o gosto suave do vinho que haviam tomado juntos, e era simplesmente excitante, estrangeiro e rico.

Ela se viu encostando-se nele, suas mãos agarrando-lhe o casaco na altura da cintura. E o prazer apagou todos os pensamentos de sua cabeça.

De repente, as mãos dele estavam envolvendo seu rosto, o couro macio e frio das luvas um choque na sua mente em devaneio. Ela abriu os olhos e encontrou os dele fixos no seu rosto, com uma intensidade ardente que o beijo fácil não antecipara.

— Vamos tentar de novo.

Agora a boca de Ryan estava tensa, quente, e aprofundou-se na dela até que Miranda escutasse um rugido dentro da cabeça, como o do mar sob sua casa no penhasco. Havia uma demanda e a certeza arrogante de que seria atendida. Mesmo que sua mente tentasse se desvencilhar, se desdobrasse em recusa, sua boca respondia.

Ele sabia muito bem o que queria. Queria muito da vida e principalmente de seus negócios. Sabia que ser um homem de negócios o levaria ao topo e, consequentemente, à realização de seus sonhos e desejos. Desejá-la era não apenas aceitável. Era esperado. Mas querê-la agora, com tanta força, com tanto ímpeto, era algo perigoso. Perigoso até mesmo para um jogador como ele. Um homem que jogava com a vida, mas sabia perfeitamente a hora de parar.

Ainda assim, permaneceu tempo suficiente para se assegurar de que passaria uma noite desconfortável, solitária. Não podia dar-se ao luxo de seduzi-la, levá-la para a cama. Havia trabalho a ser feito e a agenda já estava programada. Mais do que tudo, ele não podia dar-se ao luxo de se preocupar com ela. Apegar-se à banca representava a certeza de perder o jogo.

Ele nunca perdia.

Afastou-a, passando os olhos pelo rosto dela. As maçãs do rosto estavam coradas, de um misto de frio e calor. Os olhos ainda nublados por uma paixão que ele supunha tê-la surpreendido tanto quanto a ele mesmo. Ela tremeu quando ele escorregou suas mãos até os ombros dela novamente. E não disse nada.

— Eu devia levar você pra casa. — Por mais que se maldissesse, seu sorriso era suave e fácil.

— É. — Ela queria sentar, acalmar-se. Voltar a raciocinar. — Tá ficando tarde.

— Mais um minuto — ele murmurou — e seria tarde demais. — Segurou a mão de Miranda e levou-a até a limusine. — Você vai muito a Nova York?

— De vez em quando. — O calor parecia ter formado uma bola de fogo em seu estômago. O resto dela estava frio, gelado.

— Me avisa quando estiver planejando ir pra lá. E eu me organizo pra te receber.

— Tudo bem. — Miranda ouviu-se dizer e não se sentiu nem um pouco tola.

ELA CANTOU NO CHUVEIRO. ERA ALGO QUE NUNCA FAZIA. Nunca precisaram avisá-la de que tinha uma voz terrível, podia ouvir-se. Mas naquela manhã ela soltou a voz e cantou *Making Whoopee*. Não sabia por que a melodia estava em sua cabeça — não fazia nem ideia de que sabia a letra —, mas repetia as palavras com voz engrolada enquanto a água caía sobre sua cabeça.

Ainda cantarolava enquanto se secava.

Retirou a toalha do corpo e enrolou-a no cabelo, balançando os quadris enquanto o fazia. Também não dançava muito bem, apesar de conhecer os passos apropriados. Os membros do conselho de arte que a guiavam nas valsas ficariam chocados ao ver a fria dra. Jones bailando dentro de seu confortável banheiro.

Riu ao pensar nisso, algo tão improvável que precisou parar para recuperar o fôlego. Deu-se conta, com certo assombro, de que estava feliz. Realmente feliz. Isso era tão raro. Contente estava sempre, envolvida, satisfeita, desafiada. Mas sabia que a felicidade simples normalmente a evitava.

Era maravilhoso poder senti-la agora.

E por que não deveria? Vestiu um robe felpudo e passou um creme suavemente perfumado nos braços e nas pernas. Estava interessada num homem bastante atraente, e ele estava interessado nela. Gostava da sua companhia, apreciava seu trabalho, achava-a atraente tanto física quanto intelectualmente.

Não ficara intimidado, como acontecera com muitos, por sua posição ou personalidade. Era charmoso, bem-sucedido — sem falar que era lindo — e civilizado o suficiente para não ter se apressado em obviedades e a arrastado para a cama.

Ela teria ido?, Miranda perguntou-se enquanto secava o espelho embaçado. Normalmente a resposta seria um sonoro não. Ela não se permitia casos inconsequentes com homens que mal conhecia. Não se permitia casos, melhor dizendo. Seu último romance fora há dois anos, e o *affair* terminara tão terrivelmente que ela evitara até mesmo relacionamentos casuais.

Mas a noite passada... Sim, pensou que teria sido persuadida. Contra a própria razão, teria sido levada. Mas ele a respeitara o suficiente para não pedir.

Continuou a cantarolar enquanto se vestia, escolheu um terno de lã com uma saia curta e um casaco comprido em tons de azul metálico. Foi cuidadosa com a maquiagem e deixou o cabelo solto. Num último ato de rebeldia feminina, calçou sapatos de salto alto.

Quando saiu para o trabalho, ainda estava escuro e frio, e ainda cantava.

ANDREW ACORDOU COM A MÃE DE TODAS AS RESSACAS. Incapaz de suportar os próprios gemidos, tentou sufocar-se com o travesseiro. O instinto de sobrevivência foi maior que a miséria de seu estado e ele desistiu. Esforçou-se para respirar, segurando a cabeça para evitar que despencasse sobre os ombros.

Depois desistiu, torcendo para que caísse.

Arrastou-se para fora da cama. Por ser um cientista, sabia que não era possível que seus ossos realmente estivessem se chocando uns contra os outros, mas tinha medo da possibilidade de ser exatamente isso que acontecia com seu corpo, um desafio à natureza.

Era culpa de Annie, concluiu. Ela ficara irritada o suficiente com ele na noite anterior e o deixara beber até cair. Contara com ela para fazê-lo parar, como sempre acontecia. Mas, não, ela continuara colocando a bebida na frente dele toda vez que ele pedia.

Mal se lembrava de ela tê-lo enfiado dentro de um táxi, dizendo algo apelativo sobre seu desejo de vê-lo passar tão mal quanto três cachorros abandonados.

O desejo dela fora atendido, pensou enquanto descia aos trancos e barrancos. Se estivesse se sentindo pior, estaria morto.

Quando viu que já havia café pronto, quase chorou de amor e gratidão pela irmã. As mãos tremendo desajeitadas, tirou do frasco quatro comprimidos extrafortes de efedrina e engoliu-os com o café queimando-lhe a boca.

Nunca mais, prometeu a si mesmo, pressionando os dedos contra os olhos vermelhos e latejantes. Nunca mais beberia além da conta. Mesmo enquanto jurava, a vontade escorregadia de tomar só mais uma dose percorreu seu corpo. Uma única dose para equilibrar suas mãos, para acalmar seu estômago.

Recusou o pensamento, dizendo para si mesmo que havia diferença entre beber demais e ser alcoólatra. Se bebesse às sete da manhã, seria um alcoólatra. Às sete da noite, tudo bem. Ele podia esperar. Esperaria. Doze horas.

O toque da campainha perfurou sua cabeça como a ponta de uma lâmina bem afiada. Ele quase gritou. Em vez de atender, sentou-se à mesa da cozinha, baixou a cabeça e rezou por um estado de ausência.

Estava quase apagando quando a porta de trás foi aberta e uma lufada de vento gelado adentrou seguida de uma mulher raivosa.

— Pensei que você estaria enroscado num canto com pena de si mesmo. — Annie colocou uma sacola de supermercado sobre a bancada, levou as mãos à cintura e fez uma careta para ele. — Olha só pra você, Andrew. Uma desgraça de dar dó. Seminu, barbado, olhos inchados e fedendo. Vai tomar um banho.

Ele levantou a cabeça e piscou para ela. — Eu não quero.

— Vai tomar um banho, enquanto eu preparo o café da manhã pra você. — Quando ele tentou levantar a cabeça novamente, ela

apenas agarrou um punhado do seu cabelo e manteve-a de pé. — Você tá tendo exatamente o que merece.

— Jesus, Annie, você vai arrancar a minha cabeça fora.

— E você ia se sentir muito melhor se eu conseguisse fazer isso. Levanta essa bunda da cadeira e vai tomar banho, e pode usar uma quantidade substancial de pasta de dente. Tá precisando.

— Deus Todo-Poderoso. O que é que você veio fazer aqui? — Não pensara que havia espaço para o constrangimento na raiva da ressaca, mas estava errado. Pôde sentir uma onda de vergonha atravessar seu corpo e, maldição da pele muito clara, enrubescer-lhe as maçãs do rosto.

— Eu vendi bebida pra você. — Soltou o cabelo dele e sua cabeça caiu novamente sobre a mesa com uma pancada que o fez gemer. — Você me irritou, por isso te deixei beber. Então, vou preparar um café decente, e garantir que você tome banho e vá pro trabalho. Agora vai tomar banho, senão eu mesma vou te levar lá pra cima e te enfiar na banheira.

— Tudo bem, tudo bem. — Qualquer coisa era melhor do que tê-la cutucando-o. Com o resto de dignidade que conseguiu juntar, levantou-se. — Não quero comer nada.

— Você vai comer o que eu fizer. — Virou-se para a bancada e começou a retirar as coisas das sacolas. — Agora sai daqui. Você tá fedendo a chão de bar de segunda.

Esperou até ouvi-lo se afastar, depois fechou os olhos e apoiou-se na bancada.

Nossa, ele lhe parecera tão patético! Tão triste, tolo e doente. Ficara com vontade de abraçá-lo, acalmá-lo, de arrancar dele todo aquele veneno. Veneno, pensou, culpada, que lhe vendera porque estava com raiva.

Não era a bebida, não na verdade, pensou. Era o coração, e ela simplesmente não sabia como tocá-lo.

Perguntou-se se seria capaz, se ele fosse menos importante para ela.

Ouviu o barulho da água no encanamento quando ele ligou o chuveiro e sorriu. Ele era tão parecido com aquela casa, pensou. Um pouco gasto, um pouco danificado, mas surpreendentemente resistente.

Só não podia ver por que toda aquela inteligência e beleza não haviam sido boas para ele. Formavam um casal incrível, luminoso e brilhante, mas só na superfície. Ela não compreendera do que ele era feito, sua necessidade de doçura, a dor em seu coração, decorrente do fato de não se julgar digno de amor.

Ele precisava de cuidados.

Isso, ela podia fazer, Annie concluiu, arregaçando as mangas. Se não pudesse fazer nada mais, ela o empurraria para que encontrasse seu chão novamente.

Amigos, disse para si mesma, ficam do lado dos amigos.

A cozinha estava tomada de aromas caseiros quando ele voltou. Se fosse qualquer outra pessoa que não Annie, ele se teria trancado no quarto. O banho ajudara, e os comprimidos haviam mandado o pior da ressaca embora. O resto dela ainda estava aninhado em seu estômago e rodando na sua cabeça, mas achava que conseguiria administrar os efeitos, agora.

Pigarreou, forçou um sorriso. — O cheiro tá ótimo.

— Senta — ela disse sem se virar.

— Ok. Desculpa, Annie.

— Não precisa pedir desculpas pra mim. Você tem que se desculpar consigo mesmo. É você quem acaba saindo ferido nessa história.

— Desculpe, mesmo assim. — Olhou para a tigela que ela colocou na sua frente. — Mingau de aveia?

— Pra forrar o seu estômago.

— A sra. Patch costumava me dar mingau de aveia — ele disse, pensando na mulher que cozinhava para eles quando eram crianças. — Todo dia, antes de ir pro colégio, chovesse ou fizesse sol.

— A sra. Patch sabia o que era bom pra você.

— Ela costumava colocar um pouco de *maple syrup* no mingau.

Esboçando um leve sorriso, Annie abriu o armário da cozinha. Conhecia-a como conhecia a si própria. Colocou um frasco de *syrup* e um prato de torradas em frente a ele. — Come.

— Sim, senhora. — Deu a primeira colherada com cuidado, incerto de que alguma coisa que comesse se manteria dentro do corpo. — Tá uma delícia. Obrigado.

Quando ela percebeu que ele estava fazendo progresso, que seu rosto não estava mais sombrio, sentou-se de frente para ele. Amigos ajudam amigos, pensou novamente. E são honestos uns com os outros.

— Andrew, você precisa parar de fazer isso com você.

— Eu sei. Não devia ter bebido tanto.

Ela estendeu a mão, tocou a dele. — Se você tomar uma dose, vai tomar a próxima e a próxima.

Irritado, ele sacudiu os ombros. — Não tem nada de mais tomar um drinque de vez em quando. Nada de mais em ficar bêbado de vez em quando.

— Tem quando a pessoa é alcoólatra.

— Eu não sou.

Ela recostou na cadeira. — Eu tenho um bar e fui casada com um bêbado. Conheço os sinais. Tem uma diferença entre a pessoa que bebe um pouco além da conta e aquela que não consegue parar.

— Eu consigo parar. — Ele pegou o café que ela lhe servira. — Não tô bebendo agora, tô? Não bebo no trabalho, nem deixo a bebida afetar o meu trabalho. Não fico bêbado toda noite.

— Mas bebe toda noite.

— Como metade do mundo, droga! Qual é a diferença entre duas taças de vinho no jantar e uma dose ou duas mais tarde?

— Você é que tem que descobrir isso. Como eu fiz. Nós dois estávamos meio bêbados na noite em que... — Doía dizer. Pensava que estava pronta, mas machucava, e ela não pôde dizer mais nada.

— Jesus, Annie. — A lembrança fez com que passasse a mão no cabelo, desejando que aquele bolo de culpa e vergonha não lhe pesasse no estômago. — A gente era criança.

— A gente tinha idade suficiente pra fazer um bebê. Temporariamente. — Ela pressionou os lábios. Fosse qual fosse o preço, ela colocaria pelo menos parte daquilo para fora. — A gente era bobo, inocente e irresponsável. Já aceitei isso. — Meu Deus, ela tentara aceitar. — Mas essa história me ensinou o que a gente pode perder, o que pode acontecer quando a gente perde o controle. Você perdeu o controle, Andrew.

— Uma noite, quinze anos atrás, não tem nada a ver com hoje. — No minuto em que as palavras foram despejadas, no minuto em que viu o corpo dela retrair-se, ele se arrependeu. — Não foi bem isso que eu quis dizer, Annie. Não é que não tenha importância, eu só...

— Não. — A voz dela era fria e distante agora. — Não diz mais nada. É melhor quando a gente finge que não aconteceu nada. Só toquei no assunto porque parece que você não vê a diferença. A gente só tinha dezessete anos, mas você já tinha um problema com a bebida. Eu não tinha. Não tenho. Você deu um jeito de passar a maior parte da vida sem deixar isso tomar conta. Agora você cruzou a linha. A bebida tá começando a mandar em você, Andrew, e você precisa assumir o controle de novo. Tô te falando isso como amiga. — Ela se levantou, envolveu o rosto dele com as mãos. — Não volta mais no meu bar. Eu não vou te servir.

— Annie...

— Você pode ir lá pra conversar, mas não vai pra beber porque eu não vou dar.

Ela se virou, pegou o casaco e saiu apressada.

# Capítulo Sete

Ryan vagava pela Galeria Sul admirando o uso da luz, a disposição do espaço. Os Jones conhecem o mercado, pensou. Os expositores eram elegantemente dispostos, as placas explicativas discretas, e a informação, clara.

Sem dar a perceber, escutava com um dos ouvidos a mulher de cabelo azul e sotaque acentuado que liderava um pequeno tour até uma das magníficas madonas de Rafael.

Outra excursão, um pouco maior e mais barulhenta, era composta de crianças de escola e conduzida por uma morena animada. Dirigiam-se para os impressionistas, para alívio de Ryan.

Não que não gostasse de crianças. Seus sobrinhos e sobrinhas eram motivo de grande deleite e diversão para ele. Tinha prazer em mimá-los desavergonhadamente. Mas crianças tendem a ser uma distração durante as horas de trabalho. Ryan estava trabalhando seriamente.

Os guardas eram discretos, mas muitos. Prestou atenção à sua postura e, pela rápida olhada de um deles para o relógio, notou que estava perto da troca de turno.

Ele parecia andar a esmo, parando de vez em quando para apreciar uma pintura, escultura ou uma vitrine com objetos diversos. Internamente, no entanto, contava os passos. Da entrada até a câmera na esquina do lado sul, da câmera até o corredor, do corredor até a próxima câmera, de lá até o seu objetivo.

Não ficava diante de uma vitrine mais do que um amante da arte ficaria ao analisar a rara beleza de uma estatueta do século quinze. O bronze, o *Davi*, era uma pequena joia, um jovem arrojado, esbelto, seu estilingue puxado para trás naquele histórico momento da verdade.

Apesar de o artista ser desconhecido, o estilo era de Leonardo. E, como a placa indicava, presumia-se que fosse obra de um de seus alunos.

O cliente de Ryan era fã de Leonardo, e o comissionara para avaliar essa peça, vista por ele no instituto seis meses antes.

Ryan achou que seu cliente ficaria feliz, e mais cedo do que esperava. Decidira adiantar a própria agenda. Era mais inteligente seguir adiante e para longe, ele pensara, do que arriscar-se a cometer um erro com Miranda. Já sentia certo pesar por causar a ela algum inconveniente e aborrecimento.

Mas, afinal, ela tinha seguro. E o bronze certamente não era a melhor peça da instituição.

Se estivesse escolhendo algo para si, teria pego o Cellini, ou talvez a mulher de Ticiano, que lhe lembrava Miranda. Mas o bronze, que caberia no bolso, era a escolha do seu cliente. E seria um trabalho mais fácil do que o Cellini ou a peça de Ticiano.

Devido à sua própria reação não planejada a Miranda, perdera uma hora produtiva ou duas, depois de levá-la em casa e trocar seu traje do jantar, arrastando-se no espaço exíguo sob o instituto. Ali, como ele já sabia, ficava o painel de controle do sistema de segurança do prédio. Alarmes, câmeras, sensores.

Tudo de que precisava era seu laptop e um pouco de tempo para zerar o principal e entrar com suas especificações pessoais. Não precisara alterar muita coisa. A maior parte do trabalho seria feita dali a algumas horas, mas algumas mudanças de cautela facilitariam seu serviço a longo prazo.

Completou suas medições, depois, seguindo seu planejamento, iniciou o primeiro teste. Sorriu para a mulher de cabelo azulado ao passar pelo grupo. Com as mãos nos bolsos, estudou uma pintura sombria da Anunciação. Com o pequeno mecanismo na mão, passou o polegar sobre os controles até sentir o botão apropriado. A câmera estava à sua direita.

Sorriu para a Virgem ao ver, com o canto dos olhos, a pequena luz vermelha da câmera se apagar.

Deus, ele adorava a tecnologia.

No outro bolso, pressionou um cronômetro. E esperou.

Concluiu que haviam se passado dois minutos até que o walkie-talkie do guarda mais próximo tocasse. Ryan pressionou o botão do cronômetro novamente, desativou a câmera com a outra mão e foi analisar o rosto triste e confuso de São Sebastião.

Mais que satisfeito, Ryan saiu da galeria e foi até o lado de fora para usar seu celular.

— Escritório da dra. Jones, posso ajudar?

— Espero que sim. — A voz da assistente de Miranda fez com que ele abrisse um sorriso. — A dra. Jones pode falar? É Ryan Boldari.

— Um momento, sr. Boldari.

Ryan deu um passo atrás para esconder-se do vento e aguardou. Gostava do visual do centro da cidade, concluiu, da variedade arquitetônica, do granito com tijolos. Passara por uma estátua digna de Longfellow em suas caminhadas e descobriu que ela e outras estátuas e monumentos davam um charme a mais àquela cidade interessante.

Talvez preferisse Nova York, a velocidade e a demanda do lugar. Mas achava que não se incomodaria de passar um pouco mais de

tempo ali. Em outro momento, é claro. Não era sábio permanecer por muito tempo depois de concluir um serviço.

— Ryan? — Sua voz parecia um pouco arfante. — Desculpe, eu te deixei esperando.

— Não tem problema. Tirei um dia de folga e fiquei passeando pelas suas galerias. — Melhor que ela soubesse, estariam revisando as fitas de segurança no dia seguinte.

— Você podia ter me avisado que vinha. Eu teria ciceroneado você.

— Eu não queria tirar você do seu trabalho. Mas queria dizer que acho que meus Vasari vão ter um lar temporário maravilhoso. Você devia ir a Nova York pra ver onde seu Cellini vai ficar.

Ele não tinha a intenção de dizer isso. Droga. Mudou o telefone de mão, lembrando-se de que alguma distância seria recomendável por um tempo.

— Talvez eu faça isso. Você quer subir? Posso liberar sua entrada.

— Eu subiria, mas tenho alguns encontros que não posso remarcar. Queria levar você pra almoçar, mas não posso cancelar essas reuniões. Vou ficar enrolado o resto do dia, mas fiquei pensando se você não almoçaria comigo amanhã.

— Com certeza, eu posso me organizar. Que horas é bom pra você?

— Quanto mais cedo, melhor. Quero ver você, Miranda. — Podia imaginá-la sentada no escritório, talvez vestindo um jaleco sobre uma suéter grossa. Sim, ele queria vê-la, muito. — Que tal ao meio-dia?

Ouviu o som de papéis sendo remexidos. Checando a agenda, ele pensou, e por alguma razão achou isso delicioso. — Ok. Meio-dia é bom. A documentação dos seus Vasari acabou de chegar na minha mesa. Você trabalha rápido.

— Mulheres bonitas não deviam ter que esperar. Te vejo amanhã. Vou pensar em você hoje à noite.

Encerrou a ligação e sentiu algo muito raro. Reconheceu o sentimento de culpa somente porque não conseguia realmente

recordar-se de outra experiência como essa. Certamente não no que dizia respeito às mulheres ou ao trabalho.

— Que pena — disse suavemente, e guardou o celular. Enquanto caminhava em direção ao estacionamento, retirou o cronômetro do bolso. Cento e dez segundos.

Tempo suficiente. Mais que suficiente.

Olhou para cima, para a janela que sabia ser a da sala de Miranda. Haveria tempo para isso também. Em algum momento. Mas obrigações profissionais vinham em primeiro lugar. Estava certo de que uma mulher de natureza prática concordaria com isso.

RYAN DESPENDEU AS PRÓXIMAS VÁRIAS HORAS TRANCADO NA sua suíte. Pediu um almoço leve, ligou o rádio numa estação de música clássica e espalhou suas anotações para revisá-las.

Tinha as plantas do instituto na mesa de reunião juntamente com o saleiro, pimenteiro e pequenas garrafinhas de mostarda e ketchup vindas na bandeja do serviço de quarto.

Os esquemas do sistema de segurança estavam na tela de seu laptop. Comeu uma batata frita, tomou um gole de Evian e voltou a estudar.

Havia sido facílimo acessar as plantas. Contatos e dinheiro podem trazer acesso a quase tudo. Ele também era muito habilidoso com o computador. Desenvolvera e aperfeiçoara esse talento ainda na escola.

A mãe insistira que ele devia aprender a digitar — porque nunca se sabe —, mas ele tinha coisas mais interessantes a fazer com um teclado do que catar milho para escrever correspondências.

Instalara programas no laptop que carregava consigo agora e adicionara vários atrativos que não eram exatamente legais. Mais uma vez, assim também era com sua profissão.

As Galerias Boldari estavam acima de qualquer suspeita e, atualmente, autofinanciadas, geravam um lucro confortável. Mas haviam

sido construídas com fundos que ele acumulara ao longo dos anos, tendo começado ainda menino, de raciocínio rápido e dedos ágeis nas ruas de Nova York.

Alguns nascem artistas, outros, contadores. Ryan nascera ladrão.

Inicialmente, batera carteiras e roubara objetos, porque o dinheiro era curto. Afinal, professores de arte não ganhavam grande coisa e eram muitas as bocas para alimentar na família Boldari.

Mais tarde, ele mudara para um segundo trabalho, porque, bem, ele era bom no que fazia, e aquilo era excitante. Ainda se lembrava da primeira incursão numa casa às escuras. O silêncio, a tensão, a emoção de estar em algum lugar onde não deveria, a possibilidade de ser pego, eram coisas que davam um brilho a mais a tudo aquilo.

Era como fazer sexo em algum lugar público, à luz do dia. Com a mulher de outro homem.

Como tinha um código de ética estrito contra o adultério, limitava-se à excitação do roubo.

Quase vinte anos mais tarde, ainda sentia a mesma emoção toda vez que arrombava uma fechadura e adentrava um prédio com esquemas de segurança.

Refinara sua aptidão e, por mais de uma década, especializara-se em arte. Tinha um sentimento pela arte, um amor por ela, e em seu coração considerava-a algo de domínio público. Se extraviasse uma pintura do Instituto Smithsoniano — e já o fizera —, estava simplesmente prestando um serviço a alguém, pelo qual era muito bem pago.

E, com o valor, comprava mais arte para expor em suas galerias, a ser vista e usufruída pelo público.

Parecia um ótimo equilíbrio para as coisas.

Como tinha certo afã por equipamentos eletrônicos, por que não colocá-los em prática juntamente com o talento para a trapaça que lhe fora dado por Deus?

Voltando ao laptop, digitou as medidas tiradas na Galeria Sul e abriu a planta tridimensional do andar na tela. A posição das câme-

ras estava marcada em vermelho. Com alguns toques rápidos nas teclas, fez com que o computador calculasse os ângulos, a distância e a melhor abordagem.

Estava, pensou, a milhas de distância de seus dias de gatuno, quando escolhia uma casa, entrava pela janela e se esgueirava lá dentro, enchendo sua bolsa de objetos de valor. Esse aspecto da profissão era para os jovens, os descuidados ou tolos. E, numa época de insegurança, muitas pessoas possuíam armas em casa e saíam atirando em qualquer coisa que se movesse.

Preferia evitar donos de casa animados com seus gatilhos.

Melhor colocar em prática a idade e a tecnologia, fazer rapidamente o serviço de maneira limpa, segura e organizada, depois seguir em frente.

Por hábito, checou as baterias em seu carregador de bolso. O design era seu e a peça feita com pedaços retirados de um controle remoto de TV, um celular e um pager.

Uma vez que estudara o sistema de segurança — que Andrew fora gentil o suficiente para lhe mostrar —, podia facilmente ajustar o alcance da frequência a ser aplicado, depois de equipar o sistema na fonte. Seu teste naquela manhã provara que fora bem-sucedido.

Conseguir entrar fora mais problemático. Se trabalhasse com um parceiro, um poderia ficar trabalhando no computador existente na tubulação e contornar as trancas. Ele trabalhava sozinho, precisava de um controle para as câmeras.

Trancas eram relativamente simples. Ele acessara os esquemas do sistema de segurança semanas antes, e finalmente quebrara o código. Depois de duas noites no lugar, marcara a lateral da porta e forjara um cartão-chave.

O código de segurança em si fora mais uma cortesia de Andrew. Ryan achava impressionante a quantidade de informação que as pessoas carregam na carteira. Os números e a sequência estavam escritos claramente num pedaço de papel dobrado logo atrás da carteira de motorista de Andrew. Haviam sido precisos alguns segundos para

que Ryan roubasse a carteira, alguns minutos para procurar, encontrar os números e memorizá-los, além de nada mais que um tapinha amigável nas costas para devolver a carteira ao bolso de Andrew.

Ryan imaginava que o serviço lhe tomara aproximadamente setenta e duas horas de trabalho preparatório, mais uma hora necessária para a execução e, descontando seus gastos, teria um lucro de oitenta e cinco mil.

Um ótimo trabalho, pensou, e tentou não se arrepender por esta ser sua última aventura. Dera sua palavra, e nunca voltava atrás numa promessa. Não à família.

Conferiu a hora, deu-se conta de que estava a oito horas do fechamento das cortinas. Gastara as primeiras cuidando de qualquer evidência, queimando plantas na lareira de seu quarto de hotel, trancando todos os equipamentos eletrônicos numa caixa reforçada, depois digitando senhas e códigos adicionais em seu computador para que seu trabalho ficasse arquivado em segurança.

Teve tempo de sobra para exercitar-se, fazer uma sauna e dar uma rápida cochilada. Acreditava na ativação do corpo e da mente antes de uma invasão.

LOGO DEPOIS DAS SEIS, MIRANDA SENTOU-SE EM SUA SALA para escrever uma carta, ela mesma. Apesar de ela e Andrew dirigirem juntos o instituto, ainda era procedimento padrão informar os pais sobre o que estava acontecendo, assim como esperar pela aprovação em casos de empréstimo ou transferência de obras de arte.

Pretendia que a carta fosse objetiva, uma carta de negócios, e estava ávida por trabalhar cada palavra até que estivesse tão azeda quanto o vinagre, pouco amigável, mas inequívoca e absolutamente profissional.

Pensou que o vinagre iria muito bem com o aborrecimento que a mãe logo estaria estampando no rosto.

Completara o primeiro rascunho e começava a refinar a redação quando o telefone tocou.

— Instituto de História da Arte da Nova Inglaterra, dra. Jones falando.

— Miranda, graças a Deus eu peguei você aí.

— Desculpe. — Irritada com a interrupção, ela mudou o telefone de orelha, tirando o brinco. — Quem fala?

— Giovanni.

— Giovanni? — Passou os olhos pelo relógio de mesa, calculou o horário. — Já é mais de meia-noite aí. Aconteceu alguma coisa?

— Tudo. Desastre total. Não me atrevi a te ligar mais cedo, mas achei que você precisava saber o mais rápido possível, antes que... antes que amanhecesse.

O coração de Miranda deu um salto, um salto brutal, e o brinco que ela removera caiu de sua mão, fazendo barulho metálico na mesa. — Minha mãe? Aconteceu alguma coisa com a minha mãe?

— Isso... quer dizer, não. Ela está bem, não está ferida. Desculpe. Estou chateado.

— Tudo bem. — Para acalmar-se, ela fechou os olhos, respirou profunda e silenciosamente. — Me diz o que aconteceu.

— O bronze. O Fiesole. É falso.

— Isso é ridículo. — Ela se endireitou na cadeira, a voz saindo de controle. — Claro que não é falso. Quem disse isso?

— Os resultados dos testes feitos em Roma chegaram hoje. Laboratórios Arcana-Jasper. O dr. Ponti supervisionou o processo. Você conhece o trabalho dele?

— Claro que eu conheço. Você deve estar com a informação errada, Giovanni.

— Estou te falando, eu vi os resultados. A dra. Standford-Jones me chamou, também chamou o Richard e a Elise, já que nós três fazíamos parte da equipe original. Ela até rejeitou o Vincente. Ela tá furiosa, Miranda, humilhada e nem um pouco frágil. O bronze é falso. Provavelmente foi fundido há poucos meses, se tanto. A fórmula do metal estava certa, até a pátina estava perfeita e poderia ser confundida.

— Eu não confundi nada — ela insistiu, mas sentiu pontadas de pânico subindo-lhe pela coluna.

— Os níveis de corrosão estavam errados. Não sei como você deixou isso escapar, Miranda, mas estavam errados. Foi feita uma tentativa de criar os níveis no metal, mas não deu certo.

— Você viu os resultados, as fotos no computador, os raios X.

— Eu sei. Falei isso pra sua mãe, mas...

— Mas o quê, Giovanni?

— Ela me perguntou quem fez as radiografias, quem programou o computador. Quem fez os testes de radiação. *Cara*, desculpe.

— Entendi. — Sentiu-se dormente, a mente turva. — A responsabilidade é minha. Eu fiz os testes. Eu escrevi os relatórios.

— Se a informação não tivesse vazado pra imprensa, a gente teria varrido tudo pra baixo do tapete, pelo menos uma parte.

— O Ponti pode estar errado. — Ela esfregou os lábios com a mão. — Ele pode ter errado. Eu não me enganaria com uma coisa tão básica como o nível de corrosão. Preciso pensar sobre isso, Giovanni. Agradeço por você ter me contado.

— Odeio pedir isso, Miranda, mas eu preciso, porque quero manter minha posição. A sua mãe não pode saber que eu falei com você sobre isso, aliás, ela não pode saber que eu falei com você sobre nada. Acho que ela deve te ligar de manhã.

— Não precisa se preocupar, não vou mencionar o seu nome. Não posso mais falar agora. Preciso pensar.

— Tudo bem. Desculpe, eu sinto tanto...

Propositalmente devagar, ela desligou e permaneceu sentada, como uma estátua, olhando para o nada. Esforçou-se por trazer todas as informações à mente, ordená-las, tentando vê-las claramente, como fizera em Florença. Mas não havia nada além de um zumbido que a fazia desistir e deixar a cabeça pender entre os joelhos.

Falso? Não podia ser. Sua respiração acelerou, dificultando a permanência do ar em seus pulmões. Depois as pontas dos dedos começaram a formigar, até que a dormência passou e deu lugar a uma tremedeira.

Ela fora cuidadosa, certificara-se. Fora meticulosa. Fora acurada. Seu coração batia tão fortemente, provocando-lhe dor, que precisou pressionar o esterno com as mãos.

Deus, no entanto não fora cuidadosa o suficiente, meticulosa o suficiente, acurada o suficiente.

Sua mãe estaria certa? Apesar de todas as suas alegações em contrário, teria ela se confundido a respeito do bronze no momento em que o vira?

Ela o quisera, admitiu, e levantou a cabeça para em seguida recostar-se na cadeira num movimento deliberadamente lento, como o dos idosos ou doentes. Quisera que fosse verdadeiro, quisera saber que tinha algo importante, precioso e raro nas mãos.

Arrogância, Elizabeth dissera. Sua arrogância e sua ambição. Será que deixara o convencimento, o desejo, a sede de aprovação turvarem seu julgamento e afetarem seu trabalho?

Não, não, não. Cerrou os punhos, pressionou-os contra os olhos. Vira as fotografias, os resultados dos testes químicos. Estudara-os. Eram fatos, e fatos não mentem. Cada teste provara sua crença. Deveria haver algum engano, mas ela não se enganara.

Porque, se isso tivesse acontecido, pensou, baixando os punhos até a mesa, seria pior que o fracasso. Ninguém confiaria nela novamente. Ela não confiaria mais em si mesma.

Fechou os olhos, inclinou a cabeça para trás.

Foi assim que Andrew a encontrou, vinte minutos mais tarde.

— Vi sua luz acesa. Também fiquei trabalhando até tarde e... — Ele recuou, parando na porta. Ela estava pálida, e quando abriu os olhos, estes revelaram-se muito sombrios, molhados e vidrados. — Ei, você tá sentindo alguma coisa?

Apesar de doenças o deixarem nervoso, ele atravessou a sala e colocou a mão na testa da irmã. — Você tá tendo um calafrio, alguma coisa, vou te levar pra casa. Você tem que se deitar.

— Andrew... — Ela tinha que falar, falar em voz alta. E sua garganta estava embargada pelas palavras. — *A Senhora Sombria*. É falsa.

— O quê? — Ele começara a fazer carinho na cabeça dela. Agora sua mão estava paralisada. — O bronze? Em Florença?

— Os segundos testes. Os resultados chegaram. O nível de corrosão tá errado, os números da radiação, errados. Ponti, em Roma, supervisionou os testes pessoalmente.

Ele sentou na borda da mesa, sabendo que cafuné de irmão não acabaria com o mal-estar. — Como é que você sabe?

— O Giovanni, ele acabou de ligar. Não era pra ele fazer isso. Se a mamãe descobrir, ele pode ser demitido.

— Ok. — Giovanni não era sua preocupação no momento. — Você tem certeza de que essa informação é precisa?

— Não quero acreditar que seja. — Cruzou os braços sobre o peito, enterrando os dedos nos bíceps. Apertando, soltando, apertando, soltando. — Ele não teria me ligado, se não fosse. A mamãe ligou pra ele, pra Elise e pro Richard Hawthorne, pra contar. O Vincente também. Eu imagino que ela tenha dado um ataque. Eles vão dizer que eu estraguei tudo. — Sua voz fraquejou, fazendo com que balançasse violentamente a cabeça, como se negasse a emoção. — Exatamente como ela previu.

— Você estragou?

Ela abriu a boca para negar isso também, violentamente. Mas voltou a fechá-la, pressionando os lábios. Controle, ordenou a si mesma. No mínimo, ela precisava de controle. — Não sei como. Fiz os testes. Segui o procedimento. Documentei os resultados. Mas eu queria, Andrew, talvez eu quisesse até demais que fosse verdadeiro.

— Nunca vi você deixar o seu desejo interferir na realidade de um fato. — Ele não suportava ver a irmã tão vulnerável. Dos dois, ela sempre fora a mais forte. Os dois sempre haviam contado com isso. — Será que aconteceu algum problema técnico, com algum equipamento?

Ela quase riu. — A gente tá falando da menina dos olhos da Elizabeth, Andrew.

— Máquinas quebram.

— Ou as pessoas colocando os dados nessas máquinas cometem erros. A equipe do Ponti também pode ter cometido um. — Ela se afastou da mesa e, apesar do tremor nas pernas, começou a andar de um lado para outro. — Não é tão mais difícil do que eu ter cometido um. Preciso ver os arquivos de novo, e os resultados. Preciso ver os testes dele. Preciso ver *A Senhora Sombria.*

— Você vai precisar falar com ela.

— Eu sei. — Ela parou, virou-se para a janela, mas só conseguiu enxergar o escuro. — Ligaria pra ela agora, se isso não fosse abalar a confiança da mãe em Giovanni. Preferia resolver logo o assunto, em vez de esperar ela me ligar.

— Você sempre foi do tipo que faz as coisas de uma tacada só. Eu acredito piamente em adiar pra sempre tudo o que você não quer encarar hoje.

— Não tem como evitar. Quando os resultados forem liberados, vai ser efeito dominó. Eu vou ser vista como idiota, ou uma fraude, e uma coisa é pior que a outra. O Vincente vai descobrir uma maneira de dar uma volta na situação, mas não vai impedir o trabalho da imprensa. Ela tava certa quanto a isso. Vai afetar a Standjo, a ela própria, a mim. — Virou-se e olhou para ele. — Vai afetar o instituto.

— A gente segura as pontas.

— Isso vai ser um problema, Andrew. E não é seu.

Ele foi até ela, levou suas mãos aos ombros da irmã. — Não — disse de maneira simples, lágrimas queimando em seus olhos. — Nós vamos enfrentar isso juntos, como sempre foi.

Ela deixou escapar um suspiro, recostou-se nele e deixou-se ser confortada. Mas pensou que a mãe não lhe daria escolha. Se as consequências tivessem de recair sobre o instituto ou a filha, Miranda não tinha dúvidas do que aconteceria.

# Capítulo Oito

O vento da meia-noite era tão frio e tão cortante quanto uma mulher desprezada. Ryan não se importava. Achou-o revigorante enquanto cruzava os três quarteirões, depois de estacionar o carro.

Tudo de que precisava estava nos bolsos do casaco ou na pequena pasta que carregava. Se guardas o parassem por alguma razão, e o vistoriassem, estaria preso antes de poder exercer seus direitos de cidadão e pedir para dar um telefonema. Mas isso fazia parte da emoção.

Deus, ele sentiria falta disso, pensou, e continuou andando com passos ansiosos de um homem que corre para encontrar seu amor. A encenação estava encerrada, assim como aquele aspecto de sua vida. Agora a execução estava próxima, sua última. Queria registrar cada detalhe na mente, para que, quando fosse um homem velho e tivesse netos à sua volta, pudesse trazer de volta a sensação do poder da juventude.

Percorreu as ruas com o olhar. As árvores estavam nuas e balançavam ao vento, o tráfego era rarefeito, a lua estava encoberta pelas luzes da cidade e pelas nuvens no céu. Passou por um bar onde uma taça de martíni de néon piscava na janela, e sorriu. Talvez passasse ali para um drinque depois do trabalho. Um pequeno brinde ao fim de uma era pareceu-lhe algo apropriado.

Atravessou a rua no sinal, um cidadão respeitador das leis que não pensaria em andar fora da faixa. Pelo menos não quando estivesse de posse de ferramentas de roubo.

Viu o instituto logo à frente, uma silhueta majestosa, de granito imponente. Agradou-lhe o fato de que seu último trabalho seria invadir um prédio antigo tão digno e cheio de orgulho quanto aquele.

As janelas estariam às escuras, não fosse o brilho das lâmpadas de segurança no hall. Achava estranho, e realmente doce, na verdade, que as pessoas deixassem luzes acesas para afastar os bandidos. Um dos bons roubaria à luz do dia com tanta facilidade quanto sob a proteção do escuro.

E ele era muito bom.

Seu olhar varreu a rua de alto a baixo antes de voltar-se para o relógio. Seus vigias lhe haviam fornecido os horários de ronda policial na área. A menos que houvesse um chamado, tinha pelo menos quinze minutos antes que alguém de farda passasse por ele.

Atravessou para o lado sul do prédio, mantendo os passos firmes, mas não apressados. O casaco comprido dava a ele a impressão de corpulência, o chapéu de feltro encobria-lhe o rosto e o cabelo estava agora cinza-chumbo, digno.

Qualquer um que o notasse veria um homem de negócios de meia-idade, ligeiramente acima do peso.

Estava ainda a alguns metros do prédio, fora do alcance da câmera, quando pegou o equipamento dentro do bolso e direcionou-o. Viu a luz vermelha se apagar e movimentou-se com rapidez.

Seu cartão-chave requeria um pouco de delicadeza, mas a fenda o aceitou na terceira tentativa. Digitou o código de memória e aden-

trou a antessala em quarenta e cinco segundos. Religou a câmera — não havia necessidade de ter um guarda ávido vindo checar o equipamento —, depois fechou a porta, trancando-a novamente.

Tirou o casaco e pendurou-o cuidadosamente ao lado das máquinas de refrigerantes e petiscos. Suas luvas pretas de couro foram até o bolso. Sob elas, vestia luvas cirúrgicas que qualquer homem honesto poderia comprar numa loja de artigos médicos. Cobriu o cabelo prateado com um gorro preto.

Eficientemente, conferiu suas ferramentas uma última vez.

Só então permitiu-se parar, por um segundo apenas, e usufruir.

Ficou de pé no escuro, escutando o silêncio, que não era, de fato, silêncio. Prédios têm a própria linguagem, e este estalava e zumbia. Podia ouvir o som do ar quente passando pela tubulação dos aquecedores, os suspiros do vento pressionando a porta atrás de si.

Os guardas e as salas de segurança ficavam no andar de baixo, e o piso era espesso. Não ouvia nada vindo de lá, e eles, sabia, não o podiam escutar. Com os olhos acostumados ao escuro, dirigiu-se à próxima porta. Tinha uma tranca boa que requeria suas ferramentas, a lanterna, que segurava entre os dentes, e mais ou menos trinta segundos do seu tempo para administrar.

Sorriu diante do som das travas cedendo, depois escorregou para dentro da sala e adentrou o corredor.

A primeira câmera ficava no final, onde o corredor bifurcava para a direita e para a esquerda. Isso não o preocupava muito. Era uma sombra em meio a sombras ali, e a câmera ficava voltada para a galeria. Deslizou pelas paredes sob ela, fora de alcance, e pegou o caminho da esquerda.

A Caverna de Aladim, pensou quando agachou-se do lado de fora da Galeria Sul. A Torre de Londres, o Tesouro do Barba Negra, o País das Maravilhas. Um lugar assim era exatamente como os contos de fadas que lera e escutara na infância.

Uma excitação fulminante percorria-lhe a pele, tensionava-lhe os músculos, fervia como o desejo em suas entranhas. Era seu, bas-

tava pegar. Isso o fazia pensar em como era fácil um profissional sucumbir à ganância — e ao desastre.

Uma vez mais conferiu o relógio. A imponência primeiro-mundista de um lugar e como aquele indicava a presença de guardas fazendo rondas, apesar de câmeras e sensores cumprirem sua função com eficiência. Claro, ele era a prova do contrário, e se estivesse no comando da segurança, teria empregado o dobro de guardas e duplicaria suas rondas.

Mas esse não era seu trabalho.

Não usava mais a lanterna, não precisava dela. O brilho de um simples alfinete ativaria os sensores. Usando suas medições e a excelente visão noturna, moveu-se até o canto da galeria, apontou seu controle e desligou a câmera irritante.

Uma parte de seu cérebro contava os segundos. O resto fazia seu corpo mover-se com rapidez. Quando abaixou-se em frente ao display, seu cortador de vidro já estava na mão. Fez um círculo perfeito, ligeiramente mais largo que o pulso, sugou o vidro com quase nenhum ruído e colocou-o descansando em cima do mostruário.

Trabalhou rápido, mas com a eficiente economia de gestos que lhe era inata. Não perdeu tempo admirando sua nova posse, nem considerando o prazer de pegar algo além do que viera buscar. Isso era para os amadores. Simplesmente esticou o braço, alcançou o bronze e guardou-o na pochete do cinto.

Como apreciava a ordem, e a ironia, colocou o círculo de vidro de volta, esgueirou-se mais uma vez até o canto. Ligou novamente a câmera e voltou por onde viera.

Enrolou-se no casaco, abriu a porta para sair, trancou-a com cuidado atrás de si e, menos de dez minutos depois de ter entrado no prédio, estava a um quarteirão de distância.

Suave, escorregadio e organizado, pensou. Ótima maneira de encerrar uma carreira. Viu o bar novamente; quase entrou. No último instante, decidiu voltar ao hotel e pedir uma garrafa de champanhe, em vez disso.

Alguns brindes eram particulares.

ÀS SEIS DA MANHÃ, DEPOIS DE UMA NOITE SEM DORMIR, Miranda foi arrancada de seu primeiro cochilo verdadeiro pelo telefone. Com dor de cabeça, desorientada, alcançou o aparelho, descoordenada.

— Dra. Jones. *Pronto.* — Não, não é a Itália, é o Maine. Casa. — Alô?

— Dra. Jones, aqui quem fala é Ken Scutter, da segurança.

— Sr. Scutter. — Nenhuma imagem lhe vinha a partir do nome e ela estava muito zonza para buscar uma. — O que foi?

— Nós tivemos um incidente.

— Um incidente? — Enquanto seu cérebro se reconectava, ela se ergueu na cama. Os lençóis e cobertores estavam enroscados nela, embrulhando-a como se fosse uma múmia, e ela deixava escapar palavrões entre os dentes enquanto tentava libertar-se. — Que tipo de incidente?

— Não fui informado até a mudança de turno, ainda há pouco, mas quis contatá-la imediatamente. Tivemos uma invasão.

— Uma invasão. — Acordou completamente, o sangue latejando em sua cabeça. — No instituto?

— Sim, senhora. Imaginei que a senhora gostaria de vir imediatamente.

— Algum dano? Alguma peça foi roubada?

— Nenhum dano grande, dra. Jones. Um item desapareceu de uma vitrine da Galeria Sul. Os catálogos indicam um bronze do século quinze, de Davi, artista desconhecido.

Um bronze, ela pensou. De repente, estava amaldiçoada pelos bronzes. — Eu já estou a caminho.

Levantou-se de supetão e, sem preocupar-se em pegar o robe, correu até o quarto de Andrew com seu pijama de flanela azul. Entrou apressada, partiu para o amontoado na cama e sacudiu-o violentamente.

— Andrew, acorda. O instituto foi invadido.

— Ahn? O quê? — Ele empurrou a mão da irmã, passou a língua nos dentes, começou a bocejar. Seu maxilar estalou enquanto ele se endireitava na cama. — O quê? Onde? Quando?

— No instituto. Tem um bronze desaparecido da Galeria Sul. Se veste, anda.

— Um bronze? — Ele esfregou o rosto com as mãos. — Miranda, você tava sonhando?

— O Scutter, da segurança, acabou de ligar — disse de uma vez. — Eu não sonho. Dez minutos, Andrew. — Ela falou por sobre o ombro ao sair do quarto às pressas.

QUARENTA MINUTOS DEPOIS, ELA ESTAVA DE PÉ AO LADO DO irmão na Galeria Sul, olhando para o círculo perfeito recortado do vidro, e para o vazio atrás dele. O estômago de Miranda revirou e ela caiu de joelhos.

— Chame a polícia, sr. Scutter.

— Sim, senhora. — Ele fez sinal para um de seus homens. — Dei ordens para fazerem uma varredura no prédio... o que ainda está em processo... mas até agora não encontramos nada fora do lugar e nada mais foi levado.

Andrew fez um gesto afirmativo de cabeça. — Eu quero rever as fitas das câmeras de segurança das últimas vinte e quatro horas.

— Sim, senhor. — Scutter deixou escapar um suspiro. — Dra. Jones, o chefe da noite falou sobre um pequeno problema com duas das câmeras.

— Problema. — Miranda voltou-se. Lembrava-se de Scutter agora. Era baixo, corpulento, um antigo policial que decidira trocar as ruas pela segurança particular. Sua ficha era imaculada. Andrew o entrevistara e contratara pessoalmente.

— Aquela câmera. — Scutter virou-se, apontou para cima. — Ela apagou por uns noventa segundos ontem de manhã. Ninguém

se preocupou, mas foram feitos testes pra verificar o problema. Noite passada, por volta da meia-noite, a câmera do lado de fora da entrada sul falhou por menos de um minuto. Estava ventando muito e o problema foi atribuído ao mau tempo. Essa câmera de dentro também apagou por uns oitenta segundos, entre meia-noite e uma da manhã. As horas exatas vão aparecer nas fitas.

— Entendi. — Andrew mantinha as mãos nos bolsos, os punhos cerrados. — Sua opinião, sr. Scutter?

— Eu diria que o assaltante é um profissional, com conhecimento dos procedimentos de segurança e de tecnologia. Ele entrou pelo lado sul, passou pelo alarme e pela câmera. Sabia o que queria aqui, não ficou dando voltas. Desculpe, dra. Jones — murmurou, dirigindo um gesto de pesar a Miranda —, mas isso me diz que ele conhece o museu, as instalações.

— E ele entra dançando — Miranda disse, mal contendo a fúria —, tira o que quer, depois sai dançando de novo, apesar de um sistema de segurança complexo e caro, e meia dúzia de guardas armados.

— Sim, senhora. — Scutter pressionou os lábios. — Isso resume tudo, mais ou menos.

— Obrigada. Por favor, você vai até o lobby e espera pela polícia? — Esperou até que os passos ficassem distantes; depois, como estava sozinha com Andrew, permitiu-se demonstrar a raiva.

— Filho da mãe. Filho da mãe, Andrew! — Olhou diretamente para a câmera em questão, fez uma careta, depois voltou o olhar. — O cara quer que a gente acredite que alguém pode não dar a mínima pra segurança, entrar aqui e roubar uma peça específica em menos de dez minutos.

— Parece que essa é a teoria mais provável, a menos que você ache que os guardas tenham tramado uma conspiração, e, de repente, tenham desenvolvido uma obsessão por garotos italianos nus esculpidos em bronze.

Ele se sentia doente. Amava aquela estatueta, a vitalidade e a arrogância dela. — Poderia ter sido muito pior, Miranda.

— Nossa segurança falhou, nossa propriedade foi invadida, uma peça foi levada. Como poderia ter sido pior?

— Pelo que parece, esse cara poderia ter enchido um saco de Papai Noel e limpado metade dessa área.

— Uma peça ou uma dúzia; ainda assim, fomos violados. Deus! — Cobriu o rosto com as mãos. — Nada nunca foi roubado do instituto desde aqueles seis quadros nos anos cinquenta, e quatro foram recuperados.

— Talvez estivesse na hora — ele murmurou.

— Que besteira! — Miranda girou nos calcanhares. — A gente protegeu esta propriedade sem economizar com a segurança.

— Não tem detector de movimentos — ele murmurou.

— Você queria que tivesse.

— O sistema que eu queria ia ocupar o andar inteiro. — Ele olhou para as grandes placas do bonito mármore do piso. — O pessoal não ia topar.

Com pessoal, ele queria dizer os pais. O pai ficara abismado com a ideia de destruir o piso e quase tão chocado com o preço do sistema proposto.

— Provavelmente não teria tido a menor importância — ele disse, encolhendo os ombros. — Provavelmente o cara acharia um jeito de passar por ele também. Droga, Miranda, segurança é minha responsabilidade.

— Não é culpa sua.

Ele suspirou e, desesperadamente, ferozmente, desejou tomar um drinque. — Sempre é culpa de alguém. Tenho que contar pra eles. Nem sei como falar com o velho em Utah.

— Ela vai saber como fazer isso, mas vamos com calma. Deixe-me pensar um minuto. — Ela fechou os olhos e ficou quieta. — Como você mesmo disse, poderia ter sido bem pior. Só perdemos uma peça, que pode muito bem ser recuperada. Além do mais, ela tem seguro, e a polícia já está a caminho. Tudo foi feito. A gente tem que deixar a polícia trabalhar.

— Eu tenho que fazer a minha parte, Miranda. Tenho que ligar pra Florença. — Forçou um sorriso pálido. — Vamos encarar assim, o nosso pequeno incidente pode colocar o seu problema com ela de molho por um tempo.

Ela riu com desdém. — Se eu achasse que isso era uma possibilidade, talvez eu mesma tivesse roubado essa droga.

— Dra. Jones. — Um homem entrou na sala, as faces vermelhas de frio, os olhos de um verde pálido posicionados estreitamente sob sobrancelhas grisalhas. — E dr. Jones. Detetive Cook. — Ele estendeu um distintivo dourado. — Fui informado de que perderam algo.

Às nove horas, a cabeça de Miranda latejava violentamente, a ponto de fazê-la ceder e deitá-la sobre a mesa. Sua porta estava fechada, mal resistira à tentação de trancá-la, e agora permitia-se sossegar por dez minutos, levada pelo desespero e pela pena de si mesma.

Só sossegara por cinco minutos, no entanto, e o interfone tocou.

— Miranda, desculpe. — Havia preocupação e hesitação na voz de Lori. — A dra. Standford-Jones está na linha um. Quer que eu diga que você não pode falar agora?

Ah, isso era tentador! Mas ela respirou profundamente, endireitou a postura. — Não. Eu vou atender. Obrigada, Lori. — Como a voz lhe saísse rouca, pigarreou, depois pressionou o botão da linha um. — Alô? Mamãe?

— Os testes do Bronze Fiesole estão completos — Elizabeth disse sem preâmbulos.

— Entendi.

— Sua avaliação não foi acurada.

— Não acredito nisso.

— Suas crenças não importam, elas foram derrubadas. O bronze não passa de uma tentativa inteligente e bem-feita de imitar o estilo e os materiais da Renascença. As autoridades estão investigando Carlo Rinaldi, o homem que alega ter encontrado a peça.

— Eu quero ver os resultados do segundo teste.

— Essa não é uma opção.

— Você pode dar um jeito nisso. Tenho autorização pra...

— Você não tem autorização pra nada, Miranda. Vamos ver se você compreende. Minha prioridade agora é prevenir danos, caso a notícia se espalhe. Já tivemos dois projetos do governo cancelados. A sua reputação e, consequentemente, a minha estão sob ataque. Algumas pessoas acreditam que você direcionou os testes e os resultados para levar o crédito pela descoberta.

Com cuidado, Miranda removeu a mancha deixada pela xícara de chá na mesa. — É nisso que você acredita?

A hesitação falou mais claro que as palavras que a seguiram.

— Eu acredito que você permitiu que a ambição, a pressa e o entusiasmo nublassem o seu julgamento, a sua lógica e sua eficiência. Eu assumo a responsabilidade, já que envolvi você.

— Eu sou responsável por mim mesma. Muito obrigada pelo apoio.

— O seu sarcasmo não faz nenhum sentido. Tenho certeza de que a mídia vai te procurar nos próximos dias. E você não tem permissão para comentar nada.

— Mas eu tenho vários comentários a fazer.

— E vai guardar todos para si. Seria melhor se você tirasse umas férias.

— Seria? — Sua mão começou a tremer e ela cerrou o punho. — Isso seria admitir passivamente a culpa, e eu não vou fazer isso. Quero ver esses resultados. Se cometi um erro, pelo menos preciso saber onde e como.

— Isso não cabe a mim.

— Tudo bem. Vou encontrar uma maneira, sem precisar de você. — Olhou com irritação para o fax que apitava. — Eu mesma vou falar com Ponti.

— Eu já falei com ele e ele não está interessado em falar com você. A questão está encerrada. Me transfere para a sala do Andrew.

— Ah, vou adorar fazer isso. Ele tem algumas novidades pra você. — Furiosa, ela pressionou o botão de espera e ligou para Lori. — Transfere a ligação pro Andrew — ordenou, depois afastou-se da mesa.

Respirou fundo, primeiro. Daria alguns minutos a Andrew, depois iria até ele. Estaria calma quando o fizesse. Calma e solidária. Para consegui-lo, teria de afastar o próprio problema por enquanto, e concentrar-se na invasão.

Para se distrair, foi até o fax e puxou a página contendo uma mensagem.

E seu sangue congelou.

*Você tinha tanta certeza, não tinha? Parece que você estava errada. Como vai explicar isso?*

*O que sobrou para você agora, Miranda, agora que sua reputação está em frangalhos? Nada. Você era só uma reputação, um nome, uma parede cheia de diplomas.*

*Agora você dá pena. Você não tem nada.*

*Agora eu tenho tudo.*

*Qual a sensação, Miranda, de ser exposta à fraude, de ser flagrada como incompetente? De ser um fracasso?*

Apertou uma das mãos contra o peito enquanto lia o bilhete. A respiração entrecortada, rápida, fez com que sua cabeça se desligasse, e ela recuou, trôpega, apoiando-se pesadamente na mesa, em busca de equilíbrio.

— Quem é você? — A raiva tomara conta dela, aprumava o corpo novamente. — Que inferno! Quem é você?

Não importa, disse a si mesma. Não deixaria que essas mensagens perversas, mesquinhas e insignificantes a afetassem. Não significavam nada.

Mas guardou o fax junto com a outra mensagem dentro da gaveta e trancou-a.

Acabaria descobrindo. Havia uma maneira de descobrir. Levando as mãos ao rosto, pressionou-o para trazer o sangue de volta à face. E, quando descobrisse, prometeu a si mesma, veria como lidar com isso.

Agora não era hora de se preocupar com pequenas provocações perversas. Respirou fundo, soltou o ar e esfregou as mãos até que estivessem novamente quentes.

Andrew precisava dela. O instituto precisava dela. Fechou os olhos, apertando-os com força ao passo que a pressão em seu peito transformava-se em dor. Ela não era somente um nome, uma coleção de diplomas.

Era mais do que isso. E o provaria.

Endireitando os ombros, marchou para fora da sala com a intenção de ir até o escritório de Andrew.

Pelo menos dois membros da família apoiariam um ao outro.

O detetive Cook estava de pé ao lado da mesa de Lori. — Mais um minuto do seu tempo, dra. Jones.

— Claro. — Mesmo que seu estômago se revirasse, compôs-se e fez um gesto indicativo. — Por favor, pode entrar. Lori, não passa nenhuma ligação pra mim, por favor. Quer um café, detetive?

— Não, obrigado. Estou cortando. Cafeína e tabaco são mortais. — Ele sentou-se numa cadeira, pegou seu bloco de anotações. — Dra. Jones, o dr. Andrew Jones me disse que a peça que foi levada tinha seguro.

— O instituto tem cobertura total contra furtos e incêndios.

— Quinhentos mil dólares. Não é muito dinheiro pra uma peça como essa? Não era assinada nem algo do gênero, era?

— O artista é desconhecido, mas acredita-se que era um aluno de Leonardo da Vinci. — Desejava cuidar de sua dor de cabeça, mas manteve as mãos quietas. — Era um ótimo estudo de Davi, de cerca de 1524.

Ela mesma testara o bronze, pensou com amargura. E ninguém questionara sua descoberta.

— Quinhentos mil seria o preço, caso a peça tivesse sido leiloada e vendida pra um colecionador — ela acrescentou.

— Vocês fazem esse tipo de coisa aqui? — Cook pressionou os lábios. — Vendem peças?

— Às vezes. A gente também compra peças. É parte do nosso objetivo.

Ele deixou seu olhar vagar pela sala. Eficiente, arrumada, equipamentos sofisticados e uma mesa que provavelmente também valia uma pequena fortuna. — Precisa de um bocado de dinheiro pra dirigir um lugar como este.

— É verdade. As taxas que a gente cobra pelas aulas, pelo trabalho de consultoria e admissões cobrem uma grande parte. Também existe um fundo deixado pelo meu avô. Além disso, a gente conta com patronos que fazem doações em dinheiro ou em obras de arte. — Apesar de passar-lhe pela mente que seria sábio chamar seu advogado, ela inclinou o corpo à frente. — Detetive Cook, nós não precisamos de quinhentos mil dólares do dinheiro do seguro pra administrar o instituto.

— Imagino que isso seja uma gota no oceano. Claro, pra algumas pessoas é um bocado de grana. Especialmente se a pessoa joga, tem dívidas ou quer comprar um carro de luxo.

Por mais tensos que estivessem seu pescoço e seus ombros, Miranda o encarou. — Eu não jogo, não tenho nenhuma dívida grande e tenho carro.

— Me desculpe estar falando assim, dra. Jones, mas a senhora não me parece muito chateada com essa perda.

— O fato de eu estar chateada vai ajudar a encontrar a peça?

Ele estalou a língua. — Entendi seu argumento. Mas seu irmão parece bastante abalado.

Como seus olhos se turvassem, ela baixou o olhar e fixou-se na xícara de chá. — Ele se sente responsável. Leva tudo muito a sério.

— E a senhora não?

— Me sinto responsável ou levo as coisas a sério? — ela contra-atacou, depois suspendeu as mãos um pouco acima da mesa. — Neste caso, nem um nem outro.

— Só pra ajudar minhas investigações, a senhora se incomodaria de repassar sua noite pra mim?

— Tudo bem. — Seus músculos se haviam retesado novamente, mas ela falou calmamente. — Eu e Andrew trabalhamos até mais ou menos sete horas. Mandei minha assistente pra casa logo depois das seis. Recebi uma ligação internacional um pouco depois disso.

— De onde?

— De Florença, na Itália. Um associado. — A angústia queimava em seu peito como úlcera. — Imagino ter ficado no telefone uns dez minutos, talvez um pouco menos. Andrew passou aqui. Tivemos uma conversa e saímos juntos por volta das sete.

— Vocês costumam vir e voltar juntos?

— Não, não costumamos. Nossos horários nem sempre coincidem. Eu não tava me sentindo bem na noite passada, então ele me levou pra casa. Moramos juntos na casa que nossa avó deixou de herança. Jantamos. Fui pro meu quarto por volta das nove.

— E ficou por lá o resto da noite?

— Isso, como eu disse, não estava me sentindo muito bem.

— E seu irmão ficou em casa a noite toda?

Ela não fazia ideia. — Ficou. Eu o acordei logo depois do telefonema do Sr. Scutter, da segurança, por volta das seis da manhã. Viemos juntos pra cá, tomamos pé da situação e mandamos o sr. Scutter chamar a polícia.

— A estatueta... — Cook apoiou o bloco sobre os joelhos. — Vocês têm peças naquela galeria que valem muito mais do que ela, imagino. Engraçado que ele só tenha levado essa, só uma depois de ter tido todo o trabalho pra entrar.

— É verdade — ela disse no mesmo tom. — Pensei a mesma coisa. Como é que você explicaria isso, detetive?

Ele teve de sorrir. Era um bom contra-ataque. — Diria que ele queria aquela peça. Não deram pela falta de mais nada?

— Os espaços da galeria vêm sendo investigados exaustivamente. Parece que não sumiu mais nada. Não sei mais o que dizer.

— Isso deve ser o suficiente por enquanto. — Ele se levantou, guardou o bloco de anotações. — Vamos interrogar seu pessoal e provavelmente vou precisar falar com vocês novamente.

— Vamos ter o maior interesse em colaborar. — Ela também se levantou. Queria vê-lo fora dali. — Você pode ligar para cá ou para minha casa — continuou enquanto o levava até a porta. Quando a abriu, viu Ryan andando de um lado para outro no corredor.

— Miranda. — Ele foi diretamente até ela e segurou suas mãos. — Acabei de saber.

Por alguma razão, as lágrimas se aproximavam mais uma vez de seus olhos e eram empurradas para longe. — Dia ruim — ela conseguiu dizer.

— Eu sinto tanto. Quanto foi roubado? A polícia tem alguma pista?

— Eu... Ryan, esse é o detetive Cook. Ele é o encarregado. Detetive, esse é Ryan Boldari, um associado.

— Detetive. — Ryan poderia tê-lo identificado como policial a quilômetros de distância.

— Sr. Boldari. O senhor trabalha aqui?

— Não, eu tenho uma galeria em Nova York e outra em San Francisco. Estou aqui a trabalho por uns dias. Miranda, o que eu posso fazer pra ajudar?

— Nada. Não sei. — A emoção acometeu Miranda novamente, como uma onda, fazendo com que suas mãos tremessem em contato com as dele.

— É melhor você sentar. Você não tá bem.

— Sr. Boldari? — Cook levantou um dedo quando Ryan virou-se para encaminhar Miranda novamente à sala. — Como se chama sua galeria?

— Boldari — ele disse, arqueando uma sobrancelha. — Galeria Boldari. — Pegou uma caixinha de prata e tirou dali um cartão de visitas. — Os endereços estão aí. Desculpe, detetive, a dra. Jones precisa de um minuto.

Sentiu uma satisfação silenciosa ao fechar a porta na cara de Cook. — Senta, Miranda. Me conta o que aconteceu.

Ela atendeu a seu pedido, agora grata pelo aperto firme dele em suas mãos.

— Só uma peça — Ryan disse quando ela terminou. — Estranho.

— Deve ser um ladrão imbecil — ela disse com algum prazer. — Ele podia ter limpado aquela vitrine sem precisar se esforçar muito.

Ryan segurou a língua na boca e lembrou-se de não se sentir ofendido. — Aparentemente, ele foi seletivo, mas imbecil? Difícil acreditar que um imbecil, ou uma imbecil, sabe-se lá, conseguiria passar pela sua segurança com essa facilidade e rapidez.

— Bem, ele deve conhecer equipamentos eletrônicos, mas não conhece arte. — Incapaz de ficar sentada, ela se levantou e abriu o pote de café. — O *Davi* era uma graça de peça, mas não a melhor que a gente tem. Mas não importa... — murmurou, passando a mão no cabelo. — Parece até que eu estou chateada porque ele não levou mais nada ou porque não soube escolher. Só estou com raiva porque ele conseguiu entrar, é isso.

— Como era de esperar. — Foi até ela e beijou-lhe a testa. — Tenho certeza de que a polícia vai encontrar o ladrão, e a estatueta. O Cook me pareceu um tipo eficiente.

— Acho que sim... depois que ele eliminar a mim e ao Andrew da lista de suspeitos e conseguir se concentrar em encontrar o ladrão de verdade.

— Isso é típico, eu acho. — A pequena pontada de culpa o incomodou novamente quando ela se virou para olhar para ele. — Você não tá preocupada com isso, tá?

— Não, na verdade, não. Irritada, mas não preocupada. Que bom que você veio, Ryan, eu... Ah, o almoço — lembrou-se. — Não vou conseguir.

— Não precisa se preocupar com isso. A gente remarca da próxima vez que eu vier.

— Próxima vez?

— Tenho que ir embora hoje à noite. Esperava poder ficar mais um dia ou dois... por motivos pessoais. Mas tenho que voltar hoje.

— Ah... — Ela não podia imaginar-se mais infeliz.

Ele levou as mãos dela até os lábios. Olhos tristes eram tão atraentes, pensou. — Não vai fazer mal você sentir falta de mim. Pode te ajudar a afastar o pensamento disso tudo.

— Acho que vou ficar bem ocupada nos próximos dias. Mas é uma pena que você não possa ficar mais um pouco. Isso não.... esse problema não vai fazer você mudar de ideia em relação à troca, vai?

— Miranda. — Ele usufruiu o momento, bancando o forte, o herói protetor. — Deixa de ser boba. Os Vasari vão estar aqui em um mês.

— Obrigada. Depois da manhã que eu tive, fico feliz pela confiança. Mais do que você possa imaginar.

— E você vai sentir a minha falta.

Seus lábios se curvaram. — Acho que vou.

— Agora, vem se despedir de mim.

Ela começou a frase, mas ele parou o movimento de sua boca com um beijo. Permitiu-se ir fundo, passando por cima da surpresa e da resistência inicial dela, como um ladrão, o ladrão que ele era.

Demoraria bastante para que a visse novamente, ele sabia — se é que a veria outra vez. Suas vidas separavam-se ali, mas ele queria levar algo consigo.

Portanto, levou a doçura que começara a sentir sob a carapaça de força dela, e a paixão que começava a fugir-lhe ao controle.

Afastou-a com suavidade, analisou seu rosto, deixou que suas mãos afagassem-lhe o braço, descendo mais uma vez até encontrar a ponta dos dedos dela.

— Adeus, Miranda — ele disse, mais arrependido do que lhe era confortável. E deixou-a, certo de que ela daria conta da pequena inconveniência que ele trouxera para a sua vida.

# Capítulo Nove

Quando Andrew terminou de falar ao telefone com a mãe, seria capaz de trair seu país por três dedos de Jack Daniel's. Aquilo pesara sobre ele. Aceitara isso. A administração diária do instituto era sua responsabilidade, e segurança era prioridade.

A mãe lhe lembrara isso — com frases curtas e declaradas.

Não lhe faria nenhum bem contra-atacar, já que, tendo a segurança sido violada, deveria estar dando pulinhos de alegria pelo fato de só uma peça ter sido perdida. Para Elizabeth, a invasão era um insulto pessoal, e a perda do pequeno *Davi* de bronze era tão amarga quanto se todo o acervo das galerias tivesse sido levado.

Ele também era capaz de aceitar isso. Podia e deveria aguentar a responsabilidade de lidar com a polícia, a companhia de seguros, o staff, a imprensa. Mas o que não conseguia aceitar, o que fazia com que desejasse ter acesso a uma garrafa, era a falta total de apoio e de simpatia da parte dela.

Mas não havia como obter uma garrafa. Manter uma no escritório era uma barreira que não ultrapassara, e que afastava qualquer sugestão de que tinha problemas de alcoolismo.

Bebia em casa, em bares, em eventos sociais. Não bebia durante as horas de trabalho. Portanto, tinha controle da situação.

Fantasiar que escapava até a loja de bebidas mais próxima e tomava algo para ajudá-lo a atravessar um dia duro e longo não era a mesma coisa que fazer isso.

Pressionou o botão do interfone. — Srta. Purdue?

— Sim, dr. Jones.

*Dá um pulinho na Freedom Liquors, por favor, minha querida srta. Purdue, e me traz um Jack Daniel's Black. É uma tradição de família.*

— A senhora poderia dar um pulinho aqui?

— Estou indo, doutor.

Andrew se afastou da mesa e voltou-se para a janela. Suas mãos estavam firmes, não estavam? O estômago podia estar um pouquinho revirado, as costas pegajosas de suor, mas suas mãos ainda estavam firmes. Ele estava no comando.

Ouviu-a entrar e fechar cuidadosamente a porta.

— O investigador da seguradora vai estar aqui às onze horas — ele disse sem se virar. — Queria que a senhora mantivesse minha agenda livre.

— Cancelei todas as reuniões que não são essenciais, hoje, dr. Jones.

— Ótimo. Obrigado. Ah... — Pressionou a ponta do nariz, na esperança de aliviar um pouco da tensão. — Vamos precisar marcar uma reunião com a equipe, só os chefes de departamento. O mais cedo possível durante a tarde.

— Uma hora, dr. Jones.

— Ótimo. Pode mandar um memorando pra minha irmã. Queria que ela preparasse uma declaração para a imprensa. Avise a

todo e qualquer jornalista que telefonar que liberaremos informações no final do dia. Por ora, não temos nada a declarar.

— Sim, senhor. Dr. Jones, o detetive Cook gostaria de falar com o senhor mais uma vez, assim que for possível. Ele está lá embaixo.

— Eu desço já. Preciso escrever uma carta para a dra. Standford-Jones e para o dr. Charles Jones detalhando esse incidente e o pé em que as coisas estão. Eles... — Parou ao ouvir batidas à porta, virou-se e viu Miranda entrar na sala.

— Desculpe, Andrew. Posso voltar depois, se você estiver ocupado.

— Tudo bem. Vamos poupar a srta. Purdue de um memorando. Você pode preparar uma declaração pra imprensa?

— Já tô fazendo isso. — Ela podia ver as marcas em volta dos olhos do irmão. — Você falou com Florença.

Ele sorriu levemente. — Florença falou comigo. Vou fazer uma carta, contando a triste história, e mandar uma cópia pra ela e pro papai.

— Por que *eu* não faço isso? — A sombra sob os olhos dele eram tão escuras, ela pensou, as linhas ao redor da boca tão profundas... — Isso vai te dar tempo e te livrar de problemas.

— Agradeço. O investigador da seguradora vai chegar daqui a pouco e Cook quer falar comigo de novo.

— Ah. — Ela juntou as mãos para mantê-las quietas. — Srta. Purdue, a senhora nos daria um minuto?

— Claro. Vou preparar o encontro com a equipe, dr. Jones.

— Cabeças de departamento — Andrew disse a Miranda quando a porta se fechou novamente. — Uma da tarde.

— Tudo bem. Andrew, sobre o Cook... ele vai querer saber sobre a noite passada. Onde você tava, o que você fez, com quem. Eu disse que a gente saiu daqui por volta das sete e ficou em casa a noite toda.

— Certo.

Ela torceu os dedos. — Você ficou?

— O quê? Em casa? Fiquei. — Ele inclinou a cabeça, estreitou os olhos. — Por quê?

— Eu não sabia se você tinha saído ou não. — Descruzando os dedos, ela passou as mãos pelo rosto. — Mas achei melhor dizer que não.

— Você não tem que me proteger, Miranda. Eu não fiz nada. E isso, de acordo com a nossa mãe, é o problema.

— Eu sei que você não fez. Eu não quis dizer isso. — Ela tocou o braço do irmão. — Só achei menos complicado dizer que você passou a noite em casa. Depois comecei a pensar no que aconteceria se você tivesse saído, se alguém tivesse te visto...

— Encostado no balcão de um bar? — Um tom de ressentimento e amargura transpareceu em sua voz. — Ou rodeando o prédio?

— Ah, Andrew. — Sentindo-se péssima, ela sentou no braço da cadeira. — Não vamos trocar farpas. É que esse Cook me deixa nervosa, e eu fiquei com medo de, se ele me pegasse numa mentira, mesmo que fosse inocente, isso piorar as coisas.

Com um suspiro, ele deixou-se cair na cadeira. — Parece que a gente tá atolado até os joelhos.

— Eu tô até a cintura — Miranda resmungou. — Ela me mandou tirar férias. Recusei.

— Você tá fazendo isso por você ou só para revidar?

Miranda franziu o cenho e analisou as próprias unhas. *Qual a sensação de ser um fracasso?* Não, ela não cederia a isso. — Os dois.

— Cuidado pra não levar um tombo. Ontem à noite eu teria concordado com ela, não pelas mesmas razões, mas teria concordado. Hoje as coisas mudaram, eu preciso de você aqui.

— Eu não vou a lugar nenhum.

Ele deu um tapinha no joelho da irmã, antes que ela se levantasse. — Vou falar com o Cook. Manda uma cópia do press release pra mim, e da carta. Ah, ela me deu o endereço do papai em Utah. — Rasgou um pedaço de papel de um bloco em cima da mesa e entregou a Miranda. — Se apressa com essas cartas. Quanto mais cedo eles tiverem isso por escrito, melhor.

— Vejo você à uma, então. Ah, Andrew, Ryan pediu pra mandar um abraço de despedida pra você.

Ele parou com a mão na maçaneta da porta. — Despedida?

— Ele tem que voltar pra Nova York hoje à noite.

— Ele veio aqui? Droga. Ele já tá sabendo dessa confusão toda? E os Vasari?

— Ele foi completamente solidário. Me garantiu que esse problema não afetaria a troca. Eu, é, ando pensando em ir a Nova York daqui a algumas semanas. — Na verdade, acabara de ter essa ideia. — Pra entregar o empréstimo.

Distraído, ele assentiu: — Ótimo, isso é bom. Vamos falar sobre isso mais tarde. Uma nova exposição é tudo de que a gente precisa pra superar essa confusão.

Desceu as escadas olhando para o relógio. Impressionou-o ainda serem dez horas. Tinha a sensação de estar funcionando num horário particular havia dias.

Policiais, uniformizados ou à paisana, tomavam conta do andar principal. O que ele julgava ser pó para revelar impressões digitais cobria a vitrine de exposição. O pequeno círculo de vidro havia ido embora. Guardado em alguma embalagem para armazenamento de provas de crime, imaginou.

Andrew questionou um dos oficiais uniformizados e foi informado de que encontraria o detetive Cook na entrada sul.

Ele percorreu aquela rota tentando imaginar o ladrão fazendo o mesmo caminho. Vestido de preto, pensou, um homem de rosto duro. Talvez sua face tivesse uma cicatriz. Carregaria uma arma? Uma faca? Uma faca, Andrew concluiu. Desejaria matar silenciosa e rapidamente, caso fosse necessário.

Pensou nas muitas noites em que Miranda ficava até tarde no laboratório ou na sua sala, e revoltou-se.

Uma fúria nova percorria-lhe o sangue sob a pele quando adentrou a antessala e encontrou Cook pesquisando as ofertas da máquina de petiscos.

— É assim que você pretende encontrar o filho da mãe? — Andrew perguntou. — Comendo batata frita?

— Na verdade, ia pegar pretzels. — Calmamente, Cook pressionou os botões apropriados. — Estou controlando a ingestão de gordura. — O saco caiu na bandeja de metal. Cook o retirou pela fenda própria.

— Bom. Um policial preocupado com a saúde.

— Quem tem saúde — Cook disse enquanto abria o pacote — tem tudo.

— Eu quero saber o que você vai fazer pra descobrir o desgraçado que invadiu o meu prédio.

— Meu trabalho, dr. Jones. Por que a gente não senta aqui? — Apontou para uma das mesas do bar. — Você está com cara de quem quer tomar um café.

Os olhos de Andrew brilharam, um azul vibrante, repentino, que transformou seu rosto em algo forte e potencialmente perverso. Essa mudança rápida fez com que Cook prestasse mais atenção nele.

— Não quero sentar — Andrew respondeu —, e não quero café. — Mataria por um. — Minha irmã trabalha até tarde, detetive. Frequentemente ela fica sozinha até tarde aqui. Se não tivesse passado mal ontem à noite, talvez estivesse aqui quando o cara entrou. Eu poderia ter perdido uma coisa muito mais valiosa pra mim do que aquele bronze.

— Compreendo a sua preocupação.

— Não, você não seria capaz disso.

— Eu também tenho família. — Apesar da recusa de Andrew, Cook contou as moedas e dirigiu-se à máquina de café. — Como é que você gosta?

— Eu disse... puro — Andrew murmurou —, sem nada.

— Eu costumava tomar assim também. Ainda sinto falta. — Cook inspirou profundamente quando o café começou a pingar dentro do copinho descartável. — Deixe-me aliviar sua cabeça um pouco, dr. Jones. Normalmente, um tipo que invade prédios,

principalmente um homem esperto, não está atrás de machucar ninguém. O fato é que ele prepara o trabalho antes de entrar nesse tipo de empreitada. Não anda armado, porque, se fizer isso, o tempo de prisão aumenta muito, caso ele seja pego.

Colocou o café sobre a mesa, sentou-se, aguardou. Depois de um momento, Andrew cedeu e fez o mesmo. Quando o temperamento explosivo se esvaiu do rosto dele, sua expressão se abrandou, os ombros voltaram à habitual postura um pouco encurvada.

— Talvez esse cara não seja um caso clássico.

— Diria que não, mas, se for esperto como acho que é, seguiu essa regra. Nada de armas, nenhum contato com pessoas. Entrar e sair. Se sua irmã estivesse aqui, ele teria evitado contato com ela.

— Você não conhece a minha irmã. — O café fazia com que se sentisse um pouco mais humano.

— Uma mulher forte, a sua irmã.

— Ela teve que ser. Mas foi agredida recentemente, bem em frente à nossa casa. O cara tinha uma faca, ela tem pavor de facas. Ela não pôde fazer nada.

Cook contraiu os lábios. — Quando foi isso?

— Umas duas semanas atrás, eu acho. — Andrew passou a mão no cabelo. — Ele jogou a Miranda no chão, pegou a bolsa dela, a pasta. — Ele se calou, respirou profundamente, tomou mais um gole de café. — Isso mexeu com ela, mexeu com nós dois. E pensar que ela poderia estar aqui na hora em que esse cara entrou...

— Esse tipo de ladrão não bate em mulheres por aí pra roubar a bolsa delas.

— Talvez não. Mas ele não foi pego. Ele deixou minha irmã apavorada, levou as coisas dela e fugiu. Miranda já aguentou o suficiente, teve isso e o problema em Florença. — Andrew repreendeu-se ao perceber que relaxava e falava sobre a vida de Miranda, pelo amor de Deus. — Mas não era sobre isso que você queria falar comigo.

— Na verdade, até me ajuda, dr. Jones. — Um assalto e um furto em menos de um mês. Mesma vítima? Interessante, Cook

refletiu. — Você disse que sua irmã não estava se sentindo bem na noite passada. O que ela teve?

— Um problema em Florença — ele disse rapidamente. — Dificuldades com nossa mãe. Ela ficou chateada.

— Sua mãe está na Itália?

— Ela mora lá. Trabalha lá. Ela dirige a Standjo. É um laboratório para testes de objetos e obras de arte. Faz parte dos negócios da família. Um braço do instituto.

— Então existe uma tensão entre sua mãe e sua irmã?

Andrew bebericou o café novamente para equilibrar-se, e observou Cook. Seus olhos endureceram novamente. — Os relacionamentos na minha família não são assunto da polícia.

— Só estou tentando ter uma visão mais ampla das coisas. Isso é uma empresa familiar, afinal de contas. Não tem nenhum sinal de trancas forçadas.

A mão de Andrew tremeu e ele quase derramou o café ao tentar controlá-la. — O quê?

— Não tem nenhuma indicação de que as portas foram arrombadas. — Cook apontou o dedo em direção às portas do lado de dentro e do lado de fora. — Todas estavam fechadas. Na porta de entrada é preciso ter um cartão-chave e um código, não é?

— Isso. Só os chefes de departamento podem usar essa entrada. A área é usada como um salão para o staff. Tem outro pro resto da equipe, no terceiro andar.

— Vou precisar de uma lista com o nome dos chefes de departamento.

— Claro. Você pensa em alguém que trabalha aqui?

— Não penso nada. O maior erro é chegar a uma cena de crime com uma ideia formada. — Sorriu ligeiramente. — É só o procedimento de praxe.

A INVASÃO AO INSTITUTO FOI A MANCHETE PRINCIPAL NO jornal local das onze. Em Nova York, ganhou trinta segundos no primeiro bloco. Estendido no sofá de seu apartamento na região sul do Central Park, Ryan bebericava um conhaque, usufruindo de um charuto cubano, atento aos detalhes.

Não havia muitos. E Nova York tinha sua própria cota de crimes e escândalos para preencher o noticiário. Se o instituto não fosse uma referência, e os Jones não fossem uma família tão proeminente da Nova Inglaterra, o roubo não teria recebido mais de um segundo de atenção fora do Maine.

A polícia estava investigando. Ryan sorriu com o charuto na boca ao pensar em Cook. Conhecia o tipo. Obstinado, detalhista, uma ficha repleta de casos resolvidos. Era satisfatório ter um bom policial investigando seu último trabalho. Fechava muito bem sua carreira.

Perseguir várias pistas. Bem, isso era bobagem. Não havia pistas, mas eles precisavam dizer que sim para salvar a pele.

Sentou-se ao ver a imagem de Miranda saindo do prédio. O cabelo preso num coque. Fizera isso para as câmeras, pensou, lembrando-se de como estava solto e encaracolado quando a beijara na despedida. O rosto estava calmo, composto. Frio, concluiu. A moça tinha uma aura fria, durona, aura que ele tivera a tentação de derreter. O que teria feito, pensou, se tivesse tido um pouco mais de tempo.

Ainda assim, ficava feliz ao ver que ela estava lidando bem com a situação. Ela era forte. Mesmo com a timidez e a tristeza que a acompanhavam, era forte. Mais um ou dois dias, calculou, e a vida dela voltaria ao normal. O pequeno tropeço que ele lhe causara não teria mais importância, a seguradora reembolsaria o instituto e a polícia arquivaria o caso.

E ele, Ryan pensou ao soltar baforadas circulares de fumaça em direção ao teto, teria um cliente satisfeito, uma ficha perfeita e tempo de lazer à sua disposição.

Talvez, talvez infringisse as regras e levasse Miranda para o Caribe por algumas semanas. Sol, areia e sexo. Faria bem a ela, decidiu.

E, com certeza, não faria mal algum a ele.

O APARTAMENTO DE ANNIE MCLEAN CABERIA NA SALA DE Ryan, mas dava vista para o parque. Se debruçasse na janela do quarto, virasse o pescoço até doer e forçasse os olhos. Mas ela o achava bom o suficiente.

Os móveis eram de segunda mão, mas coloridos. O tapete provavelmente fora comprado numa venda de garagem, mas fora lavado e estava ótimo. E ela gostava das rosas na borda.

Arrumara as estantes, pintara-as de verde-escuro e as entulhara de livros comprados na liquidação anual da biblioteca.

Clássicos, na maioria. Livros que deixara de ler na escola e desejava explorar agora. Fazia-o sempre que tinha uma horinha ou duas, enroscava-se debaixo de uma colcha listrada de azul e verde que a mãe fizera, e mergulhava em Hemingway, Steinbeck ou Fitzgerald.

Seu aparelho de CD fora um presente que se dera de Natal, dois anos antes. Deliberadamente, colecionava uma grande variedade de estilos musicais — eclética, era assim que gostava de pensar em sua coleção.

Andara muito ocupada desenvolvendo o gosto amplo pelos livros e pela música na adolescência e começo da juventude. Uma gravidez, um aborto e um coração partido antes do aniversário de dezoito anos haviam mudado seus rumos. Estava determinada a fazer algo por si mesma, a ter algo seu.

Depois, deixara-se encantar por um homem de voz macia e vida fácil, um filho da mãe, Buster.

Hormônios, pensou, e a necessidade de construir um lar, de constituir a própria família, a haviam cegado quanto à impossibilidade de um casamento com um mecânico desempregado que tinha um fraco por cervejas e louras.

Ela queria um filho, pensava agora. Talvez, Deus a ajudasse, para compensar a perda do outro.

Vivendo e aprendendo, sempre dizia a si mesma. Fizera os dois. Agora era uma mulher independente, tinha um negócio sólido e usava o tempo para melhorar sua vida.

Gostava de ouvir os frequentadores, suas opiniões, pontos de vista, e compará-los aos seus. Estava ampliando horizontes, e calculava que durante os sete anos à frente do Annie's Place aprendera mais sobre política, religião, sexo e economia do que qualquer universitário.

Se sofreu nas noites em que foi para a cama sozinha e desejou a presença de alguém que a ouvisse, abraçasse, risse com ela quando contava seu dia, esse era um preço baixo a pagar pela sua independência.

Por experiência própria, podia dizer que os homens não queriam escutar o que você tem a dizer, eles só queriam um pouco de futrica e sacanagem. Depois, arrancar sua camisola e transar.

Ela estava muito melhor sozinha.

Um dia, pensou, compraria uma casa com um jardim. Não se importaria se tivesse um cachorro. Poderia diminuir as horas de trabalho, contratar um gerente para o bar, talvez tirar umas férias. Primeiro, Irlanda, naturalmente. Queria conhecer as montanhas — e os bares, é claro.

Mas sofrera a humilhação de não ter dinheiro suficiente, de ter as portas fechadas na sua cara quando pedira empréstimos, a humilhação de saber que era um risco alto.

Não tinha intenção alguma de passar por isso novamente.

Portanto, seus lucros alimentavam o próprio negócio, e o que conseguia guardar ia diretamente para aplicações seguras, ações e fundos. Não precisava ser rica, mas não seria pobre outra vez.

Os pais beiraram a pobreza durante toda a vida de Annie. Haviam feito o possível por ela, mas o pai — Deus o abençoe — agarrava o dinheiro como quem agarra água. Sempre deixando que lhe escorresse por entre os dedos.

Quando eles se mudaram para a Flórida, três anos antes, Annie despedira-se dos dois, chorara um pouco e dera quinhentos dólares para a mãe. Dinheiro suado, mas sabia que a mãe o esticaria através dos esquemas do pai para enriquecer rapidamente.

Ligava para eles toda semana, nas tardes de domingo, quando as tarifas eram mais baixas, além de mandar um cheque para a mãe a cada três meses. Sempre prometia visitá-los, mas só conseguira fazer duas viagens rápidas em três anos.

Annie pensava neles agora, enquanto assistia às últimas notícias e fechava o livro que vinha esforçando-se para ler. Seus pais adoravam Andrew. Claro que nunca souberam nada sobre aquela noite na praia, nem sobre o bebê que ela concebera, e perdera.

Com uma sacudidela de cabeça, afastou todos esses pensamentos da mente. Desligou a televisão, pegou a xícara de chá que deixara esfriar e levou-a para o "armário" que seu senhorio insistia em chamar de cozinha.

Estava prestes a apagar a luz quando alguém bateu à sua porta. Annie olhou para o taco de beisebol que mantinha na entrada — havia um irmão gêmeo dele atrás do balcão do bar. Apesar de nunca ter tido necessidade de usar nem um nem outro, faziam com que se sentisse segura.

— Quem é?

— Andrew. Me deixa entrar, vai? As paredes aqui do lado de fora estão geladas.

Apesar de não muito satisfeita de encontrá-lo na sua soleira, Annie retirou a corrente, soltou a tranca e abriu a porta. — Tá tarde, Andrew.

— Você acha? — ele respondeu, embora ela vestisse um robe e meias pretas grossas. — Eu vi sua luz acesa pela fresta da porta. Vai, Annie, me deixa entrar.

— Eu não vou te dar um drinque.

— Tudo bem. — Uma vez ali dentro, enfiou a mão no casaco e pegou uma garrafa. — Eu trouxe a minha. Foi um dia longo, exaus-

tivo, Annie. — O olhar de cachorro perdido que ele dirigiu a ela partiu-lhe o coração. — Eu não queria ir pra casa.

— Tudo bem. — Irritada, ela foi até a cozinha e pegou um copo. — Você é adulto, vai beber se quiser.

— Eu quero. — Serviu-se de uma dose e levantou o copo num brinde. — Obrigado. Acho que você já soube das novas.

— Já, sinto muito. — Ela sentou-se no sofá e escondeu o exemplar de *Moby Dick* debaixo das almofadas, apesar de não saber explicar por que ficaria constrangida se ele o visse.

— A polícia acha que foi alguém lá de dentro. — Tomou um gole, deu uma risada. — Nunca pensei que fosse usar essa frase. Eles estão investigando a mim e a Miranda primeiro.

— Por que eles achariam que vocês roubariam de si mesmos?

— As pessoas fazem isso o tempo todo. A seguradora também tá investigando. Estamos sendo estudados minuciosamente.

— É só trabalho de rotina. — Agora preocupada, pegou a mão dele e puxou-o para perto de si.

— É. Rotina é um saco. Eu amava aquele bronze.

— Qual? O que roubaram?

— Ele tinha um significado especial pra mim. O jovem Davi lutando contra o gigante, ansioso pra furar a pedra com a espada. Coragem. Do tipo que eu nunca tive.

— Por que você faz isso consigo mesmo? — A irritação era visível na sua voz enquanto se dirigia a ele.

— Eu nunca enfrento os gigantes — ele disse e buscou mais uma vez a garrafa. — Eu simplesmente nado a favor da corrente e sigo ordens. Meus pais dizem que "é hora de você assumir a direção do instituto, Andrew". E eu digo: "Quando vocês querem que eu comece?"

— Você ama o instituto.

— Uma feliz coincidência. Se eles tivessem me dito pra ir a Bornéu pra estudar os hábitos dos nativos... Aposto que eu estaria bastante bronzeado agora. Elise diz: "Tá na hora de a gente se casar";

eu digo: "Marca a data." Ela diz: "Quero me divorciar"; eu digo: "Amor, e você quer que eu pague seu advogado?"

Eu digo que estou grávida, Annie pensou, e você me pede em casamento.

Ele analisou a bebida no copo, avaliou como a luz do abajur de pé refletia no líquido âmbar. — Eu nunca combati o sistema, porque nunca achei que valia o esforço. E isso não diz muito de Andrew Jones.

— Quer dizer que você bebe porque é mais fácil do que decidir o que é importante?

— Talvez. — Mas ele baixou o copo para ver se podia, para ver como se sentia ao dizer o que mais lhe viesse à cabeça sem uma bengala. — Eu não fiz a coisa certa com você, Annie, realmente não te apoiei como devia tantos anos atrás, porque morria de medo do que eles iam fazer.

— Eu não quero falar sobre isso.

— A gente nunca falou, na maioria das vezes porque eu achava que você não queria. Mas você tocou no assunto, outro dia.

— Eu não devia. — Sentiu uma ligeira pontada de pânico na boca do estômago diante da lembrança. — É assunto antigo.

— É assunto nosso, Annie — ele disse gentilmente, porque percebeu um traço de pânico na voz dela.

— Deixa pra lá. — Afastou-se dele e cruzou os braços, na defensiva.

— Tudo bem. — Para que remexer feridas antigas, ele decidiu, quando tinha novas e frescas? — Vamos continuar repassando a vida de Andrew Jones. Agora, por exemplo, tô esperando pacientemente a polícia me dizer que eu não vou pra cadeia.

Dessa vez, quando ele estendeu o braço para alcançar a garrafa, ela a agarrou antes, levantou-se, foi até a cozinha e despejou o conteúdo na pia.

— Que droga, Annie!

— Você não precisa de uísque pra se fazer de miserável, Andrew. Você já faz esse papel sozinho. Seus pais não te amaram o suficiente. Isso é muito difícil. — Deu vazão a uma explosão que não previra.

— Os meus me amaram à beça, mas eu ainda passo as noites sozinha, cheia de lembranças e arrependimentos que partem meu coração. Sua mulher também não te amou o suficiente. Que péssimo! Meu marido se enchia de álcool e vinha transar comigo, quisesse eu ou não.

— Annie, caramba! — Ele não sabia disso, nunca imaginara. — Sinto muito.

— Não vem me dizer que você sente muito — ela respondeu. — Eu superei. Superei você e superei meu ex-marido, quando me dei conta do erro.

— Não faz isso. — A raiva dele também encontrou vazão. Uma luz perigosa brilhou em seus olhos, endurecendo-os, e ele se levantou. — Não compara o que a gente teve com o que você teve com ele.

— Então, não usa o que a gente teve da mesma maneira como você usa seu casamento com a Elise.

— Eu não fiz isso. Não é a mesma coisa.

— Claro, droga, porque ela era linda, porque ela era brilhante. — Annie bateu com o dedo no peito dele com força suficiente para fazê-lo dar um passo para trás. — E talvez você não amasse a sua mulher o suficiente. Se amasse, talvez ela ainda estivesse contigo. Porque eu nunca soube de você ser capaz de viver sem o que quer de verdade. Você é do tipo que dá um boi pra não entrar numa briga, mas dá uma boiada pra não sair.

— Ela é que não queria mais! — ele gritou. — Não dá pra obrigar alguém a amar você.

Annie se apoiou na pequena bancada, fechou os olhos e, para surpresa dele, começou a rir. — Pode ter certeza que não. — Secou as lágrimas que o surto de gargalhada trouxera a seus olhos. — Você pode ser Ph.D., dr. Jones, mas é idiota. Você é um idiota, e eu tô cansada. Vou dormir. Você sabe o caminho da saída.

Ela passou por ele apressada, desejando tê-lo enfurecido o suficiente para que a agarrasse. Mas ele não o fez, e ela foi para o quarto sozinha. Quando o ouviu ir embora, quando ouviu a porta bater, enroscou-se na cama e permitiu-se chorar compulsivamente.

# Capítulo Dez

A tecnologia nunca deixara de encantar e impressionar Cook. Quando ele começara a trabalhar como detetive, vinte anos antes, sabia que o serviço envolvia horas de telefonemas, papelada e visitas de porta em porta. Nada tão excitante quanto gostaria Hollywood, ou ele mesmo — jovem e ansioso — quando entrou para o time.

Planejara passar aquela tarde de domingo pescando em Miracle Bay, já que o tempo estava calmo e a temperatura beirava os quinze graus. Mas passara pela delegacia num impulso. Acreditava em seguir os impulsos, considerava-os muito próximos dos palpites.

Na sua mesa, empilhado juntamente com os arquivos amontoados na sua caixa de mensagens, estava o relatório virtual de uma jovem oficial chamada Mary Chaney.

Cook abordava o computador com o cuidado e o respeito que um policial de rua tinha ao abordar um viciado num beco escuro. Era preciso lidar com ele, era preciso fazer esse trabalho, mas sabia

muito bem que qualquer coisa poderia dar errado se desse um passo em falso.

O caso dos Jones era prioridade, porque eles eram ricos e o governador os conhecia pessoalmente. Como estava com o caso na cabeça, pedira que Mary fizesse uma pesquisa na internet, buscando crimes semelhantes.

As informações que tinha em mãos teriam levado semanas para chegar, se é que teria sido capaz de juntá-las, nos primórdios de sua carreira. Agora tinha um padrão à sua frente que fazia com que seus planos de pescaria lhe sumissem da mente enquanto ele se afastava um pouco da mesa e avaliava o material.

Seis roubos parecidos num período de dez anos, e o dobro disso parecido o suficiente para valer a menção.

Nova York, Chicago, San Francisco, Boston, Kansas City, Atlanta. Um museu ou galeria em cada uma dessas cidades reportara uma invasão e a perda de um item na última década. O valor de cada peça ia de cem mil a mais de um milhão. Nenhum dano às propriedades, nenhuma desordem, nenhum alarme disparado. Todas as obras tinham cobertura de seguro e nenhuma prisão fora feita.

Escorregadio, pensou. O cara era escorregadio.

Na dúzia subsequente, havia variações. Duas ou mais peças haviam sido roubadas, e, em um dos casos, drogas haviam sido colocadas no café de um dos guardas, além de o sistema de segurança ter sido desligado por trinta minutos. Em outro caso, uma prisão fora feita. Um guarda tentara penhorar um camafeu do século quinze. Fora preso e confessara, mas alegara ter usurpado o objeto depois da invasão. A paisagem de Renoir e o retrato de Manet, também roubados, nunca foram recuperados.

Interessante, Cook pensou novamente. O perfil que se formava em sua mente não incluía deslizes ou casas de penhor. Talvez tivesse de investigar um guarda como fonte interna. Era algo que valia a pena checar.

E não custava nada saber onde andavam os Jones nas datas dos outros roubos. Afinal, isso seria outro tipo de pescaria.

A PRIMEIRA COISA QUE OCORREU A MIRANDA QUANDO ABRIU os olhos na manhã de domingo foi *A Senhora Sombria.* Tinha de vê-la novamente, examiná-la mais uma vez. De que outra maneira saberia como estivera tão completamente enganada?

Com o passar dos dias, concluíra dolorosamente que estivera errada. Que outra explicação havia? Para salvar a reputação da Standjo, Elizabeth teria questionado cada detalhe do segundo teste. Teria insistido e recebido provas absolutas de sua precisão.

Ela jamais teria se contentado com menos.

Não havia outra opção, a não ser aceitar o fato. Salvaria seu orgulho não dizendo nada mais sobre o assunto até que a situação se acalmasse. Levantar a poeira não traria nada de positivo, porque o dano já fora causado.

Decidiu que podia fazer melhor uso do tempo do que se amofinar, e colocou seu moletom. Algumas horas na academia de ginástica talvez a ajudassem a expurgar a depressão junto com o suor.

DUAS HORAS DEPOIS, VOLTOU PARA CASA E ENCONTROU Andrew cambaleando pela sala, lutando contra a ressaca. Ia subir a escada quando a campainha tocou.

— Me deixa pegar seu casaco, detetive Cook. — Ouviu Andrew dizer.

Cook? Numa tarde de domingo? Miranda passou a mão no cabelo, limpou a garganta e sentou-se.

Quando Andrew entrou na sala com Cook, Miranda recebeu-os com um sorriso pálido. — Alguma novidade?

— Nada conclusivo, dra. Jones. Só uma ou duas pontas soltas.

— Sente-se, por favor.

— Sua casa é maravilhosa. — Os olhos de policial sob sobrancelhas grossas e grisalhas vasculharam o ambiente enquanto ele

andava até uma poltrona. — Realmente uma imagem imponente aqui no penhasco. — Dinheiro antigo, pensou, tinha cheiro especial, visual próprio. Ali, cheirava a cera de abelhas e óleo de pinho. Mobília herdada e papel de parede esmaecido, janelas do chão ao teto emolduradas por cortinas cascateantes, provavelmente de seda.

Classe e privilégio, além de quinquilharias suficientes para transformar a casa em lar.

— O que é que a gente pode fazer por você, detetive?

— Estou trabalhando um ângulo específico do caso. Fiquei me perguntando se vocês poderiam me dizer onde estavam, onde os dois estavam, em novembro passado. Na primeira semana.

— Novembro passado. — Era uma pergunta estranha. Andrew coçou a cabeça, pensando. — Eu tava em Jones Point. Não viajei muito no outono passado. Viajei? — perguntou a Miranda.

— Não que eu lembre. Por que isso é importante, detetive?

— Só estou tentando clarear alguns detalhes. Onde você estava, dra. Jones?

— Estive em Washington por uns dias no começo de novembro. Uma consultoria no Instituto Smithsoniano. Vou precisar dar uma conferida na minha agenda pra ter certeza.

— Você se importaria? — Ele sorriu, desculpando-se. — Só mesmo pra eu poder organizar isso aqui.

— Tudo bem. — Ela não conseguia entender a razão disso, mas também não via mal algum. — Tá no meu escritório.

— Sim, senhor — Cook continuou, depois que ela deixou a sala. — Uma casa e tanto. Deve ser dureza pra aquecer.

— A gente tem várias lareiras — Andrew resmungou.

— Você viaja muito, dr. Jones?

— O instituto me mantém bastante perto de casa. A Miranda é quem viaja mais. Faz muitas consultorias, dá palestras de vez em quando. — Bateu nos joelhos com os dedos e percebeu que o olhar de Cook desviara-se para a garrafa de Jack Daniel's em cima da mesa

ao lado do sofá. Seus ombros encolheram-se defensivamente. — O que é que novembro passado tem a ver com a invasão?

— Não tenho certeza se tem, só estou tentando estabelecer uma conexão. Você pesca?

— Não. Fico enjoado no mar.

— Que pena!

— Pelas minhas anotações — Miranda entrou falando —, fiquei em Washington do dia 3 de novembro até o dia 7.

E o roubo em San Francisco ocorrera nas primeiras horas do dia 5. — Imagino que você tenha ido de avião.

— Isso, pousei no National. — Conferiu a agenda. — Voo 4108, saindo de Jones Point às dez e cinquenta, chegando ao aeroporto de Washington à meia-noite e cinquenta e nove. Fiquei hospedada no Four Seasons. Específico o suficiente?

— Com certeza. Para uma cientista, é fácil manter tudo muito bem anotado.

— Com certeza. — Ela foi até Andrew, sentou-se no braço da poltrona onde o irmão se encontrava. — Qual é o motivo disso tudo?

— Só estou tentando ordenar as coisas na minha cabeça. Você teria anotações de onde estava em junho nessa sua agenda? Digamos, na terceira semana.

— Claro. — Equilibrada pela mão de Andrew em seu joelho, ela folheou os meses para trás, até chegar a junho. — Passei o mês inteiro de junho no instituto. Trabalho de laboratório, algumas turmas de verão. Você também deu umas aulas, não deu, Andrew, quando o Jack Goldbloom tirou uns dias por causa daquela alergia?

— Foi. — Ele fechou os olhos para tentar lembrar. — Isso foi por volta do fim de junho. Arte Oriental do Século Vinte. — Abriu os olhos novamente e sorriu para ela. — Você não se meteu, e eu tive que enfiar a cara. A gente pode conseguir as datas exatas pro detetive. O instituto também tem tudo bem registrado.

— Ótimo. Eu agradeço.

— A gente vai cooperar. — Miranda falou seca e rapidamente. — E esperamos que você faça o mesmo. O roubo foi na nossa propriedade, detetive. Acho que a gente tem o direito de saber que caminhos a investigação tá tomando.

— Sem problemas. — Ele apoiou as mãos nos joelhos. — Estou checando uma série de roubos que se encaixam no perfil do que aconteceu aqui. Talvez vocês tenham ouvido alguma coisa, já que são do ramo, um roubo em Boston, em junho passado.

— No Museu de Arte da Universidade de Harvard. — Um tremor percorreu o corpo de Miranda. — O *kuang*. Uma peça tumular chinesa, apesar de ser do final do século treze, começo do doze antes de Cristo. Mais um bronze.

— Você tem boa memória pra detalhes.

— É, tenho. Foi uma perda enorme. Uma das peças de bronze mais bem preservadas da arte chinesa já encontrada, e valia muito mais que o nosso Davi.

— Em novembro foi em San Francisco, uma pintura dessa vez.

Não um bronze, ela pensou, e, por alguma razão, sentiu alívio.

— Foi em M. H. de Young Memorial Museum.

— Isso mesmo.

— Arte americana — Andrew acrescentou. — Período colonial. Qual é a ligação?

— Não disse que tinha uma, mas acho que tem. — Cook ficou de pé. — Pode ser que seja um ladrão com um gosto eclético pra arte. Eu, eu gosto das coisas da Georgia O'Keeffe. O trabalho dela é transparente, as coisas são o que parecem. Agradeço pelo tempo de vocês. — Virou-se, depois voltou. — Será que eu poderia levar emprestada essa agenda, dra. Jones? E se os dois tiverem qualquer anotação por escrito do ano anterior. Só pra me ajudar a colocar as coisas em ordem.

Miranda hesitou, e mais uma vez pensou nos advogados. Mas o orgulho a manteve de pé, estendendo a fina agenda de couro para ele. — Bem-vindo a ela. E eu tenho agendas dos últimos três anos guardadas na minha sala no instituto.

— Eu agradeço. Vou te dar um recibo pelo material. — Guardou a agenda e pegou a sua própria, onde anotou as informações e assinou.

Andrew também se levantou. — Vou mandar a minha pra você.

— Isso vai ser uma ajuda enorme.

— É difícil não se sentir insultado com isso, detetive.

Cook levantou as sobrancelhas e olhou para Miranda. — Eu peço desculpas, dra. Jones. Só estou tentando fazer o meu trabalho.

— Eu imagino que sim. E, assim que você colocar a mim e ao meu irmão fora da sua lista de suspeitos, seu trabalho vai ficar mais rápido e mais eficiente. É por isso que estamos topando esse tipo de tratamento. Vou te levar até a porta.

Cook fez um gesto de assentimento para Andrew e seguiu Miranda até o hall. — Não era minha intenção criar constrangimento, dra. Jones.

— Ah, era sim, detetive. — Ela escancarou a porta. — Boa-tarde.

— Boa-tarde. — Um quarto de século na polícia não o tornara imune à língua ferina de uma mulher com raiva. Baixou a cabeça e fez uma ligeira careta quando a porta se fechou com estrondo atrás dele.

— O cara acha que a gente é ladrão. — Irritada, ela voltou ao gabinete. Perturbava-a, mas não a surpreendia, ver o irmão servindo-se de um drinque. — Ele acha que a gente anda viajando pelo país invadindo museus.

— Até que ia ser divertido, não ia?

— O quê?

— Só tô tentando descontrair o ambiente. — Ele levantou o copo. — De um jeito ou de outro.

— Isso não é um jogo, Andrew, e não me importo de ter a vida esmiuçada pelo microscópio da polícia.

— Não tem nada além da verdade pra ele encontrar.

— Não é o resultado que me preocupa, é o método. A gente tá sendo investigado. A imprensa vai acabar descobrindo alguma coisa.

— Miranda — ele disse suavemente, acrescentando um sorriso de afeição. — Você tá parecendo assustadoramente com a mamãe.

— Não precisa me insultar.

— Desculpe, você tem razão.

— Vou fazer um bolo de carne. — Miranda anunciou enquanto se encaminhava para a cozinha.

— Um bolo de carne. — O humor de Andrew mudou drasticamente. — Com batata e cenoura?

— Você descasca as batatas. Aproveita e me faz companhia, Andrew. — Ela fez o apelo por si mesma, mas também era uma tentativa de afastá-lo da garrafa. — Não quero ficar sozinha.

— Claro. — Ele baixou o copo. Já estava vazio, de qualquer maneira. E passou o braço em volta dos ombros da irmã.

A REFEIÇÃO AJUDOU, TANTO QUANTO PREPARÁ-LA. ELA GOStava de cozinhar e considerava essa arte uma ciência. A sra. Patch lhe ensinara, feliz pelo interesse da jovem nas funções da cozinha. O calor daquele cômodo e a companhia da sra. Patch eram o motivo do empenho de Miranda. O resto da casa era bastante frio e cheio de regras. Mas a sra. Patch dava as ordens ali dentro, nem mesmo Elizabeth ousava se intrometer.

Era mais provável que nem ligasse, Miranda pensou enquanto se aprontava para dormir. Nunca vira a mãe preparar uma refeição, e esse simples fato fizera com que achasse aprender ainda mais atraente.

Não seria um espelho de Elizabeth.

O bolo de carne cumprira sua função, pensava agora. Pedaços de carne e batatas, os biscoitos que fizera, a conversa com Andrew. Talvez ele tivesse tomado mais vinho que o desejado durante o jantar, mas, pelo menos, não estava sozinho.

Fora quase um momento feliz. Haviam concordado tacitamente em não discutir sobre o instituto, nem sobre o problema em

Florença. Era muito mais relaxante discutir suas diferenças de gosto por música e livros.

Quase brigaram por causa deles, ela lembrou ao vestir o pijama. Sempre haviam compartilhado pontos de vista, expectativas e pensamentos. Ela duvidava que tivesse sobrevivido à infância sem ele. Sempre haviam sido o porto seguro um do outro no mar gelado, desde que se entendia por gente.

Desejava poder fazer mais para equilibrá-lo agora e convencê-lo a procurar ajuda. Mas, sempre que tocava no assunto da bebida, ele se fechava. E bebia mais. Tudo o que podia fazer era assistir, e estar ao seu lado quando ele caísse da beira do abismo sobre o qual se debruçava com tanto afinco. Depois, faria o possível para ajudá-lo a catar os pedaços.

Subiu na cama, arrumou os travesseiros de maneira que lhe apoiassem as costas, depois apanhou o livro que costumava ler antes de dormir. Alguns podem dizer que reler Homero não é particularmente relaxante. Mas funcionava com ela.

Por volta da meia-noite, sua mente estava tomada por batalhas gregas e traições, livre de preocupações. Marcou a página, colocou o livro de lado e apagou a luz. Em minutos, estava profundamente adormecida.

O suficiente para não ouvir a porta se abrir e fechar novamente. Não ouvir o barulho da tranca voltando ao lugar com suavidade nem os passos que atravessavam o quarto em direção à cama.

Acordou com um puxão, uma mão enluvada na sua boca, a outra apertando sua garganta com firmeza, e uma voz masculina ameaçando-a brandamente ao pé do ouvido.

— Eu poderia estrangular você.

PARTE DOIS

# O Ladrão

*Todos os homens gostam de se apropriarem daquilo que pertence a outrem.*

ALAIN RENÉ LESAGE

# Capítulo Onze

Sua mente simplesmente congelou. A faca. Por um momento hediondo, ela poderia jurar ter sentido a ponta de uma lâmina na garganta, em lugar do aperto suave das mãos dele, e seu corpo amoleceu de terror.

Sonhando, ela devia estar sonhando. Mas podia sentir cheiro de couro e de homem, sentia a pressão na garganta que a forçava a buscar avidamente o ar e a mão que cobria sua boca, bloqueando qualquer som. Conseguia enxergar uma leve silhueta, o formato da cabeça, a largura dos ombros.

Tudo isso piscando dentro de sua mente em choque, processado em segundos que lhe pareciam horas.

De novo, não, prometeu-se. Nunca mais.

Numa reação instintiva, cerrou o punho direito, suspendendo-o do colchão num golpe rápido. Ele também era ágil, ou capaz de ler pensamentos, e moveu-se um segundo antes de o soco atingi-lo. Sua mão alcançou o bíceps dele sem fazer nenhum estrago.

— Deita e fica quieta — ele sussurrou a ordem e balançou a cabeça de modo a convencê-la. — Por mais que eu goste da ideia de machucar você, não vou fazer isso. Seu irmão tá roncando do outro lado da casa, é bem difícil que ele escute seus gritos. Além do mais, você não pretende gritar, pretende? — Seus dedos pressionaram gentilmente a garganta de Miranda, o dedão acariciando-a levemente. — Pode ferir seu orgulho.

Ela balbuciou algo contra a mão enluvada. Ele a removeu, mas manteve a outra na sua garganta. — O que é que você quer?

— Quero chutar Sua Excelência daqui até Chicago. Droga, dra. Jones, você estragou tudo.

— Eu não sei do que é que você tá falando. — Era difícil manter a respiração sob controle, mas ela conseguiu. Isso também era orgulho. — Me solta. Eu não vou gritar.

Não o faria, porque Andrew poderia ouvir e vir rugindo até o quarto. E quem quer que a estivesse prendendo à cama provavelmente estava armado.

Bem, ela pensou, dessa vez ela também estava. Se conseguisse abrir a gaveta da mesa de cabeceira e pegar o revólver.

Em resposta, ele sentou-se na cama a seu lado, e, ainda a segurando, estendeu o braço para acender o abajur. Ela piscou várias vezes, protegendo os olhos da luz, depois o encarou, olhos arregalados, queixo caído.

— Ryan?

— Como é que você pôde cometer um erro tão estúpido, tão pouco profissional?

Ele estava de preto, jeans apertado, botas, gola rulê e jaqueta. Seu rosto estava mais lindo que nunca, mas os olhos não eram confortantes nem atraentes como na sua memória. Eram quentes, impacientes e, sem dúvida, perigosos.

— Ryan — conseguiu repetir. — O que é que você tá fazendo aqui?

— Tentando limpar a sujeira que você fez.

— Entendi. — Talvez ele tivesse algum tipo de... surto. Era fundamental manter-se calma, lembrou a si mesma, sem alarmá-lo. Lentamente, levou a mão ao pulso dele e afastou a mão de sua garganta. Sentou-se instintivamente e, com decoro, fechou a gola do pijama.

— Ryan. — Conseguiu até esboçar o que imaginou ser um sorriso. — Você tá no meu quarto no meio da noite. Como é que você entrou?

— Do mesmo jeito que entro nas casas que não são minhas. Arrombei suas fechaduras. Você realmente precisa providenciar coisa melhor.

— Você arrombou as fechaduras. — Ela piscou, piscou novamente. Definitivamente ele não parecia um homem em meio a uma crise mental, mas alguém que mal conseguia controlar o próprio humor. — Você invadiu a minha casa? — E a frase fazia uma ideia ridícula brotar em sua cabeça. — Você invadiu — ela repetiu.

— Exatamente. — Ele mexia no cabelo dela, caído sobre os ombros. Era absolutamente louco pelo cabelo dela. — É isso que eu faço.

— Mas você é um empresário, um patrono das artes. Você... por quê? Você não é Ryan Boldari, é?

— Com certeza eu sou. — Pela primeira vez aquele sorriso terrível apareceu, alcançou-lhe os olhos, trazendo-lhes um brilho dourado e divertido. — E tenho sido desde que minha santa mãe me deu esse nome, trinta e dois anos atrás, no Brooklyn. E, até minha associação com você, esse nome queria dizer alguma coisa. — O sorriso se desfez, transformando-se numa espécie de rosnado. — Confiabilidade, perfeição. A porcaria do bronze era falso.

— O bronze? — O sangue simplesmente sumiu do rosto de Miranda. Ela sentiu quando ele se esvaiu, gota a gota. — Como é que você sabe?

— Eu sei porque fui eu que roubei aquela porcaria que não vale merda nenhuma. — Ele inclinou a cabeça. — Ou talvez você esteja

pensando no bronze de Florença, o outro que você também achou que era bom. Soube disso ontem, quando meu cliente me escorraçou porque entreguei uma falsificação. Uma falsificação, pelo amor de Deus!

Excitado demais para ficar sentado, ele deu um salto da cama e começou a andar pelo quarto. — Vinte anos sem uma mancha, e agora isso. E tudo porque eu confiei em você.

— Confiou em mim. — Ela ficou de joelhos, os dentes cerrados. Não havia espaço para o medo ou a ansiedade quando a raiva percorria com tanta força e rapidez sua corrente sanguínea. — Você me roubou, seu filho da mãe!

— E daí? O que eu peguei deve valer umas cem pratas como peso de papel. — Ele se aproximou novamente e parou, perturbado por achar aquele brilho ardente nos olhos dela e a cor da raiva na face bastante atraentes. — Quantas outras peças você anda passando por verdadeiras naquele seu museu?

Ela não pensou, agiu. Saiu da cama como uma bala, lançando-se sobre ele. Com seu tamanho, ela não era nenhum peso-pena, e Ryan recebeu o impacto total de seu corpo bem-torneado embalado em temperamento explosivo. Foi sua afeição inata às mulheres que fez com que ele se movesse e aparasse a queda dela — um gesto instantâneo do qual se arrependeu assim que atingiram o chão. Para proteger os dois, rolou por cima dela, mantendo-a presa sob seu corpo.

— Você me roubou. — Ela se debateu, mas ele não se moveu nem um milímetro. — Você me usou. Seu filho da mãe, você deu em cima de mim. — Ah, isso era o pior. Ele flertara, romanceara, e ela estivera à beira de ceder à tentação.

— A última parte foi efeito colateral, um benefício à parte. — Ele apertou os pulsos dela para impedi-la de dar um murro em seu rosto. — Você é muito atraente. Não foi problema algum.

— Você é um ladrão. Nada além de um ladrão ordinário.

— Se você acha que me insulta com isso, errou. Sou um ótimo ladrão. Agora, a gente pode sentar e resolver isso, ou pode continuar

lutando aqui. Mas eu vou te dizer que, mesmo usando esse pijama inacreditavelmente horrível, você é um pedaço de mau caminho. Você decide, Miranda.

Ela ficou quieta, observando-o com admiração relutante enquanto seus olhos iam do fogo ao gelo. — Sai de cima de mim. Sai de cima de mim.

— Tudo bem. — Ele a soltou e levantou-se rapidamente. Apesar de oferecer-lhe a mão, ela a rejeitou com um safanão e ficou de pé.

— Se você tiver machucado o Andrew...

— Por que eu machucaria o Andrew? Foi você quem documentou o bronze.

— E você foi quem roubou. — Ela pegou o robe ao pé da cama. — E o que é que você vai fazer agora? Atirar em mim, depois limpar a casa?

— Eu não atiro em ninguém. Sou ladrão, não sou bandido.

— Então você é um idiota completo. O que você acha que eu vou fazer assim que você for embora? — disse por sobre o ombro enquanto vestia o robe. — Vou pegar o telefone, ligar pro detetive Cook e dizer que foi você quem invadiu o instituto.

Ele enfiou os dedos no bolso da calça jeans. O robe, concluiu, era tão pouco atraente quanto o pijama. Não havia razão alguma para que ele bloqueasse a necessidade de abrir caminho por entre toda aquela flanela.

— Se você chamar a polícia, vai fazer papel de boba. Primeiro, porque ninguém vai acreditar. Eu nem tô aqui, Miranda. Eu estou em Nova York. — Seu sorriso se alargou, arrogante e seguro. — E tem muita gente que vai ficar mais do que feliz de jurar que isso é verdade.

— Bando de criminosos.

— Isso não é maneira de tratar a minha família e os meus amigos. Principalmente se você não conhece nenhum deles. Segundo — ele continuou, enquanto ela cerrava os dentes —, você ia ter que

explicar pra polícia por que uma peça que não vale nada tem um seguro de seis dígitos.

— Você tá mentindo. Eu autentiquei essa peça. É do século dezesseis.

— É, e o bronze Fiesole é do Michelangelo. — Ele sorriu com sarcasmo. — Isso calou você. Agora senta, e eu te digo como é que a gente vai coordenar isso.

— Eu quero que você saia daqui. — Ela ergueu o queixo. — Quero você fora da minha casa imediatamente.

— Se não, você vai fazer o quê?

Foi um impulso, um impulso selvagem, mas pela primeira vez ela seguia um instinto primitivo. Mergulhou, abriu a gaveta e pegou a arma. Ele agarrou seu punho, agarrou o revólver. Com a outra mão, ele a empurrou novamente sobre a cama.

Ele era mais forte do que ela previra. E mais rápido. — Isso não teria sido um acidente.

— Você podia ter se machucado — ele resmungou, removendo cuidadosamente a munição. Guardou-a e jogou a arma de volta na gaveta. — Agora...

Ela tentou se levantar, e ele levou a mão ao seu rosto, empurrando-a para trás.

— Senta. Fica quieta. Ouve. Você me deve, Miranda.

— Eu... — Ela quase engasgou. — Eu *devo*?

— Eu tinha uma ficha limpa. Toda vez que eu pegava um trabalho, a satisfação do cliente era garantida. E esse era meu último, caramba. Não acredito que na reta final uma cabeça ruiva vá estragar minha reputação. Tive que dar uma peça da minha coleção particular pro meu cliente, além de devolver o dinheiro pra manter o nosso contrato.

— Ficha? Cliente? Contrato? — Ela não resistiu e sacudiu a cabeça enquanto gritava. — Você é um ladrão, pelo amor de Deus, não um negociante.

— Não vou discutir semântica com você — ele disse calmamente, como um homem no comando, totalmente controlado. — Eu quero a Vênus do Donatello.

— Como é? Você quer o quê?

— A Vênus pequenininha que estava na vitrine, junto com o seu Davi falso. Eu podia voltar lá e pegar, mas isso não ia ser justo. Quero que você pegue a estatueta, dê pra mim, e, se for autêntica, fica tudo certo.

Não havia força de vontade capaz de impedir seu espanto.

— Você enlouqueceu.

— Se você não fizer isso, vou dar um jeito de colocar o Davi no mercado de novo. Quando a companhia de seguros recuperar a peça, e testá-la, como é rotina, sua incompetência vai ser descoberta. — Ele inclinou a cabeça e percebeu as sobrancelhas dela se curvarem, enquanto ela acompanhava perfeitamente suas palavras. — Isso, depois do desastre recente em Florença, deixaria uma marca bem pouco interessante na sua carreira, dra. Jones. Eu preferia poupar você desse constrangimento, apesar de não saber por quê.

— Eu não quero nenhum favor seu. Você não vai me chantagear pra eu te dar o Donatello, nem nenhuma outra coisa. O bronze não é falso, e você vai pra cadeia.

— Você simplesmente não consegue admitir que errou, não é?

*Você tinha tanta certeza, não tinha? Parece que você estava errada. Como vai explicar isso?* Estremeceu, antes que pudesse se controlar. — Quando eu cometer um erro, eu vou admitir.

— Como você fez em Florença? — ele contra-atacou, e viu os olhos dela revirarem. — As notícias daquela tolice estão se espalhando no mundo da arte. As opiniões entre se você falsificou os testes ou se é incompetente estão divididas. Meio a meio.

— Não me importa quais são as opiniões. — Mas a frase saiu fraca e ela começou a esfregar os braços, buscando algum calor.

— Se eu ouvisse isso alguns dias antes, não me arriscaria a roubar uma peça autenticada por você.

— Eu não posso ter cometido um erro. — Ela fechou os olhos, porque, de repente, essa ideia era pior, muito pior do que saber que ele a usara para roubar. — Não esse tipo de erro. É impossível.

O desespero na voz dela fez com que ele enfiasse as mãos nos bolsos. Ela parecia repentinamente frágil, insuportavelmente desgastada.

— Todo mundo erra, Miranda. Faz parte da condição humana.

— Não no meu trabalho. — Lágrimas estavam presas em sua garganta quando ela abriu os olhos para encará-lo. — Eu não cometo erros no meu trabalho. Sou muito cuidadosa. Não tiro conclusões precipitadas. Sigo o procedimento. Eu... — A voz embargada, seu peito começou a tremer. Ela pressionou as mãos cruzadas contra os seios, tentando controlar as lágrimas quentes que se avolumavam como ondas.

— Tudo bem, não precisa exagerar. Sem sentimentalismos.

— Eu não vou chorar. Não vou chorar. — Repetiu a frase várias vezes, como um mantra.

— Mas a boa notícia, Miranda, é que a gente tá falando de negócios. — Aqueles grandes olhos azuis estavam brilhantes e molhados. E atrapalhavam a concentração. — Vamos manter essa história nesse nível e vai ser melhor pra nós dois.

— Negócios. — Ela esfregou a boca com as costas da mão, aliviada; o absurdo dito congelara suas lágrimas. — Tudo bem, sr. Boldari. Negócios. Você diz que o bronze é falso. Eu digo que não. Você diz que eu não vou me reportar à polícia. Eu digo que vou. O que você pretende fazer com isso?

Ele a observou por uns instantes. No seu campo de trabalho — no campo de ambos — era preciso ser rápido e acurado no julgamento das pessoas. Era fácil ver que ela defenderia seus testes, e que chamaria a polícia. A segunda parte não o preocupava muito, mas causaria algum inconveniente.

— Tudo bem, troca essa roupa.

— Por quê?

— A gente vai pro laboratório, você pode testar o bronze de novo, na minha frente, satisfazer uma parte do trato.

— São duas da manhã.

— Então, ninguém vai interromper a gente. Veste alguma coisa, a não ser que você prefira ir de pijama.

— Eu não posso testar uma coisa que eu não tenho.

— Eu tenho. — Ele fez um gesto em direção à bolsa de couro que deixara ao lado da porta. — Trouxe comigo, pensando em enfiar na sua goela. Mas prevaleceu a razão. Veste alguma coisa quente — ele sugeriu, e sentou-se confortavelmente na poltrona. — A temperatura caiu.

— Não vou levar você pra dentro do instituto.

— Você é uma mulher prática. Seja prática. Eu tenho o bronze e a sua reputação nas minhas mãos. Você quer uma chance de ter o primeiro de volta e salvar a segunda. Estou te dando essa chance. — Ele esperou um pouco, para que ela digerisse isso. — Vou te dar tempo pra testar a estátua, mas vou ficar do seu lado, respirando no seu cangote. Esse é o acordo, dra. Jones. Melhor você ser esperta e aceitar a minha proposta.

Precisava saber a verdade, não precisava? Ter certeza. E quando a tivesse, ela o entregaria à polícia antes que ele pudesse piscar aqueles olhos bonitos.

Podia lidar com ele, concluiu. O fato era que seu orgulho demandava que aceitasse a oportunidade de fazer aquilo. — Não vou mudar de roupa na sua frente.

— Dra. Jones, se eu estivesse com sexo na cabeça, já teria administrado isso quando a gente estava no chão. Negócios — ele repetiu. — E você não vai sair do meu campo de visão até a gente concluir isso.

— Eu realmente te odeio. — Ela falou com tanta aversão que ele não viu motivo para duvidar de suas palavras. Mas sorriu para si mesmo quando ela se trancou no closet e ouviu o chacoalhar de cabides.

ELA ERA UMA CIENTISTA, UMA MULHER EDUCADA, DE FORMAção impecável e reputação exemplar. Tinha artigos publicados em dezenas de revistas e jornais de arte e ciência. A *Newsweek* havia feito uma matéria sobre ela. Dera palestras em Harvard e passara três meses como professora convidada em Oxford.

Não era possível que estivesse dirigindo pelo Maine gelado ao lado de um ladrão, com a intenção de invadir seu próprio laboratório para conduzir testes clandestinos em um bronze falso.

Pisou no freio e desviou o carro para o acostamento. — Não posso fazer isso. É ridículo, sem falar que é ilegal. Vou ligar pra polícia.

— Tudo bem. — Ryan deu de ombros quando ela esticou o braço para alcançar o telefone do carro. — Faz isso, coração. E explica pra eles o que você anda fazendo com uma porcaria de metal que não vale nada, tentando fazer passar por obra de arte. Depois você explica pra seguradora... o dinheiro já foi pedido, não foi?... como é que você espera que eles paguem quinhentos mil por uma falsificação. Uma que você mesma autenticou.

— Não é uma falsificação — ela disse entre os dentes, mas não discou 911.

— Prova isso. — Seu sorriso iluminou a noite. — Pra mim, dra. Jones, e pra você. Se fizer isso... a gente negocia.

— Negocia é o escambau! Você vai pra cadeia — ela disse e se revirou no assento para que ficassem cara a cara. — Vou providenciar isso.

— Primeiro, o mais importante. — Divertido, ele apertou amigavelmente o queixo dela. — Liga pra segurança. Avisa que você e seu irmão estão chegando pra trabalhar no laboratório.

— Não vou envolver o Andrew.

— Andrew já está envolvido. Basta fazer a ligação. Pode escolher a desculpa que quiser. Você não conseguiu dormir e decidiu trabalhar

um pouco enquanto o ambiente tá calmo. Anda, Miranda. Você quer saber a verdade, não quer?

— Eu sei a verdade. Você é que não saberia nem se ela pulasse em cima de você e te mordesse.

— Você perde um pouco da classe quando fica assim, nervosa. — Ele inclinou o corpo à frente e deu um beijo de leve antes que ela o empurrasse de volta. — Eu gosto.

— Tira a mão de cima de mim.

— Não era a minha mão. — Ele a segurou pelos ombros, fez um carinho. — Essa é a minha mão. Liga.

Ela o enxotou com o cotovelo e pressionou os números. As câmeras estariam ligadas, pensou. Ele nunca passaria por Andrew, portanto estariam liquidados antes de começar. O chefe da segurança, se tivesse algum senso, ligaria para a polícia. Tudo o que precisaria fazer era contar sua história, e Ryan Boldari seria algemado e encarcerado pelo resto da vida.

— Aqui é a dra. Miranda Jones — disse rispidamente, e ele deu um tapinha de aprovação no joelho dela. — Eu e meu irmão estamos a caminho daí. Isso, pra trabalhar. Com toda essa confusão dos últimos dias, fiquei com trabalho atrasado no laboratório. A gente deve estar aí em dez minutos. Vou entrar pela porta principal. Obrigada.

Ela desligou, fungou. Pegara-o agora, concluiu, e ele mesmo lhe entregara os meios. — Eles estão me esperando e vão desligar o alarme quando eu chegar.

— Ótimo. — Ele esticou as pernas quando ela voltou para a pista. — Eu estou fazendo isso por você.

— Não tenho como te agradecer.

— Não precisa. — Fez um ligeiro gesto de recusa enquanto ela rosnava. — Juro. Apesar de tudo que você me causou, eu gosto de você.

— Nossa, estou tendo palpitações.

— Viu? Você tem estilo, sem falar nessa boca implorando pra ser saboreada durante horas no escuro. Eu realmente me arrependi de não ter tido mais tempo com essa sua boca.

As mãos dela apertaram o volante. Sua respiração descompassada representava pura raiva. Não permitiria que fosse outra coisa.

— Você vai ter mais tempo, Ryan — disse docemente. — Essa minha boca vai te mastigar e cuspir antes de acabar.

— Vou ficar esperando ansiosamente. Aqui é um lugar legal. — Comentou mantendo a conversa enquanto ela seguia a orla em direção à cidade. — Varrido pelo vento, dramático, mas com cultura e civilização à mão. Perfeito pra você. A casa é um bem de família, imagino.

Ela não respondeu. Por mais absurdas que fossem suas atitudes, não manteria um bate-papo com ele.

— É invejável — ele continuou, sem ofender-se. — A herança, e o dinheiro, é claro. Mas, acima dos privilégios, é o nome, sabe? Os Jones do Maine. Cheira a classe.

— O que não é o caso dos Boldari do Brooklyn — ela sussurrou, mas isso só o fez rir.

— Ah, a gente cheira a outras coisas. Você ia gostar da minha família. É impossível não gostar. E eu me pergunto: o que eles pensariam de você, dra. Jones?

— Talvez a gente se conheça no seu julgamento.

— Ainda determinada a me entregar pra justiça. — Apreciou o perfil de Miranda, quase tanto como as sombras das rochas desgastadas, o vislumbre do mar escuro. — Estou nesse jogo há vinte anos, *darling*. Não tenho nenhuma intenção de dar um passo em falso na hora de me aposentar.

— Uma vez ladrão, sempre ladrão.

— Ah, de coração, concordo com você. Mas na vida real... — Ele suspirou. — Assim que eu limpar minha ficha, acabou. Se você não tivesse estragado as coisas, eu estaria tirando férias merecidas em St. Bart agora.

— Que trágico pra você!

— É. — Ele moveu os ombros novamente. — Mas eu ainda posso salvar alguns dias. — Destravou o cinto de segurança e virou-se para pegar a bolsa que jogara no banco de trás.

— O que é que você tá fazendo?

— Quase lá. — Ele assoviou ligeiramente e pegou um gorro de esqui, puxando-o sobre a cabeça até esconder o cabelo. Depois foi a vez de uma echarpe de casimira com a qual envolveu o pescoço, cobrindo a parte inferior do rosto.

— Você pode tentar alertar os guardas. — Ele começou a dizer, baixando o espelhinho para ver o resultado de sua vaidade. — Mas se fizer isso, não vai ver o bronze, nem a mim, outra vez. Joga limpo, entra, vai pro laboratório normalmente e fica tudo bem. O Andrew é um pouco mais alto que eu — considerou enquanto desdobrava um casaco comprido e escuro. — Mas não tem importância. Eles vão ver o que querem ver. As pessoas sempre fazem isso.

Quando ela entrou no estacionamento, teve que admitir que ele estava certo. Era tão anônimo dentro daquela vestimenta de frio que ninguém olharia duas vezes para ele. E mais: quando saltaram do carro e se dirigiram à entrada principal, deu-se conta de que ela mesma poderia tê-lo confundido com Andrew.

A linguagem corporal, o jeito de andar, os ombros ligeiramente encurvados do irmão, tudo perfeito.

Ela passou o cartão na fenda, com irritação. Depois de uma pausa, entrou com o código. Imaginou-se fazendo caretas para os guardas. Em vez disso, batia levemente com o cartão na palma da mão e esperava o zumbido do destravamento do portão.

Ryan abriu as portas, apoiando uma das mãos amigável, no ombro dela. Manteve a cabeça baixa, sussurrando em seu ouvido enquanto entravam: — Sem rodeios, dra. Jones. Você realmente não vai gostar do incômodo nem da publicidade.

— O que eu quero é o bronze.

— Você já vai ter. Pelo menos temporariamente.

Ele manteve a mão no ombro dela, guiando-a através dos corredores, das escadas, até chegarem ao laboratório. Novamente, ela liberou a entrada dos dois. — Você não vai sair daqui com uma coisa que me pertence.

Ele acendeu as luzes. — Você deve se preocupar com os seus testes — ele sugeriu, tirando o casaco. — Você tá perdendo tempo. — Manteve as luvas para pegar o bronze e entregá-lo a ela. — Eu sei alguma coisa sobre autenticação, dra. Jones, e vou ficar te observando de perto.

E este, ele disse a si mesmo, era um dos maiores riscos de sua carreira. Ir até lá com ela. Trancara-se, e estaria perdido se conseguisse racionalizar o motivo. Ah, voltar era uma loucura, pensou enquanto observava Miranda pegar os óculos de armação de metal dentro da gaveta e colocá-los no rosto.

Estava certo quanto àquilo, divertiu-se. A acadêmica sexy. Afastou esse pensamento e sentou-se confortavelmente enquanto ela levava o bronze até a cabine para uma extração.

Sua reputação, seu orgulho — o que era a mesma coisa — estavam em jogo.

O trabalho, que deveria ter um resultado tranquilo, limpo e sem surpresas na sua carreira, acabara por lhe causar uma enormidade de problemas, custara caro e fizera com que perdesse prestígio.

Mas sua intenção era confrontá-la, ameaçá-la, chantageá-la para que cobrisse suas perdas, e ir embora.

Não resistira à tentação de ser mais inteligente que ela. Não tinha dúvidas de que pretendia fazer os testes em favor próprio, de que tentaria convencê-lo de que o bronze era genuíno. E se o fizesse, ia lhe custar caro.

Pensou que o Cellini seria um pagamento justo pela sua permissividade. O instituto, concluiu enfiando as mãos nos bolsos enquanto a via trabalhar, estava prestes a fazer uma generosa doação à Galeria Boldari.

Isso a mataria de raiva.

Miranda franziu as sobrancelhas ao se afastar do microscópio. Havia um embrulho em seu estômago que nada tinha a ver com raiva ou irritação. Não disse nada, mas fez anotações com a mão firme.

Retirou outras amostras do bronze, tanto da pátina quanto do metal, e colocou-as numa lâmina para examiná-las. Seu rosto estava pálido e rijo quando depositou o bronze na balança, fazendo anotações adicionais.

— Eu preciso fazer os testes de corrosão, preciso levar as radiografias pra área das ferramentas.

— Tudo bem, vamos lá. — Ele atravessou o laboratório com ela, imaginando onde exporia o Cellini. A pequena Vênus dada por ela ficaria em sua coleção particular, mas o Cellini ficaria na galeria, para o público, e daria um ar de prestígio aos negócios.

Tirou um charuto fino do bolso, procurou o isqueiro.

— Não pode fumar aqui.

Ele simplesmente colocou o charuto entre os dentes e acendeu-o.

— Chama a polícia — sugeriu. — Que tal um café?

— Me deixa em paz. Cala a boca.

O embrulho no estômago de Miranda estava mais forte agora e espalhava-se como uma bactéria com o passar dos minutos. Ela seguiu o procedimento ao pé da letra. Mas já sabia a resposta.

Aqueceu a argila, rezando pelo lampejo dos cristais. E precisou morder o lábio para segurar um gemido. Não daria a ele esse prazer.

Mas, quando levantou a radiografia contra a luz e viu sua intuição confirmada, seus dedos ficaram gelados.

— E? — Ele levantou uma sobrancelha, esperando pela confirmação.

— O bronze é uma falsificação. — Como suas pernas fraquejassem, ela se sentou num banco e perdeu a surpresa nos olhos dele. — A fórmula, pelo que posso dizer com os testes preliminares, tá certa. Mas a pátina foi aplicada recentemente, e os níveis de corrosão são inconsistentes em relação aos de um bronze do século dezesseis.

As ferramentas estão erradas. É bem-feito — continuou, uma das mãos inconscientemente pressionando com força o estômago revirado. — Mas não é autêntico.

— Bem, dra. Jones — ele murmurou —, você me surpreendeu.

— Não é o bronze que eu autentiquei há três anos.

Ele meteu os dedos nos bolsos e girou sobre os calcanhares.

— Você fez uma besteira, Miranda. Vai ter que encarar isso.

— Não é o bronze — ela repetiu, e sua espinha perfilou-se quando ela se levantou rapidamente do banco. — Não sei o que você pensou que podia provar me trazendo essa falsificação, fazendo a gente passar por essa charada ridícula.

— Esse é o bronze que eu roubei da Galeria Sul — ele disse calmamente — e que peguei confiando na sua reputação, doutora. Então, chega de palhaçada e vamos acertar os nossos ponteiros.

— Eu não vou negociar com você. — Ela pegou a estatueta e jogou em cima dele. — Você acha que pode invadir a minha casa, tentar fazer essa porcaria passar por propriedade minha pra eu te dar alguma coisa em troca? Você é louco.

— Eu roubei esse bronze na boa-fé.

— Ai, pelo amor de Deus! Eu vou chamar a segurança.

Ele a agarrou pelo braço, empurrou-a contra a bancada. — Olha só, coração, eu entrei nesse joguinho contra minha própria vontade. Agora tá feito. Talvez você realmente não fosse tentar passar o bronze adiante. Talvez tenha sido um erro honesto...

— Eu não cometi nenhum erro. Eu não cometo erros.

— O nome Fiesole não te lembra nada, não?

O surto de raiva morreu no rosto dela. Os olhos perderam o foco, ficaram vidrados. Por um momento, ele pensou que ela fosse escapar de suas mãos como água. Se estivesse fingindo, ele a subestimara.

— Eu não cometi um erro — ela repetiu, mas agora sua voz tremia. — Eu posso provar. Tenho os registros, as minhas anotações, as radiografias e os resultados dos testes do bronze original.

A vulnerabilidade o golpeou, com força suficiente para que ele a soltasse quando ela se virou. Ele balançou a cabeça e a seguiu até uma sala repleta de arquivos.

— O peso tava errado — ela disse rapidamente enquanto se atrapalhava com a chave da gaveta. — A amostra que eu tirei não é aviltante, mas o peso... eu sabia que tava errado desde a hora em que segurei a estátua... Onde é que eu enfiei esse arquivo?

— Miranda...?

— Era muito pesado, um pouco pesado demais, e a tinta até chega perto, mas não tá certa. Simplesmente não tá certa. Mesmo que eu deixasse isso escapar, não erraria nos níveis de corrosão. A gente não erra essas coisas.

Balbuciando, ela fechou a gaveta, destrancou outra, depois outra.

— Não está aqui. Os arquivos não estão aqui. Sumiram. — Lutando por calma, ela fechou a gaveta. — As fotos, as anotações, os relatórios, tudo sobre o bronze do Davi desapareceu. Você pegou tudo.

— Pra que eu faria isso? — ele perguntou, com uma paciência de santo, na sua opinião. — Olha só, se eu pude entrar aqui e pegar uma falsificação, poderia ter pego qualquer coisa que quisesse. Qual seria a função de passar por isso, Miranda?

— Eu preciso pensar. Fica quieto. Eu preciso pensar. — Ela pressionou a boca com a mão e andou de um lado para outro. Lógica, seja lógica, ordenava-se. Lide com os fatos.

Ele roubara o bronze e ele era falso. Qual o sentido em roubar uma falsificação, depois trazê-la de volta? Nenhum. Se fosse verdadeiro, por que ele estaria ali? Não estaria. Portanto, a história que ele lhe contara, por mais absurda que fosse, era verdadeira.

Ela testara a peça e concordara com as conclusões dele.

Teria ela cometido um erro? Deus, ela teria cometido um erro?

Não. Lógica, nada de emoção, lembrou a si mesma. Obrigou-se a parar o movimento errático e a ficar absolutamente imóvel.

A lógica, quando apropriadamente aplicada, era incrivelmente simples.

— Alguém te enganou — disse baixinho. — Alguém te enganou, fez você roubar o bronze e o substituiu por uma falsificação.

Voltou-se para ele, vendo pelo olhar em seu rosto que ele também estava chegando à mesma conclusão.

— Bem, dra. Jones, parece que nós dois levamos um pé na bunda. — Inclinou a cabeça para observá-la. — O que é que a gente vai fazer quanto a isso?

# Capítulo Doze

Miranda resolveu aceitar que aquele era um dia para comportamentos fora do normal, ao ver-se sentada num posto de gasolina da Rota 1 às seis da manhã.

A garçonete trouxe uma jarra de café, duas canecas marrons e dois cardápios laminados.

— O que é que a gente tá fazendo aqui?

Ryan serviu o café, cheirou, deu um gole, depois disse: — Isso sim é um café.

— Boldari, o que é que a gente tá fazendo aqui?

— Tomando café — ele respondeu e avaliou o cardápio.

Ela respirou fundo. — São seis horas da manhã. Eu tive uma noite difícil e tô cansada. Preciso pensar seriamente em várias coisas e não tenho tempo de ficar sentada num bar de posto de gasolina trocando frases inteligentes com um ladrão.

— Até agora, você não foi nem um pouco esperta. Mas, como você disse, a noite foi difícil. Vai esbarrar com alguém conhecido aqui?

— Claro que não.

— Exatamente. A gente precisa comer, e precisa conversar. — Colocou o cardápio na mesa e sorriu para a garçonete quando ela se aproximou, com o bloquinho na mão. — Quero meia porção de panquecas, ovos mexidos e uma porção de bacon, por favor.

— Deixa comigo, chefe. E você, amor?

— Eu... — Resignada, Miranda apertou os olhos diante do cardápio, em busca de algo que não fosse letal. — Só um mingau de aveia. Tem como fazer com leite desnatado?

— Vou ver o que dá pra fazer e te falo num segundo.

— Ok, vamos mapear a situação — Ryan continuou. — Há três anos você adquiriu uma estatueta de bronze de Davi. Minha pesquisa indica que isso veio através do seu pai, de uma escavação particular em Roma.

— Sua pesquisa tá correta. A maioria dos achados foi doada pro Museu Nacional de Roma. Ele trouxe o Davi pro instituto. Pra ser estudado, autenticado e exposto.

— E foi você quem fez os estudos e a autenticação?

— Isso.

— Quem trabalhou com você?

— Sem as minhas anotações eu não vou conseguir ter certeza.

— Tenta lembrar.

— Foi há três anos. — Como estava confusa, experimentou o café. A imagem voltou como um relâmpago. — Andrew, claro — começou a dizer. — Ele era fã daquela peça. Tinha uma atração por ela. Acho que ele deve ter feito uns desenhos dela. Meu pai entrava e saía do laboratório, acompanhando o progresso dos testes. Ficou feliz com os resultados. John Carter — acrescentou, sentindo uma ligeira pontada de dor na testa. — Ele é o chefe do laboratório.

— Então teve acesso ao bronze. Quem mais?

— Quase todo mundo que trabalhava no laboratório naquela época. Não era um projeto prioritário.

— Quantas pessoas trabalhavam no laboratório?

— Qualquer coisa entre doze e quinze, depende.

— Todas elas tinham acesso aos arquivos?

— Não. — Ela fez uma pausa enquanto o café da manhã era servido. — Nem todos os assistentes e técnicos tinham as chaves.

— Pode acreditar em mim, Miranda. As pessoas se preocupam demais com chaves. — Ele deu aquele sorriso novamente enquanto completava a xícara de café. — Vamos imaginar que qualquer um trabalhando no laboratório tivesse acesso aos arquivos. Você precisa conseguir uma lista de nomes do pessoal.

— Precisa mesmo disso?

— Você quer encontrar o bronze? É um espaço de três anos. — Ele explicou: — Do momento em que você autenticou a estatueta até eu te entregar a falsa. Quem trocou as duas teve acesso ao original, pra poder fazer a cópia. A maneira mais inteligente e simples seria fazer um molde de silicone, uma reprodução em cera.

— Acho que você entende de falsificações — ela disse, enquanto sentia o cheiro do mingau.

— Só o que um homem da minha área, das minhas áreas, precisa saber. A pessoa tem que ter o original pra fazer o molde — ele continuou, sem sentir-se ofendido, e ela se perguntou por que se dera ao trabalho de atacá-lo. — A forma mais eficiente de fazer isso seria enquanto o bronze ainda estava no laboratório. Depois que a peça foi pra exposição, a pessoa teria que driblar a segurança, e a sua é muito boa.

— Muito obrigada. Isso não é leite desnatado — ela reclamou, franzindo o cenho diante da vasilha na qual a garçonete trouxera o mingau de aveia.

— Viva o perigo. — Ele salpicou os ovos mexidos com sal. — É assim que eu vejo essa história: alguém que trabalhava no laboratório naquela época viu o que os seus testes estavam indicando. Uma peça boa, que um colecionador compraria pagando um preço justo. Então, talvez essa pessoa seja alguém endividado ou com raiva da sua família, ou talvez simplesmente alguém tentando um golpe de

sorte. Não é um processo complicado, e o cara já tá dentro do laboratório. Nada mais fácil. Se ele não sabe como fazer o molde, com certeza conhece alguém que sabe. E mais, ele também sabe como fazer o bronze parecer muito antigo, pelo menos superficialmente. Quando a cópia fica pronta, ele troca as peças, provavelmente antes que ela seja colocada em exposição. Ninguém desconfia de nada.

— Isso não poderia ser feito de impulso. Precisaria de tempo, de planejamento.

— Eu não disse que foi feito de impulso. Mas também não precisaria de tanto tempo assim. Quanto tempo o bronze ficou no laboratório?

— Não tenho certeza. Duas semanas, talvez três.

— Mais que suficiente. — Ryan gesticulou com uma fatia de bacon antes de mordê-la. — Se eu fosse você, faria testes em outras peças.

— Outras? — Ela não sabia por que isso não lhe ocorrera antes de se dar conta da possibilidade, naquele momento. — Meu Deus!

— Ele fez uma vez, e bem o suficiente pra não ser descoberto. Por que não fazer de novo? Não fica com essa cara tão devastada, *darling*. Eu vou te ajudar.

— Me ajudar? — Ela pressionou os dedos nos olhos que agora ardiam. — Por quê?

— Porque eu quero aquele bronze. Afinal, garanti isso ao meu cliente.

Ela deixou as mãos penderem. — Você vai me ajudar a pegar o bronze de volta pra poder roubar de novo?

— Eu tenho interesse pessoal nisso. Termina seu café. A gente tem muito trabalho pela frente. — Ele pegou sua xícara e sorriu para ela. — Parceira.

PARCEIRA. A PALAVRA FEZ MIRANDA TREMER. TALVEZ ESTIvesse muito cansada para pensar com clareza, mas na hora não conseguiu enxergar uma forma de recuperar a peça sem ele.

Ele a usara, pensou ao destrancar a porta da frente de casa. Agora, ela o usaria. Depois, providenciaria para que passasse os próximos vinte anos tomando banho grupal numa instituição federal.

— Você tá esperando alguém, hoje? A empregada, o cara da tevê a cabo, algum operário?

— Não. A companhia de limpeza vem às terças e sextas.

— Companhia de limpeza. — Ele tirou a jaqueta. — Não se come comida caseira nem se ganha conselhos sábios de uma companhia de limpeza. Você precisa de uma empregada chamada Mabel, que use avental branco e sapatos que não fazem barulho.

— A companhia de limpeza é eficiente e não é invasiva.

— Que pena. O Andrew já deve ter saído pro trabalho. — Viu no relógio que eram oito e quinze. — A que horas a sua assistente chega?

— A Lori chega às nove, normalmente um pouquinho antes.

— Você precisa ligar pra ela. Tem o telefone de casa?

— Tenho, mas...

— Liga pra ela, diz que você não vai trabalhar hoje.

— Claro que eu vou. Tenho reuniões.

— Ela cancela. — Ele foi até o gabinete e, à vontade, começou a preparar a lareira. — Pede pra ela as cópias de registro do pessoal do laboratório de três anos atrás. É o melhor lugar pra começar. Fala pra ela mandar pro seu computador de casa.

Ele acendeu a fagulha e em segundos a madeira na lareira começou a estalar. Ela não disse nada, enquanto ele escolhia dois pedaços de madeira na caixa onde ficavam guardados e os colocava para arder na lareira com a eficiência de um escoteiro.

Quando ele ficou de pé e virou-se, o sorriso de Miranda era inamistoso como uma faca desembainhada. — Mais alguma coisa que eu possa fazer?

— Docinho, você vai precisar aprender a receber ordens com um pouco mais de animação. Alguém tem que assumir o comando, entende?

— E você tá no comando?

— Isso. — Ele foi até ela, pegou-a pelos ombros. — Sei muito mais sobre roubo do que você.

— A maioria das pessoas não consideraria isso uma qualidade de liderança.

— A maioria das pessoas não está tentando capturar um ladrão. — O olhar dele baixou, fixou-se na boca de Miranda.

— Nem pensa nisso.

— Eu nunca censuro meus pensamentos. Dá úlcera. A gente podia aproveitar muito mais a nossa... associação, se você fosse um pouco mais amigável.

— Amigável?

— Mais flexível. — Ele a puxou para mais perto. — Em certas áreas.

Ela deixou que seu corpo encostasse ligeiramente no dele, permitiu que as pestanas flutuassem. — Tipo?

— Bem, pra começar... — Ele baixou a cabeça, respirou o perfume dela, antecipando-lhe o gosto. E sua respiração ficou ofegante ao tempo que ela lhe deu um soco no estômago.

— Eu disse pra você ficar com as mãos longe de mim.

— E você tava falando sério. — Com um ligeiro aceno de cabeça, ele passou a mão no abdômen. Alguns centímetros mais para o sul, pensou, e o punho dela poderia tê-lo privado de masculinidade. — Você tem um soco potente, dra. Jones.

— Pode agradecer, porque peguei leve, Boldari. — Apesar de não tê-lo feito. — Ou você estaria de quatro, com dificuldade de respirar. Acho que nos entendemos nesse ponto.

— Perfeitamente. Liga pra sua assistente, Miranda. E vamos começar a trabalhar.

Ela atendeu ao pedido, porque isso fazia sentido. A única maneira de ir adiante seria começando, e seria preciso um ponto de partida.

Às nove e meia, ela estava no escritório de casa, recolhendo informações no seu computador.

O cômodo era tão bem equipado quanto sua sala no instituto, talvez um pouco mais aconchegante. Ryan acendera a lareira ali também, apesar de Miranda não considerar que o frio fosse suficiente para isso. As labaredas estalavam ruidosamente na lareira de pedra; o sol de fim de inverno atravessava as cortinas abertas.

Sentaram-se juntos à sua mesa, averiguando nomes.

— Parece que isso aqui passou por uma reforma grande há um ano e meio — ele ressaltou.

— É. Minha mãe fez obras no laboratório de Florença. Vários funcionários foram transferidos pra cá, ou foram trabalhar no instituto.

— Tô bobo que você não tenha aproveitado a oportunidade.

— De quê?

— De se mudar pra Florença.

Ela enviou o arquivo para a impressora. Uma cópia impressa significaria não precisar ficar sentada ao lado dele. — Essa não era uma opção. Eu e o Andrew dirigimos o instituto. Minha mãe dirige a Standjo.

— Entendi. — E ele achava que sim. — Conflitos com a sua mãe?

— O relacionamento da minha família não é da sua conta.

— Mais que conflitos, eu diria. E com o seu pai?

— Como?

— Você é a garotinha do papai?

Ela deu uma risada impulsiva, depois levantou para buscar a impressão. — Nunca fui a garotinha de ninguém.

— Que pena — ele disse, e estava falando sério.

— Minha família não tá em questão aqui. — Ela sentou-se na poltrona vermelha, tentando concentrar-se nos nomes embaçados diante de seus olhos cansados.

— Mas devia estar. É um negócio familiar. Talvez alguém tenha tentado atingir sua família roubando o bronze.

— Sua origem italiana tá botando as manguinhas de fora — ela disse secamente, e ele sorriu.

— Os irlandeses são tão interessados em vingança quanto os italianos, *darling*. Me fala das pessoas nessa lista.

— John Carter. Diretor do laboratório. Fez doutorado em Duke. Trabalha no instituto há dezesseis anos. Arte oriental é o interesse principal dele.

— Não, quero informações pessoais. Ele é casado? Paga pensão? Joga, bebe no almoço, se veste de mulher nas noites de sábado?

— Deixa de ser ridículo. — Ela tentou sentar-se ereta, depois desistiu e dobrou as pernas. — É casado, nenhum divórcio. Dois filhos. Acho que o mais velho acabou de entrar pra faculdade.

— Precisa de muito dinheiro pra educar os filhos, mandar todo mundo pra universidade. — Ele olhou do outro lado da linha, atentando para o salário anual. — Ele vive decentemente, mas decência não satisfaz todo mundo.

— A mulher dele é advogada, e provavelmente ganha mais que ele. Dinheiro não é problema pro casal.

— Dinheiro é sempre um problema. Que carro ele tem?

— Não faço a menor ideia.

— Como ele se veste?

Ela começou a suspirar, mas pensou ter compreendido aonde ele queria chegar. — Paletós velhos e gravatas tolas — começou a dizer, fechando os olhos, tentou visualizar o chefe do laboratório. — Nenhum luxo, embora a mulher dele tenha comprado um Rolex de presente no aniversário de vinte anos de casamento. — Conteve um bocejo e afundou um pouco mais nas almofadas. — Usa o mesmo sapato todo dia. Botinas de sola de borracha. Quando elas estão gastas, ele compra um par novo.

— Tira um cochilo, Miranda.

— Eu tô bem. Quem é o próximo? — Esforçava-se para manter os olhos abertos. — Ah, Elise, ex-mulher do meu irmão.

— Divórcio problemático?

— Nunca acho que divórcio seja uma coisa tranquila, mas ela foi bastante cuidadosa com ele. Era assistente do John aqui, depois foi transferida pra Florença. É a chefe de laboratório da minha mãe. Ela e o Andrew se conheceram no instituto, na verdade, eu apresentei os dois. Casaram seis meses depois. — Ela bocejou mais uma vez, sem a preocupação de reprimir o gesto.

— Quantos anos durou?

— Uns dois anos. Eles pareciam superfelizes a maior parte do tempo, depois tudo começou a desmoronar.

— O que ela queria? Roupas sofisticadas, férias na Europa, uma casa grande, chique?

— Ela queria a atenção dele — Miranda murmurou e apoiou a cabeça nas mãos. — Queria que ele ficasse sóbrio, sossegado, focado no casamento. É a maldição dos Jones. A gente não consegue. Tem um carma com relacionamentos. Eu preciso descansar os olhos um minuto.

— Claro.

Ele voltou a estudar a lista. Por enquanto eram somente nomes numa página. Sua intenção era de que fossem muito mais que isso. Antes que terminassem, ele conheceria todos os detalhes íntimos. Extratos bancários. Vícios. Hábitos.

E àquela lista ele adicionou três nomes: Andrew Jones, Charles Jones e Elizabeth Standford-Jones.

Levantou-se, depois inclinou-se para tirar os óculos dela e colocou-os sobre a mesa ao seu lado. Ela não parecia uma menina inocente dormindo, concluiu. Mas uma mulher exausta.

Movendo-se silenciosamente, pegou a manta no encosto da poltrona e cobriu-a. Deixou-a dormir uma ou duas horas, para que renovasse as forças do corpo e da mente.

Em algum lugar dentro dela estavam as respostas, ele tinha certeza. Ela era a ligação.

Enquanto ela dormia, ele telefonou para Nova York. Não havia sentido em ter um gênio da computação como irmão se não fosse para usá-lo de vez em quando.

— Patrick? É Ryan. — Ele reclinou na cadeira e observou Miranda dormindo. — Tenho várias coisas pra você ver pra mim, um servicinho rápido de hacker que eu não tenho tempo de fazer agora. Te interessa? — Riu. — Claro que é pago.

OS SINOS DA IGREJA REPICAVAM. SEU SOM ECOOU POR sobre os telhados vermelhos até as montanhas distantes. O ar estava quente, o céu tão azul quanto o interior de um desejo.

Mas no porão úmido da villa, as sombras eram densas. Ela tremeu uma vez ao puxar a alavanca da escada. Estava lá, sabia que estava.

Esperando por ela.

Uma lasca de madeira se soltou. *Rápido. Rápido.* O ar começou a faltar-lhe nos pulmões, o suor escorria-lhe pelas costas. E as mãos tremiam enquanto ela apontava o facho de luz da lanterna sobre os objetos.

Braços grandes, seios fartos, uma mecha sedutora de cabelo. O bronze era brilhoso sem a pintura verde-azulada. Podia passar os dedos sobre ele e sentir o frio do metal.

Depois, pôde ouvir o som de uma harpa e a gargalhada ligeira de uma mulher. Os olhos da estátua ganharam vida e esplendor, a boca de bronze sorriu e disse seu nome.

*Miranda.*

Ela acordou com um pulo, o coração galopando. Por um momento, poderia jurar ter sentido um perfume — forte e floral. E ter ouvido o eco distante das cordas de uma harpa.

Mas era a campainha da porta da frente tocando repetidamente, e com alguma impaciência. Tremendo, Miranda libertou-se da manta e correu para fora do cômodo.

Foi surpreendente encontrar Ryan diante da porta aberta. Mas o choque maior foi ver o pai parado do lado de fora.

— Pai. — Ela pigarreou, afastando o sono da voz, e fez nova tentativa: — Oi. Não sabia que você estava vindo pro Maine.

— Acabei de chegar. — Ele era um homem alto, aprumado, queimado de sol. O cabelo era cheio e brilhante como aço polido. Combinava com a barba aparada e o bigode, além de combinar com seu rosto fino.

Seus olhos — do mesmo azul profundo da filha — olhavam através das lentes dos óculos de aro de metal e estudavam Ryan.

— Estou vendo que você tem companhia.

Avaliando rapidamente a situação, Ryan estendeu a mão. — Dr. Jones, que prazer! Rodney J. Pettebone. Sou um associado da sua filha, e um amigo, espero. Acabei de chegar de Londres — continuou, dando um passo atrás e encaminhando Charles gentilmente para dentro. Olhou em direção à escada, onde Miranda permanecia de pé, encarando-o como se ele tivesse duas cabeças.

— Miranda tem sido muito gentil me dando um pouco de seu tempo enquanto estou por aqui. Miranda, querida. — Levantou a mão e sorriu de maneira ridiculamente adorável.

Ela não estava certa do que a deixava mais chocada, se o sorriso de cachorrinho ou o sotaque britânico sofisticado que saía de sua boca, como se tivesse nascido na família real.

— Pettebone? — Charles franziu o cenho enquanto Miranda mantinha-se paralisada como um de seus bronzes. — O filho do Roger.

— Não, ele é meu tio.

— Tio? Não sabia que Roger tinha irmãos.

— Meio-irmão, Clarence. Meu pai. Posso pegar seu casaco, dr. Jones?

— Claro, obrigado. Miranda, acabei de passar no instituto. Disseram que você não estava passando muito bem.

— Eu tive... muita dor de cabeça. Não é nada...

— Fomos pegos, *darling*. — Ryan subiu as escadas e pegou a mão dela, apertando-a com força suficiente para triturar-lhe os ossos. — Tenho certeza de que seu pai vai entender.

— Não — Miranda disse, definitiva —, não vai, não.

— A culpa é toda minha, dr. Jones. Só tenho alguns dias para ficar por aqui. — Acentuou suas palavras com um beijo suave nos dedos de Miranda. — Acho que convenci sua filha a tirar um dia de folga. Ela está me ajudando com uma pesquisa sobre pinturas do século dezessete. Não teria conseguido nada se não fosse ela.

— Entendi. — A desaprovação óbvia transpareceu nos olhos de Charles. — Acho que...

— Eu ia fazer um chá. — Miranda interrompeu o pai com suavidade. Precisava de um momento para ordenar seus pensamentos. — Se você nos dá licença, pai. Por que não espera no gabinete? Não vai demorar nada. Rodney, você me dá uma mão, por favor?

— Claro. — Ryan deixou escapar um sorriso quando ela retribuiu o aperto de mãos.

— Você pirou? — ela sussurrou ao bater a porta da cozinha. — Rodney J. Pettebone? Quem é ele?

— Por enquanto, sou eu. Não estou aqui, lembra? — Apertou o queixo dela.

— Você deu a impressão pro meu pai de que a gente tá matando aula, pelo amor de Deus! — Ela pegou a chaleira no fogão e levou-a até a pia. — E não só isso, mas que a gente estava passando o dia brincando de pique-esconde.

— Pique-esconde? — Ele simplesmente não conseguiu resistir e abraçou-a por trás. Nem mesmo se importou com os cotovelos dela empurrando suas costelas. — Você é uma graça, Miranda.

— Eu não sou uma graça, e não fiquei feliz com essa mentira ridícula.

— Bem, acho que eu podia ter contado pra ele que fui eu que roubei o bronze. Depois, a gente podia explicar que era uma falsificação e que o instituto agora vai chafurdar numa fraude com a seguradora. Eu ainda acho que brincar de pique-esconde com um inglês pateta é bem mais fácil de engolir.

Os dentes cerrados, ela aqueceu o chá. — Por que um pateta inglês, Deus do céu?

— Foi o que me veio na hora. Pensei que podia ser o seu tipo. — Sorriu docemente quando ela lhe lançou um olhar frio por cima do ombro. — O ponto, Miranda, é que seu pai tá aqui, passou no instituto e obviamente quer respostas. Você só tem que pensar nas explicações que quer dar pra ele.

— Você acha que eu não sei disso? Eu tenho cara de idiota?

— Nem um pouco, mas diria que você é uma pessoa indiscutivelmente honesta. Mentir exige habilidade. O que você precisa fazer é contar pra ele tudo o que sabia até o momento em que eu pulei na sua cama hoje de manhã.

— Isso eu podia pensar sozinha, Rodney. — Mas seu estômago já estava ocupado em desfazer os nós causados pela mentira.

— Você dormiu menos de três horas. Tá devagar. Onde ficam as xícaras? — Ele abriu um armário.

— Não, não quero usar a louça do dia a dia. — Acenou com a mão. — Pega o jogo de porcelana na cristaleira da sala de jantar.

Ele ergueu as sobrancelhas. Boa louça era para visitas, não para família. Isso lhe deu informações adicionais sobre Miranda Jones.

— Vou pegar duas. Acho que Rodney percebeu que seu pai quer ter uma conversa particular com você.

— Covarde — ela murmurou.

Miranda ajeitou meticulosamente na bandeja o bule, as xícaras e os pires, tentando não se irritar com o fato de Ryan ter subido as escadas, deixando-a sozinha para lidar com a situação. Aprumou os ombros, suspendeu a bandeja e a levou até o gabinete, onde o pai estava de pé diante da lareira, lendo um pequeno caderno de anotações de capa de couro.

Era tão bonito, foi tudo que conseguiu pensar. Alto e empertigado, bronzeado, o cabelo brilhante. Quando era bem jovem, achava que ele parecia um desenho de conto de fadas. Não um príncipe ou cavaleiro, mas um mago. Muito sábio e digno.

Quisera tão desesperadamente que ele a amasse! Que a colocasse nas costas e a abraçasse em seu colo, que ajeitasse as cobertas em volta dela de noite e lhe contasse historinhas tolas!

Em vez disso, teve de se contentar com uma afeição discreta e ausente. Ninguém a colocou nas costas para um galope nem lhe contou historinhas infantis.

Ela suspirou para aliviar a tristeza e entrou no gabinete. — Pedi uns minutos pro Rodney — ela começou a dizer. — Imagino que você queira conversar comigo sobre o roubo.

— Quero. Isso é muito aborrecido, Miranda.

— É, todo mundo tá bastante chateado. — Ela colocou a bandeja na mesinha, sentou-se numa poltrona e serviu as xícaras como aprendera na infância. — A polícia tá investigando. A gente tem esperanças de encontrar o bronze.

— Enquanto isso, a má publicidade prejudica o instituto. Sua mãe está estressada, e eu tive que abandonar meu projeto num momento crucial para vir até aqui.

— Não tinha nenhum motivo pra isso. — Mãos firmes, ela entregou a ele a xícara. — Tudo que é possível está sendo feito.

— Obviamente a nossa segurança não é nada aceitável. Seu irmão é responsável por isso.

— Não é culpa do Andrew.

— Nós colocamos o instituto nas mãos dele e nas suas — ele lembrou a Miranda e provou um gole do chá

— Ele vem fazendo um trabalho maravilhoso. A frequência das aulas cresceu dez por cento e a receita aumentou. A qualidade das nossas aquisições nos últimos cinco anos é impressionante.

Ah, era irritante ter de defender e justificar o irmão, quando o homem em frente a ela fugira das responsabilidades do instituto com a mesma facilidade que tivera ao fugir às responsabilidades para os familiares.

— O instituto nunca foi uma das suas prioridades — ela disse com suavidade, sabendo que despertaria a raiva do pai. — Você preferiu o trabalho de campo. Eu e Andrew é que empenhamos nossa energia nisso.

— E agora temos o primeiro roubo em mais de uma geração. Não podemos deixar passar, Miranda.

— Não, mas nosso tempo, nosso suor e nosso trabalho podem ficar de lado.

— Ninguém está acusando você de falta de entusiasmo. — Ele afastou o comentário. — No entanto, precisamos lidar com isso. E com a publicidade negativa do seu equívoco em Florença, além de tudo, nós ficamos numa posição difícil.

— Meu equívoco — ela murmurou. Era a cara dele usar eufemismos nas horas de crise. — Eu fiz tudo o que era preciso em Florença. Tudo. — Quando sentiu a emoção prestes a borbulhar, engoliu-a e encarou-o da maneira fria que ele esperava. — Se eu pudesse ver os resultados dos segundos testes, poderia analisar os meus próprios e determinar onde estão os erros.

— Isso é algo que você deve discutir com a sua mãe. Mas posso te dizer que ela está muito desapontada. Se a imprensa não tivesse sido avisada...

— Eu nunca falei com a imprensa. — Ficou de pé, incapaz de permanecer sentada, incapaz de fingir calma. — Eu *nunca* discuti sobre *A Senhora Sombria* com ninguém fora do laboratório. Droga, por que eu faria isso?

Ele ficou em silêncio por um momento, colocou a xícara de lado. Detestava confrontos, não gostava de emoções descontroladas interferindo na ordem das coisas. Estava ciente de que situações desse tipo perturbavam sua filha. Nunca fora capaz de compreender de onde elas vinham.

— Eu acredito em você.

— E ser acusada... O quê?

— Eu acredito em você. Apesar de você ser forte e quase sempre teimosa, na minha opinião, nunca achei que fosse desonesta. Se você está me dizendo que não tocou no assunto com a imprensa, eu acredito.

— Eu... — Sua garganta queimava. — Obrigada.

— O que não muda nada, na verdade. A publicidade precisa parar. Devido às circunstâncias, você é o centro da tempestade, pode-se dizer assim. Sua mãe e eu acreditamos que seria melhor que você se afastasse por um tempo.

As lágrimas que nadavam em seus olhos secaram. — Eu já discuti isso com ela. E disse que não vou me esconder. Eu não fiz nada errado.

— O que você fez ou deixou de fazer não é o que interessa. Até que esses dois assuntos estejam resolvidos, sua presença no instituto é negativa.

Ele passou as mãos na calça à altura dos joelhos e levantou-se.

— A partir de hoje, você está de férias por um mês. Se precisar, pode passar lá e encerrar algum negócio pendente, mas seria melhor que fizesse isso de casa, nas próximas quarenta e oito horas.

— Você também pode pintar um C maiúsculo de culpada na minha testa.

— Você está exagerando, como sempre.

— E você tá fugindo, como sempre. Bem, eu sei com quem eu posso contar. Com ninguém. — Apesar da humilhação, ela tentou uma última vez. — Uma vez, pelo menos uma vez na vida, você não pode ficar do meu lado?

— Não é uma questão de lados, Miranda. E não é um ataque pessoal. É o melhor para todos os envolvidos, e tanto para o instituto quanto para a Standjo.

— Isso me machuca.

Ele pigarreou, evitando os olhos dela. — Tenho certeza de que, quando você conseguir pensar com calma, vai concordar que é a coisa mais lógica a ser feita. Vou ficar no Regency até amanhã, se você precisar me encontrar.

— Nunca vou ser capaz de encontrar você — ela disse baixinho. — Vou pegar seu casaco.

Como sentisse algum remorso, ele a seguiu até o hall. — Você devia usar esse tempo para viajar um pouco. Pegar um pouco de sol. Quem sabe o seu, ah, seu amigo não vai com você?

— Meu o quê? — Ela pegou o casaco do pai no armário, depois olhou para a escada. E começou a rir. — Ah, claro. — Precisou secar as lágrimas enquanto se recompunha da ligeira onda de histeria. — Aposto que o Rodney vai adorar viajar comigo.

Acenou para o pai, do lado de fora da casa, depois sentou-se no último degrau da escada e riu como louca — até começar a soluçar.

# Capítulo Treze

Um homem que tem três irmãs sabe tudo sobre lágrimas femininas. Elas são lentas, algumas delas adoráveis, capazes de rolar pelas faces de uma mulher como pequenos diamantes líquidos, e levar um homem a implorar. Há também as quentes, raivosas, que jorram dos olhos como fogo e induzem um homem sábio a fugir para proteger-se.

E há aquelas escondidas tão profundamente no coração que, quando se libertam e se transformam em tempestade, são um dilúvio de dor acima do conforto de qualquer homem.

Portanto, deixou-a sozinha, no último degrau da escada, enquanto aquelas lágrimas nascidas no coração tomavam-se de fúria. Ele sabia que a dor que se espalhava como uma inundação a fechara. Tudo que podia fazer era lhe dar privacidade e esperar.

Quando aqueles soluços sofridos e dilacerantes se acalmaram, ele cruzou o hall, abriu o armário e vasculhou o interior até encontrar uma jaqueta. — Toma. — Estendeu-a para Miranda. — Vem, vamos tomar um pouco de ar.

Ela o encarou, os olhos inchados e confusos. Simplesmente esquecera que ele estava ali. — O quê?

— Vamos tomar ar — ele repetiu e, como ela ainda estivesse completamente entregue às emoções, puxou-a para que ficasse de pé. Passou a jaqueta em volta dos braços dela, virou-a e fechou os botões com eficiência.

— Eu preferia ficar sozinha. — Ela tentou falar com tranquilidade, mas sua garganta ainda estava embargada, e ela não conseguiu.

— Você já ficou sozinha tempo demais. — Ele pegou o próprio casaco, vestiu-o, depois puxou-a porta da frente afora.

O ar estava revigorante, o sol forte o suficiente para agulhar seus olhos sofridos. A humilhação começava a se infiltrar. Lágrimas eram inúteis, ela pensou, mas, quando privadas, pelo menos, não havia testemunhas de sua falta de controle.

— Aqui é um lugar lindo — ele disse, tentando iniciar um diálogo. Ele manteve sua mão na dela, mesmo quando seus dedos pediram liberdade. — Privacidade, uma vista de embasbacar, o cheiro de mar logo ali. A terra é que merecia um pouco mais de atenção.

Os Jones, ele concluiu, não perdiam muito tempo ao ar livre. Do outro lado do gramado irregular havia duas árvores antigas que imploravam por uma rede. Duvidava que Miranda alguma vez tivesse explorado os milagres de uma tarde de verão numa rede à sombra.

Havia arbustos, danificados pelo inverno, que ele imaginava lindamente floridos — e descuidados — na primavera. Havia falhas no gramado, gritando para serem ressemeadas e alimentadas.

Mas o fato de haver grama, arbustos, árvores antigas e uma impressionante fileira de pinheiros ao norte da casa indicava que, um dia, alguém se importara o suficiente, plantando-os.

Certamente um urbanista, mas que apreciava a atmosfera rural.

— Você não cuida do que tem aqui. Isso me surpreende, Miranda. Pensava que uma mulher com a sua natureza prática insistiria em manter a propriedade e um legado como este.

— É uma casa.

— É, é uma casa. E deveria ser um lar. Você cresceu aqui?

— Não. — Miranda sentia a cabeça pesada do choro. Queria voltar para dentro de casa, tomar uma aspirina, deitar num quarto escuro. Mas não teve força suficiente para resistir quando ele a levou pelo caminho até a beira do penhasco. — Era da minha avó.

— Faz mais sentido. Não consigo ver o seu pai escolhendo viver aqui. Não se encaixa com ele de jeito nenhum.

— Você não conhece o meu pai.

— Claro que eu conheço. — Fortes rajadas de vento os açoitavam enquanto subiam a colina. Séculos de sua presença constante haviam desgastado as rochas, suavizando-as, arredondando-as. Brilhavam como zinco sob o sol. — Ele é pomposo, arrogante. Tem aquele tipo de foco estreito que faz com que seja brilhante no trabalho, e um ser humano sem consideração. Ele não te ouviu — acrescentou quando alcançaram o platô que se espichava sobre o oceano. — Porque ele não sabe como ouvir.

— Obviamente você sabe. — Agora ela puxou a mão de dentro da dele, e cruzou os braços defensivamente. — Não sei por que fico surpresa com o fato de alguém que vive de roubar a propriedade dos outros ouvir conversas particulares atrás da porta.

— Nem eu. Mas a verdade é que você foi deixada ao sabor do vento. E o que é que você vai fazer quanto a isso?

— O que é que eu posso fazer? Qualquer autoridade que eu possa ter no instituto ainda tem a ver com o fato de que trabalho pra eles. Fui temporariamente afastada das minhas responsabilidades, é isso que conta.

— O que conta, se você tem alguma coragem, é não deixar que aconteça, até que as coisas fiquem do jeito que você quer.

— Você não sabe do que tá falando. — Ela voltou-se para ele, e a autopiedade aparente em seus olhos transformou-se em fúria. -- Eles dirigem o show, e sempre foi assim. Eu posso colocar o brilho que quiser, mas faço o que mandam. Dirijo o instituto com o Andrew, porque nenhum deles quis se incomodar com o dia a dia daquilo. E a gente sempre soube que podiam puxar o nosso tapete quando quisessem. Agora puxaram.

— E você vai tolerar ser chutada desse jeito? Chuta de volta, Miranda. — Ele segurou um punhado do cabelo dela enquanto o vento sacudia loucamente o resto das mechas vermelhas. — Mostra pra eles do que você é feita. O instituto não é o único lugar onde você pode brilhar.

— Você acha que qualquer museu importante, ou laboratório, me empregaria depois disso? O Bronze Fiesole me arruinou. Queria nunca ter visto aquela estatueta.

Vencida, ela sentou nas pedras olhando para o farol, que parecia um mármore branco contra o céu azul.

— Então, por que você não abre seu próprio laboratório?

— Isso é um sonho impossível.

— Muita gente me disse a mesma coisa quando eu quis abrir a galeria em Nova York. — Ele se sentou ao lado dela, pernas cruzadas.

Ela deixou escapar um breve suspiro. — A diferença talvez seja que eu não pretendo roubar pra montar um negócio.

— Todo mundo faz aquilo que sabe melhor — ele disse com leveza. — Pegou um charuto e fez uma concha com as mãos em volta da ponta para acendê-lo. — Você tem contatos, não tem? Tem cérebro. Tem dinheiro.

— Tenho cérebro e dinheiro. Já os contatos... — Ela deu de ombros. — Não posso contar com eles, agora. Amo o meu trabalho — ouviu-se dizer. — Amo a estrutura dele, a descoberta. Muita gente acha que a ciência é uma porção de pegadas fincadas em concreto, mas não é. É um quebra-cabeça, e nem todas as peças vão se encaixar completamente. Quando você consegue juntar algumas, encontrar uma resposta, é emocionante. Não quero perder isso.

— Você não vai, a não ser que desista.

— Na hora em que eu vi o Bronze Fiesole, e entendi qual era o projeto, fiquei completamente tomada pelas possibilidades. Sabia que uma parte era puro ego, mas e daí? Ia autenticar a peça, provar como eu era inteligente e esperta, e minha mãe ia me aplaudir. Do jeito que as mães fazem, vendo os filhos na peça do colégio. Com

entusiasmo e orgulho. — Deixou a cabeça pender sobre os joelhos. — Isso é patético.

— Não é, não. A maioria das pessoas passa a vida adulta se apresentando pros pais e esperando pelas palmas.

Ela virou a cabeça para analisá-lo. — Você fez isso?

— Ainda me lembro da inauguração da minha galeria em Nova York. Da hora em que meus pais entraram. Ele num terno bom, o mesmo e único que usava nos casamentos e funerais, e ela de vestido novo, azul, o cabelo com um penteado horrível, que fez no cabeleireiro. Lembro da cara deles. Entusiasmo e orgulho. — Ele deu uma leve risada. — E nenhum choque. Foi importante pra mim.

Ela virou o rosto, apoiou o queixo nas mãos e olhou mais uma vez para o mar e as ondas quebrando com força, brancas e frias.

— Lembro da cara da minha mãe quando me demitiu do projeto Fiesole. — Suspirou. — Eu teria suportado desapontamento ou arrependimento muito melhor do que aquele desdém gelado.

— Esquece o bronze.

— Como? Foi aí que o trem descarrilou ladeira abaixo. Se eu pelo menos pudesse voltar pra ver o que deu errado... — Pressionou os olhos com os dedos. — Se eu pudesse fazer os testes de novo, como eu fiz com o *Davi*.

Lentamente, ela baixou as mãos. Suas palmas estavam úmidas.

— Como o *Davi* — murmurou. — Meu Deus. — Ela se levantou tão rapidamente que, por um instante, Ryan temeu que pretendesse pular.

— Espera. — Ele segurou a mão dela com firmeza e ficou de pé. — Você tá um pouco perto demais da beirada pro meu gosto.

— É como o *Davi*. — Ela se afastou dele, depois agarrou-lhe o casaco. — Segui os procedimentos, passo a passo. Sei o que tinha nas mãos. Eu conheço. — Empurrou-o novamente, afastou-se, o som dos saltos das botas nas pedras. — Eu fiz tudo certo. Detalhei tudo. As medidas, as fórmulas, os níveis de corrosão. Eu tinha todas as informações, todas as respostas. Alguém trocou a peça.

— Trocou?

— Como o *Davi* — ela bateu no peito dele imitando o gesto de bater numa porta, como se estivesse perguntando *tem verdade em casa?* — Apenas como o *Davi*. O que o laboratório Ponti tinha em mãos era uma falsificação, uma réplica, e não o mesmo bronze. Era uma cópia. Só podia ser uma cópia.

— Isso é uma tremenda reviravolta, dra. Jones. — E as possibilidades borbulhavam como um bom vinho em sua cabeça. — Interessante.

— Tudo se encaixa. Faz sentido. É a única coisa que faz sentido.

— Por quê? — Ele arqueou as sobrancelhas. — Por que não seria mais lógico você ter cometido um erro?

— Porque eu não cometi. Meu Deus, não acredito que me permiti duvidar do que sei. — Ela passou as mãos no cabelo, pressionando os punhos contra as têmporas. — Eu não estava pensando com clareza. Quando alguém te diz mil vezes que você tá errada, e com força suficiente, você acredita. Até quando não está errada.

Ela começou a andar com passadas largas, deixando que o vento limpasse sua mente, deixando o sangue fervilhar. — Eu continuaria acreditando nisso se não fosse o *Davi*.

— Que bom que eu roubei essa estatueta!

Ela deu uma olhada de viés para ele. Seus passos acompanhavam os dela, e ele parecia estar gostando do passeio naquela tarde de brisa. — Parece que sim — ela murmurou. — Por que essa peça? Por que você roubou exatamente essa peça?

— Eu já te falei, eu tinha um cliente.

— Quem?

Os lábios dele se curvaram. — Miranda, certas coisas são sagradas.

— Pode ter uma ligação entre as duas coisas.

— O meu *Davi* e a sua *Senhora Sombria*? Isso é demais, é forçar um pouco demais a barra.

— *Meu Davi* e *minha Senhora Sombria*, e não é tão impossível assim. Os dois são bronzes, são trabalhos da Renascença, a Standjo e o instituto estão conectados, e eu trabalho pros dois. Isso são fatos. Os dois eram verdadeiros e ambos foram substituídos por cópias.

— E isso é uma especulação, não um fato.

— É uma teoria lógica, e com sentido — ela o corrigiu —, e uma base pra conclusão preliminar.

— Eu conheço esse cliente há anos. Pode acreditar, ele não estaria interessado em esquemas e tramas complicados. Simplesmente, ele vê uma coisa de que gosta e faz um pedido. Seu eu achar que é possível, eu faço. Simples assim.

— Simples. — Era uma atitude que ela era grata por não compreender.

— E — ele acrescentou — ele dificilmente teria me contratado pra roubar uma cópia.

Ela franziu o cenho diante do comentário. — Ainda acho que quem substituiu o *Davi* fez a mesma coisa com *A Senhora Sombria.*

— Concordo que essa é uma possibilidade sólida e intrigante.

— Eu poderia chegar a uma conclusão sólida se pudesse examinar e comparar as duas peças.

— Ok.

— Ok o quê?

— Vamos fazer isso.

Ela parou perto do farol, onde as pedras do chão eram esmagadas pelos seus pés. — Fazer o quê?

— Comparar as peças. A gente tem uma. Basta conseguir a outra.

— Roubar a outra? Deixa de ser ridículo!

Ele segurou seu braço quando ela lhe deu as costas. — Você quer saber a verdade, não quer?

— Quero, quero saber a verdade, mas não vou pegar um avião pra Itália, invadir uma instituição do governo e roubar uma falsificação que não vale nada.

— Nada impede que a gente pegue um objeto que vale alguma coisa enquanto tá lá. É só uma ideia — ele acrescentou. — Se você estiver certa, e a gente conseguir provar, consegue salvar mais que a sua reputação. Você vai conseguir.

Era impossível, insano. Não podia ser feito. Mas ela viu o brilho nos olhos dele e perguntou: — Por que você se importaria? O que é que você ganha com isso?

— Se você estiver certa, eu fico mais perto do *Davi* original. Eu também tenho uma reputação pra salvar.

E se ela estivesse certa, ele pensou, e se *A Senhora Sombria* fosse verdadeira, ele também estaria mais perto dela. Ele a encontraria. Que aquisição maravilhosa essa peça seria para a sua coleção particular.

— Eu não vou infringir a lei.

— Você já está infringindo a lei. Tá aqui comigo, não tá? Você é cúmplice dos fatos, dra. Jones. — Ele passou o braço amigavelmente em volta dos ombros dela. — Eu não apontei uma arma pra sua cabeça nem encostei uma faca nas suas costas. Você me colocou pra dentro e me deixou passar pela segurança — ele continuou, no caminho de volta à casa. — Você passou o dia comigo, sabendo totalmente que estou guardando uma peça roubada. Você já tá dentro. — Deu um beijo carinhoso no topo da cabeça de Miranda. — Pode muito bem ir até o fim.

Ele olhou para o relógio, fez cálculos. — Você entra e faz as malas. A gente vai precisar passar em Nova York primeiro. Eu preciso arrumar umas coisas lá e preciso pegar umas roupas e umas ferramentas.

— Ferramentas? — Ela tirou o cabelo do rosto. Melhor não saber, ela concluiu. — Eu não posso simplesmente pegar um avião pra Itália. Tenho que falar com o Andrew. Tenho que explicar.

— Deixa um bilhete pra ele — Ryan sugeriu e abriu a porta de trás. — Escreve uma coisa rápida, dizendo que você ficará fora umas semanas. Basta isso, e ele fica livre da bisbilhotice da polícia.

— A polícia. Se eu viajar antes de terminarem as investigações eles podem pensar que estou envolvida.

— Mais excitante ainda, não é? Melhor não usar o telefone — ele murmurou. — Sempre tem a possibilidade de eles conferirem a conta. Vou pegar o meu na mala. Tenho que ligar pro meu primo Joey.

A cabeça dela rodava. — Seu primo Joey?

— Ele é agente de viagens. Vai fazer as malas — Ryan repetiu. — Ele vai colocar a gente no primeiro voo. Não esquece seu passa-

porte... e seu laptop. A gente precisa terminar de dar uma olhada nesses arquivos dos funcionários.

Ela tentou respirar fundo. — Alguma outra coisa que eu deva levar?

— Fome. — Ele tirou o celular da bolsa. — A gente deve chegar a Nova York na hora do jantar. Você vai adorar o linguine da minha mãe.

ERAM QUASE SEIS HORAS QUANDO ANDREW CONSEGUIU chegar em casa. Ele tentara ligar para Miranda meia dúzia de vezes, mas só conseguira falar com a secretária eletrônica. Não tinha certeza de como iria encontrá-la — louca de raiva ou desolada de sofrimento. Esperava estar preparado para lidar com qualquer um dos dois estados de espírito, quem sabe concomitantemente.

Mas tudo que encontrou foi um bilhete na geladeira.

*Andrew, tenho certeza de que você sabe que recebi ordens para me afastar do instituto. Desculpe deixar você de uma hora para outra num momento como este. Não vou dizer que não tive escolha, direi que estou fazendo a única coisa que me parece certa. Ficarei fora algumas semanas. Por favor, não se preocupe. Entro em contato assim que puder.*

*Não se esqueça de levar o lixo para fora. Tem comida que sobrou do domingo para uma ou duas refeições. Não deixe de comer.*

*Amor,*
*Miranda*

— Merda! — Ele pegou o bilhete e leu mais uma vez. — Onde é que você tá?

# Capítulo Catorze

— Eu não entendo por que a gente não pega um voo direto pra Florença. — O pensamento de Miranda já estava a milhas de distância quando Ryan assumiu a direção do elegante BMW e os dois deixaram o La Guardia. — Se a gente vai fazer uma coisa maluca, não faz sentido ficar pegando desvios.

— Não é um desvio, é uma parada programada. Eu preciso das minhas coisas.

— Você podia comprar roupas na Itália.

— Eu vou fazer isso, provavelmente. Se os italianos vestissem o mundo, o mundo seria um lugar muito mais atraente. Mas tem certas coisas que nem sempre são fáceis de comprar no mercado de varejo.

— Suas ferramentas... — ela resmungou. — De assaltante.

— Entre outras coisas.

— Está bem. — Ela mudou de posição no assento, tamborilou sobre os joelhos. Teria de aceitar o fato de ser parceira de um crimi-

noso de alguma forma. Um ladrão, alguém, por definição, sem integridade.

Sem a ajuda dele, não enxergava como poderia ver o bronze novamente — ou a falsificação. E *havia* uma falsificação, ela tinha certeza. Era uma teoria lógica, que requeria mais estudo e pesquisa para que pudesse ser comprovada.

E se ela engolisse o orgulho e contasse sua teoria para a mãe? A ideia quase a fez rir. Elizabeth a recusaria e, com um estalar de dedos, acusaria a filha, chamando-a de arrogante, teimosa e desesperada.

E não totalmente sem razão, Miranda admitiu.

O único interessado em ouvir, em explorar a possibilidade, era um ladrão profissional que certamente trabalhava em função dos próprios interesses — e esperava que ela lhe entregasse a *Vênus* de Donatello de mão beijada, como pagamento pela consultoria.

Bem, isso ficaria para depois.

Ele era uma peça da equação, lembrou a si mesma, nada mais. Encontrar e autenticar *A Senhora Sombria* era mais importante que a forma encontrada para isso; o fim justificava os meios.

— Não tem nenhuma razão pra gente ir até o Brooklyn.

— Claro que tem. — Ryan pensou saber muito bem o que se passava na cabeça de Miranda. Ela tinha um rosto muito expressivo, quando não sabia que alguém estava prestando atenção. — Eu sinto falta da comida da minha mãe.

Olhou para ela e cortou um sedã que segurava o trânsito. Ela era tão fácil de ler. Estava odiando cada minuto daquilo, equacionando os prós e os contras, tentando encontrar justificativas para a escolha que fizera. — E eu tenho umas coisinhas pra ajeitar, coisas de família, antes de ir pra Itália. Minha irmã vai querer que eu traga sapatos — resmungou. — Ela sempre quer que eu traga sapatos. É viciada em Ferragamo.

— Você rouba sapatos pra sua irmã?

— Fala sério. — Verdadeiramente insultado, ele reclamou do tráfego. — Não sou ladrão de loja.

— Desculpe, mas roubar é roubar.

Ele levantou a sobrancelha marcada por uma cicatriz. — Não é mesmo. Nem de longe.

— E não tem motivo pra eu ir pro Brooklyn. Por que você simplesmente não me deixa num hotel qualquer?

— Primeiro, você não vai ficar em hotel. Vai ficar comigo.

Ela girou a cabeça num movimento brusco, os olhos estreitos.

— Claro que não.

— E, segundo, você vai pro Brooklyn, porque, parece que você esqueceu, a gente vai ficar grudado até essa história terminar. Você vai pra onde eu for... dra. Jones.

— Isso é ridículo. — E inconveniente. Ela precisava de algum tempo sozinha, precisava de tempo só para si, para poder anotar tudo de maneira organizada. Para pesar e considerar as coisas. Ele não lhe dera tempo para pensar. — Você mesmo disse que estou muito envolvida pra não colaborar. Se você não confiar em mim, tudo vai ficar mais complicado.

— Confiar em você é que complica tudo — ele a corrigiu. — Seu problema é que você tem uma consciência. Ela vai te perturbar de vez em quando e te tentar a confessar tudo pra polícia. — Ele esticou o braço para tocar na mão de Miranda. — Basta você me ver como o anjo mau do seu lado, o diabinho chutando o anjo bom no rosto toda vez que ele começar a falar sobre honestidade e verdade.

— Eu não vou ficar com você. Não tenho nenhuma intenção de dormir com você.

— Agora você acabou comigo. Qual é o sentido da vida?

A gargalhada entrecortando a voz dele fez com que ela cerrasse os dentes, de forma que não pudesse se pronunciar, a não ser com a boca semicerrada. — Você sabe muito bem que quer dormir comigo.

— É o meu sonho da vida inteira, e agora você destruiu tudo. Não sei como vou continuar vivendo.

— Você é desprezível — ela sibilou, e, quando ele riu novamente, ela fez um favor ao próprio ego e ao seu temperamento: fixou o olhar do lado de fora da janela do carro e ignorou-o durante todo o resto do trajeto.

ELA NÃO SABIA O QUE ESPERAR, MAS CERTAMENTE NÃO IMAGINARA a bela casa de dois andares, com detalhes em amarelo, numa vizinhança sossegada.

— Você cresceu aqui?

— Aqui? Não.

Ele sorriu diante do choque na voz dela. Imaginara que ela contava ser levada para um lugar terrível, onde vozes em tom elevado seriam tão invasoras quanto o cheiro de alho e lixo.

— Minha família se mudou pra cá há uns dez anos. Eles estão esperando a gente, e minha mãe provavelmente já deve ter preparado um antepasto.

— Como assim, esperando?

— Eu liguei e avisei que a gente tava vindo.

— Você ligou? E quem você disse que eu era?

— Isso é uma coisa que cada um vai concluir sozinho.

— O que foi que você disse pra ela? — Miranda exigiu uma resposta e agarrou-se à maçaneta enquanto ele se inclinava para abrir a porta do carro.

— Disse que ia levar uma mulher pro jantar. — Ele permaneceu onde estava por um momento, o corpo inclinado e colado ao dela, os rostos próximos. — Deixa de ser tímida. Eles são muito tranquilos.

— Eu não sou tímida. — Mas havia uma ligeira sensação de enjoo em seu estômago, que experimentava sempre que estava prestes a conhecer gente nova ao seu convívio social. Neste caso, disse a si mesma, esse tipo de coisa era um absurdo. — Só quero saber como você explicou... Para com isso — ela ordenou quando o olhar dele baixou e fixou-se em sua boca.

— Hum. — Ele realmente gostaria de dar uma mordida suave naqueles lábios. — Desculpe, eu tava distraído. Você tem um perfume... interessante, dra. Jones.

O momento pedia ação e movimento — e não a fantasia ridícula que girava em sua cabeça, de agarrar o cabelo dele e puxar-lhe a boca de encontro à sua. Em vez disso, levou a mão ao peito dele, escancarou a porta e saiu do carro.

Ele riu levemente — o que ajudou a desfazer a bola de tensão que sentia na boca do estômago — e saltou pelo outro lado.

— Oi, Remo.

O grande cão castanho que estivera dormindo no jardim levantou-se, soltou um latido que ecoou como uma bala de canhão e pulou amorosamente em Ryan. — Achei que você tivesse aprendido boas maneiras. — Rindo, ele afagou as orelhas do cachorro, que reagiu deliciado. — O que aconteceu com as aulas de etiqueta? Com certeza, você fugiu de novo, não foi? — Ryan perguntou enquanto encaminhavam-se para a porta.

Como se evitasse a pergunta, o animal olhou para o lado e fixou-se em Miranda. A língua pendeu-lhe da boca, num sorriso canino.

— Você não tem medo de cachorro, tem?

— Não, eu gosto — ela respondeu, e Ryan abriu a porta da frente. De dentro vieram o som do noticiário da noite, de vozes femininas e masculinas em tom de briga violenta, o perfume delicioso de alho frito com especiarias e um grande gato malhado que saiu correndo em busca de liberdade e iniciou, imediatamente, uma guerra com o cão.

— Lar, doce lar — Ryan murmurou e encaminhou-a para dentro da confusão.

— Se você não é capaz de se comportar como um ser humano decente, não quero que fale nunca mais com nenhum dos meus amigos.

— Eu só disse que, se ela fizesse uma plástica, ia melhorar o visual, a autoestima e a vida sexual dela.

— Você é o fim, Patrick.

— Tá. A sua amiga tem um nariz que parece uma barbatana.

— Não, você não é só o fim da picada. É também um idiota superficial.

— Eu tô tentando ouvir o noticiário aqui. Por que vocês não vão brigar lá fora até acabar a parte dos esportes, pelo amor de Deus.

— A gente não chegou numa boa hora — Miranda disse com precisão —, definitivamente.

— Não, isso é normal — Ryan garantiu e arrastou-a para dentro da sala espaçosa, cheia e barulhenta.

— Ei, Ry!

O homem — o jovem, na verdade, percebeu a presença de Miranda ao virar-se, um sorriso tão letal quanto o de Ryan — deu alguns passos gingados, além de um soco de leve no ombro do irmão. Um sinal de afeição, Miranda concluiu.

O cabelo dele era escuro e encaracolado, os olhos, dourados e brilhantes, tudo isso num rosto que Miranda tinha certeza fizera as adolescentes suspirarem com a cabeça enfiada no travesseiro, na época de colégio.

— Pat. — Com igual carinho, Ryan o segurou pelo pescoço para as apresentações. — Meu irmão mais novo, Patrick, Miranda Jones. Comporte-se — avisou a Patrick.

— Pode deixar. Oi, Miranda. E aí?

Antes que ela pudesse responder, a jovem com quem Patrick estivera discutindo aproximou-se. Mediu Miranda com os olhos ao mesmo tempo que abraçava Ryan e apertava-lhe as faces. — Tava com saudade de você. Oi, Miranda, meu nome é Colleen. — Não ofereceu a mão, mas manteve os braços em volta do irmão, como se ele fosse sua propriedade.

Tinha a beleza em tons de ônix e ouro dos Boldari, e um brilho perspicaz e astuto nos olhos.

— Que bom conhecer vocês. — Miranda sorriu friamente para Colleen e esquentou um pouquinho o sorriso para Patrick.

— Você vai deixar a garota parada na porta o dia todo ou vai entrar com ela pra eu dar uma olhada? — A frase veio de fora da sala e fez com que os três Boldari sorrissem.

— Já vou, papai. Me deixa guardar seu casaco.

Ela entregou o casaco com alguma relutância e ouviu a porta se fechar atrás de si com o entusiasmo de uma mulher que ouve alguém trancar a grade da cela.

Giorgio Boldari levantou-se de sua poltrona e, educadamente, emudeceu a televisão. Ryan não herdara a constituição física do pai, Miranda concluiu. O homem que a analisava era baixo, gorducho e exibia um bigode grisalho sobre lábios sem sorriso. Estava de calça cáqui, uma camisa muito bem passada, tênis surrados e uma imagem de Maria numa corrente em volta do pescoço.

Ninguém disse uma palavra. Miranda começou a ouvir um zumbido de nervoso.

— Você não é italiana, é? — ele perguntou, finalmente.

— Não, não sou.

Giorgio comprimiu os lábios, deixou seu olhar investigar o rosto dela. — Com esse cabelo, você certamente tem ascendência irlandesa.

— É, o pai da minha mãe. — Miranda lutou contra a vontade de mudar de posição e levantou a sobrancelha.

Ele finalmente sorriu, um sorriso ligeiro e brilhante como um relâmpago. — Charmosa, ela, Ry. Dá um vinho pra moça, pelo amor de Deus, Colleen. Você vai deixar a pobre com sede? Os Yankees se ferraram hoje. Você acompanha beisebol?

— Não, eu...

— Devia. É bom. — Depois, virou-se para o filho e envolveu Ryan num abraço de urso. — Você devia ficar mais em casa.

— Eu vou dar um jeito nisso. A mamãe tá na cozinha?

— Tá, tá. Maureen! — O grito poderia rachar o concreto. — Ryan tá aqui com a namorada. Ela é linda. — Piscou para Miranda. — Como você pode não gostar de beisebol?

— Não é que eu não goste, exatamente. Eu só...

— Ryan jogava na terceira base, posição importante. Ele não te contou isso?

— Não, ele...

— Uma média altíssima de tacadas por jogo no último ano. Ninguém roubava mais bases que o meu Ryan.

Miranda voltou seu olhar para Ryan. — Imagino.

— A gente guardou os troféus. Ry, mostra os troféus pra sua namorada.

— Mais tarde, papai.

Colleen e Patrick voltaram a discutir aos sussurros, quando ela voltou com uma bandeja e taças. O cachorro latia sem parar para a porta, e Giorgio chamou mais uma vez pela mulher para que viesse à sala e conhecesse a namorada de Ryan.

Pelo menos, Miranda pensou, não pediriam para que se esforçasse na conversa. Aquelas pessoas tomavam conta de tudo, comportando-se como se não houvesse uma pessoa estranha ali.

A casa era entulhada, cheia de luz e arte. Viu que Ryan estava certo quanto às aquarelas da mãe. As três paisagens encantadoras de ruas de Nova York penduradas na parede eram adoráveis.

Havia uma escultura retorcida de metal preto — provavelmente um trabalho de seu pai — atrás de um sofá de almofadas gordas e azuis, cheias de pelo de cachorro.

Enfeites e porta-retratos podiam ser vistos em todo o ambiente, uma corda esgarçada, cheia de nós, no chão mostrava a prova do crime dos dentes de Remo, e jornais e revistas espalhados descansavam sobre a mesa de centro.

Ninguém se apressou em guardar ou arrumar nada, nem em se desculpar pela bagunça.

— Bem-vinda ao lar dos Boldari. — Com uma piscadela, Ryan pegou duas taças na bandeja, entregou uma delas para Miranda e brindou: — Sua vida talvez nunca mais seja a mesma.

Ela começava a acreditar nele.

Quando tomava ainda seu primeiro gole, uma mulher adentrou a sala secando as mãos no avental salpicado de molho de tomate.

Maureen Boldari era alguns centímetros mais alta que o marido, esguia como um salgueiro e dona de impressionante beleza irlandesa. O cabelo lustroso emoldurava com ondas atraentes seu rosto forte, e seus olhos de vívido azul estavam iluminados de prazer quando ela abriu os braços.

— Meu garoto! Vem dar um beijo na sua mãe.

Ryan obedeceu, levantando-a do chão quando ela o abraçou, fazendo com que soltasse uma gargalhada amorosa. — Patrick, Colleen, parem com essa implicância antes que eu dê uma palmada em cada um. A gente tem visita. Giorgio, onde estão os modos? Desliga essa tevê. Remo, para de latir.

E como todas as ordens foram cumpridas rapidamente e sem comentários, Miranda teve uma dica de quem mandava na casa.

— Ryan, me apresente à sua jovem amiga.

— Sim, senhora. Maureen Boldari, amor da minha vida, essa é a dra. Miranda Jones. Linda, não é, mãe?

— É, muito. Bem-vinda à nossa casa, Miranda.

— É muita gentileza sua me receber aqui, sra. Boldari.

— Boas maneiras — Maureen disse, com um rápido aceno positivo. — Patrick, traz o antepasto, e a gente senta pra conversar um pouco. Ryan, mostre a Miranda onde ela pode se refrescar.

Ryan encaminhou Miranda para fora da sala, cruzaram um pequeno corredor e entraram num banheiro rosa e branco. Ela o agarrou pelos punhos da camisa.

— Você disse pra eles que a gente estava envolvido.

— A gente tá envolvido.

— Você sabe do que eu tô falando — ela disse com um sussurro furioso. — Sua namorada? Isso é ridículo.

— Eu não disse que você era minha namorada. — Divertido, ele baixou a voz e também sussurrou: — Eu tenho trinta e dois anos, eles querem me ver casado e cheio de filhos.

— Por que você não deixou claro que nós somos sócios de negócios?

— Você é bonita, solteira e do sexo feminino. Eles não acreditariam que somos sócios. Qual é o problema?

— Primeiro, sua irmã olhou pra mim como se fosse me dar um soco no nariz, caso eu não amasse você o suficiente. Segundo, é uma enganação. Não que honestidade e esse tipo de coisa signifiquem alguma coisa pra você.

— Eu sempre sou honesto com a minha família.

— Com certeza. Sem dúvida a sua mãe morre de orgulho de ter um filho ladrão.

— Claro que sim.

Ela gaguejou, perdeu completamente a noção do que diria a seguir. — Você tá tentando me convencer de que ela sabe que você rouba?

— Claro que sabe. Ela tem cara de idiota? — Ele balançou a cabeça. — Eu não minto pra minha mãe. Agora, anda, vai. — Empurrou-a delicadamente para o banheiro enquanto ela simplesmente olhava para ele, boquiaberta. — Eu tô com fome.

Não ficou com fome por muito tempo. Ninguém ficaria. Havia comida suficiente para alimentar um pequeno e faminto exército da Terceira Guerra Mundial.

Como havia visita, fizeram a refeição na sala de jantar, com suas atraentes paredes listradas e uma linda mesa de mogno. A louça era de qualidade, os copos, de cristal, e o vinho suficiente para um navio de guerra.

A conversa nunca se esgotava. Na verdade, se você não fosse capaz de falar rápida e furiosamente, não havia lugar para suas palavras. Quando se deu conta de que o nível de seu copo estava sempre à beira da borda, Miranda deixou-o de lado e concentrou-se na comida.

Ryan estava certo quanto a uma coisa. Ela adorou o linguine da mãe dele.

Ela ficou em dia com as notícias da família. Michael, o segundo filho, dirigia a Galeria Boldari em San Francisco. Era casado com a

namorada de faculdade e tinha dois filhos. O resto das informações foi ofertado pelo avô orgulhoso, e um olhar significativo para Ryan, ao tempo que levantava uma das sobrancelhas para Miranda.

— Você gosta de crianças? — Maureen perguntou para ela.

— Humm, gosto. — De uma maneira vaga e cuidadosa, Miranda pensou.

— Elas centram a vida da gente, as crianças. Dão um propósito real pra vida, e celebram o amor entre um homem e uma mulher. — Maureen passou a cesta de pães irresistíveis para Miranda.

— Com certeza, você tem razão.

— Por exemplo, a Mary Jo.

E Miranda foi informada sobre as virtudes de sua filha mais velha, Bridgit, dona de uma loja em Manhattan *e* mãe de três filhos.

— Você deve se orgulhar muito deles.

— São ótimos meninos. Educados. — Ela olhou para Ryan ao dizer isso. — Todos os meus filhos foram pra universidade. Patrick acabou de começar. Sabe tudo de computadores.

— Jura? — Pareceu-lhe um assunto mais seguro; portanto, Miranda sorriu para ele. — É um campo fascinante.

— É como se eu jogasse videogames pra viver. Ah, Ry, já tô com algumas das informações que você me pediu.

— Ótimo.

— Que informações? — Colleen parou de encarar Miranda e estreitou os olhos, desconfiada, em direção a Ryan.

— Só dando uma geral num negócio, baby. — Ele apertou a mão da irmã casualmente. — Mãe, você se superou hoje.

— Colleen. — Maureen falou em tom baixo. Metálico. — Nós temos visita, me ajude a tirar a mesa. Eu fiz tiramisu, sua sobremesa favorita, Ry.

— A gente vai discutir isso — Colleen disse entre os dentes, mas se levantou obedientemente para retirar os pratos.

— Eu ajudo. — Miranda fez menção de se levantar, mas recebeu um sinal contrário da anfitriã.

— Hóspede não trabalha. Você fica sentada.

— Não se preocupa com a Colleen — Patrick disse assim que ela estava longe. — A gente sabe lidar com ela.

— Cala a boca, Patrick. — Apesar do sorriso de Ryan para Miranda, ela captou uma pitada de desconforto em seus olhos. — Acho que não comentei qual é a profissão da Colleen.

— Não, não comentou.

— Ela é da polícia. — Com um suspiro, ele se levantou. — Vou dar uma ajuda lá com o café.

— Ah, que ótimo! — Às cegas, Miranda alcançou seu vinho.

ELA SAIU DE CENA, OBEDECENDO ÀS REGRAS DA CASA, E voltou para a sala depois da sobremesa e do café. Como Giorgio se ocupasse de fazer-lhe perguntas sobre o seu trabalho e o motivo de não ser casada, sua mente manteve-se comprometida. Ninguém parecia incomodar-se com as palavras raivosas que vinham da cozinha.

Quando Colleen saiu de lá, destemperada, Patrick simplesmente suspirou: — Lá vem ela, de novo.

— Você prometeu, Ry. Você deu sua palavra.

— E eu vou mantê-la. — Obviamente frustrado, ele passou a mão no cabelo. — Só tô terminando o que já comecei, baby. Depois, acabou.

— E o que é que ela tem a ver com isso? — Apontou para Miranda.

— Colleen, não é educado apontar para as pessoas — Giorgio a repreendeu.

— Que inferno! — Depois de dizer algo desagradável em italiano, Colleen encaminhou-se para fora da casa.

— Droga. — Ryan deixou escapar, e desculpou-se de Miranda com um sorriso. — Eu já volto.

— Humm... — Ela sentou-se por um momento, a ponto de se contorcer diante dos olhares de Giorgio e Patrick. — Vou ver se a sra. Boldari precisa de uma ajuda.

Escapou em direção ao que esperava ser uma área sã. A cozinha era grande, arejada e ainda guardava o aroma acolhedor e amigável da refeição. Com suas bancadas muito limpas e o chão absolutamente branco, era a imagem perfeita de uma delicatéssen.

Dezenas de desenhos incompreensíveis feitos com lápis de cera povoavam a porta da geladeira. Havia uma fruteira em cima da mesa e cortinas cor de café nas janelas.

Normalidade, foi a conclusão de Miranda.

— Espero que você quebre as regras e me deixe ajudar.

— Sente-se. — Maureen fez um gesto em direção à mesa. — Tome um café. Já, já eles terminam essa discussão. Eu devia dar uma surra nos dois por fazerem essa cena na frente de uma visita. Minhas crianças. — Voltou-se para uma eficiente máquina de cappuccino e começou a preparar uma xícara. — Eles são muito apaixonados, inteligentes e absolutamente teimosos. Puxaram ao pai.

— Você acha? Vejo muito de você no Ryan.

Era a coisa certa a ser dita. Os olhos de Maureen tornaram-se acolhedores e amorosos. — O primeiro filho. Não importa quantos venham depois, nenhum é como o primeiro. A gente ama a todos, tanto que é inacreditável que o nosso coração seja capaz de suportar. Mas só tem um primeiro. Um dia você vai saber.

— Humm. — Miranda desistiu de fazer algum comentário enquanto batia o leite. — Deve ser um pouco preocupante ter uma filha na polícia.

— Colleen, ela sabe o que quer. Nunca dá um passo que não seja pra frente, aquela menina. Um dia, ela vai ser chefe. Você vai ver. Ela anda furiosa com o Ryan — continuou mantendo a conversa viva enquanto colocava uma xícara na frente de Miranda. — Ele vai dar a volta nela.

— Com certeza. Ele é muito sedutor.

— As meninas sempre correram atrás dele. Mas o meu Ryan é muito reservado. Ele está de olho em você.

Estava na hora de colocar as coisas às claras, Miranda decidiu.

— Sra. Boldari, acho que o Ryan não foi completamente claro sobre isso. Nós somos sócios num negócio, só isso.

— Você acha? — Maureen falou com placidez, e virou-se para colocar os pratos na lavadora. — Ele não parece bom o bastante pra você?

— Ele parece muito bom, mas...

— Talvez por ter nascido no Brooklyn, e não na Park Avenue, ele não seja sofisticado o suficiente pra uma Ph.D.?

— Não. Nada disso. É que... é que nós somos parceiros, só isso.

— Ele não beijou você?

— Ele... eu... — Pelo amor de Deus, foi tudo em que pôde pensar, e ela encheu a boca com o café quente e fumegante para manter-se calada.

— Foi o que eu imaginei. Ficaria preocupada com meu menino, se não beijasse uma mulher bonita como você. Ele gosta de inteligência também. Não é bobo, nem vazio. Mas talvez você não goste do beijo dele. Isso conta — acrescentou enquanto Miranda olhava fixamente para seu café. — Se o homem não incendeia o seu sangue com um beijo, vocês não vão ter um relacionamento feliz. O sexo é importante. Quem diz algo diferente disso é porque não experimentou bom sexo.

Meu Deus. Foi tudo em que conseguiu pensar.

— O que foi? Você acha que eu não sei que meus meninos fazem sexo? Você acha que eu sou tonta?

— Eu não transei com o Ryan.

— Por que não?

— Por que não? — Miranda só conseguia piscar enquanto Maureen fechava a lavadora e começava a encher a pia para lavar as travessas. — Eu mal conheço o seu filho. — Ela não podia acreditar que estivesse tendo essa conversa. — Eu não transo com todo homem que acho atraente.

— Bom. Não quero meu menino saindo com mulheres fáceis.

— Senhora Boldari. — A vontade que lhe veio foi de bater com a cabeça dela na mesa. — Nós não estamos saindo. Nossa relação é estritamente profissional.

— O Ryan não traz sócios em casa pra comer o meu linguine.

Como não tinha nada a acrescentar a esse comentário, Miranda calou a boca novamente. Olhou com alívio quando Ryan e a irmã cruzaram o corredor e foram em direção à cozinha.

— Desculpe. Mas a gente precisava deixar as coisas às claras.

— Tudo bem.

— Então... — Colleen sentou-se à mesa e apoiou os pés na cadeira à sua frente. — Você tem alguma ideia mais consistente sobre quem pode ter roubado o bronze verdadeiro?

Miranda simplesmente piscou os olhos. — Desculpe, o quê?

— O Ryan já me contou. Talvez eu possa ajudar a descobrir alguma coisa.

— Seis meses fora da academia e ela já é Sherlock Holmes. — Ryan inclinou o corpo, beijou a cabeça da irmã. — Quer que eu seque as travessas, mamãe?

— Não. É a vez do Patrick. — Ela olhou em volta. — Alguém roubou alguma coisa da sua amiga?

— Eu roubei — ele disse com facilidade, juntando-se às mulheres na mesa. — Acontece que era uma falsificação. A gente tá tentando endireitar a situação.

— Ótimo.

— Espera um minuto. — Miranda levantou as mãos. — Ótimo? É isso que você tem a dizer? Ótimo? Quer dizer que você sabe que o seu filho é ladrão?

— O quê? Você acha que eu sou idiota? — Maureen secou as mãos antes de levá-las à cintura. — É lógico que eu sei.

— Eu disse que ela sabia — Ryan reforçou.

— Disse, mas... — Ela simplesmente não acreditara. Confusa, mudou de posição e observou o rosto bonito de Maureen. — E tudo bem pra você? Sem problemas? E você — apontou para Colleen —, você é policial. Seu irmão rouba. Como é que vocês dois se resolvem?

— Ele tá se aposentando. — Colleen levantou os ombros. — Um pouco tarde demais.

— Eu não entendo. — Ela pressionou as mãos contra a cabeça. — Como é que você pode encorajar o seu filho a ser um fora da lei?

— Encorajar? — Maureen deu aquela gargalhada plena novamente. — Quem precisa fazer isso? — Decidida a dar à visita uma explicação, ela se desfez do pano de prato. — Você acredita em Deus?

— O quê? O que uma coisa tem a ver com a outra?

— Não precisa discutir, basta responder. Você acredita em Deus?

Ao lado de Miranda, Ryan sorriu. Ela não poderia saber, mas, quando sua mãe usava aquele tom, significava que, definitivamente, gostava da pessoa.

— Tudo bem, acredito.

— Quando Deus lhe dá um talento, é um pecado não fazer uso dele.

Miranda fechou os olhos por alguns segundos. — Você tá dizendo que Deus deu um talento pro Ryan, e que seria um pecado se ele não invadisse prédios pra roubar?

— Deus poderia ter dado a ele talento pra música, como fez com a minha Mary Jo, que toca piano como um anjo. Deus deu esse talento a ele, em vez disso.

— Sra. Boldari...

— Não adianta discutir — Ryan murmurou. — Você só vai conseguir arrumar uma dor de cabeça.

Ela fez uma careta para ele. — Sra. Boldari — tentou mais uma vez. — Me encanta a sua lealdade ao seu filho, mas...

— Você sabe o que ele faz com esse talento?

— Sei, pra falar a verdade.

— Ele compra esta casa pra família, porque a antiga vizinhança não é mais segura. — Ela abriu os braços para englobar a cozinha deliciosa, depois balançou um dedo. — Ele manda os irmãos e as irmãs pra faculdade. Nada disso seria possível. Por mais que eu e

Giorgio trabalhemos duro, não se mandam seis filhos pra universidade com salário de professor. Deus deu a ele um talento, um dom — disse novamente, e apoiou a mão no ombro de Ryan. — Você quer discutir com Deus?

RYAN ESTAVA CERTO MAIS UMA VEZ. ELA TEVE DOR DE CABEÇA. Suportou-a em silêncio, durante a volta para Manhattan. Não tinha certeza se o que a chocava mais era o fato de Maureen ter defendido a escolha de carreira do filho ou os abraços carinhosos que cada membro da família lhe dera, antes de irem embora.

Ryan deixou-a com seu silêncio. Quando pararam em frente ao seu prédio, entregou as chaves ao porteiro. — Oi, Jack. Por favor, providencia a devolução do carro no aeroporto, pode ser? E pede pra mandar levarem a bagagem da dra. Jones lá pro meu apartamento, tá tudo na mala.

— Com certeza, sr. Boldari. Bem-vindo de volta. — A nota de vinte dólares que foi discretamente deslizada de uma palma à outra fez com que Jack abrisse um sorriso. — Boa-noite.

— Eu não entendo a sua vida — Miranda começou a dizer ao ser escoltada por um lobby elegante, decorado com antiguidades e objetos de arte.

— Tudo bem. Eu também não entendo a sua. — Ele entrou no elevador e usou uma chave para acessar o último andar. — Você deve estar exausta. O Jack vai mandar suas coisas num minuto. Aí você vai ficar mais à vontade.

— A sua mãe queria saber por que eu não transava com você.

— Eu me pergunto a mesma coisa o tempo todo. — A porta do elevador se abriu numa sala de estar ampla, toda em tons de azul e verde. Janelões de vidro ofereciam uma vista maravilhosa de Nova York.

Obviamente, ele se permitia o deleite das coisas sofisticadas, ela concluiu depois de uma olhada rápida ao redor. Luminárias art déco, mesas Chippendale, cristais Baccarat.

Perguntou-se o quanto daquilo ele teria roubado.

— Tudo comprado legalmente — ele disse, lendo perfeitamente os pensamentos dela. — Bem, menos aquele lustre Erté, mas não consegui resistir. Quer tomar alguma coisa, um chá quentinho?

— Não.

O chão de madeira cor de mel brilhante era enfeitado pelo mais lindo tapete persa que ela já vira. Os quadros nas paredes iam de um nebuloso Corot a adoráveis aquarelas de paisagens dos campos irlandeses.

— Trabalho da sua mãe?

— É. Ela é boa, não é?

— Muito. Intrigante, mas muito boa.

— Ela gostou de você.

Com um suspiro, Miranda foi até a janela. — Gostei dela também, de alguma maneira.

Sua própria mãe nunca a abraçara daquele jeito, com um aperto caloroso que indicava aprovação e afeto. Seu próprio pai nunca lhe sorrira com aquele brilho vivo nos olhos, como fizera o pai de Ryan.

Perguntava-se como, apesar de tudo, a família dele parecia tão mais normal e feliz que a sua.

— Deve ser a sua bagagem. — Quando a campainha tocou, Ryan dirigiu-se até o interfone e liberou o elevador. A entrega foi feita rapidamente, ele deixou as malas onde estavam e atravessou a sala para encontrá-la.

— Você tá tensa — ele murmurou antes de começar a massageá-la nos ombros. — Esperava que uma noite com a minha família fosse te relaxar.

— Como é que alguém consegue relaxar com toda aquela energia em volta? — Inclinou-se para trás, indo de encontro às mãos dele, antes que pudesse evitar. — Você deve ter tido uma infância interessante.

— Tive uma infância incrível. — Longe da vida de privilégios dela, e, pelo que parecia, com muito mais amor. — Dia longo — ele

murmurou, e, como percebia que ela começava a relaxar, inclinou-se para dar-lhe um beijo no pescoço.

— Muito. Não faz isso.

— Puxa, eu só tava querendo chegar... aqui. — Ele a virou e cobriu a boca de Miranda com a sua, deixando-a sem fôlego.

A mãe dele lhe dissera que beijos deveriam incendiar o sangue. O dela fervera, borbulhando e esquentando a pele, subindo-lhe à cabeça, percorrendo rapidamente suas veias.

— Não — ela repetiu, mas foi um protesto fraco, facilmente ignorado pelos dois.

Ele podia sentir o desejo tomando conta dela. Não importava que não fosse por ele em particular. Não deixaria que importasse. Ele a queria, queria ser o escolhido para quebrar aquele escudo e descobrir o vulcão que tinha certeza existir dentro dela.

Algo nela o atraía com uma força lenta e constante que se recusava a ser ignorada.

— Me deixa tocar em você — pediu, mas já a tocava, suas mãos percorrendo as laterais do corpo dela em busca dos seios. — Me deixa ter você.

*Ah, sim.* O alívio preencheu sua mente, como se procurasse um lugar para descansar. *Toque em mim. Me possua. Meu Deus, por favor, não me deixe pensar.*

— Não. — Foi um choque ouvir a própria voz pronunciando essa palavra. Dar-se conta de que estava se afastando, mesmo que desejasse permanecer próxima. — Isso não vai dar certo.

— Tava dando muito certo pra mim. — Ele a segurou pelo cós da calça e deu-lhe um puxão. — E acho que dá pra dizer que tava funcionando muito bem pra você também.

— Você não vai me seduzir, Ryan. — Ela se concentrou na irritação que viu nos olhos dele e ignorou os gritos do próprio corpo clamando pela liberação que os lábios dele prometiam. — Eu não vou deixar. Se a gente vai concluir esse acordo com sucesso, vai ter que ser no nível profissional. E só.

— Eu não gosto dessa ideia.

— É esse o acordo, e eu não estou disposta a negociar.

— Você nunca morde a língua quando fala nesse tom? — Ele enfiou as mãos nos bolsos enquanto ela o estudava perniciosamente. — Ok, dra. Jones, só negócios. Vou mostrar o seu quarto.

Ele foi buscar a bagagem dela e levou as coisas para o segundo andar por uma escada em caracol de metal e degraus pintados de verde. Depois, colocando as malas no chão ao lado da porta, fez um aceno de cabeça. — Você vai ficar confortável e preservada aqui. A gente viaja amanhã de noite. Assim eu tenho tempo de apertar alguns parafusos por aqui. Dorme bem — acrescentou e fechou a porta antes que ela mesma o fizesse.

Ela teve um estremecimento e seus olhos se arregalaram quando ouviu o barulho de chaves trancando a porta. Num pulo, começou a tentar girar a maçaneta.

— Seu filho da mãe! Você não pode me trancar aqui!

— Só um pouquinho de precaução, dra. Jones — ele disse com a voz suave como seda. — Só pra garantir que você vai ficar onde eu te deixei até amanhã.

Ele se afastou assoviando, enquanto ela batia os pés e jurava vingança.

# Capítulo Quinze

Mesmo sabendo ser um gesto inútil, Miranda trancou a porta do banheiro de manhã. Tomou uma ducha rápida, esforçando-se por manter um olho na porta, caso Ryan quisesse fazer joguinhos.

Não toleraria mais esses comportamentos.

Quando terminou o banho, e sentiu-se segura dentro do roupão, relaxou. Queria estar totalmente vestida, com uma maquiagem que esbanjasse confiança e o cabelo cuidadosamente arrumado, quando o encontrasse novamente. Não haveria, decidira, pijama e conversa amena na mesa de café da manhã.

Obviamente, ele precisaria deixá-la sair do quarto, primeiro. O canalha.

— Me deixa sair daqui, Boldari — pediu e bateu avidamente na porta.

A resposta foi o silêncio. Irritada, bateu com mais força, gritou mais alto e começou a inventar ameaças criativas.

Sequestro, resolveu; adicionaria sequestro à lista de acusações contra ele. Desejou que os outros presidiários tivessem prazer em torturá-lo, em qualquer que fosse a instituição federal em que ele passasse o resto da vida.

Frustrada, começou a chacoalhar a maçaneta. Ela virou com facilidade em sua mão, o que fez sua fúria transformar-se em constrangimento.

Saiu do quarto e, cuidadosamente, investigou o corredor com o olhar. As portas estavam abertas, portanto adentrou o primeiro cômodo que viu, disposta a confrontar Ryan.

Deparou com uma biblioteca coberta de estantes do chão ao teto, cheias de livros, aconchegantes poltronas de couro, uma pequena lareira enfeitada com um relógio de pêndulo na bancada. Uma cristaleira em forma de hexágono guardava uma impressionante coleção de garrafinhas chinesas. Ela torceu o nariz. Ele pode ter bom gosto e ser culto, mas, ainda assim, era um ladrão.

Tentou a porta seguinte e encontrou o quarto dele. A grande cama de dossel com talha rococó era impressionante, mas o fato de estar muito bem-feita, coberta por uma manta perolada, fofinha e cuidadosamente esticada foi o que fez suas sobrancelhas arquearem. Das duas, uma: ou ele não dormira ali, ou sua mãe o treinara muito bem.

Depois de ter conhecido Maureen, seu voto foi para a segunda opção.

Um quarto bastante masculino, concluiu, apesar de sutilmente sensual com paredes cor de jade e rodapés marfim. Silhuetas sinuosas de mulheres art déco, estilo que parecia agradá-lo muito, enfeitavam as luminárias de vidro fosco que suavizavam a iluminação. Havia uma poltrona confortável e convidativa de frente para a lareira, de mármore rosa. Limoeiros em vasos enormes ornavam a janela, agora com as cortinas abertas para deixar que a luz do sol e a paisagem invadissem o ambiente.

A cômoda era uma Duncan Phyfe, e, além de um bronze do deus persa Mithras, viam-se várias moedas espalhadas, o canhoto de um ingresso, uma caixa de fósforos e outros objetos comuns aos bolsos masculinos.

Ela ficou tentada a remexer os armários, abrir as gavetas, mas resistiu. Não seria bom se ele entrasse enquanto ela bisbilhotava, poderia dar a impressão de que estava muito interessada.

Havia um terceiro quarto, obviamente o escritório de um homem que podia pagar pelo bom e pelo melhor para trabalhar em casa. Dois computadores, os dois com impressoras a laser, um fax e fotocopiadora, um telefone de duas linhas, armários de madeira. Estantes robustas de carvalho repletas de enfeites e porta-retratos com fotos da família.

As crianças eram provavelmente sobrinhas e sobrinhos, pensou. Rostos encantadores fazendo caretas para a câmera. Uma mulher de semblante sereno e aparência maternal segurando uma criança parecia ser sua irmã Bridgit, o homem esguio e belo com olhos típicos dos Boldari deveria ser Michael, e a mulher que ele abraçava era certamente a esposa. Eles moravam na Califórnia, Miranda lembrou.

Havia uma fotografia de Ryan com Colleen, sorrisos idênticos, e uma foto de toda a família, obviamente tirada no Natal. As luzes da árvore estavam fora de foco atrás do amontoado de rostos.

Eles pareciam felizes, ela refletiu. Unidos e nem um pouco enrijecidos, como as pessoas costumam aparecer em fotos posadas. Percebeu-se observando-os, estudando uma outra fotografia em que Ryan beijava a mão da irmã, esta com um vestido de noiva de princesa de contos de fadas e um brilho no olhar que combinava com o traje.

A inveja percorreu seu corpo antes que pudesse impedir. Não havia fotografias em sua casa que captassem momentos sentimentais em família.

Desejou, tolamente, que pudesse escorregar para dentro de um daqueles porta-retratos, enfiar-se debaixo de um daqueles braços acolhedores e sentir o que eles sentiam.

Amor.

Afastou tais pensamentos e deu as costas, determinada, para as estantes. Não era hora de especular sobre os motivos que faziam a família de Ryan ser tão calorosa e a sua, tão fria. Precisava encontrá-lo e dizer o que pensava enquanto sua irritação ainda estava fresca.

Dirigiu-se ao andar de baixo, mordendo a língua para impedi-la de mover-se dentro da boca e pronunciar o nome dele. Não queria dar-lhe essa satisfação. Ele não estava na sala, nem no gabinete luxuosamente decorado com a enorme televisão, o som sofisticado e a máquina de pinball — apropriadamente apelidada de "Polícia e Ladrão".

Imaginou que ele achava aquilo irônico.

Ele também não estava na cozinha. Mas havia uma cafeteira cheia até a metade.

Ele não estava no apartamento.

Pegou o telefone num impulso de ligar para Andrew e contar tudo. Não havia sinal. Depois de alguns impropérios, dirigiu-se novamente à sala e apertou o botão do elevador. Silêncio total. Com ódio, tentou abrir a porta, mas encontrou-a trancada.

Os olhos estreitos, tentou o interfone, mas não ouviu nada além de ruídos de estática.

O desgraçado destrancara o quarto, mas somente expandira o perímetro de sua cela.

SÓ DEPOIS DE UMA DA TARDE OUVIU O RUÍDO DISCRETO DO elevador. Ela não ficara à toa pela manhã. Aproveitara a oportunidade para vasculhar cada centímetro do apartamento. Remexera os armários sem culpa. Ele, definitivamente, tinha uma inclinação para os designers italianos. Inspecionara suas gavetas. Ele preferia cuecas de seda, camisas e suéteres de fibra natural.

As escrivaninhas — do quarto, da sala e do escritório — estavam todas lacradas, coisa irritante. Ela perdera um bocado de tempo ten-

tando destrancá-las com grampos de cabelo. As senhas dos computadores a haviam bloqueado, a varanda de pedra que dava para a sala de estar a encantava e a cafeína que consumira enquanto bisbilhotava a deixara acelerada.

Estava mais do que preparada quando ele entrou pela porta do elevador.

— Como é que você ousou me deixar trancada aqui? Eu não sou uma prisioneira.

— Só um pouquinho de precaução. — Sentou-se ao lado da pasta e das sacolas de compra que carregava.

— E qual é o próximo passo? Algemas?

— Não até a gente se conhecer melhor. Como foi o seu dia?

— Eu te...

— Odeia, abomina e despreza. — Ele completou a frase enquanto tirava o casaco. — Tá tudo sob controle. — Pendurou o casaco zelosamente. Ela estava certa, a mãe o treinara muito bem. — Tive umas coisinhas pra resolver na rua. Espero que você tenha ficado à vontade enquanto eu fiquei fora.

Ele esperou até que ela chegasse à beira da escada. — *A Senhora Sombria* está sendo mantida num depósito do Bargello, até que se descubra de onde vem e quem é o escultor.

Ela parou, exatamente como ele previra, e voltou-se lentamente.

— Como é que você sabe?

— É meu trabalho saber. Agora, com ou sem você, eu vou pra Itália e vou liberar essa peça. Eu posso, sem nenhuma dificuldade, encontrar outra pessoa pra fazer os testes pra mim e descobrir o que aconteceu e como. Se você sair do jogo, sai completamente.

— Você nunca vai conseguir sair do Bargello com o bronze.

— Ah, vou. — Ele sorriu, ganancioso. — Vou sim. Você pode dar uma olhada nela, depois de passar pela minha mão, ou pode voltar pro Maine e esperar seus pais decidirem que já é hora de você poder sair do castigo.

Ela deixou passar o último comentário. Achou que estava bem próximo da verdade. — Como é que você vai tirá-la de lá?

— Isso é problema meu.

— Se eu vou ter que concordar com esse plano imbecil, preciso saber dos detalhes.

— Você vai saber o que precisa durante o processo. É esse o acordo. Dentro ou fora, dra. Jones? O tempo tá passando.

Ela percebeu que esse era o ponto onde cruzara a fronteira, não havia mais volta. Ele a estava observando, esperando, com arrogância suficiente no olhar para arranhar-lhe o orgulho.

— Se você for capaz de fazer um milagre e entrar no Bargello, não vale pegar mais nada além do bronze. Não é uma liquidação, ok?

— Ok.

— E se a gente conseguir pegar o bronze, eu assumo a responsabilidade.

— Você é a cientista — ele acrescentou com um sorriso. Ela receberia uma cópia, pensou. Ele queria a peça original. — Esse é o acordo — repetiu. — Dentro ou fora?

— Dentro. — Suspirou com fervor. — E que Deus me ajude!

— Ótimo. Agora... — Ele abriu a pasta, jogou alguns objetos sobre a mesa. — Isso é pra você.

Ela pegou um livrinho azul-escuro. — Esse não é meu passaporte.

— Agora é.

— Esse não é o meu nome, como é que você conseguiu essa foto? — Olhou para a própria imagem. — Essa é a foto do meu passaporte.

— Exatamente.

— Não, do *meu* passaporte. E da minha carteira de motorista — ela continuou, finalmente compreendendo. — Você roubou minha carteira!

— Peguei emprestada. Alguns itens da sua carteira — ele corrigiu.

Ela tremeu. Não havia outra palavra para aquilo. — Você entrou no meu quarto enquanto eu estava dormindo e pegou as minhas coisas.

— Você estava inquieta — ele lembrou. — Se virando na cama de um lado pro outro. Acho que você devia tentar uma meditação pra liberar um pouco dessa tensão.

— Isso é desprezível.

— Não. Necessário, é diferente. Seria desprezível se eu tivesse me jogado na sua cama. Divertido, mas desprezível.

Ela respirou fundo pelo nariz, olhou novamente para baixo.

— E o que você fez com os meus documentos verdadeiros?

— Guardei. Você não vai precisar deles até a gente voltar. Eu só tô pensando na segurança, *darling*. Se a polícia tá investigando as coisas, é melhor não saberem que você saiu do país.

Ela baixou o passaporte. — Eu não sou Abigail O'Connell.

— Sra. Abigail O'Connell, nós estamos na segunda lua de mel. E acho que te chamo de Abby. É mais íntimo.

— Eu não vou fingir que sou casada com você. Eu prefiro ser casada com um psicopata.

Ela era politicamente correta, ele lembrou. Um pouco de paciência seria importante. — Miranda, a gente vai viajar junto, vai dividir um quarto de hotel. Um casal não vai levantar suspeita nem perguntas. Fica tudo mais simples assim. A partir de agora, durante um tempinho, eu sou Kevin O'Connell, seu marido adorado. Sou corretor da bolsa, você trabalha com publicidade. A gente tá casado há cinco anos, mora no Upper West Side e anda pensando em começar uma família.

— Ah, então a gente é um casal yuppie.

— Não se usa mais esse termo, mas, basicamente, é isso. Eu também providenciei uns cartões de crédito pra você.

Ela olhou para a mesa. — Como você conseguiu esses documentos?

— Contatos — ele disse com naturalidade.

Ela o imaginou num quarto escuro e fedorento, ao lado de um homem enorme com uma tatuagem de cobra, mau hálito, que forjava documentos e cometia assaltos à mão armada.

Nada perto da residência elegante em New Rochelle, onde o primo do contador de Ryan falsificava identidades no porão.

— É ilegal entrar num país estrangeiro com documentos falsos.

Ele a encarou por dez segundos, depois caiu na gargalhada.

— Você é inacreditável. Juro. Agora, eu preciso de uma descrição detalhada do bronze. Tenho que ser capaz de reconhecer a estátua rapidamente.

Ela o observou, perguntando-se como alguém podia acompanhar um homem que ia da piada aos negócios num piscar de olhos.

— Noventa centímetros e meio de altura, vinte e quatro quilos e seiscentos gramas, uma mulher nua com pátina verde-azulada própria desse tipo de bronze e mais de quinhentos anos.

Enquanto falava, a imagem da peça cravava-se em sua mente.

— Ela está em pé, apoiada nas pontas dos dedos, braços pra cima. Seria mais fácil se eu fizesse um desenho pra você.

— Ótimo. — Ele foi até um armário, pegou um bloco e lápis numa gaveta. — O mais preciso que você puder. Detesto cometer erros.

Miranda sentou-se e, com rapidez e habilidade, as sobrancelhas arqueadas, transportou a imagem de sua cabeça para o papel. O rosto, aquele sorriso escorregadio e sensual, os dedos para cima em busca de algo, o corpo fluido em arco.

— Lindo. Absolutamente lindo — ele murmurou, impressionado com o poder do desenho, e inclinou-se sobre o ombro de Miranda. — Você é boa. Você pinta?

— Não.

— Por que não?

— Porque não. — Ela precisou se esforçar para não fazer um movimento brusco com o ombro. O queixo dele quase descansava sobre ela enquanto rabiscava os últimos detalhes.

— Você tem talento. Por que desperdiçar isso?

— Eu não desperdiço. Um bom desenho pode ser muito útil no meu trabalho.

— Um talento artístico devia ser um prazer na sua vida. — Ele pegou o desenho, observou-o por um momento. — Você tem talento.

Ela colocou o lápis na mesa e se levantou. — O desenho tá bastante próximo da realidade. Se você tiver a sorte de esbarrar no bronze, vai reconhecer na hora.

— Sorte não tem nada a ver com isso. — Passou o dedo pela face dela delicadamente. — Você parece um pouco com ela, o formato do rosto, a compleição. Ia ser muito interessante ver você com esse sorriso evasivo na boca. Você não sorri com frequência, Miranda.

— Não tenho tido muitos motivos pra sorrir ultimamente.

— Eu acho que a gente pode mudar isso. Nosso carro vai chegar daqui a mais ou menos uma hora, Abby. Aproveita pra ir se acostumando com o seu novo nome. E se você acha que não vai se lembrar de me chamar de Kevin... — piscou para ela — basta me chamar de amor.

— Eu não vou fazer isso.

— Ah, só mais uma coisa. — Ele tirou uma pequena caixa de joias do bolso. Quando a abriu, o brilho de diamantes fez Miranda piscar. — Pelo poder investido em mim, e por aí vai... — ele disse, tirando o anel de dentro da caixa e pegando a mão dela.

— Não.

— Deixa de ser boba. É só um presente.

Era impossível olhar para baixo e não ficar impressionada quando ele colocou o anel em seu dedo. A aliança era cravejada de diamantes que brilhavam como gelo. — E que presente. Imagino que seja roubado.

— Assim você me ofende. Eu tenho um amigo dono de joalheria. Comprei pelo preço de atacado. Eu preciso fazer as malas.

Ela se ocupou do anel enquanto ele subia as escadas. Era uma ideia absurda, mas desejou que a joia não tivesse cabido tão perfeitamente em seu dedo. — Ryan? Isso vai dar certo?

Ele piscou para ela. — Com certeza.

Ele soube imediatamente que ela mexera em suas coisas. Fora cuidadosa, mas não o suficiente. De qualquer maneira, não teria visto as pequenas marcas reveladoras que ele deixara espalhadas pelo quarto — a mecha de cabelo colocada nas maçanetas do armário, o pedacinho mínimo de durex no topo da cômoda. Era um hábito antigo, que nunca perdera, apesar de toda a segurança do prédio.

Simplesmente balançou a cabeça. Ela não teria encontrado nada que ele não quisesse que encontrasse.

Abriu o armário, pressionou um mecanismo escondido sob os trilhos e adentrou seu quarto privativo. Não precisaria de muito tempo para separar as coisas de que precisaria. Já pensara em tudo. Seriam necessários os utensílios para violar fechaduras, os equipamentos eletrônicos importantes para executar o serviço. O rolo de corda fina e flexível, luvas cirúrgicas.

Cola para cabelo, tinta para cabelo, algumas cicatrizes, dois pares de óculos. Ele duvidava que o trabalho pedisse algum disfarce, e, se tudo corresse bem, não precisaria de mais nada além das ferramentas básicas. Mas preferia estar preparado para qualquer eventualidade.

Guardou as peças cuidadosamente no fundo de sua mala. Acrescentou o que um homem em viagem romântica de férias à Itália levaria, completando-a com roupas e acessórios.

Em seu escritório, configurou seu laptop, escolheu os arquivos desejados. Utilizou sua lista de memória enquanto aprontava tudo, adicionando alguns itens que pegara na Spy 2000, no centro da cidade.

Satisfeito, trancou os documentos verdadeiros no cofre, atrás das obras completas de Edgar Allan Poe — o pai do mistério —, e, num impulso, pegou a aliança de ouro que guardava ali.

Era a aliança de seu avô. Sua mãe lhe dera o anel durante o funeral, dois anos antes. Apesar de ter tido a oportunidade de usar uma aliança como disfarce em outras ocasiões, nunca o fizera.

Sem questionar os motivos de querer fazê-lo agora, colocou o anel no dedo, trancou o cofre e voltou para sua bagagem.

O interfone tocou, anunciando a chegada do carro, e ele desceu com as malas. A bagagem de Miranda, seu computador e sua pasta estavam cuidadosamente arrumados. Ryan arqueou as sobrancelhas.

— Gosto de mulheres que ficam prontas na hora. Tudo pronto?

Ela respirou fundo. Chegou a hora, pensou. — Vamos indo? Detesto correria de aeroporto.

Ele sorriu. — Essa é a minha garota — disse e abaixou-se para pegar uma das malas.

— Eu posso levar as minhas coisas. — Ela afastou a mão dele e pegou a bagagem. — E eu não sou a sua garota.

Ele encolheu os ombros e afastou-se, esperando até que ela conseguisse dar conta de recolher a sua parte. — Vou logo atrás de você, dra. Jones.

ELA NÃO DEVERIA TER FICADO SURPRESA COM O FATO DE ELE ter conseguido dois lugares na primeira classe em tão pouco tempo. Como se assustasse toda vez que a aeromoça a chamava de sra. O'Connell, Miranda enterrou a cabeça nas páginas de Kafka, imediatamente depois da decolagem.

Ryan passou algum tempo com o último romance de Lawrence Block. Depois tomou um champanhe e assistiu ao Arnold Schwarzenegger dando socos e pontapés na sua tela de vídeo. Miranda bebeu água mineral e tentou concentrar-se num documentário sobre a natureza.

Na metade do Atlântico, a noite finalmente a venceu. Fazendo o máximo para ignorar seu companheiro de assento, baixou o encosto de sua poltrona, esticou-se e ordenou ao cérebro que dormisse.

Sonhou com o Maine, com os penhascos e o mar batendo nas rochas, e com uma névoa cinza que apagava as sombras. A luz piscava ao longe, embaçada, e ela a usava como guia para chegar ao farol.

Estava só, completamente só.

E tinha medo, muito medo.

Aos tropeços, lutava para não perder o fôlego, por mais que seus pulmões ardessem. Uma gargalhada de mulher, suave e ameaçadora, a provocava tanto que ela começou a correr.

E, correndo, encontrou-se à beira do penhasco, prestes a cair dentro do mar bravio.

Quando uma mão a agarrou, ela a segurou com força. *Não me deixe só.*

Ao lado dela, Ryan observava suas mãos juntas. As delas eram tensas mesmo dormindo. O que a perseguia?, perguntou-se, e o que a impedia de pedir ajuda?

Ele acariciou os dedos dela até que relaxassem. Mas manteve as mãos dela dentro das suas enquanto fechava os olhos e esperava o sono chegar, e achou o fato curiosamente confortador.

# Capítulo Dezesseis

— Só tem um quarto. — Miranda não prestou atenção em nada na adorável suíte, além da única e graciosa cama king-size coberta por uma elegante manta branca.

No gabinete, Ryan abriu a porta dupla e adentrou uma enorme varanda onde soprava uma brisa de primavera e o sol italiano brilhava sobre os telhados vermelhos.

— Olha só essa vista. A varanda foi um dos motivos de eu ter escolhido este quarto de novo. Eu podia morar aqui.

— Ótimo. — Ela abriu as portas do quarto e saiu. — Por que você não planeja exatamente isso? — Não se deixaria seduzir pela vista de tirar o fôlego, nem pelos alegres gerânios que enfeitavam o parapeito. Nem pelo homem que se inclinava sobre eles, parecendo ter nascido para estar precisamente naquele lugar.

— Só tem um quarto — ela repetiu.

— A gente é casado. Falando nisso, que tal você me trazer uma cerveja?

— Com certeza, tem um tipo de mulher que acha você irresistível e divertido, Boldari. Acontece que eu não sou desse tipo. — Ela foi até o parapeito. — Só tem uma cama no quarto.

— Se você é tímida, a gente pode se revezar no sofá do gabinete. Você primeiro. — Ele passou um braço em volta dos ombros de Miranda, apertando-a amigavelmente. — Relaxa, Miranda. Conquistar você ia ser divertido, mas não é a minha prioridade. Uma vista como essa compensa uma viagem longa de avião, não compensa?

— A vista não é a minha prioridade.

— Ela tá aqui, melhor apreciar. Tem um casal jovem que mora ali, naquele apartamento. — Ryan a girou e apontou para uma janela no último andar de um prédio amarelo-claro à esquerda. — Eles fazem jardinagem juntos nesse terraço nas manhãs de sábado. E teve uma noite em que até transaram na varanda.

— Você ficou assistindo?

— Só até ter certeza de que era isso mesmo. Eu não sou um pervertido.

— O veredicto ainda tá em aberto nesse caso. Então você já veio aqui.

— Kevin O'Connell ficou uns dias aqui, ano passado. É por isso que a gente tá usando o quarto de novo. Num hotel bem administrado como este, os funcionários normalmente se lembram dos hóspedes, ainda mais se eles dão boas gorjetas, e o Kevin é uma alma caridosa.

— Por que você veio aqui como Kevin O'Connell?

— Uma relíquia que tinha um pedaço de osso do Giovanni Battista.

— Você roubou uma relíquia? Uma *relíquia religiosa*? Um osso de São João Batista?

— Um pedaço. Caramba, tinha pedaços dele espalhados pela Itália inteira, principalmente aqui, onde ele é o santo patrono. — Não conseguiu resistir e deu uma gargalhada diante do choque dela.

— Um cara muito popular, o velho João. Ninguém vai sentir falta de uma ou duas lasquinhas de osso.

— Eu não sei o que dizer — Miranda murmurou.

— O meu cliente estava com câncer, e convencido de que a relíquia representava a cura. Claro que ele morreu, mas viveu nove meses mais do que os médicos tinham previsto. Então, quem sabe? Vamos abrir as malas. — Deu um tapinha no ombro dela. — Quero tomar uma chuveirada; depois, ao trabalho.

— Trabalho?

— Eu tenho que comprar umas coisas.

— Eu não vou passar o dia procurando Ferragamos pra sua irmã.

— Não vai demorar muito, e eu preciso comprar umas coisinhas pro resto da família.

— Olha só, Boldari, eu acho que a gente tem uma coisa mais importante pra fazer do que ficar comprando presentinhos pra sua família.

Ele a deixou furiosa quando se debruçou e beijou-lhe a ponta do nariz. — Não precisa se preocupar, *darling*. Eu compro alguma coisa pra você também. Melhor usar um sapato confortável — aconselhou-a e dirigiu-se para o chuveiro.

ELE COMPROU UMA PULSEIRA DE OURO COM ESMERALDAS numa loja na Ponte Vecchio — o aniversário de sua mãe estava próximo — e pediu que mandassem a joia para o hotel. Obviamente, divertindo-se com a multidão de turistas e os caçadores de promoções que enchiam a ponte sobre o plácido Arno, comprou também cordões de ouro italiano, brincos de marcassita e broches de estilo florentino. Para as irmãs, disse a Miranda, que esperava impaciente, recusando-se a se deixar seduzir pelo brilho das vitrines.

— Se você ficar parada aí tempo suficiente — ele comentou —, vai poder ouvir todas as línguas do mundo.

— A gente já ficou tempo suficiente?

Ele passou o braço em volta de seus ombros e balançou a cabeça quando ela enrijeceu o corpo. — Você nunca se deixa levar pelo momento, dra. Jones? É Florença e a gente tá na ponte mais antiga da cidade. O sol está brilhando. Respira — ele sugeriu —, respira fundo.

Ela quase o fez, quase inclinou-se sobre ele e fez exatamente o que sugerira. — A gente não tá aqui por causa da atmosfera — disse, em tom que esperava ser frio o suficiente para acabar com o entusiasmo dele e com suas próprias necessidades, tão pouco características.

— A atmosfera é a mesma aqui. A gente também. — Sem susto, ele pegou sua mão e a puxou pela ponte.

As pequenas lojas e bancas pareciam deleitá-lo, Miranda percebeu, ao vê-lo barganhar por bolsas de couro e caixas de presente perto da Piazza della Repubblica.

Ela ignorou sua sugestão de comprar algo para si, e, voltando a atenção para a arquitetura da cidade, esperou por ele em silêncio aterrador.

— Isso é pro Robbie. — Ele pegou uma pequena jaqueta de couro preta com acabamento prateado numa arara.

— Robbie?

— Meu sobrinho. Ele tem três anos. Vai adorar isso.

Era muito bem-feita, cara, sem dúvida, e adorável o suficiente para fazê-la contrair os lábios para impedir um sorriso. — Não é nada prática pra uma criança de três anos.

— Foi feita pra alguém de três anos — ele corrigiu. — É por isso que é pequenininha. *Quanto?* — perguntou ao vendedor, dando início ao jogo.

Quando terminou a rodada, dirigiu-se para o oeste. Mas, se esperava tentá-la com a moda impecável da Via dei Tornabuoni, estava subestimando a força de vontade e a determinação de Miranda.

Comprou três pares de sapatos Ferragamo, catedral dos calçados. Ela não comprou nada — nem mesmo um par perolado que chamara sua atenção e despertara seu desejo.

Os cartões de crédito na sua bolsa, lembrou, não levavam seu nome. Andaria descalça, mas não os usaria.

— A maioria das mulheres — ele observou enquanto andavam na direção do rio — estaria carregando uma dúzia de sacolas agora.

— Eu não sou a maioria das mulheres.

— Já percebi. Mas você ia ficar maravilhosa com um vestido de couro.

— Nas suas fantasias patéticas, Boldari.

— As minhas fantasias não têm nada de patético. — Adiantou-se à entrada de uma loja e abriu a porta de vidro.

— O que é agora?

— Não posso vir a Florença e não comprar nada de arte.

— A gente não veio aqui pra comprar nada. Era pra ser uma viagem de negócios.

— Relaxa. — Ele pegou a mão de Miranda, levando-a rapidamente aos lábios. — Confia em mim.

— Essa é uma frase que não se aplica a você.

A loja estava repleta de reproduções de esculturas em bronze e mármore. Deuses e deusas encantavam turistas, fazendo-os lançar mão de seus cartões de crédito por uma cópia de alguma peça de artista famoso, ou pela oferta de alguém novo.

Com a paciência se esgotando, Miranda preparou-se para perder mais uma hora esperando que Ryan finalizasse suas obrigações familiares. Mas ele a surpreendeu ao se dirigir a uma estátua de Vênus depois de cinco minutos.

— O que você acha dela?

Com sobriedade, ela se aproximou e rodeou a figura de bronze.

— É adequada, não é particularmente boa, mas, se alguém da sua legião de parentes anda atrás de uma estátua de jardim, pode servir muito bem.

— É, acho que vai servir bem, sim. — Ele sorriu com simpatia para o vendedor, depois fez com que Miranda franzisse o cenho ao se dirigir a ele em italiano macarrônico.

Durante seu surto de compras, ele falara fluentemente o idioma, muitas vezes enriquecendo o discurso com coloquialismos e gírias. Agora, debatia-se com as frases mais básicas e as dizia com sotaque tão acentuado que o vendedor tentou ser solícito.

— Você é americano. A gente pode falar em inglês.

— Jura? Graças a Deus. — Ele riu e apertou a mão de Miranda, puxando-a para perto. — Minha mulher e eu queremos alguma coisa especial pra levar pra casa. A gente adorou essa peça. Vai ficar linda no jardim de inverno, não vai, Abby?

A resposta dela foi um "aham".

Ele não barganhou muito desta vez, somente gemeu diante do preço, depois puxou-a para longe, como se para uma consulta particular.

— Que palhaçada é essa? — Miranda viu-se sussurrando, já que seu rosto estava muito próximo do dele.

— Eu não compraria nada sem ter certeza da aprovação da minha mulher.

— Você é um idiota.

— É isso que eu ganho por ser um marido cuidadoso. — Baixou o rosto e beijou-a com firmeza na boca — e, instintivamente, evitou tocar em seus dentes. — Promete que vai tentar de novo, mais tarde.

Antes que ela pudesse revidar, ele se voltou para o atendente.

— A gente vai levar.

Concluída a compra, com a estátua embalada, ele recusou a oferta da loja de mandar a peça para o hotel.

— Tudo bem. A gente já tá voltando pra lá mesmo. — Pegou a sacola, depois enlaçou Miranda, atingindo-a com uma das câmeras que carregava nos ombros. — Vamos tomar um daqueles sorvetes no caminho, Abby?

— Eu não quero sorvete — ela resmungou quando saíram da loja.

— Claro que quer. Você tem que manter a energia em alta. A gente vai dar mais uma paradinha.

— Olha só, eu tô cansada, meu pé tá doendo e não estou a fim de fazer compras. Eu encontro você no hotel.

— E vai perder a parte boa? A gente vai ao Bargello.

— Agora? — O que percorreu sua espinha foi um misto de medo e excitação. — A gente vai fazer isso agora?

— Agora vamos brincar mais um pouquinho de turista. — Ele desceu o meio-fio, abrindo espaço para ela na calçada. — A gente vai dar uma olhada no lugar, sentir a atmosfera, tirar umas fotos. — Piscou. — Dar um confere, como se diz na gíria popular.

— Dar um confere — ela murmurou.

— Onde ficam as câmeras de segurança? Qual é a distância entre a entrada principal e o *Bacco* de Michelangelo? — Mas ele sabia, precisamente. Não seria sua primeira visita disfarçada. — Qual é a distância até o pátio? Quantos passos até a varanda do primeiro andar? Quando é a mudança de turno dos guardas? Quantos...

— Tá bem, tá bem, já entendi. — Ela levantou as mãos. — Não sei por que a gente não foi lá primeiro.

— Tudo tem sua hora, amor. Abby e Kevin gostariam de ver um pouco da cidade no primeiro dia, você não acha?

Ela achava que os dois estavam de fato parecendo turistas americanos — câmeras, sacolas de compras e guias na mão. Ele comprou um sorvete para ela no caminho. Ela resolveu que talvez o sorvete pudesse ajudar a aliviar a tensão que fazia seu estômago pegar fogo, e foi lambendo a bola gelada, de limão, enquanto caminhavam, observando os prédios, as estátuas, as vitrines ou os cardápios nas portas das *trattorias*.

Talvez houvesse sentido nisso tudo, concluiu. Ninguém olharia duas vezes para eles, e se ela se concentrasse, poderia acreditar que passeava pela cidade pela primeira vez. Era um pouco como se esti-

vessem numa peça de teatro, pensou. *As férias de Abby e Kevin na Itália.*

Se, pelo menos, ela não fosse tão má atriz.

— Fabulosa, não é? — Ele parou, entrelaçando os dedos nos dela enquanto observava a magnífica catedral que dominava a paisagem.

— É. A cúpula de Brunelleschi foi um acontecimento revolucionário. Ele não usou andaimes. Giotto desenhou a campânula, mas não viveu o suficiente pra ver a obra finalizada. — Ela ajeitou os óculos escuros. — A fachada de mármore neogótica transpira o estilo dele, mas só foi construída no século dezenove.

Mexeu no cabelo e percebeu que Ryan sorria para ela.

— O que foi?

— Você tem jeito pra dar aulas de história, dra. Jones. — Quando o rosto de Miranda enrijeceu, ele o envolveu com as mãos. — Não. Não faz isso. Não foi uma cantada, foi um elogio. — Seus dedos acariciaram levemente as maçãs do rosto dela. Tantos pontos sensíveis, ele ficava encantado. — Fala mais.

Se estava sorrindo para ela, fazia um bom trabalho ao disfarçar. Ela aproveitou a deixa: — Michelangelo esculpiu o *Davi* no pátio do Museo dell'Opera del Duomo.

— Jura?

Ele fez o comentário com tanta seriedade que os lábios de Miranda se curvaram num sorriso. — Juro. Ele também copiou o *São João* do Donatello pra fazer o seu *Moisés.* Era um elogio. Mas eu acho que o orgulho do museu é a *Pietà.* Dizem que a imagem de Nicodemos é um autorretrato, e é brilhante. Mas a Maria Madalena na mesma escultura é inferior, e é, obviamente, obra de um dos alunos dele. Não me beija, Ryan — disse rapidamente, fechando os olhos ao perceber os lábios dele pairando sobre os seus. — Isso complica as coisas.

— Elas têm que ser simples?

— Têm. — Abriu os olhos novamente, encarou-o. — Neste caso, têm.

— Normalmente eu concordaria com você. — Passou os dedos pelos lábios de Miranda, atenciosamente. — A gente tem atração um pelo outro, e isso devia ser simples. Mas não parece que é assim que funciona. — Afastou as mãos do rosto dela, acariciou-lhe os ombros e deixou que descessem pelos braços dela até encontrarem seus pulsos, que batiam forte e rapidamente. Isso deveria tê-lo agradado.

Mas ele deu um passo para trás. — Tudo bem, vamos manter as coisas o mais simples possível. Anda até ali e fica parada.

— Pra quê?

— Pra eu tirar uma foto, amor. — Baixou os óculos e piscou para ela. — A gente vai querer mostrar fotos pra todos os nossos amigos quando voltar pra casa, não vai, Abby?

Apesar de considerar um exagero, ela posou em frente ao Duomo, ao lado de uma centena de turistas, e deixou que a fotografasse tendo os tons de branco, verde e rosa magníficos do mármore como pano de fundo.

— Agora é sua vez. — Ele foi até ela, estendendo-lhe sua Nikon. — Basta apontar e apertar o botão. Você só precisa...

— Eu sei como é que uma câmera funciona. — Ela arrancou a máquina das mãos dele. — Kevin.

Ela voltou para a posição, preparou o foco. Talvez seu coração estivesse um pouco acelerado. Ele era uma visão tão magnífica, alto, moreno, sorrindo convencido para a câmera.

— Pronto. Satisfeito agora?

— Quase. — Ele falou com um casal de turistas que concordou prontamente em tirar uma foto dos jovens americanos.

— Isso é ridículo — Miranda resmungou ao se ver posando novamente, agora com os braços de Ryan em volta de sua cintura.

— É pra minha mãe — ele disse, depois seguiu seu impulso e beijou-a.

Um bando de pombos sobrevoou-os, sacudindo asas e penas no ar. Ela não teve tempo para resistir, muito menos para defender-se. Os lábios dele eram quentes, firmes, deslizavam sobre os dela ao tempo que o braço em volta da cintura puxava-a para perto. O gemido suave liberado por ela nada tinha a ver com protesto. A mão que levou ao rosto dele só queria mantê-lo ali.

O sol brilhava, o ar estava cheio de som. E seu coração batia na iminência de algo extraordinário.

Era fugir ou mergulhar, Ryan pensou. Levou seus lábios à palma da mão dela. — Desculpe — disse sem sorrir, não seria capaz. — Acho que me deixei levar pelo momento.

E deixando-a ali com os joelhos trêmulos, pegou a câmera de volta.

Pendurou-a de volta no ombro, pegou a sacola de compras e, com os olhos fixos nela, levantou a mão. — Vamos.

Ela quase esquecera o propósito, quase esquecera o plano. Com um aceno positivo de cabeça, acompanhou os passos dele.

Quando chegaram aos portões do antigo palácio, ele retirou o guia do bolso, como um bom turista.

— Foi construído em 1255 — disse para ela. — Do século dezesseis até meados do século dezenove foi uma prisão. As execuções aconteciam no pátio.

— Apropriado, dadas as circunstâncias — murmurou. — E eu conheço a história.

— A dra. Jones conhece a história. — Deu um tapinha amoroso no bumbum dela. — Abby, meu anjo.

No minuto em que entraram na sala principal do térreo, ele pegou a filmadora. — Lugar lindo, não é, Abby? Olha só esse cara, ele devia fazer horrores, hein?

Direcionou a câmera para o glorioso bronze de *Baco*, depois começou a escanear o ambiente. — Deixa a Sally e o Jack verem isso. Vão ficar loucos.

Girou a câmera até um corredor onde um guarda vigiava os visitantes. — Dá uma andada por aí — disse entre os dentes. — Faz cara de classe média abismada com a beleza.

As palmas de Miranda suavam. É claro que aquilo era ridículo. Eles tinham todo o direito de estar ali. Ninguém saberia o que acontecia dentro de sua cabeça. Mas seu coração batia pesadamente na garganta enquanto circulava pelo salão.

— Incrivelmente horrível, não é?

Teve um ligeiro sobressalto quando ele se aproximou, enquanto ela fingia analisar a escultura *Adão e Eva* de Bandinelli. — É uma peça importante da época.

— Só porque é antiga. Parece um casal suburbano num fim de semana numa colônia de nudismo. Vamos ver os pássaros do Giambologna no jardim.

Depois de uma hora, Miranda começou a suspeitar que boa parte da atividade criminal era bastante tediosa. Entraram em todas as salas abertas ao público, filmaram cada centímetro e cada canto. Ainda assim, ela esquecera que a Sala dei Bronzetti tinha a mais fina coleção de bronzes renascentistas da Itália. Como isso a fizesse pensar no *Davi*, seus nervos se retesaram novamente.

— Você já não tem o suficiente?

— Quase. Vai lá dar uma paquerada no guarda.

— Como?, eu não entendi.

— Distrai ele. — Ryan baixou a câmera e rapidamente abriu os dois primeiros botões da camisa de algodão de Miranda.

— O que você acha que tá fazendo?

— Garantindo a atenção dele em você, *cara*. Pergunta alguma coisa, fala mal italiano, pisca os olhinhos e faz com que ele se sinta importante.

— E o que você vai fazer?

— Nada, se você não conseguir segurar o olhar dele por cinco minutos. Me dá esse tempinho, pergunta onde é o banheiro, depois vai pra lá. Me encontra no jardim daqui a dez minutos.

— Mas...

— Faz isso — ele a interrompeu, acidamente. — Tem gente à beça aqui capaz de fazer isso.

— Meu Deus. Tudo bem. — Seu estômago se revirou e seus joelhos tremeram quando ela se virou para dirigir-se ao guarda.

— Ah... *scusi* — Miranda começou a dizer, falando com forte sotaque americano. — *Per favore*... — Percebeu os olhos do guarda mergulhando no decote de sua blusa, depois voltando ao seu rosto, com um sorriso. Ela engoliu com dificuldade e estendeu as mãos pedindo ajuda. — *English?*

— *Sì, signora*, um pouco.

— Ah, que maravilha! — Ela experimentou piscar os olhos avidamente, os cílios subindo e descendo, e viu, pelo calor no sorriso do guarda, que esses artifícios patéticos, na verdade, funcionam. — Eu estudei um pouco de italiano antes de viajar, mas as palavras ficam todas embaralhadas na minha cabeça. Cérebro deplorável, esse meu. É terrível, né, que os americanos não falem qualquer outra língua, como a maioria dos europeus?

Pelo olhar dele, Miranda deduziu que estava falando um pouco rápido demais. Melhor ainda. — É tudo tão lindo aqui. Será que você poderia me dizer alguma coisa sobre... — Escolheu uma escultura qualquer.

Ryan esperou até que o guarda focasse os olhos no decote de Miranda, depois voltassem ao seu rosto, retirou uma pequena ferramenta do bolso e foi até a porta lateral.

Foi muito fácil, mesmo tendo que manejar o instrumento de costas. O museu dificilmente esperava que os visitantes trouxessem armas ou instrumentos para arrombar fechaduras, ou mesmo que desejassem entrar em salas trancadas no meio do dia.

A planta do museu estava armazenada em um de seus arquivos. Assim como dezenas de outras. Se sua fonte fosse confiável, Ryan encontraria o que procurava atrás daquela porta, num dos depósitos amontoados do andar.

Manteve os olhos na câmera de segurança, esperando até que um grupo de amantes da arte passasse na sua frente.

Antes que tivessem ido embora, ele já estava fechando a porta suavemente atrás de si.

Respirou fundo, avaliando o lugar, colocou as luvas que estavam guardadas em seu bolso, estalou os dedos. Não podia demorar muito.

A sala era um amontoado de compartimentos lotados de estátuas e quadros, a maioria clamando por restauração. Normalmente, ele sabia, as pessoas que viviam em meio aos objetos de arte eram as mais organizadas do mundo.

Muitas peças atraíram a atenção de seus olhos, inclusive uma madona de olhar triste e ombro quebrado. Mas ele estava procurando outro tipo de dama...

O ruído de rádios buscando frequência e passos no assoalho fez com que corresse à procura de um lugar para se esconder.

ELA ESPEROU DEZ MINUTOS, QUINZE. AOS VINTE, ESTAVA torcendo as mãos no banco do pátio onde se sentara, e já imaginava como seria passar algum tempo numa prisão italiana.

Talvez a comida fosse boa.

Pelo menos não matavam ladrões hoje em dia, nem penduravam seus corpos nas janelas do Bargello, como um testemunho de justiça voraz.

Mais uma vez conferiu o relógio, esfregou a boca com os dedos. Ele havia sido pego, Miranda tinha certeza. Agora, estaria sendo interrogado dentro de alguma sala pequena, e entregaria seu nome sem pestanejar. O covarde.

Então, ela o viu cruzar o pátio como um homem sem uma preocupação na vida, sem nenhuma sombra ilícita no coração. Seu alívio foi tão grande que ela se levantou e lançou os braços em volta dele.

— Onde é que você estava? Achei que...

Ele a beijou, tanto para fazê-la calar a boca como para tirar proveito da situação. — Vamos tomar um drinque. A gente fala sobre isso — ele disse, os lábios colados aos dela.

— Como é que você simplesmente me deixa aqui desse jeito? Você disse dez minutos, já faz quase meia hora.

— Acabou demorando um pouco mais. — Ainda estavam boca a boca, e ele sorriu. — Sentiu a minha falta?

— Não. Eu tava me perguntando qual seria o cardápio da cadeia hoje à noite.

— Não custa ter um pouquinho de fé. — Ele pegou a mão dela e foram andando, mãos dadas, braços balançando. — Um vinho e uns queijinhos cairiam muito bem agora. A Piazza della Signoria não é tão pitoresca, mas é perto.

— Aonde você foi? — ela perguntou. — Fiquei perturbando o guarda o máximo que eu pude, e, quando dei por mim, você já tinha sumido.

— Eu queria ver o que ficava atrás da porta número três. Aquele lugar pode já ter sido um palácio, depois uma câmara de tortura da justiça, mas aquelas portas são brincadeira de criança.

— Como é que você foi se arriscar assim? Invadir uma sala proibida com um guarda a dez passos de distância...

— Normalmente é o melhor momento. — Passaram por uma vitrine e ele registrou que deveria reservar mais tempo para compras. — Encontrei a nossa dama — disse casualmente.

— Foi uma irresponsabilidade, uma atitude tola, e não tem nada mais egocêntrico... O quê?

— Eu achei. — O sorriso em seu rosto era como o sol da Toscana. — E acho que ela não tava muito feliz ali, cheia de poeira, guardada no escuro. Paciência — ele disse, antes que ela pudesse fazer perguntas. — Estou com sede.

— Você tá com sede? Como você pode pensar em vinho e queijo, pelo amor de Deus? A gente devia estar fazendo alguma coisa.

Planejando o próximo passo. A gente não pode simplesmente sentar debaixo de um *ombrellone* e tomar um Chianti.

— É exatamente isso que a gente vai fazer, e para de ficar olhando pra trás como se a *polizia* estivesse na nossa cola.

Ele a puxou até uma das mesas em frente a uma *trattoria* cheia de gente.

— Você enlouqueceu. Compras, presentes, uma jaqueta de couro pra criança, passeio no museu, como se você nunca tivesse ido ao Bargello. E agora...

Ela silenciou, chocada ao ser colocada numa cadeira. A mão dele apertou a sua quando ele se inclinou sobre a mesa. O sorriso no rosto dele era tão frio e sério quanto sua voz.

— Agora, a gente vai simplesmente ficar aqui um tempo, e você não vai me causar nenhum problema.

— Eu...

— Nenhum problema. — O sorriso surgiu-lhe facilmente no rosto quando se virou para olhar para o garçom. Como o disfarce parecesse absurdo naquele momento, ele rapidamente pediu um vinho da casa e uma tábua de queijos em perfeito italiano.

— Eu não vou tolerar suas tentativas tolas de me irritar.

— Meu amor, você vai tolerar o que eu quiser que você tolere. Eu estou com a sua senhora.

— Você está se esforçando... *O quê?* — O vermelho que colorira sua face sumiu novamente. — Como assim, está com a senhora?

— Ela está debaixo da mesa.

— Debaixo da... — Sua vontade era de enfiar-se debaixo da mesa, mas ele apertou a mão dela, fazendo que tivesse que sufocar um grito de dor.

— Olha pra mim, *cara*, e finge que você me ama. — Ele levou os dedos machucados de Miranda à boca.

— Você está me dizendo que entrou no museu, à luz do dia, e saiu de lá com o bronze?

— Eu sou bom. Eu te disse.

— Mas agora? Agora? Você só sumiu meia hora.

— Se um guarda não tivesse aparecido no depósito pra beber escondido, eu teria feito na metade do tempo.

— Mas você disse que a gente tinha que inspecionar o lugar, gravar tudo, tirar medidas, ter uma noção melhor.

Ele beijou seus dedos novamente. — Eu menti. — Mantendo as mãos delas nas suas, segurou seu olhar romanticamente enquanto o garçom colocava o vinho e os queijos na mesa. Este, ao perceber o clima de romance entre eles, sorriu e deixou-os a sós.

— Você mentiu.

— Se eu te dissesse que ia pegar a estátua, você ia ficar nervosa, irrequieta e, muito provavelmente, faria uma besteira. — Ele serviu as duas taças de vinho, tomou um gole e aprovou a escolha. — O vinho dessa região é sensacional. Você não vai experimentar?

Ainda encarando-o, ela levantou a taça e tomou sua bebida em vários goles seguidos. Agora, era cúmplice de roubo.

— Se você vai beber desse jeito, melhor comer alguma coisa. — Ele partiu um pedaço de queijo e ofereceu a ela. — Pegue.

Ela afastou a mão dele e pegou a garrafa. — Você já sabia que ia fazer isso.

— Eu sabia que se aparecesse uma oportunidade eu ia fazer a troca.

— Que troca?

— O bronze que a gente comprou mais cedo. Substituí uma peça pela outra. Tem um bronze de uma mulher no depósito. A chance de ninguém se dar conta da diferença é enorme.

Ele provou um queijo, achou bom e colocou uma fatia em cima de uma torradinha. — Quando eles perceberem, vão procurar a verdadeira, provavelmente pensando que tá guardada em outro lugar. E quando não conseguirem encontrar a estátua, não vão saber dizer quando foi levada. Se a gente continuar com sorte, a essa altura já vamos estar de volta aos Estados Unidos.

— Eu preciso ver o bronze.

— Vai ter tempo pra isso. Preciso dizer que roubar uma falsificação conscientemente... não dá a mesma sensação de euforia.

— Não? — ela murmurou.

— Não. E vou sentir falta dessa sensação quando me aposentar completamente. Aliás, você fez um bom trabalho.

— Ah. — Ela não sentiu euforia alguma, somente a sensação de um peso enorme no estômago.

— Distraindo o guarda. Melhor você se fortalecer. — Ofereceu-lhe queijo novamente. — A gente ainda tem muito trabalho pela frente.

ERA SURREAL ESTAR SENTADA NUM QUARTO DE HOTEL SEGURANDO *A Senhora Sombria*. Examinou a peça cuidadosamente, percebendo onde pedaços haviam sido retirados para teste, calculando o peso, criticando o estilo.

Era uma peça bonita e graciosa, o azul-esverdeado da pátina dando-lhe a dignidade do tempo.

Colocou-a na mesa ao lado do *Davi*.

— Ela é linda — Ryan comentou ao soltar uma baforada do charuto. — Seu desenho era bastante apurado. Você não conseguiu capturar o espírito, mas, com certeza, captou os detalhes. Você seria uma artista melhor se colocasse o coração nos seus trabalhos.

— Eu não sou uma artista. — Sua garganta estava seca. — Eu sou cientista, e esse não é o bronze que eu testei.

Ele levantou uma sobrancelha. — Como é que você sabe?

Ela não poderia dizer que sentia algo de errado. Nem mesmo a si mesma podia confessar que a peça simplesmente não fazia com que se arrepiasse ao tocá-la. Portanto, deu-lhe fatos.

— É bem possível pra alguém treinado reconhecer um trabalho do século vinte só com um exame visual. Mesmo assim, eu não me fiaria só nisso. Mas eu peguei raspas de material. Aqui, aqui e aqui. — Usou a pontinha do dedo para indicar a parte da panturrilha, a

curva do ombro. — Não tem nenhum sinal disso nessa peça. O laboratório do Ponti tirou amostras das costas e da base. Essas não são as minhas marcas. Eu preciso de equipamento e das minhas anotações pra fazer uma verificação, mas esse não é o bronze no qual eu trabalhei.

Avaliando a situação, Ryan bateu as cinzas do charuto no cinzeiro. — Vamos verificar primeiro.

— Ninguém vai acreditar em mim. Mesmo depois que eu fizer as averiguações, ninguém vai acreditar que esse não é o bronze. — Olhou para ele. — Por que eles deveriam?

— Vão acreditar quando tivermos o original.

— Como...

— Uma coisa de cada vez, dra. Jones. Você vai precisar trocar de roupa. Um pretinho básico funciona melhor no caso de uma noite divertida de invasão. Vou providenciar o transporte.

Ela passou a língua sobre os lábios. — A gente vai invadir a Standjo.

— Esse é o plano. — Ele percebeu sua intenção evasiva e recostou na poltrona. — A menos que você queira ligar pra sua mãe, explicar tudo e perguntar se ela deixa você usar o laboratório.

Miranda se levantou, o olhar frio. — Eu vou trocar de roupa.

A porta do quarto não tinha tranca, portanto ela arrastou a cadeira da escrivaninha e encaixou o encosto sob a maçaneta. Isso fez com que se sentisse melhor. Ele a estava usando, era tudo em que podia pensar, como se ela fosse apenas mais uma ferramenta. A ideia de serem parceiros era uma ilusão. E agora ela o ajudara a roubar.

Estava a ponto de invadir a empresa de sua família. E como ela poderia impedi-lo se quisesse fazer mais do que alguns testes simples?

Escutou-o falando ao telefone no gabinete, e aproveitou o tempo para vestir calça e camisa pretas. Precisava de um plano pessoal, precisava de alguém em quem confiar.

— Vou ter que dar um pulo na recepção — ele gritou de longe. — Se apressa aí. Só vou demorar um segundo, e também preciso trocar de roupa.

— Já, já estou pronta. — E, assim que ouviu a porta bater, afastou a cadeira da porta. — Tomara que ele esteja lá, tomara que ele esteja lá — murmurava enquanto arrancava a agenda de dentro da pasta. Passou as páginas, encontrou o número e discou.

— *Pronto.*

— Giovanni, é Miranda.

— Miranda? — Não havia prazer em sua voz, mas precaução. — Onde é que você está? Seu irmão anda...

— Estou em Florença — interrompeu-o. — Preciso encontrar você o quanto antes. Por favor, Giovanni, me encontra na Basílica de Santa Maria Novella. Dez minutos.

— Mas...

— Por favor, é um caso de vida ou morte. — Ela desligou rapidamente e, movendo-se com agilidade, envolveu o bronze de qualquer maneira no plástico bolha, guardando-o na sacola. Pegou a bolsa e correu.

Pegou as escadas, descendo às pressas os corredores acarpetados, o coração aos pulos no peito, esforçando-se para aguentar firme o peso da sacola. Parou de súbito no final da escada.

Viu Ryan na recepção, falando animadamente com o recepcionista. Não podia arriscar-se e atravessar o lobby, portanto tentou deslizar pelos cantos e cruzar correndo o salão. Seguiu adiante, atravessou as portas de vidro que levavam ao lindo pátio do hotel e sua piscina límpida sombreada por árvores. Pombos espalhados se assustaram quando ela passou correndo.

Apesar do peso da sacola, não parou para tomar fôlego até que tivesse dado a volta no prédio e alcançado a rua. Mesmo assim, só usou o tempo necessário para trocar o peso de mão e olhar nervosamente para trás. Depois, foi direto para a igreja.

Santa Maria Novella, em seus charmosos tons de verde e branco, ficava muito perto do hotel.

Miranda controlou a necessidade de correr e adentrar o frio e a penumbra da igreja. Suas pernas tremiam quando se dirigiu aos bancos e encontrou um assento à esquerda do altar. Uma vez ali, tentou compreender que diabos estava fazendo.

Ryan ficaria furioso, e ela não sabia o grau de violência escondido sob aquela superfície elegante. Mas estava fazendo a coisa certa, a única coisa lógica.

Mesmo que a cópia precisasse de proteção até que alguma atitude fosse tomada. Não se pode confiar em um homem que faz do roubo seu meio de vida.

Giovanni viria, disse para si mesma. Conhecia-o havia anos. Por mais frívolo, excêntrico que fosse, era um cientista de alma. E sempre fora seu amigo.

Ele a escutaria, avaliaria a situação. Ajudaria.

Na tentativa de se acalmar, fechou os olhos.

Havia algo na atmosfera de lugares como aquele, templos da passagem do tempo, da fé e do poder. A religião, em algum nível, sempre tivera relação com o poder. Ali, esse poder manifestara-se em arte de qualidade, grande parte dela paga pelos cofres dos Médici.

Compradores de almas?, perguntou-se. Equilibravam os malfeitos e os pecados, gerando grandeza para a Igreja? Lorenzo traíra a mulher com a Senhora Sombria — por mais que esse tipo de *affair* fosse aceito na época. E seu grande protegido a imortalizara numa estátua de bronze.

Ele saberia da sua existência?

Não, não, lembrou-se, ele já havia morrido quando o bronze fora forjado. Ela já estaria com Piero ou um dos primos mais jovens.

Não abriria mão do poder que sua beleza lhe garantia dando as costas a um novo protetor. Era muito esperta para isso, muito prática. Para prosperar, até mesmo para sobreviver naquele período, uma

mulher precisava da proteção de um homem, ou de fortuna própria, uma linhagem aceita.

Ou de imensa beleza, cabeça fria e um coração capaz de dar conta de tudo.

Giulietta o soubera.

Tremendo, Miranda abriu novamente os olhos. O bronze, e não a mulher, era o que importava agora, lembrou a si mesma. Era a ciência, e não as especulações, o que resolveria o quebra-cabeça.

Ouviu passos apressados e retesou-se. Ele a encontrara. Meu Deus. Ela deu um pulo, virou-se e quase chorou de alívio.

— Giovanni. — Suas pernas fraquejaram quando ela se adiantou e envolveu-o com seus braços.

— *Bella*, o que é que você está fazendo aqui? — Ele retribuiu o abraço com uma combinação de exaspero e afeição. — Por que você me ligou tão assustada e me pediu pra te encontrar, como se fosse uma espiã? — Olhou para o altar. — E numa igreja.

— É silencioso, é seguro. Um santuário — ela disse com um sorriso frágil. — Quero te explicar tudo, mas não sei quanto tempo eu tenho. Ele já deve saber que eu saí e deve estar me procurando.

— Quem?

— É muito complicado. Senta um segundo. — Sua voz era um sussurro, como era de bom-tom em igrejas e conspirações. — Giovanni, o bronze. *A Senhora Sombria*... era uma falsificação.

— Miranda, o meu inglês não é dos melhores, mas pra ser uma falsificação é preciso que exista alguma coisa pra copiar. O bronze era falso, uma piada de mau gosto, uma... — Ele buscava as palavras. — Má sorte — concluiu. — As autoridades interrogaram o encanador, mas parece que ele também não passa de um enganador. É essa a palavra? Alguém que passa uma peça como se fosse verdadeira, e quase dá certo.

— Ela *era* verdadeira.

Ele pegou suas mãos. — Eu sei que isso é difícil pra você.

— Você viu os resultados.

— *Sì*, mas...

Doeu ver dúvida e suspeita nos olhos de um amigo. — Você acha que falsifiquei os resultados?

— Eu acho que houve um erro. A gente fez tudo muito rápido, todos nós. Miranda...

— A velocidade não altera os resultados. Aquele bronze era verdadeiro. Este aqui é uma falsificação. — Ela pegou a estatueta na sacola.

— O que é isso?

— É a cópia. A cópia que o Ponti testou.

— *Dio mio!* Como é que você conseguiu? — Elevou o tom de voz ao perguntar, fazendo com que algumas cabeças se virassem. Retraindo-se, inclinou o corpo, aproximando-se de Miranda, e sussurrou: — Isso estava guardado no Bargello.

— Não importa. O que importa é que não é o bronze que a gente testou. Você vai poder ver isso. Assim que levar a peça pro laboratório.

— Pro laboratório? Miranda, que loucura é essa?

— É sanidade. — Ela precisava manter-se fiel a essa ideia. — Minha entrada tá barrada na Standjo. As anotações estão todas lá, Giovanni, o equipamento tá lá. Eu preciso da sua ajuda. Tem o *Davi* de bronze na sacola, também. É uma falsificação. Eu já testei. Mas quero que você a leve e examine os dois, faça todos os testes que puder. Você vai comparar os testes do Bronze Fiesole com os que foram feitos no original. Você vai comprovar que não é o mesmo bronze.

— Miranda, seja razoável. Mesmo que eu faça o que você está me pedindo, só vou provar que você estava errada.

— Não. Você vai pegar as minhas anotações, as suas e as do Richard. Aí você faz os testes e compara os resultados. Não é possível que todos nós tenhamos errado. Eu faria isso, mas tem algumas coisas que complicam a situação.

Pensou em Ryan, furioso, rasgando a cidade para encontrá-la com os bronzes. — E se eu mesma fizesse os testes, ninguém se convenceria. Eu preciso de objetividade. E não posso confiar em ninguém, além de você.

Apertou as mãos do amigo, sabendo que jogara com as fraquezas dele no que dizia respeito à amizade. Poderia ter impedido que as lágrimas brotassem de seus olhos, mas elas eram genuínas. — É a minha reputação, Giovanni. O meu trabalho. A minha vida.

Ele disse alguns palavrões em voz baixa, depois retraiu-se ao lembrar onde estava, acrescentando rapidamente uma oração e o sinal da cruz às suas palavras.

— Isso só vai te entristecer ainda mais.

— Não tem como eu ficar mais triste. Pela nossa amizade, Giovanni. Por mim.

— Vou fazer o que você está me pedindo.

Ela apertou os olhos ao passo que seu coração se enchia de gratidão. — Hoje à noite, o mais rápido possível.

— Quanto mais cedo, melhor. O laboratório está fechado por uns dias, então ninguém vai ficar sabendo.

— Fechado? Por quê?

Ele sorriu pela primeira vez. — Amanhã, minha pagã adorada, é Sexta-Feira Santa. — E aquela não era a maneira como pensava passar o feriado. Suspirou, cutucou a sacola com o pé. — Onde eu te acho, depois que terminar?

— Eu te acho. — Miranda inclinou o corpo e tocou os lábios do amigo com os seus. — *Grazie*, Giovanni. *Mille grazie.* Nunca vou conseguir pagar o que você tá fazendo por mim.

— Uma explicação quando tudo isso acabar já seria um bom começo.

— Uma explicação completa, eu prometo. Ah, estou tão feliz de ver você. Queria tanto poder ficar, mas tenho que voltar e... bem, dançar conforme a música. Vou encontrar uma maneira de te ligar de manhã. Cuida bem deles — acrescentou, empurrando a sacola na

direção dele com o pé. — Espera uns minutos antes de sair, tá? Só por precaução.

Beijou-o novamente, calorosamente, depois o deixou.

Como saiu sem olhar para a esquerda nem para a direita, não viu uma figura de pé, na penumbra, virar-se como quem aprecia os afrescos do Inferno de Dante.

Não sentiu sua fúria, ou a ameaça.

Era como se um peso lhe fosse retirado dos ombros, peso que lhe castigava a cabeça, o coração, a consciência. Saiu da igreja, encontrou a luminosidade do sol que se punha no oeste. Com medo da possibilidade de Ryan estar procurando por ela, andou na direção contrária ao hotel, e foi a caminho do rio.

Não seria bom, pensou ela, que ele a encontrasse antes que estivesse bem longe de Giovanni.

Era uma longa caminhada, e lhe daria tempo para acalmar-se, para pensar e, pela primeira vez, apreciar os casais passeando pelas ruas, de mãos dadas, compartilhando olhares e abraços. Giovanni uma vez lhe dissera que o ar florentino cheirava a romance, e que bastava respirar para sentir sua presença.

Isso a fez sorrir, depois suspirar.

Ela simplesmente não se deixava encantar pelo romance. E já não experimentara? O único homem que a balançara a ponto de sentir dor fora um ladrão como menos integridade que um cogumelo.

Ela estava melhor, muito melhor sozinha. Como sempre estivera.

Alcançou o rio, observou as últimas luzes do sol poente morrendo na água. Quando o rugido de um motor soou atrás dela, quando aquele motor roncou com violência, impaciência, ela teve certeza de que ele a encontrara. Sabia que sim.

— Sobe.

Ela olhou para trás, viu o rosto dele, furioso, a maneira como a raiva era capaz de transformar aqueles olhos calorosos em algo frio e mortal. Ele estava todo de preto, assim como ela, montado numa

motocicleta. O vento desarrumara seus cabelos. Ele parecia perigoso e absurdamente sexy.

— Eu posso ir andando, obrigada.

— Sobe, Miranda. Porque se eu tiver que descer e colocar você na moto, eu vou te machucar.

Como a alternativa seria correr covardemente, e talvez ser atropelada, ela sacudiu os ombros, em sinal de pouco-caso. Foi até o meio-fio, passou uma perna sobre a moto e sentou-se atrás dele. Segurou-se ao banco para equilibrar-se.

Mas, quando ele arrancou como uma bala, o instinto de sobrevivência tomou conta dela, fazendo com que apertasse a cintura de Ryan com força.

# Capítulo Dezessete

— Acho que eu devia ter usado algemas, no fim das contas. — Depois de dirigir com descuido e velocidade arriscada por ruas sinuosas, Ryan parou a motocicleta de supetão na Piazzale Michelangelo.

O lugar parecia propício e oferecia uma visão de Florença de tirar o fôlego, as colinas toscanas ao longe. Assim como a privacidade que ele desejava, caso decidisse cometer um ato de violência.

A praça estava praticamente vazia, os vendedores que normalmente povoam a área já tinham encerrado o dia de trabalho, sob um céu carregado, de tempestade, onde o sol se mantinha tênue ao horizonte.

— Salta — ele ordenou e esperou que ela retirasse as mãos que o agarravam com força pela cintura. Proporcionara-lhe grandes sustos durante a corrida. Cumprira sua intenção inicial.

— Você dirige como um louco.

— Meio italiano, meio irlandês. O que é que você esperava? — Ele saltou da moto e arrastou-a até o muro, sob o qual Florença se

espalhava como uma joia antiga. Havia uns poucos turistas tirando fotografias da fonte, mas, como eram japoneses, ele achou que podia arriscar uma bronca nela em inglês ou em italiano. Escolheu o último, que considerava mais passional.

— Onde estão os bronzes?

— Em segurança.

— Eu não perguntei como eles estão; perguntei onde. O que foi que você fez com os bronzes?

— O que era sensato. Vai cair um temporal — ela disse, ao ver relâmpagos lambendo o céu com a mesma violência com que seus nervos perturbavam seu estômago. — A gente devia entrar em algum lugar.

Ele simplesmente a empurrou contra o muro, e a prendeu ali, corpo contra corpo. — Eu quero ver os bronzes, Miranda.

Ela manteve os olhos nele. Não apelaria para os poucos turistas remanescentes em busca de ajuda. Lidaria com a situação sozinha, prometeu-se. — Eles não têm nenhum valor pra você.

— Isso sou eu quem decide. Droga, eu confiei em você.

Agora os olhos dela faiscavam. — Na verdade, você não pôde me trancar no quarto do hotel como fez no seu apartamento. — Manteve a voz baixa, a rouquidão usual temperada pela raiva. — Não conseguiu me fazer esperar do jeito que você fez no Bargello, enquanto ia lá e fazia as coisas, sem me contar qual era o seu plano. Dessa vez, *eu* tomei a iniciativa.

Ele passou os braços em volta dela para que parecessem amantes apaixonados, envolvidos demais para prestarem atenção na cidade ou na tempestade. O aperto fez com que ela perdesse consideravelmente o ar. — Tomou a iniciativa de quê?

— De tomar umas providências. Você tá me machucando.

— Não, ainda não. Você só pode ter dado os bronzes pra alguém. Sua mãe. Não... — ele concluiu quando ela continuou a encará-lo. — Sua mãe, não. Você ainda tem a esperança de fazer com que ela se arrependa de ter duvidado da sua capacidade. Você

tem algum namorado aqui em Florença, dra. Jones? Alguém que você pudesse convencer com jeitinho a ficar com as estátuas, até achar que eu desisti? Eu quero os bronzes agora, os dois.

O rugido de um trovão ribombou no céu.

— Eu disse que eles estão em segurança. Tomei umas providências. Fiz o que achei melhor.

— Você acha que eu dou alguma importância para o que você pensa?

— Eu quero provar que são cópias. E você também. Se eu fizer os testes e as comparações, pode parecer que manipulei os resultados. A gente não estaria em melhor posição. O trabalho de tirar o bronze do Bargello foi seu, o meu é determinar como a gente vai provar que é uma falsificação.

— Você entregou as peças pra alguém da Standjo. — Ele se afastou o suficiente para segurar o rosto dela. — Que espécie de idiota você é?

— Entreguei pra alguém da minha confiança, alguém que conheço há anos. — Ela respirou fundo, na esperança de trocar o temperamento explosivo por racionalidade. — Ele só vai fazer os testes porque eu pedi. E amanhã vou ligar pra saber os resultados.

Ele teve vontade de bater com a cabeça dela no muro, somente para ver se era realmente tão dura quanto suspeitara. — Segue esta lógica, dra. Jones: *A Senhora Sombria* é uma cópia. Então, alguém da Standjo fez essa cópia. Alguém que sabe o que os testes vão mostrar, como fazer com que pareça real o suficiente pra passar pelos testes preliminares, alguém que provavelmente tem uma fonte que pagou uma boa grana pela peça verdadeira.

— Ele não faria isso. O trabalho é importante pra ele.

— O meu é importante pra mim. Vamos.

— Pra onde?

Ele a arrastou, literalmente, pela praça até a moto, sob os primeiros pingos grossos de chuva. — Pro laboratório, *darling*. A gente vai dar uma conferida nos progressos do seu amigo.

— Será que você não entende? Se a gente invadir o laboratório, os testes não vão valer nada. Ninguém vai acreditar em mim.

— Esquece isso. Eu já acredito em você. Esse é o problema. Agora, se mexe, ou eu vou deixar você aqui e tomar as providências sozinho.

Ela pensou um pouco, depois decidiu que a última coisa de que Giovanni precisava era de Ryan, furioso, invadindo o laboratório.

— Deixe-o fazer os testes. — Ela afastou o cabelo molhado. — É a única maneira de eles terem validade.

Ele ligou o motor. — Sobe.

Ela subiu na motocicleta, e, enquanto ele cruzava a praça, tentava se convencer de que o faria cair em si quando chegassem à Standjo.

A meio quarteirão do laboratório, ele estacionou a moto junto a uma floresta de outras similares ao longo do meio-fio. — Fica em silêncio — ele disse, saltando e retirando sacos do bagageiro da motocicleta. — Faz o que eu mandar e segura isso. — Jogou um dos sacos na mão dela, e segurou seu braço com firmeza, guiando-a pela rua.

— A gente vai entrar pelos fundos, caso alguém seja curioso o suficiente pra estar de vigília debaixo de chuva. Vai passar direto pelo laboratório fotográfico até a escada.

— Como é que você sabe o caminho?

— Eu faço pesquisa. Tenho as plantas do prédio inteiro num arquivo. — Ele a encaminhou para os fundos, depois pegou um par de luvas cirúrgicas. — Coloca isso.

— Isso não vai...

— Eu disse pra ficar calada e fazer o que eu mandar. Você já me causou mais problemas do que precisava. Eu vou desabilitar o alarme, o que significa que você não pode dar mais de um passo longe de mim enquanto a gente estiver lá dentro.

Ele colocou as próprias luvas enquanto falava, sem se importar com a chuva que agora caía forte sobre eles. — Se eu precisar de

acesso a outra parte do prédio, eu me viro com a segurança lá dentro. É mais fácil. Não tem guarda nenhum, é tudo eletrônico, é pouco provável que a gente cruze com alguém durante um feriado.

Ela começou a protestar novamente, mas desistiu. Lembrou-se de que, uma vez lá dentro, teria Giovanni para lhe dar suporte. Certamente os dois seriam capazes de dar conta de um ladrão irritante.

— Se ele não estiver aí dentro com os bronzes, você vai se arrepender.

— Ele está aqui. Ele me deu a palavra.

— É. Como você me deu a sua. — Aproximou-se da porta e baixou sua bolsa para preparar o trabalho. Mas seus olhos estreitaram-se e ele atentou para a peça na lateral da porta. — O alarme tá desligado — murmurou. — O seu amigo é descuidado, dra. Jones. Ele não religou o alarme depois que entrou.

Ela ignorou o arrepio que sentiu. — Ele deve ter achado que não precisava.

— Sei. Mas a porta está trancada. Isso devia ser automático. A gente vai dar um jeito.

Ele desenrolou uma tira de couro, usando o corpo para proteger ao máximo suas ferramentas. Teria que limpá-las muito bem mais tarde. Não podia correr o risco de enferrujarem.

— Isso não deve demorar, mas fica atenta, de qualquer maneira.

Ele cantarolou baixinho, uma melodia que ela reconheceu ser uma passagem de *Aída*. Cruzou os braços sobre o peito, virou de costas para ele e prestou atenção na chuva.

Quem quer que fosse o encarregado pela segurança, não quis descaracterizar a beleza da porta antiga com trancas modernas. As maçanetas eram querubins tristes de latão que se ajustavam à arquitetura medieval, e eram acompanhadas por trancas eficientes, porém discretas.

Ryan piscou os olhos para livrar-se dos pingos, vagamente desejando ter um guarda-chuva. O barulho da chuva caindo o impediu

de ouvir o suave e satisfatório ruído das trancas sendo abertas. Mas as fechaduras, inglesas e arrojadas, acabaram cedendo, uma a uma.

— Traz a bolsa — disse para Miranda quando abriu a porta.

Usou sua pequena lanterna para guiá-los pelos degraus da escada. — Você vai dizer pro seu amigo que estou te ajudando e que eu assumo a partir daí. Quer dizer, se ele estiver aí.

— Eu já disse que ele vai estar. Ele me prometeu.

— Então, ele deve gostar de trabalhar no escuro. — Apontou a lanterna à frente. — Ali é o laboratório, não é?

— É. — Miranda franziu o cenho. O lugar estava um breu. — Talvez ele ainda não tenha chegado.

— Quem desligou o alarme?

— Eu... ele pode estar no laboratório químico. É o campo dele.

— A gente já vai ter certeza. Enquanto isso, vamos ver se as suas anotações ainda estão na sua sala. É por aqui?

— É, depois dessa porta, à esquerda. Era minha sala temporariamente.

— Você deixou os arquivos no computador?

— Deixei.

— Então a gente vai conseguir pegar.

As portas estavam destrancadas, o que lhes deu uma sensação ruim. Decidindo-se por pecar pela precaução, ele desligou a lanterna. — Fica atrás de mim.

— Por quê?

— Faz o que estou dizendo. — Ele abriu a porta, protegendo o corpo dela com o seu. Por alguns segundos, prestou atenção aos ruídos, e, sem escutar nada além do ar que entrava pelas frestas, buscou o interruptor.

— Meu Deus! — Instintivamente, ela agarrou os ombros de Ryan. — Meu Deus!

— Eu pensei que cientistas gostavam de ordem — ele murmurou.

Parecia que alguém se lançara num surto violento ou dera uma tremenda festa. Os computadores estavam destroçados, o vidro dos monitores e tubos de ensaio estilhaçados no chão. Mesas de trabalho haviam sido reviradas e os papéis, espalhados. Compartimentos que antes eram organizados de maneira cirúrgica agora estavam destruídos. O cheiro de misturas químicas improváveis tomava conta do ar.

— Eu não entendo. Pra que isso?

— Não foi assalto — ele disse imediatamente. — Não com todos esses computadores detonados, em vez de roubados. Parece, dra. Jones, que o seu amigo entrou e saiu.

— O Giovanni nunca faria isso. — Ela passou por Ryan e abriu caminho por entre os escombros. — Só pode ser coisa de algum vândalo, de gente jovem numa crise de violência. Todo esse equipamento, todos esses dados, arquivos. — Ela sofria enquanto dava voltas pela sala. — Tudo destruído, arruinado.

Vândalos? Ele não acreditava nisso. Onde estavam as pichações, o deleite? Aquilo fora feito com fúria e com intenção. E ele suspeitava que o motivo era algo que os envolveria.

— Vamos sair daqui.

— Eu tenho que checar as outras seções, ver o tamanho do estrago. Se eles foram até o laboratório químico...

Ela partiu, cruzando aquela bagunça com a ideia de que uma gangue de jovens rebeldes poderia ter invadido o laboratório atrás de um suprimento de produtos químicos.

— Você não vai consertar nada — ele resmungou e partiu atrás dela. Quando a alcançou, ela estava de pé diante de uma porta, o olhar fixo e o corpo trêmulo.

Giovanni mantivera a palavra e não estava indo a lugar algum. Estava deitado de costas, a cabeça pendida num ângulo improvável sobre uma poça de sangue escuro e pegajoso. Os olhos, abertos e vítreos, fixos na *Senhora Sombria*, caída com ele, as mãos graciosas e o rosto sorridente cobertos de sangue.

— Jesus do céu! — Foi tanto um apelo quanto uma blasfêmia murmurada por Ryan ao puxá-la para trás, forçando-a a virar-se para olhá-lo nos olhos em vez de encarar o que estava atrás de si. — Esse é o seu amigo?

— Eu... Giovanni. — As pupilas dela estavam dilatadas pelo choque, os olhos sombrios e sem vida, como os de uma boneca.

— Calma. Você precisa ter calma, Miranda, porque provavelmente a gente não tem muito tempo. Nossas impressões digitais estão no bronze inteiro, entendeu? — E o bronze passara recentemente de falsificação à arma de crime. — São as únicas que os guardas vão encontrar nele. A gente caiu numa armadilha.

Ela ouviu um zumbido ensurdecedor — o oceano criando uma onda que atingiria as rochas. — O Giovanni tá morto.

— É, ele tá. Agora, fica aqui. — Ele a encostou contra a parede. Entrou na sala, respirando pela boca para não absorver completamente o cheiro fatal. O ambiente exalava morte, e o odor era obscenamente fresco. Apesar de contorcer-se, pegou o bronze e guardou-o dentro da bolsa. Fazendo o possível para impedir que o olhar se fixasse no rosto que o encarava, fez uma busca rápida pela sala destruída.

O *Davi* fora arremessado contra a parede. As marcas indicavam o ponto que ele a atingira.

Muito inteligente, ele pensou ao colocar a estatueta na sacola. Muito organizado. Deixar as duas peças, amarrando-as. Amarrando as duas em volta do pescoço de Miranda como uma forca.

Ela estava exatamente onde a deixara, mas agora tremia, pálida.

— Você consegue andar — ele disse secamente. — Pode correr, se precisar, porque temos que sair daqui.

— A gente... a gente não pode abandonar o Giovanni. Ali. Assim. Giovanni. Ele tá morto.

— E não tem nada que você possa fazer. A gente tem que ir.

— Eu não posso.

Em vez de perder tempo discutindo, ele a pegou como se fosse um bombeiro. Ela não lutou, simplesmente deixou o corpo pender

inerte, e continuou repetindo as mesmas palavras mecanicamente, como um mantra: — Eu não posso abandonar o Giovanni, não posso abandonar o Giovanni.

Ele estava sem fôlego quando chegou à saída. Ainda assim, mudou a posição do corpo dela e abriu a porta o suficiente para enxergar da rua. Não viu nada fora de ordem, mas sentia fisgadas no pescoço como se tivesse uma lâmina encostada nele.

Quando saíram na chuva, ele a colocou de pé e sacudiu-a com força. — Você não pode cair até a gente sair daqui. Esquece, Miranda, e faz o que tem que ser feito agora.

Sem esperar pelo assentimento dela, puxou-a pela rua para longe do prédio. Ela deslizou para o banco da moto atrás dele e segurou-o de maneira que ele podia sentir as batidas do seu coração contra as costas enquanto dirigia debaixo de chuva.

ELE QUERIA LEVÁ-LA RAPIDAMENTE PARA O HOTEL, MAS forçou-se a dar voltas pela cidade, pegando ruas estreitas a esmo, para ter certeza de que não estavam sendo seguidos. Quem quer que fosse o assassino de Giovanni, provavelmente, estaria vigiando o prédio, esperando por eles. Esperaria até que conseguisse extrair a história completa de Miranda, para ter uma opinião final sobre isso.

Satisfeito por confirmar que não havia ninguém atrás deles, estacionou em frente ao hotel. Juntou as bolsas e virou-se para afastar o cabelo molhado do rosto dela. — Escuta. Presta atenção. — Segurou o rosto de Miranda até que seus olhos o enxergassem. — A gente tem que atravessar o lobby. Quero que você vá direto pro elevador. Eu falo com o recepcionista. Você vai direto e me espera. Entendeu?

— Entendi. — Pareceu-lhe que as palavras surgiam de algum lugar acima de sua cabeça, em vez de saírem de sua boca. Elas flutuavam, confusas e sem sentido.

Quando andou, teve a sensação de nadar dentro de um xarope, mas seguiu adiante, esforçando-se para manter o foco nas portas metálicas dos elevadores. Essa era a sua meta, pensou. Ela só precisava andar até o elevador.

Ouviu vagamente a conversa de Ryan com o recepcionista, um zum-zum de gargalhadas masculinas. Olhou fixamente para a porta e esticou o braço para sentir sua textura com a ponta dos dedos. Tão fria e suave... Estranho, ela nunca havia reparado. Apoiou a palma da mão, e Ryan aproximou-se, pressionando o botão.

O elevador chacoalhava, como um trovão, ela pensou. As engrenagens trabalhando. E a porta produzia nada mais que um sibilo ao abrir-se.

Ela não tinha mais cor em seu rosto que o cadáver deixado para trás, Ryan percebeu. E os dentes dela rangiam. Imaginou que estaria congelando. Deus sabe que ele estava, e não era só devido ao passeio de moto sob a chuva torrencial.

— Vai até o hall — ele ordenou, mudando as sacolas de mão para poder passar o braço em volta da cintura de Miranda. Ela não se apoiou nele, nem parecia ter substância suficiente dentro do corpo para manter-se de pé, mas ele manteve o braço até que entrassem na suíte.

Ele trancou a porta e acrescentou a tranca de segurança, antes de levá-la até o quarto. — Tira essa roupa molhada, coloca um robe. — Preferiria tê-la colocado numa banheira quente, mas teve medo de que ela simplesmente escorregasse e se afogasse.

Checou as portas da varanda, confirmou que também estavam trancadas e buscou a garrafa de conhaque no frigobar. Não se deu o trabalho de procurar os copos.

Miranda estava sentada na cama, exatamente onde ele a deixara. — Você tem que tirar essa roupa — ele disse. — Você tá encharcada.

— Eu... meus dedos estão paralisados.

— Tudo bem. Toma um gole.

Ele abriu o lacre da garrafa, depois a levou de encontro aos lábios de Miranda. Ela obedeceu sem pensar, sentindo o calor da bebida atravessar sua garganta, indo até seu estômago. — Eu não gosto de conhaque.

— Eu não gosto de espinafre, mas minha mãe me obrigava a comer. Só mais um gole. Anda, vai, age como uma boa combatente. — Ele conseguiu fazer com que ela tomasse mais um gole, antes que afastasse sua mão.

— Eu tô bem, eu tô bem.

— Claro que tá. — Na esperança de desfazer o nó que sentia no próprio estômago, ele virou a garrafa e tomou um gole considerável. — Agora, a roupa. — Colocou a garrafa de lado e começou a abrir os botões da blusa dela.

— Não...

— Miranda. — Dando-se conta de que suas pernas não estavam completamente firmes, sentou-se ao lado dela. — Você acha que eu vou tirar proveito da situação? Você tá em choque. Precisa colocar uma roupa seca e quente. Eu também.

— Eu posso fazer isso. — Ela se levantou ainda tremendo e foi claudicante até o banheiro.

Quando a porta se fechou, ele resistiu à necessidade de abri-la novamente para ter certeza de que ela não havia caído no chão.

Ele baixou a cabeça um momento, ordenou a si mesmo que respirasse, só isso. Era sua primeira experiência de proximidade com uma morte violenta. Viva, violenta e real, pensou, e tomou mais um gole de conhaque.

Não era uma experiência que quisesse repetir.

— Eu vou pedir alguma coisa pra comer. Alguma coisa quente. — Tirou a jaqueta molhada enquanto falava. Mantendo o olho na porta, despiu-se, jogou as roupas encharcadas no chão e vestiu camiseta e calça comprida.

— Miranda? — Com as mãos nos bolsos, franziu o cenho diante da porta. Dane-se a moderação, decidiu e abriu a porta.

Ela vestira um robe, mas seu cabelo ainda estava encharcado e ela estava no meio do banheiro, os braços apertados em volta do corpo, ninando-se. Olhou para Ryan com expressão de total abandono. — Giovanni.

— Calma, tá tudo bem. — Ele a envolveu com os braços, apoiou a cabeça dela no ombro. — Você foi muito forte até agora. Tudo bem, pode desmoronar.

Ela simplesmente apertava e soltava as mãos nas costas dele.

— Quem faria uma coisa dessas? Ele nunca fez nada contra ninguém. Quem faria isso?

— A gente vai descobrir. A gente vai descobrir. Tim-tim por tim-tim. — Ele a abraçou com mais força e passou a mão sobre o cabelo molhado, mais para acalmar a si mesmo que a ela. — Mas você precisa pensar com clareza. Eu preciso de você. Preciso da sua lógica.

— Eu não tô conseguindo pensar. Fico vendo ele lá, deitado. Todo aquele sangue. Ele era meu amigo. Veio me encontrar quando eu pedi. Ele...

E o horror tomou conta dela, uma facada brutal rasgou seu coração e abriu sua mente para a verdade chocante, terrível. — Meu Deus, Ryan. Eu matei o Giovanni!

— Não. — Ele a afastou para que pudesse olhar em seus olhos. — A pessoa que deu o golpe foi quem matou o Giovanni. Você tem que superar isso, Miranda, porque não vai ajudar em nada.

— Ele só foi lá hoje por minha causa. Se eu não tivesse pedido, ele teria ficado em casa ou teria saído com alguém, teria ido beber com os amigos.

Ela pressionou as mãos cerradas contra a boca, os olhos cobertos de horror. — Ele tá morto porque eu pedi pra me ajudar, porque não confiei em você e porque a minha reputação é tão importante, tão vital, que eu tive que fazer as coisas do meu jeito. — Ela sacudiu a cabeça. — Eu nunca vou superar isso.

Por mais sem expressão que estivessem seus olhos, a cor voltara ao seu rosto e sua voz estava mais forte. A culpa pode ser um ener-

gético, assim como pode paralisar. — Ok, então usa isso. Seca o seu cabelo enquanto eu peço uma comida. A gente tem muita coisa pra discutir.

Ela secou o cabelo e vestiu um pijama branco, depois envolveu o corpo com o robe. Era capaz de comer, disse a si mesma, porque ficaria doente se não o fizesse. Precisava ficar bem, forte e com a cabeça livre se quisesse vingar a morte de Giovanni.

Vingar, pensou, com um tremor. Nunca acreditara em vingança. Agora lhe parecia perfeitamente saudável, absolutamente lógico. A expressão "olho por olho, dente por dente" girava sombriamente em sua cabeça. A pessoa que assassinara Giovanni a usara sem piedade como uma arma, assim como usara o bronze.

Custasse o que custasse, demorasse o quanto fosse, ela faria com que pagassem por isso.

Quando saiu do banheiro, viu que Ryan pedira ao garçom que servisse a refeição na varanda. A chuva parara e o ar estava fresco. A mesa convidativa, velas acesas sobre a toalha de linho, posta sob o lustroso toldo listrado de verde e branco.

Ela imaginou que a intenção daquilo era fazer com que se sentisse melhor. Como se sentia grata a ele, fez o possível para fingir que era verdade.

— Tá tudo com uma cara ótima — conseguiu dizer com um meio sorriso. — O que é que a gente vai comer?

— Minestrone pra começar, e uns bifes à florentina. Vai ser bom. Senta e come.

Ela sentou-se e provou a sopa, que desceu como argamassa em sua garganta, mas forçou-se a engolir. E ele estava certo, o calor da comida quebrou um pouco do gelo em seu estômago.

— Eu preciso te pedir desculpas.

— Ok. Eu nunca recuso um pedido de mulher.

— Eu quebrei minha palavra com você. — Ela levantou o olhar e o encarou. — Eu nunca tive a intenção de manter a palavra. Dizia

pra mim mesma que uma promessa feita a um homem como você não precisava ser cumprida. Eu estava errada, desculpa.

A sinceridade e a voz baixa com que ela disse isso tocaram seu coração. Ele teria preferido que fosse diferente. — A gente tem interesses opostos. É assim que é. Mas tem um objetivo comum. A gente quer encontrar os bronzes verdadeiros. E agora alguém aumentou os riscos. Pode ser que seja mais inteligente da sua parte sair do jogo, deixar pra lá. Provar que estava certa não vale a sua vida.

— Isso me custou um amigo. — Ela contraiu os lábios, depois obrigou-se a tomar mais uma colherada da sopa. — Eu não vou abandonar o jogo, Ryan. Não conseguiria viver com isso. Eu não tenho muitos amigos. Com certeza, por culpa minha. Não me dou muito bem com as pessoas.

— Você tá sendo muito dura consigo mesma. Você se relaciona bem quando baixa a guarda. Como fez com a minha família.

— Eu não baixei a guarda. Eles simplesmente não deram a mínima pra isso. Eu tenho inveja do que você tem com eles. — Sua voz tremeu um pouco e ela balançou a cabeça, forçando-se a tomar um pouco mais da sopa. — O amor incondicional, o prazer que vocês têm um com o outro. Não se compra esse tipo de coisa. — Sorriu palidamente. — E também não se pode roubar.

— Você pode construir. Basta querer.

— Alguém precisa querer o presente que você tá oferecendo. — Suspirou e resolveu tentar tomar um gole de vinho. — Se meus pais e eu tivéssemos uma relação melhor, nós dois não estaríamos sentados aqui agora. Essa situação tem tudo a ver com isso. A disfunção nem sempre se mostra com murros e pontapés. Às vezes, ela pode ser altamente educada.

— Você já disse pra eles o que sente?

— Não do jeito que eu acho que você imagina. — Seu olhar passou por ele e fixou-se na cidade, nas luzes brilhando e na lua que começava a iluminar o céu. — Não tenho certeza se eu sabia o que

sentia até pouco tempo. E também não importa agora. O que importa é descobrir quem fez isso com o Giovanni.

Ele deixou o assunto morrer e, como decidira que era sua vez de lidar com as coisas práticas, removeu a tampa das travessas de carne.

— Ninguém consegue entender como um pedaço de carne vermelha pode ser mais bem tratado que os florentinos. Me fala mais do Giovanni.

Uma pontada no coração e um choque tremendo a fizeram começar a falar: — Não sei o que você quer que eu diga.

— Primeiro, me diz o que você sabe sobre ele, e como você soube. — Isso facilitaria as coisas, ele pensou, facilitaria o caminho para os detalhes que realmente lhe interessavam.

— Ele é... era brilhante. Químico. Nasceu em Florença e entrou na Standjo há uns dez anos. Trabalhou aqui primeiro, mas passou um tempo no laboratório do instituto. Foi a primeira vez que eu trabalhei com ele, uns seis anos atrás, mais ou menos.

Ela passou a mão na testa. — Ele era um homem adorável, doce, engraçado. Era solteiro. Gostava de mulher, era muito sedutor e atencioso. Prestava atenção nos detalhes. Se você estivesse com uma blusa nova ou um penteado diferente.

— Vocês namoraram?

Ela gemeu, mas balançou a cabeça. — Não. Ele era só meu amigo. Eu respeitava muito o talento dele. Confiava nas opiniões e na lealdade dele. Usei a lealdade dele — disse baixinho e afastou-se da mesa, indo até o parapeito da varanda.

Precisava de um momento para se equilibrar novamente. Ele estava morto. Ela não poderia mudar isso. Quantas vezes, pensou, por quantos anos, ela depararia com a necessidade de ajustar-se a esse simples fato?

— Foi o Giovanni que me ligou pra dizer que o bronze era falso — continuou. — Ele não queria que eu fosse pega de surpresa quando minha mãe entrasse em contato comigo.

— Então, ele era da confiança dela.

— Ele era da minha equipe daqui, no projeto. E foi pressionado quando meus resultados foram questionados. — Mais firme, ela voltou a sentar-se à mesa. — Eu usei a lealdade dele e a nossa amizade. Eu sabia que podia.

— Hoje foi a primeira vez que você falou com ele sobre a possibilidade de o bronze ser uma cópia?

— Foi. Liguei pra ele quando você desceu. Pedi pra ele me encontrar na igreja. Disse que era urgente.

— Para onde você ligou para falar com ele?

— Pro laboratório. Sabia que ia conseguir falar com ele antes de sair do trabalho. Peguei os bronzes e desci. Saí pelo pátio enquanto você falava com o recepcionista. Ele veio imediatamente. Não deve ter levado mais de quinze minutos.

Tempo suficiente, Ryan pensou, para que ele tivesse contado a alguém sobre o telefonema. Contado para a pessoa errada. — O que é que você disse?

— Quase tudo. Expliquei que tava com o bronze que o Ponti tinha testado, que não era o mesmo que tinha passado pela gente. Falei tudo o que podia ser falado sobre o *Davi*. Acho que ele não acreditou em mim. Mas ele me ouviu.

Ela parou de mexer o bife pelo prato. Fingir que comia era esforço demais. — Pedi que levasse os bronzes pro laboratório, fazer os testes e depois comparar com os anteriores. Disse que ligaria amanhã. Não dei o telefone do hotel, porque não queria que ele ligasse pra cá, nem aparecesse aqui. Não queria que você soubesse o que eu tinha feito com os bronzes.

Ryan recostou na cadeira, chegando à conclusão de que nenhum dos dois era capaz de fazer justiça à refeição. Em vez de comer, pegou um charuto. — Esse pode muito bem ser o motivo para nós dois estarmos aqui apreciando o luar.

— Como assim?

— Coloca o cérebro pra funcionar, dra. Jones. Seu amigo tinha os bronzes, e agora ele tá morto. A arma do crime e o *Davi* foram deixados lá. O que é que liga as duas peças? Você.

Ele acendeu o charuto, dando a ela tempo para absorver aquele pensamento. — Se a polícia encontra os dois bronzes na cena do crime, vai atrás de você. Quem fez isso sabe que você já juntou informação suficiente pra estar indo atrás das respostas, que você tá infringindo a lei e quer colocar a polícia na sua cola.

— Mataram o Giovanni pra me incriminar. — Era muita frieza, uma monstruosidade. E era uma possibilidade cuja lógica não podia ser ignorada.

— Um benefício a mais. Se ele era correto, ia começar a se fazer perguntas depois dos testes. Ia querer dar outra olhada nas suas anotações, nos seus resultados.

— Por isso o laboratório foi destruído — ela murmurou. — Agora a gente nunca mais vai conseguir achar os meus documentos.

— Eles foram roubados ou destruídos — Ryan concordou. — Seu amigo ficou no meio do caminho. E, Miranda, você também.

— É verdade. — De alguma forma, as coisas ficavam mais fáceis daquela maneira. — Agora é mais importante do que nunca achar o bronze verdadeiro. A pessoa que trocou as estátuas matou Giovanni.

— Você sabe o que se diz sobre os assassinos? A primeira morte é difícil. Depois disso, é só um negócio.

Ela ignorou o arrepio que percorria sua pele. — Se isso significa que você quer encerrar o nosso acordo aqui e agora, tudo bem, eu não te culpo.

— Não? — Ele recostou novamente, tragando o charuto preguiçosamente. Perguntou-se o quanto o fato de ela pensar que ele era um covarde tinha importância. E no quanto precisaria protegê-la com base na decisão que já tomara. — Eu costumo terminar as coisas que começo.

O alívio espalhou-se como um rio, mas ela pegou sua taça de vinho e levantou-a numa espécie de brinde. — Eu também.

# Capítulo Dezoito

Ainda não era meia-noite quando Carlo deixou o restaurante e começou a andar a caminho de casa. Prometera à sua mulher que não chegaria tarde. As fronteiras do casamento incluíam uma noite livre para sair, beber e contar mentiras para os amigos. Sofia também tinha a sua noite, sempre uma festinha recheada de fofocas na casa da irmã, e ele supunha que elas faziam as mesmas coisas que ele e seus amigos.

Normalmente, ele ficava fora até meia-noite, ou um pouco depois disso, usufruindo o oásis masculino, mas, ultimamente, andava voltando mais cedo. Tornara-se a piada do dia, desde que fora anunciado que sua *Senhora Sombria* era uma falsificação.

Não acreditara nisso nem por um minuto sequer. Segurara a estatueta nas mãos, sentira a respiração em seu rosto. Um artista era capaz de reconhecer arte de qualidade. Mas, toda vez que dizia isso, seus amigos riam.

As autoridades o haviam prendido como se fosse um criminoso. *Dio mio*, não fizera nada que não fosse certo. Talvez tivesse cometido um pequeno erro de julgamento ao tirar a estátua da villa.

Mas ele a encontrara, afinal de contas. Segurara-a, olhara para seu rosto, sentira sua beleza e seu poder como vinho em seu sangue. Ela o hipnotizara, era o que achava agora. E também o enfeitiçara. E, ainda assim, ele fizera o que era certo, desistira dela.

Agora estavam tentando dizer que ela não valia nada. Uma manobra inteligente para enganar o mundo da arte. Ele sabia, no fundo do coração, da alma, que era mentira.

Sofia dissera que acreditava nele, mas ele sabia que não. Ela dissera isso porque era leal e amorosa, e porque causaria menos discussão na frente das crianças. Os repórteres com quem falara alteraram todas as suas afirmações, fazendo com que parecesse um tolo.

Ele tentara entrar em contato com a tal americana, a mulher que conduzira os testes no laboratório importante para o qual o bronze fora levado. Mas ela não lhe dera ouvidos. Perdera a calma com ela, pedira para falar com a dra. Miranda Jones, cientista que provara que a estátua era verdadeira.

A *direttrice* chamara a segurança e o expulsara de lá. Fora humilhante.

Ele nunca deveria ter escutado Sofia, pensava agora enquanto caminhava pela rua silenciosa a caminho de casa, um tanto trôpego, devido à quantidade de vinho na cabeça. Deveria ter mantido o bronze guardado em segredo, como quisera fazer. Ele a encontrara, a tirara daquele ambiente imundo e escuro, trouxera-a de volta à luz. Ela lhe pertencia.

Agora, mesmo quando clamavam que não valia nada, não a devolviam a ele.

Ele a queria de volta.

Telefonara para o laboratório em Roma e ordenara que lhe restituíssem a propriedade. Gritara e discutira, chamando-os de menti-

rosos e traidores. Inclusive telefonara para os Estados Unidos e deixara uma mensagem desesperada na secretária eletrônica do escritório de Miranda. Acreditava que ela era um link para a sua dama. Ela o ajudaria, de alguma maneira.

Ele não sossegaria enquanto não visse a sua dama novamente, enquanto não colocasse as mãos nela.

Contrataria um advogado, decidiu, inspirado pelo vinho e pela humilhação de uma gargalhada de desdém. Telefonaria para a americana novamente, naquele lugar chamado Maine, e a convenceria de que tudo não passara de uma trama, de uma conspiração para roubarem a sua dama.

Lembrou de sua fotografia nos jornais. Um rosto forte, honesto. Sim, ela o ajudaria.

Miranda Jones. Ela escutaria o que tinha a dizer.

Não olhou para trás quando ouviu o barulho do carro que se aproximava. A estrada estava vazia e ele, parado no acostamento. Concentrado na imagem dos jornais, no que diria a essa mulher cientista.

Miranda e *A Senhora Sombria* ocupavam a sua mente quando o carro em alta velocidade o atingiu.

De pé na varanda, sob o sol forte da manhã, Miranda contemplava a cidade. Talvez pela primeira vez apreciasse verdadeiramente a beleza daquele lugar. A morte de Giovanni a transformara irrevogavelmente. Uma mancha escura de culpa e dor a marcaria para sempre. Ainda assim, era invadida por uma luz que jamais conhecera. Havia certa urgência para agarrar tudo, para usar o tempo, para saborear os detalhes.

O beijo suave da brisa que pairava sobre suas faces, os raios de sol que tremulavam brilhantes sobre a cidade e suas montanhas, a pedra morna sob seus pés descalços.

Queria sair, deu-se conta. Vestir-se e passear sem rumo pelas ruas, sem a necessidade de se programar a cada passo. Queria simplesmente olhar as vitrines, andar à beira do rio. Sentir-se viva.

— Miranda.

Ela respirou fundo, olhou por sobre o ombro e viu Ryan de pé na porta da varanda. — O dia tá lindo. Primavera, renascimento. Acho que eu nunca prestei atenção nisso de verdade, antes.

Ele atravessou o terraço, colocou sua mão sobre a dela no parapeito. Ela teria sorrido, não tivesse percebido a expressão do olhar dele. — Ai, meu Deus. O que foi que aconteceu agora?

— O encanador. Carlo Rinaldi. Está morto. Foi atropelado, ontem à noite. Acabei de ouvir no noticiário. — A mão dela girou dentro da dele, agarrou-a. — Ele tava indo a pé pra casa perto de meia-noite. Não deram muitos detalhes. — Uma fúria fria percorreu seu corpo. — Ele tinha três filhos, e mais um a caminho.

— Pode ter sido um acidente. — Ela queria agarrar-se a isso, e imaginava ser capaz, não fosse o olhar de Ryan. — Mas não foi. Por que alguém quereria que ele morresse? Ele não tem nenhuma ligação com o laboratório. Não tinha como ele saber de nada.

— Ele andava fazendo muita confusão. Pelo que a gente sabe, estava por dentro de tudo desde o início. De qualquer maneira, encontrou o bronze, ficou com ele vários dias. Deve ter analisado a peça. Era uma ponta solta, Miranda, e as pontas soltas são cortadas.

— Como o Giovanni. — Ela se afastou dele. Seria capaz de viver com aquilo, disse a si mesma. Tinha que ser capaz. — Alguma notícia sobre o Giovanni?

— Não, mas vai ter. Se veste. A gente vai sair.

Sair, ela pensou, mas não para passear pelas ruas, para uma caminhada à beira do rio, para, simplesmente, ser ela mesma.

— Tudo bem.

— Sem discussão?

— Hoje não. — Ela entrou no quarto e fechou a porta.

Trinta minutos depois, estavam numa cabine telefônica e Ryan fazia algo que evitara durante toda a vida. Estava ligando para a polícia.

Mudou o tom de voz, deixando-o mais agudo, usou um italiano coloquial e sussurrado para falar de um corpo no segundo andar do laboratório da Standjo. Desligou quando as perguntas começaram.

— Isso deve ser o suficiente. Vamos sair daqui. Não sei se a polícia italiana tem identificador de chamadas.

— A gente vai voltar pro hotel?

— Não. — Ele subiu na motocicleta. — A gente vai pra casa da sua mãe. Você me guia.

— Pra casa da minha mãe? — Sua promessa de não fazer perguntas foi engolida pelo choque. — Por quê? Você tá maluco? Eu não posso te levar à casa da minha mãe.

— Eu imagino que não vá ter um linguine com molho vermelho pro almoço, mas a gente pode pegar uma pizza no caminho. Deve ser tempo suficiente.

— Pra quê?

— Pra polícia encontrar o corpo, pra ela saber o que aconteceu. O que é que você acha que ela vai fazer quando souber?

— Vai direto pro laboratório.

— É exatamente com isso que estou contando. Isso vai nos dar uma ótima oportunidade pra vasculhar o lugar.

— A gente vai invadir a casa da minha mãe?

— A menos que ela costume deixar uma chave reserva debaixo do capacho. Coloca isso. — Ele tirou um boné do bagageiro da moto. — Os vizinhos vão ver esse seu cabelo a um quilômetro de distância.

— EU NÃO ENTENDO QUAL É O SENTIDO DISSO — MIRANDA disse uma hora depois, sentada atrás dele na moto, a meio quarteirão da casa da mãe. — Simplesmente não consigo encontrar uma justificativa pra invadir a casa da minha mãe e sair remexendo as coisas dela.

— Qualquer documento que tenha a ver com os seus testes que tenha ficado guardado no laboratório é uma perda. Talvez ela tenha cópias em casa.

— Por que ela teria?

— Porque você é filha dela.

— Isso não importa pra ela.

Mas importa para você, Ryan pensou. — Talvez sim, talvez não. É ela, ali?

Miranda olhou para a casa e flagrou-se escondendo o corpo atrás de Ryan, como se você uma colegial matando aula. — É, acho que você acertou essa parte.

— Mulher atraente. Você não parece muito com ela.

— Muito obrigada.

Ele simplesmente sorriu e observou Elizabeth, vestindo um impiedoso tailleur escuro, abrir a porta do carro. — Ela é fria — ele comentou. — Olhando pra ela, ninguém diz que acabou de receber um telefonema avisando que a empresa foi invadida e que um dos empregados tá morto.

— Minha mãe não é do tipo que expressa as emoções.

— É como eu disse, você não é muito parecida com ela. Ok, vamos lá. Ela não vai voltar por um bom tempo, mas a gente tem que fazer isso rápido, pra não complicar as coisas.

— Não tem nada descomplicado aqui. — Ela o observou pendurar a bolsa no ombro. Ah, sim, decidiu, sua vida nunca mais seria a mesma. Ela era uma criminosa agora.

Ele foi direto até a porta da frente e tocou a campainha. — Ela tem empregados? Cachorro? Namorado?

— Tem uma arrumadeira, eu acho, mas que não mora aqui. Ela não liga pra bichos de estimação. — Enterrou um pouco mais o boné na cabeça, para garantir que seu cabelo estaria bem preso. — Eu não sei nada sobre a vida amorosa dela.

Ele tocou a campainha novamente. Não havia nada de mais constrangedor para ele que entrar numa casa que imaginava vazia para fazer seu trabalho, e descobrir que o dono estava preso a uma cama, com gripe.

Pegou suas ferramentas e arrombou a fechadura em menos tempo do que o faria se usasse a chave. — Tem alarme?

— Não sei. Provavelmente.

— Tudo bem, a gente resolve isso. — Ele entrou, viu o painel na parede e a luz indicativa de que o sistema requeria um código. Concentrou-se um minuto e, pegando uma chave de fenda, removeu a tampa do painel, cortou alguns fios, desligando o equipamento.

Como a cientista não conseguiu esconder a admiração pelos gestos eficientes, rápidos e econômicos dele, tentou demonstrar desinteresse na voz: — Você me faz questionar por que alguém se dá ao trabalho de se incomodar com uma coisa dessas. Por que não deixar logo as janelas e as portas abertas?

— Exatamente o que eu penso. — Ele piscou para ela, depois correu os olhos pelo hall de entrada. — Bonito. Muita arte de qualidade, um pouco sem vida pro meu gosto, mas atraente. Onde é o escritório dela?

Ela o encarou por um momento, perguntando-se por que a crítica casual de Ryan ao gosto da mãe a agradara tanto. Poderia ter ficado chocada. — Segundo andar à esquerda, eu acho. Eu nunca fiquei muito tempo aqui.

— Vamos dar um pulo lá. — Ele subiu os degraus de uma graciosa escada. O lugar poderia ter um pouco mais de cor, pensou, algumas surpresas. Tudo era perfeito como numa casa-modelo e tinha a mesma atmosfera vazia. Com certeza, era sofisticada, mas ele preferia seu apartamento em Nova York, ou a casa elegantemente descuidada de Miranda no Maine.

Achou o escritório feminino, mas nada detalhista, polido; apenas eficiente, bacana, mas não muito frágil. Perguntou-se se refletiria a personalidade da ocupante, e pensou que sim.

— Cofre?

— Não sei.

— Então procura — ele sugeriu, e começou a fazer o mesmo olhando atrás dos quadros. — Aqui, atrás dessa gravura excelente de Renoir. Eu cuido disso e você dá uma olhada na mesa.

Ela hesitou. Mesmo quando era criança, sabia que não devia entrar em nenhum dos quartos de sua mãe sem permissão. Nunca

teria entrado ali para pegar emprestado um par de brincos ou experimentar uma borrifada de perfume. E, certamente, nunca teria tocado em nada na mesa de trabalho da mãe.

Pareceu-lhe uma compensação pelo tempo perdido.

Deixou de lado o condicionamento de toda uma vida e mergulhou na tarefa, com muito mais entusiasmo que jamais admitiria.

— Tem uma porção de arquivos aqui — disse para Ryan enquanto remexia papéis. — A maioria parece ser pessoal. Seguros, notas, correspondência.

— Continua olhando.

Ela sentou-se na cadeira da escrivaninha — mais uma coisa que fazia pela primeira vez — e abriu outra gaveta. Fervilhava de excitação agora, uma excitação culpada e repleta de vergonha.

— Cópias de contratos — murmurou — e relatórios. Acho que ela trabalha mesmo aqui. Ah. — Seus dedos ficaram paralisados. — O Bronze Fiesole. Ela tem uma pasta.

— Pega. A gente vai dar uma olhada mais tarde. — Ele ouviu o ruído do último número da combinação entrando para a abertura do cofre. — Agora sim, coisa rica. Muito bom, muito bom — sussurrou, abrindo a caixa de veludo e examinado um colar de pérolas de duas voltas. — Relíquias de família. Isso ficaria muito bem em você.

— Guarda isso.

— Eu não vou roubar. Não roubo joias. — Mas abriu outra caixa e gemeu ao ver o brilho dos diamantes. — Muito chiques esses brincos, uns três quilates cada um, boa lapidação, cristalinos, impecáveis.

— Pensei que você não roubasse joias.

— Isso não quer dizer que não me interesso. Eles iam ficar incríveis com o seu anel.

— Não é meu anel — ela disse de cara, mas seu olhar voltou-se para o diamante brilhando em seu dedo. — É enfeite de vitrine.

— Certo. Olha isso. — Puxou de dentro do cofre um saco plástico. — Parece familiar?

— Os raios X. — Afastou-se da mesa e agarrou o objeto em dois tempos. — Os raios X impressos. Olha, olha pra elas. Estão aí. Dá pra ver. Os níveis de corrosão. Basta olhar. Tá aí. É real.

Repentinamente tomada de emoção, ela pressionou a testa com as mãos e apertou os olhos. — Tá aí. Eu não tava errada. Eu não cometi um erro.

— Eu nunca achei que você estivesse errada.

Ela abriu os olhos novamente e sorriu. — Mentiroso. Você invadiu o meu quarto e ameaçou me estrangular.

— Eu disse que podia te estrangular. — Ele passou as mãos novamente pela sua garganta. — E isso foi antes de eu te conhecer. Guarda tudo, *darling*. A gente tem muita coisa de que se ocupar por algum tempo.

PASSARAM AS HORAS SEGUINTES NA SUÍTE DO HOTEL, MIRANda repassando as cópias de seus relatórios linha por linha, enquanto Ryan se dedicava ao seu computador.

— Tá tudo aqui. Tudo que eu fiz, passo a passo. Cada teste, cada resultado. Tudo bem, é pouca documentação, mas se sustenta. Por que ela não viu isso?

— Dá uma olhada nisso aqui e vê se você entende.

— O quê?

— Eu cruzei umas informações. — Ele a chamou para perto. — Aqui estão os nomes que eu consegui. Pessoas que tiveram acesso aos dois bronzes. Provavelmente tem mais gente, mas esses são os jogadores-chave.

Ela se levantou e leu por cima do ombro dele. Só sossegou quando percebeu seu nome no topo da lista. Sua mãe estava ali, seu pai estava ali, Andrew, Giovanni, Elise, Carter, Hawthorne, Vincente.

— O Andrew não teve acesso à *Senhora Sombria*.

Uma mecha do cabelo que ela prendera soltou-se, fazendo cócegas na face dele. A sensação imediata na região dos quadris fez com que ele deixasse escapar um longo suspiro. No mínimo, pensou, o cabelo dela o faria beber antes de terminarem.

— Ele tem ligação com você, com sua mãe, com a Elise. É proximidade suficiente.

Ela fungou e prendeu os óculos com mais segurança no nariz.

— Isso é um insulto.

— Quero saber o quanto essa lista é precisa. Sem comentários.

— É bem completa, precisa e insultante.

Ah, sim, havia puritanismo no tom da voz dela também. Isso simplesmente o derrubava de desejo. — A mulher do Hawthorne estava com ele em Florença?

— Não.

— O Richard é divorciado. — Dane-se, ele pensou, e torturou-se virando a cabeça o suficiente para que pudesse sentir o perfume do cabelo dela. — Ele estava casado quando trabalhou no Maine?

— Não sei. A gente mal se viu. Na verdade, não me lembrava dele até ele me dizer que a gente se conhecia. — Perturbada, ela virou a cabeça, encontrou seus olhos fixos nos dele, e algo nele não estava focado no trabalho. Seu coração disparou imediatamente e lançou fagulhas de desejo na boca do seu estômago. — Por que isso é importante?

— Por que isso é importante? — Ele queria aquela boca. Droga, ele tinha direito àquela boca.

— O, é... Richard ser divorciado.

— Porque as pessoas confidenciam com os amantes, maridos e esposas. O sexo — murmurou e enrolou os fios de cabelo soltos em seu dedo — é um grande comunicador.

Um puxão, ele pensou, um puxão e aquela boca se colaria à sua. Teria todo aquele cabelo em suas mãos, toda aquela massa crespa, selvagem. Ela estaria nua em segundos. Só manteria os óculos.

Ele começava a ter fantasias incríveis com Miranda nua, somente de óculos.

Foi com grande pesar que ele não a puxou, mas desfez-se da mecha de cabelo, virou-se e fez uma careta para a tela do computador.

— A gente tem que dar uma olhada nos empregados também. Mas acho que a gente precisa de um tempo.

— Um tempo? — Não havia nenhum pensamento em ordem em sua cabeça. Seus nervos crispavam a superfície de sua pele como choques suaves.

Se ele a tocasse agora, se a beijasse agora, ela sabia que explodiria como um foguete. Empertigou-se, fechou os olhos. E ansiou.

— Qual é a sua ideia?

— Vamos dar um tempo e comer alguma coisa.

Seus olhos voltaram a se abrir. — O quê?

— Comida, dra. Jones. — Ele digitava, concentrando-se, e não a viu esfregando as mãos no rosto atrás de si.

— Isso, comida. — A voz dela tremia um pouco, gargalhada ou desespero, ela não tinha certeza. — Boa ideia.

— O que é que você gostaria de comer na sua última noite em Florença?

— Última noite?

— As coisas podem ficar meio esquisitas por aqui. Vai ser melhor a gente trabalhar em casa.

— Mas *A Senhora Sombria* tá aqui...

— A gente volta pra buscar depois. — Ele desligou o computador e afastou-se da mesa de trabalho. — Florença não é uma cidade grande, dra. Jones. Mais cedo ou mais tarde alguém que você conhece vai te ver. — Ele passou a mão pelo cabelo dela. — Você simplesmente não some na multidão. Restaurante rápido, sofisticado ou barulhento?

Casa. Ela descobriu o quanto queria voltar para casa, enxergá-la com seus novos olhos. — Acho que quero um lugar barulhento, pra variar.

— Ótima escolha. Sei exatamente pra onde vou te levar.

ERA BARULHENTO, CHEIO, E A ILUMINAÇÃO GROSSEIRA EXAcerbava o exagero dos quadros que cobriam as paredes. Estes estavam de acordo com os salames e presuntos que decoravam o ambiente. As mesas eram grudadas umas nas outras; portanto, quem jantava — amigos e estranhos — comia porções generosas de carne e massa às cotoveladas.

Os dois estavam num canto, ao lado de um homem gordo, de avental manchado, que anotava o pedido de vinho de Ryan com acenos positivos de cabeça. À esquerda de Miranda, estava um casal gay americano viajando pela Europa. Dividiam uma cesta de pães, enquanto Ryan conversava com eles com uma facilidade e um desprendimento que impressionavam Miranda.

Ela nunca teria falado com estranhos num restaurante, a menos que de maneira absolutamente restrita. Mas, quando o vinho foi colocado na mesa, e servido, ela já sabia que eram de Nova York, tinham um restaurante no Village, e estavam juntos há dez anos. Aquela era, disseram, sua viagem de aniversário.

— É nossa segunda lua de mel. — Divertindo-se, Ryan pegou a mão de Miranda e a beijou. — Não é, Abby?

Perplexa, ela o encarou, depois deu-lhe um leve chute por baixo da mesa em resposta. — Ah, é. Humm... a gente não pôde ter nossa lua de mel assim que casou. O Kevin tinha acabado de começar a trabalhar, e eu era só... só uma iniciante numa agência. Agora a gente tá curtindo um pouco, antes de chegarem os filhos.

Impressionada consigo mesma, deu um gole no vinho enquanto Ryan a encarava. — Valeu a espera. A gente respira romance em cada suspiro aqui em Florença.

Desafiando qualquer lei da física, o garçom abriu caminho entre as mesas e perguntou o que iriam querer.

Menos de uma hora depois, Miranda queria mais vinho. — É maravilhoso. Que lugar maravilhoso! — Mudou de posição na

cadeira para sorrir afetivamente para a mesa de britânicos que conversavam em tom educado, enquanto, numa mesa ao lado deles, alemães bebiam cerveja local e cantavam. — Eu nunca vou a lugares assim. — Tudo girava em sua cabeça, os cheiros, as vozes, o vinho. — Fico me perguntando por quê?

— Quer sobremesa?

— Claro que eu quero. Quero comer, beber e ser feliz. — Ela se serviu de outra taça de vinho e sorriu para ele, ligeiramente embriagada. — Adorei aqui.

— É, tô vendo. — Ele afastou um pouco a garrafa e fez sinal para o garçom.

— Eles não são um casal fofo? — Ela sorriu, sentimental, em direção ao espaço deixado pelo casal ao sair. — Eles são realmente apaixonados. A gente vai procurá-los, não vai, quando voltar pra casa? Não, quando *eles* voltarem pra casa. *A gente* vai pra casa amanhã.

— Vamos querer o zabaglione — Ryan disse para o garçom, olhando para Miranda enquanto ela acompanhava baixinho a cantoria dos alemães bêbados. — E cappuccino.

— Eu preferia tomar mais vinho.

— Não acho uma boa ideia.

— Por que não? — Tomada de amores pelo companheiro, ela pegou a taça e tomou tudo. — Eu gosto de vinho.

— Por causa da sua cabeça — ele disse, encolhendo os ombros, quando ela puxou novamente a garrafa. — Se você continuar bebendo, seu voo pra casa não vai ser nem um pouco agradável.

— Eu sou ótima de avião. — Olhos apertados, encheu a taça até que estivesse quase transbordando. — Viu? Firme como uma rocha. A dra. Jones tá sempre firme. — Ela riu e inclinou o corpo à frente, conspiradora. — Mas a Abby fica bêbada.

— O Kevin tá um pouco mais que preocupado com a possibilidade de a Abby desmaiar na mesa e de ele ter que carregar a mulher no colo.

— Nada. — Ela coçou o nariz com as costas da mão. — A dra. Jones não permitiria. Muito constrangedor. Vamos dar uma volta

no rio. Eu quero passear na beira do rio à luz da lua. Abby vai deixar você dar um beijo nela.

— É uma proposta interessante, mas eu acho melhor a gente ir pra casa.

— Eu amo o Maine. — Ela recostou, balançando a taça na mão. — Eu amo os precipícios, o fog, as ondas batendo nos barcos de lagosta. Eu vou fazer um jardim. Este ano eu vou fazer um jardim. Humm. — Essa foi sua opinião sobre a sobremesa cremosa colocada à sua frente. — Eu gosto de me permitir certas coisas. — Baixou a taça e mergulhou a colher. — Eu nunca soube isso sobre mim — disse com a boca cheia.

— Experimenta o café — ele sugeriu.

— Eu quero vinho. — Mas, quando tentou alcançar a garrafa, ele a retirou.

— Será que eu posso te entreter com outra coisa?

Ela o observou, pensativa, depois sorriu. — Me traz a cabeça de João Batista — ordenou, depois caiu na gargalhada. — Você realmente roubou os ossos dele? Eu simplesmente não consigo entender um homem que rouba os ossos de um santo. Mas é fascinante.

Hora de ir embora, Ryan decidiu. E rapidamente tirou do bolso dinheiro mais que suficiente para cobrir a conta. — Vamos dar uma volta, *darling*.

— Ok. — Ela se levantou, depois precisou apoiar-se na parede. — Caramba, tem um bocado de gravidade aqui.

— Talvez não tanto quanto lá fora. — Ele passou o braço em volta da cintura dela e a arrastou pelo restaurante, rindo enquanto ela se despedia calorosamente das pessoas.

— Você é uma figura, dra. Jones.

— Qual era o nome do vinho? Vinho delicioso. Eu quero comprar uma caixa desse vinho.

— Você já fez um ótimo trabalho enchendo a cara com ele. — Ele a guiou pela calçada desigual, ao longo da rua vazia, grato por

terem decidido ir a pé, e não de moto. Ele teria precisado amarrá-la nesse caso.

— Eu vou pintar as minhas janelas.

— Boa ideia.

— As janelas da casa da sua mãe são amarelas. Muito vivas. Todo mundo da sua família é muito vivo. — Abraçando-o pela cintura, ela o conduziu num giro. — Mas eu acho que um azul bonito pode ficar bem na minha casa. Um azul vivo, e eu vou colocar uma cadeira de balanço na varanda da frente.

— Nada como uma cadeira de balanço na varanda. Cuidado, olha o meio-fio. Isso, garota.

— Eu invadi a casa da minha mãe hoje.

— É. Eu ouvi isso em algum lugar.

— Eu tô dividindo uma suíte de hotel com um ladrão e invadi a casa da minha mãe. Podia ter roubado tudo.

— É só você pedir. Próxima à esquerda. A gente tá quase chegando.

— Foi ótimo.

— O quê?

— Invadir. Eu não queria dizer na hora, mas foi ótimo. — Ela levantou os braços e o segurou cuidadosamente pelo queixo. — Você bem que podia me ensinar a arrombar fechaduras. Você me ensina, Ryan?

— Com certeza. — Ele movimentou o maxilar e a virou na direção da entrada do hotel.

— Eu podia te convencer a fazer isso. — Ela se virou, pendurando-se nele no carpete elegante do lobby, e pressionou a boca contra a de Ryan, antes que ele pudesse recobrar o equilíbrio. Desta vez a cabeça dele girou enquanto ela sugava seu sangue com o beijo.

— Miranda...

— É Abby pra você, camarada — ela murmurou enquanto o recepcionista discretamente evitava os olhos dele. — Que tal?

— Vamos conversar lá em cima. — Ele a arrastou em direção ao elevador, longe dos olhares alheios.

— Eu não tô a fim de conversar. — Ela se jogou em cima dele e mordeu-lhe a pontinha da orelha. — Eu quero sexo selvagem, animal. Agora.

— Quem não quer? — disse o homem do casal formalmente vestido que saía do elevador.

— Viu? — Miranda apontou enquanto Ryan a empurrava para dentro. — Ele concorda comigo. Eu quero transar com você desde que te vi e ouvi o zumbido.

— Zumbido. — Ele estava ficando sem ar, na tentativa de desenroscá-la do próprio corpo.

— Eu ouço zumbidos com você. Minha cabeça tá cheia de zumbidos agora. Me beija de novo, Ryan. Eu sei que você quer.

— Para. — Com certo desespero, ele afastou as mãos dela antes que pudessem desabotoar sua camisa. — Você tá de porre.

— E daí? — Ela jogou a cabeça para trás e riu. — Você tá tentando me levar pra cama o tempo todo. Agora é a sua chance.

— Existem regras — ele murmurou, movimentando-se como um bêbado enquanto ela se jogava em cima dele. Um dos dois, ele pensou, precisava de um banho frio.

— Ah, agora você tem regras. — Rindo, ela tirou a camisa dele de dentro da calça. Enquanto suas mãos acariciavam as costas dele, indo até a barriga, ele se esforçava para colocar a chave na fechadura.

— Deus me ajude. Miranda... Jesus. — Aquelas mãos ocupadas agora haviam descido um pouco mais. — Olha só, eu disse não. — Olhos nos olhos, eles entraram juntos. — Presta atenção. Se controla.

— Não dá. Se controla você. — Ela o soltou apenas por tempo suficiente para endireitar-se, abraçar a cintura dele com a perna, entranhar as mãos no seu cabelo e fundir sua boca na dele. — Faz amor comigo. Toca em mim. Eu quero as suas mãos em mim.

Elas já estavam fazendo isso. Ele não conseguiu impedir que suas mãos se ajustassem àquele bumbum bem torneado. Seu sangue gritava por ela, sua língua se misturava à dela. O resto de sanidade que lhe restava estava fraquejando.

— Você vai se odiar e me odiar, amanhã de manhã.

— E daí? — Ela riu novamente, e seus olhos estavam intensamente azuis quando se fixaram nos dele. Sacudiu o cabelo e Ryan foi tomado por um desejo avassalador. — Isso é agora. Embarca no momento comigo, Ryan. Eu não quero viver o momento sozinha.

Seus olhares permaneceram fixos um no outro enquanto ele a carregava até o quarto. — Então, vamos ver quanto tempo o agora dura. E não se esqueça, dra. Jones... — Ele segurou o lábio inferior dela com os dentes, mordeu, apertou, soltou. — Você pediu.

Caíram juntos na cama, o luar entrando pelas portas, a sombra de seus corpos. O peso dele a excitou, as linhas duras daquele corpo pressionando o seu no colchão. As bocas encontraram-se novamente num beijo quase de cobiça, violento, depois se engajando num emaranhado ardente, de mordidas suaves.

Ela queria tudo, e mais. Tudo, e o impossível. E sabia que, com ele, teria.

Aconchegou seu corpo ao dele, sem querer ser passiva. Os movimentos brutos fizeram sua cabeça girar, o ar saía-lhe permeado de gemidos e gargalhadas. Deus, ela estava livre. E viva, tão viva. Na sua pressa de sentir a carne, agarrou a camisa dele, arrebentando os botões da seda elegante.

— Isso, assim... — ela sussurrou quando ele arrancou a manga de sua blusa. — Rápido.

Ele não teria tanta vontade de diminuir a velocidade das ações quanto tinha de congelar o tempo. Suas mãos rápidas e cuidadosas eram velozes ao tirar o sutiã dela, depois as preencheu com os seios de Miranda.

— Brancos como mármore, delicados como água.

Quando o toque não foi suficiente, ele a girou, ficou em cima dela novamente e a devorou.

Ela gemeu, arqueando o corpo quando lábios, dentes e língua cobriram seu corpo. Suas unhas afundaram nas costas dele, arranhando os músculos rígidos enquanto ondas de prazer percorriam seu corpo. As sensações a tomavam numa confusão de dores gloriosas, prazeres obscuros e nervos à flor da pele.

— Agora. Agora. Vem.

Mas a boca de Ryan passeava pelo torso dela. Não ainda. Ainda não.

Ele puxou a calça impecável de algodão dela pelos quadris e mergulhou a língua no centro daquele calor ardente. O orgasmo foi instantâneo, violento, e paralisou os dois de tanto prazer. Ela soluçou o nome dele, os dedos presos ao cabelo daquele homem, enquanto o alívio reconstruía a necessidade, e a necessidade crescia desesperadamente em direção à exigência.

O corpo dela era um milagre, uma obra de arte, tronco e pernas longas, a pele branca como o leite, os músculos tesos. Ele queria saboreá-la, lambê-la, de cima a baixo. Queria enterrar seu rosto naquela queda livre de cabelos até ficar surdo e mudo.

Mas o animal dentro dele clamava por liberdade.

Rolaram novamente, lutando sobre a cama, tentando um ao outro com mordidas e carícias.

A vista de Miranda embaçou, os pulmões pegaram fogo enquanto outro orgasmo a convulsionava, percorrendo seu corpo em grandes choques de energia. Sua respiração era uma série de pequenos gritos queimando em seu peito, o corpo inacreditavelmente acordado em cada toque, cada afago.

O rosto dele parecia nadar sobre o dela, depois entrou em foco, cada feição distinta como se cravada em diamante. As respirações misturadas, os quadris arqueados. E ele mergulhou dentro dela.

Todo movimento cessou, não fosse aquele instante sensual e atemporal. Juntos, ele enterrado nas profundezas dela, admiravam

um ao outro. Devagar, num único movimento, ela levou as mãos às costas dele e depois lhe agarrou os quadris.

Juntos, começaram a se movimentar, a velocidade crescente, os corpos deslizando de suor, prazer e mais prazer, prazer que derrubava os corpos e dominava as mentes.

Tudo, e mais, ela pensou, tonta ao se encaminhar para o ápice. Tudo, e o impossível. Encontrou o que queria ao grudar-se a ele e estilhaçar-se.

# Capítulo Dezenove

O banho luminoso dos raios de sol a acordou. Durante um terrível instante, ela teve a impressão de que seus olhos queimavam, e esfregou-os com a palma das mãos até que estivesse completamente acordada.

Descobriu que não estava em combustão espontaneamente. E que não estava sozinha na cama. O máximo que conseguiu fazer foi gemer e fechar os olhos novamente.

O que fizera?

Bem, era bastante óbvio — na verdade, se a memória tinha alguma serventia, fizera-o duas vezes. No intervalo, Ryan lhe dera uma aspirina e um grande copo de água. Ela supôs que essa pequena consideração da parte dele era o que permitia que sua cabeça estivesse, no momento, fixada no pescoço.

Cuidadosamente, desviou o olhar. Ryan estava deitado de bruços, o rosto enterrado no travesseiro. Imaginou que ele também não era tão fã do brilho do sol, mas nenhum dos dois se lembrara de fechar as cortinas na noite anterior.

Meu Deus do céu!

Ela tomara a iniciativa, agarrara-o, rasgara suas roupas, como se fosse uma maluca.

E, mesmo agora, em plena luz do dia, salivava diante da possibilidade de repetir a experiência.

Lentamente, desejando preservar a dignidade, pelo menos por tempo suficiente para tomar uma chuveirada, levantou-se da cama. Ele não moveu um músculo, nem fez um ruído, e, graças a essa pequena bênção, ela correu para o banheiro.

Por sorte, não o viu abrir os olhos e sorrir diante da visão de seu bumbum nu.

Falou sozinha durante o banho, ridiculamente agradecida pela ducha de água quente. Fazia com que algumas dores fossem embora. No entanto, as mais profundas, as mais doces que aceitara como um presente do sexo prazeroso e saudável, essas permaneciam.

Tomou mais uma aspirina, por via das dúvidas.

Quando saiu do banheiro, ele estava no terraço, conversando casualmente com o rapaz do serviço de quarto. Como era tarde demais para voltar a se esconder lá dentro, sorriu palidamente para os dois.

— *Buon giorno.* O dia está lindo, *sì*? Aproveite. — O garçom pegou a conta assinada com um leve cumprimento de cabeça. — *Grazie. Buon appetito.*

Ele os deixou a sós diante de uma mesa farta e um pombo que passeava pelo parapeito da varanda, avaliando gulosamente as ofertas.

— Oi, eu... — Ela enfiou as mãos nos bolsos do robe, porque elas queriam flutuar sem destino.

— Vem tomar café — ele convidou. Vestia calça cinza e camisa preta, roupa que fazia com que ele parecesse confortável e cosmopolita. E que a fazia lembrar que seu cabelo estava molhado e embaraçado.

Ela quase se perdeu pensando nisso, mas respondeu com um aceno de cabeça. Era uma mulher que encarava as coisas de frente.

— Ryan, ontem à noite... eu acho que você merece um pedido de desculpas.

— Jura? — Ele serviu duas xícaras de café e sentou-se confortavelmente à mesa.

— Eu bebi além da conta. Não é uma desculpa, é só um fato.

— *Darling*, você tava derrubada. E uma graça também. — Ele acrescentou, observando-a enquanto passava geleia num croissant. — E incrivelmente ágil.

Ela fechou os olhos, desistindo, e sentou-se. — Meu comportamento foi imperdoável e lastimável, desculpe. Coloquei você numa posição difícil.

— Eu me lembro de várias posições. — Ele tomou um gole do café, seduzido pelo desconforto que a deixava ligeiramente vermelha. — Nenhuma delas foi difícil.

Ela pegou seu café e bebeu rapidamente, queimando a língua.

— Por que isso merece desculpas? — ele perguntou, escolhendo um bolinho da cesta e colocando-o no prato. — Qual a função de se arrepender? A gente machucou alguém?

— A questão é...

— A questão, se é que tem que ter uma, é que nós dois somos adultos saudáveis, solteiros, livres e que têm uma atração enorme um pelo outro. Noite passada, a gente fez alguma coisa a respeito disso. — Ele cortou um pedaço da omelete dourada. — Eu me diverti, e muito. — Cortou a omelete em duas partes e colocou uma no prato dela. — E você?

Ela se preparara para humilhar-se, para desculpar-se, para assumir total responsabilidade. Por que ele não a deixava fazer isso?

— Você tá deixando passar o que interessa.

— Não, não tô, não. Eu não concordo com o que você tá tentando enfatizar. Ah, olha só aquele seu olhar meio distante aparecendo de novo. Melhor. Agora, embora eu aprecie o fato de você ser sensível o suficiente pra não colocar a culpa em mim por me apro-

veitar da situação, já que foi você que arrancou a minha roupa, também não adianta se culpar.

— Eu tô culpando o vinho — ela disse, inflexível.

— Não, você já disse que isso não era desculpa. — Ele riu, pegou a mão dela e encerrou o assunto. — Eu queria transar com você desde a primeira vez que eu te vi, e passei a querer mais ainda quando te conheci melhor. Você me fascina, Miranda. Agora, come, antes que fique tudo gelado.

Ela olhou para o prato. Era impossível ficar irritada com ele.

— Eu não costumo fazer isso, sexo casual e sem compromisso.

— Você chama isso de casual e sem compromisso? — Ele respirou profundamente. — Deus me ajude quando virar coisa séria.

Ela deixou que seus lábios esboçassem um sorriso, cedeu. — Foi maravilhoso.

— Ainda bem que você lembra. Eu não tinha certeza se a sua memória ia funcionar muito bem. Queria que a gente tivesse mais tempo aqui. — Ele brincou com o cabelo molhado dela. — Florença faz bem pros amantes.

Miranda respirou fundo, olhou-o nos olhos e selou o que, para ela, era um compromisso sem precedentes. — O Maine é lindo na primavera.

Ele sorriu e acariciou o rosto dela. — Vou adorar experimentar.

A *SENHORA SOMBRIA* PERMANECIA SOB UM ÚNICO FEIXE DE luz. Alguém a observava no escuro. A mente serena, fria e clara, exatamente como quando cometera o assassinato.

Matar não era o plano. As forças norteadoras haviam sido o poder e a certeza do que devia ser. Se tudo houvesse ocorrido da maneira correta, se tudo tivesse corrido bem, a violência não teria sido necessária.

Mas não correra tudo bem, nem corretamente; portanto, ajustes haviam sido necessários. A culpa pela perda de duas vidas era do

ladrão do *Davi*. Quem poderia ter antecipado, controlado o desenrolar dos fatos?

Fora um golpe do destino. Isso, um golpe do destino.

Mas matar não era tão repugnante como se pensava. Também trazia o poder. Nada nem ninguém poderia provar a existência da *Senhora Sombria* e permanecer vivo. Isso era um fato simples.

Mas esse assunto seria liquidado, resolvido, de maneira limpa, total e definitiva.

Quando chegasse a hora, estaria terminado. Com Miranda.

Era uma pena que uma mente tão inteligente e brilhante tivesse de ser destruída. A reputação teria sido suficiente, antes. Agora, tudo tinha de desaparecer. Não havia espaço para sentimentos na ciência, ou no poder.

Talvez um acidente, embora suicídio fosse melhor.

Isso, suicídio. Seria tão... satisfatório. Como era estranho não ter previsto como a morte podia ser satisfatória!

Daria certo trabalho, exigiria algum planejamento. Seria preciso... Um sorriso espalhou-se sorrateiramente em seu rosto, como aquele visto na face gloriosa do bronze. Seria preciso paciência.

Quando *A Senhora Sombria* foi deixada sozinha sob aquele único feixe de luz, não havia ninguém para ouvir a gargalhada silenciosa de uma pessoa condenada. Ou louca.

A PRIMAVERA ESPRAIAVA-SE SOBRE O MAINE. HAVIA UMA suavidade imperceptível uma semana antes. Ou, pelo menos, imperceptível para Miranda.

Na colina, a casa antiga mantinha os fundos para o mar, as janelas douradas pela luz do sol poente. Era bom estar em casa.

Ela entrou e encontrou Andrew no gabinete, acompanhado de uma garrafa de Jack Daniel's. Seu bom humor silencioso esvaiu-se.

Ele se levantou rápido, ligeiramente trôpego. Ela percebeu que os olhos do irmão precisaram de alguns segundos para entrar em

foco, que ele não se barbeava há cerca de um dia ou dois e que sua roupa estava amarrotada.

Ele estava, deu-se conta, bastante bêbado, e, provavelmente, isso fazia alguns dias.

— Onde é que você andou? — Ele deu alguns passos incertos, depois a abraçou de maneira desleixada. — Eu tava preocupado com você. Liguei pra todo mundo que me passou pela cabeça. Ninguém sabia aonde você tinha ido.

Apesar da aura de uísque que o rodeava, ela sabia que a preocupação era verdadeira. E mesmo retribuindo o abraço, desejando aquela ligação, sua intenção de contar-lhe tudo fraquejou. Quanto se podia confiar num bêbado?

— Eu tô de férias. Deixei um bilhete pra você.

— É, um bilhete que não dizia nada. — Ele se afastou, observou o rosto dela, depois acariciou-lhe a cabeça com suas mãos grandes. — Quando o papai veio pro instituto, eu tive certeza de que a gente tava ferrado. Voltei pra casa assim que deu, mas você já tinha sumido.

— Eles não me deram escolha. Ele foi muito duro com você?

— Nada além do esperado. — Ele deu de ombros. Mesmo com o uísque atrapalhando seus instintos, ele percebeu que ela estava diferente. — O que é que tá acontecendo, Miranda? O que é que você fez?

— Viajei uns dias. — Ela decidiu manter o que sabia em segredo, com pesar. — Encontrei o Ryan Boldari em Nova York.

Ela deu as costas, porque era péssima mentirosa, na melhor das circunstâncias. E nunca mentira para Andrew. — Ele voltou pro Maine. Vai ficar aqui uns dias.

— Aqui?

— É, eu... a gente se envolveu.

— Vocês... ah. — Ele passou a língua sobre os lábios, tentando pensar. — Ok. Isso foi meio... rápido.

— Nem tanto. A gente tem um monte de coisas em comum. — Ela não queria falar muito sobre aquilo. — Algum progresso nas investigações?

— Ficamos meio encurralados. Ninguém consegue achar a documentação do *Davi*.

Apesar de estar esperando por isso, sentiu uma pressão no estômago. Passou a mão, nervosa, pelo cabelo e preparou-se para seguir com a farsa. — Como assim, ninguém consegue encontrar? Devia estar nos arquivos.

— Eu sei onde devia estar, Miranda. — Irritado, ele pegou a garrafa e serviu-se de mais uma dose. — Não tá lá. Não tá em lugar nenhum do instituto. Eu procurei em tudo. — Ele pressionou os olhos com os dedos. — A seguradora tá dando pra trás. Se a gente não achar os papéis, vai ter que assumir a perda. Você fez os testes.

— Isso — ela disse com cautela. — Eu fiz os testes. Eu autentiquei a peça, e a documentação foi apropriadamente arquivada. Você sabe disso, Andrew. Você participou de tudo.

— É, eu sei, mas a papelada sumiu. A seguradora tá rejeitando o nosso pedido e disse que só libera a grana se a gente tiver os documentos. A mamãe tá ameaçando vir pra cá pra ver por que a gente é tão incapaz a ponto não só de perder uma obra de arte valiosa, como a documentação também. E o Cook tá me perturbando.

— Desculpa se eu te deixei sozinho no meio dessa confusão. — Ainda mais agora que via como ele estava lidando com a situação. — Andrew, por favor. — Ela foi até o irmão e tirou o copo da sua mão. — Não dá pra gente conversar enquanto você tá bêbado.

Ele simplesmente sorriu, covinhas surgindo-lhe nas faces. — Eu ainda não tô bêbado.

— Tá, sim. — Ela passara por isso recentemente, era capaz de enxergar os sinais. — Você precisa de um tratamento.

As covinhas sumiram. Jesus Cristo, foi tudo que lhe veio à mente. Era só o que faltava. — Eu preciso é de um pouco de cooperação e apoio. — Irritado, ele puxou o copo de volta e deu mais um

gole. — Talvez você esteja mal porque me deixou sozinho no meio dessa confusão, mas foi exatamente isso que você fez. E se eu quero tomar uns drinques depois de um dia terrível de negociações com a polícia, dirigindo o instituto e batendo palmas pros nossos pais, isso não é da conta de ninguém.

Sentiu o coração apertar enquanto olhava para ele. — Eu te amo. — As palavras doíam um pouco, porque ela sabia que nenhum deles as dizia com frequência. — Eu te amo, Andrew, e você tá se matando na minha frente. Isso é da minha conta.

As lágrimas em seus olhos e a voz chorosa encheram-no de culpa. — Tudo bem, eu vou me matar longe de você. Aí não vai ser da sua conta. — Agarrou a garrafa e saiu.

Ele se odiava por isso, por ser causador daquela dor e daquele desapontamento nos olhos da única pessoa com quem fora capaz de contar completamente. Mas, dane-se, era a sua vida.

Bateu a porta do quarto, sem ligar para o cheiro de uísque do porre da noite anterior. Sentou-se na poltrona e bebeu diretamente do gargalo.

Tinha o direito de relaxar, não tinha? Concluíra seu trabalho, fizera a sua parte — para seu próprio bem —, portanto, por que tinha que sofrer para tomar uns drinques?

Ou uma dúzia de drinques, pensou com um sorriso sarcástico. Quem estava contando?

Talvez os apagões fossem um pouco preocupantes, aqueles espaços estranhos e vazios de tempo de que parecia não se lembrar. Provavelmente era estresse, e uma dose de bebida forte era a melhor solução para isso.

Então, que assim fosse!

Disse a si mesmo que sentia falta da mulher, pensou que ficava cada vez mais difícil trazer uma imagem clara de seu rosto à mente ou de lembrar o tom exato da voz. Às vezes, quando estava sóbrio, tinha lampejos da verdade. Ele não amava mais Elise — e talvez nunca a tivesse amado tanto quanto gostava de imaginar. Bebia para

afastar essa verdade e para permitir-se a sensação de traição e desespero.

Começava a enxergar o valor de beber sozinho, agora que Annie proibira sua entrada no bar. Sozinho, ele podia beber até cair, e quando caísse, podia apagar. Isso fazia com que um homem atravessasse a noite.

Um homem precisava atravessar a noite, pensou, a boca colada à garrafa antes de tomar mais um gole.

Não era que precisasse beber. Ele tinha controle e pararia quando quisesse. Ele não queria, era só isso. Ainda assim, pararia, de uma vez só, apenas para provar a Miranda, a Annie e a todo mundo que estavam todos enganados a seu respeito.

As pessoas sempre haviam estado enganadas a seu respeito, concluiu, cheio de ressentimento. A começar pelos pais. Nunca souberam quem ele era, o que queria, muito menos de que precisava.

Pararia de beber, tudo bem. Amanhã, pensou com mais uma risadinha, e levantou a garrafa.

Viu luzes invadirem o quarto. Faróis, concluiu depois de avaliar longa e irregularmente, a mente indo e vindo, a boca entreaberta. A gente tem companhia. Provavelmente Boldari.

Tomou outro longo gole e sorriu para si mesmo. Miranda tinha um namorado. Ele usaria isso. Já fazia um bom tempo que não implicava com a irmã por um motivo tão interessante quanto um homem.

Começaria agora, decidiu. Levantou-se, engasgando-se com a própria risada, o quarto girando. Junte-se ao circo, conheça o mundo, pensou, e caminhou tropegamente em direção à porta.

Descobriria quais as intenções do velho Ryan Boldari. Com certeza. Precisava mostrar àquele nova-iorquino escorregadio que a frágil Miranda tinha um irmão mais velho para cuidar dela. Tomou mais um gole considerável da garrafa enquanto se arrastava pelo corredor e, agarrando o corrimão no topo da escadaria, olhou para baixo.

Lá estava sua irmãzinha, bem ao pé da escada, num beijo tórrido com Nova York. — Ei! — gritou, gesticulando com a garrafa, depois riu quando Miranda se voltou. — O que é que você tá fazendo com a minha irmã, sr. Nova York?

— Oi, Andrew.

— Oi, Andrew o escambau. Você tá dormindo com a minha irmã, seu canalha?

— Não agora. — Ele manteve o braço em volta dos ombros rígidos de Miranda.

— Bem, eu quero ter uma conversinha com você, meu camarada. — Andrew começou a descer, fez metade do percurso de pé, o resto aos tropeções. Era como se assistissem a um pedregulho rolando morro abaixo.

Miranda deu um passo à frente e ajoelhou-se ao lado do corpo esparramado do irmão. Havia sangue no rosto dele, o que a apavorou. — Meu Deus, Andrew.

— Eu tô bem. Tá tudo bem — ele resmungou, afastando as mãos dela, que averiguavam se havia algum osso quebrado. — Foi só um tombo, mais nada.

— Você podia ter quebrado o pescoço.

— Degrau é uma coisa perigosa — Ryan disse, suave. Agachou-se ao lado de Miranda, percebendo que o corte na testa de Andrew não era profundo, e que as mãos dela tremiam. — Por que a gente não sobe e limpa esse machucado?

— Merda. — Andrew passou os dedos na testa, observou a mancha de sangue. — Olha isso.

— Eu vou pegar a caixa de primeiros socorros.

Ryan olhou para Miranda. Ela estava pálida novamente, mas seus olhos estavam embaçados. — A gente vai cuidar disso. Vem, Andrew. Meu irmão tropeçou no meio-fio no dia da despedida de solteiro e ficou muito pior do que isso. — Ajudou Andrew a ficar de pé, enquanto Miranda também se levantava. Mas, quando ela começou a subir com eles, Ryan fez um sinal de que não fosse.

— Sem mulher. Isso é coisa de homem. Certo, Andrew?

— Com certeza. — Bêbado, fez de Ryan seu melhor amigo. — As mulheres são a raiz de todo mal.

— Deus ama as mulheres.

— Eu tive uma por algum tempo. Ela me largou.

— Quem precisa delas? — Ryan endireitou Andrew para a esquerda.

— Esse é o espírito! Não tô enxergando porra nenhuma.

— Tem sangue escorrendo no seu olho.

— Graças a Deus; eu achei que tava ficando cego. Sabe de uma coisa, meu amigo Ryan Boldari?

— O quê?

— Eu tô muito enjoado.

— É... — Ryan arrastou-o até o banheiro. — Com certeza.

Que família, Ryan pensou enquanto segurava a cabeça de Andrew e se indagava se haveria a possibilidade de uma pessoa vomitar os órgãos. Mesmo que não houvesse, Andrew estava tentando.

Quando acabou, Andrew estava destruído, branco de morte, tremendo. Foram necessárias três tentativas para que Ryan conseguisse colocá-lo sentado no vaso para cuidar da ferida em sua testa.

— Deve ter sido a queda — Andrew disse, fraco.

— Você vomitou à beça — Ryan disse enquanto limpava o sangue e o suor da testa de Andrew. — Você constrangeu a si mesmo e a sua irmã, levou um tombo que podia ter arrebentado uma porção de ossos, se não fosse o efeito do uísque, além de estar fedendo a botequim e de estar com uma cara pior ainda; com certeza, foi a queda.

Andrew fechou os olhos. Queria enroscar-se em algum lugar e dormir até morrer. — Talvez eu tenha bebido um pouco demais. Não teria sido tanto se a Miranda não tivesse me provocado.

— Pode guardar as suas desculpas esfarrapadas. Você é um bêbado. — Com descuido, Ryan passou antisséptico na ferida e não sentiu pena quando Andrew prendeu a respiração. — Pelo menos, se

comporta como homem e assume a responsabilidade pelos seus atos.

— Vai se foder!

— Essa é uma resposta inteligente e original, meu irmão. Você não vai precisar levar ponto, mas vai ficar com o olho roxo pra acompanhar o ferimento de guerra. — Satisfeito, tirou a camisa destruída de Andrew pela cabeça.

— Ei.

— Você precisa de um banho, vai por mim.

— Eu só quero ir pra cama. Pelo amor de Deus, eu só quero deitar. Acho que tô morrendo.

— Ainda não, mas tá a caminho disso. — Irritado, Ryan o levantou, apoiando-se para sustentar o peso enquanto esticava o braço e abria a torneira do chuveiro. Decidiu que daria trabalho além do necessário tirar a calça de Andrew, portanto enfiou-o debaixo d'água ainda meio vestido.

— Jesus. Vou vomitar de novo.

— Então, mira no ralo — Ryan pediu, mantendo-o firme, mesmo quando Andrew começou a soluçar feito criança.

Levou quase uma hora para que Ryan conseguisse colocar Andrew na cama. Quando desceu, notou que o vidro da garrafa quebrada na queda fora varrido e que a porção de uísque derramada sobre as paredes fora limpa.

Como não conseguisse encontrar Miranda dentro de casa, pegou o casaco e encaminhou-se para o jardim.

Ela estava à beira do penhasco. Observou sua silhueta ali, sozinha, alta, esguia, emoldurada pelo céu noturno, o cabelo solto ao vento e o rosto virado para o mar.

Não era somente o fato de estar sozinha, pensou. Estava só. Pensou que jamais vira alguém tão só.

Foi até ela, envolveu-a com seu casaco.

Ela empertigou-se. De alguma maneira, as ondas incansáveis do mar contra as pedras sempre a acalmavam. — Mil desculpas por ter te arrastado para essa confusão.

Sua voz era fria, ele percebeu. Defesa automática. Seu corpo estava rijo, ainda de costas para ele. — Eu não fui arrastado. Eu tava aqui. — Apoiou as mãos sobre os ombros dela, mas ela se afastou.

— É a segunda vez que você tem que lidar com alguém da família Jones completamente embriagado.

— Uma noite de loucura é totalmente diferente do que o seu irmão tá fazendo consigo mesmo, Miranda.

— Por mais que isso seja verdade, não muda os fatos. A gente se comportou mal, e você limpou a zona. Eu não sei se teria conseguido dar conta do Andrew hoje, sozinha. Mas teria preferido assim.

— Que pena! — Aborrecido, ele a virou para que o olhasse de frente. — Porque eu tava aqui, e vou ficar aqui por um tempo.

— Até a gente encontrar os bronzes.

— Isso. E se eu não tiver encerrado as coisas com você até lá... — Ele segurou o rosto dela, baixou a cabeça e a beijou com raiva e sentimento de posse. — Você vai ter que lidar com isso.

— Eu não *sei* lidar com isso. — A voz dela se elevou, ficando mais alta que o ruído das ondas. — Não tô pronta pra isso, pra você. Todo relacionamento que eu tive na vida acabou mal. Eu não sei lidar com esse tipo de confusão emocional, ninguém na minha família sabe. É por isso que se separam na primeira oportunidade.

— Você nunca se relacionou comigo. — Isso foi dito com tamanha arrogância que ela poderia ter gargalhado. Em vez disso, ela se virou e fixou o olhar na luz firme e circular do farol.

Ele seria o primeiro a correr quando tudo terminasse, ela pensou. E agora, com ele, ela estava com muito medo de sofrer. Não importava que compreendesse o motivo de estar ali, qual era seu propósito inicial. Ela sofreria quando ele a deixasse.

— Tudo que aconteceu desde que eu te conheci é estranho pra mim. Eu não funciono bem sem diretrizes claras.

— Você vem se comportando muito bem até agora.

— Dois homens morreram, Ryan. A minha reputação tá em frangalhos, minha família mais dividida que nunca. Eu agi contra a lei, ignorei a ética e estou tendo um caso com um criminoso.

— Mas você não tá entediada, tá?

Ela deixou escapar uma risada pálida. — Não. Eu não sei qual é o próximo passo.

— Eu posso te ajudar. — Ele pegou a mão dela e começou a caminhar. — Amanhã a gente pensa nos próximos passos. Amanhã a gente fala sobre isso.

— Eu preciso colocar as coisas em ordem. — Ela olhou para trás, em direção à casa. — Eu vou dar uma olhada no Andrew, primeiro. Depois organizo as coisas.

— O Andrew tá dormindo, e ele não vai acordar até amanhã. Organização requer a cabeça limpa, foco. A sua tá muito cheia pra ser clara e objetiva.

— Desculpe, mas organização é a minha vida. Eu posso organizar três projetos diferentes, fazer um resumo de uma palestra e dar uma aula ao mesmo tempo.

— Você é uma mulher assustadora, dra. Jones. Então, digamos que *eu* não esteja com clareza nem foco suficientes. E nunca entrei num farol. — Ele observou o lugar enquanto se aproximavam, apreciando a maneira como sua luz cortava a escuridão e deitava-se tremeluzente sobre a superfície do oceano. — De quando é o farol?

Ela suspirou. Se fosse uma fuga, que fosse. — Ele foi construído em 1853. A estrutura é a original, mas meu avô reformou o interior nos anos quarenta, com a ideia fixa de usar o lugar como um estúdio particular. Na verdade, segundo a minha avó, ele usava o lugar pra manter casos ilícitos, porque ele se divertia em ter as mulheres à vista de casa, e dentro de um símbolo tão obviamente fálico.

— Viva o vovô!

— Ele era só mais um dos Jones emocionalmente debilitado. O pai dele, de novo segundo a minha avó, que era a única que falava sobre essas coisas, exibia a amante em público e teve vários filhos ilegítimos que se recusou a reconhecer. Meu avô levou adiante essa cara de pau.

— Tem muitos Jones em Jones Point.

Ela esperou cair a ficha do insulto, depois balançou a cabeça. Em vez de sentir-se ultrajada, divertiu-se. — É, acho que sim. Em todo caso, minha bisavó escolheu ignorar os hábitos dele e passou a maior parte da vida na Europa, se vingando, gastando todo o dinheiro. Infelizmente, ela escolheu voltar pra cá num navio de luxo. Conhecido como *Titanic.*

— Jura? — Ryan estava perto o suficiente para ver a ferrugem na fechadura da porta de madeira. — Legal.

— Bem, ela e os filhos conseguiram um bote salva-vidas e foram resgatados. Mas teve pneumonia por causa do frio e morreu poucas semanas depois. O marido curtiu a fossa tendo um caso com uma cantora de ópera logo depois. Ele morreu quando o marido da cantora de ópera ficou aborrecido com a situação e incendiou a casa onde eles costumavam se encontrar.

— Imagino que ele tenha morrido feliz. — Ryan pegou um canivete no bolso, escolheu um dos vários acessórios e começou a trabalhar na fechadura.

— Não precisa. Eu tenho uma chave em casa, se você quiser ver como é aí dentro.

— Assim é mais divertido. E mais rápido. Viu? — Guardou o canivete e abriu a porta. — Nossa, úmido — disse e retirou sua lanterna do bolso para iluminar o lugar. — Ainda assim, é aconchegante.

As paredes eram revestidas de lambris de madeira, o que o remeteu à decoração dos quartos de recreação das casas de subúrbio nos anos cinquenta. Cortinas de tecido grosso, além de uma pequena lareira no final do cômodo, repleta de cinzas.

Ele pensou que era uma pena que a pessoa responsável pela decoração do lugar tivesse escolhido um acabamento de ângulos retos em vez de abaulados para as paredes.

— Então era aqui que o vovô entretinha as meninas?

— Acho que sim. — Ela puxou o casaco sobre os ombros para cobrir-se melhor. O ar estava frio ali dentro. — Minha avó o detes-

tava, mas continuou casada, criou meu pai, depois cuidou do marido nos dois últimos anos de vida dele. Ela era uma mulher incrível. Forte, teimosa. Ela me amava.

Ele se virou, passou as costas da mão no rosto dela. — Claro que ela te amava.

— Não existe "claro" quando a gente fala de amor na minha família. — Percebendo o lampejo de carinho nos olhos dele, ela virou de costas. — Você ia ver muito melhor as coisas aqui à luz do dia.

Ele não disse nada por alguns instantes. Lembrou-se que um dia pensara que ela era uma mulher fria. Era raro estar tão completamente errado ao analisar a personalidade de alguém. Ela lhe parecera assim, antes, e agora... Isso era algo em que se pensar mais tarde.

Não era frieza o que morava nela, mas uma defesa muito bem construída contra o sofrimento de uma vida inteira. Por negligência, indiferença, pela falta de calor que circundava sua vida.

Ele cruzou o cômodo, satisfeito depois de vislumbrar uma lamparina e velas. Acendeu-as, apreciando o brilho fantasmagórico que tomou conta do ambiente. — Assustador. — Guardou a lanterna e sorriu para ela. — Você vinha aqui atrás de fantasmas quando era criança?

— Deixa de ser ridículo.

— Baby, você teve uma infância triste. A gente vai ter que compensar isso. Vem aqui.

— O que é que você tá fazendo?

— Subindo — disse, já subindo os degraus da escada em caracol.

— Não mexe em nada. — Ela correu atrás dele, já que a luz escasseava, marcando as paredes de sombras e reflexos. — Hoje em dia é tudo automático.

Ele encontrou um pequeno quarto inabitado, com pouco mais que um colchão velho e uma cômoda imunda. A avó, concluiu, provavelmente saqueara todos os objetos de valor. Melhor para ela.

Ele deu uma volta, admirando a vista pela janela em forma de escotilha. O mar se revolvia, recortado pela luz do farol. Pequenas ilhas, como corcundas, podiam ser vistas longe da costa. Viu as boias dançando sobre a água, ouviu seu ruído vago ao se baterem contra as ondas do mar.

— Que lugar incrível. Drama, perigo e desafio.

— Raramente é calmo aqui — ela disse, atrás dele. — Dá pra ver a baía da outra janela. Às vezes o mar fica parecendo um espelho. Dá a sensação de que a gente pode andar nele, até a beira.

Ele olhou por cima do ombro. — De que jeito você gosta mais?

— Sou fã dos dois, mas acho que sou mais das águas revoltas.

— Espíritos incansáveis atraem espíritos incansáveis.

Ela fez uma careta, indo atrás dele enquanto movia-se pelo quarto. Ninguém, ela pensou, a chamaria de espírito incansável. Muito menos ela.

A dra. Jones era firme como uma rocha, pensou. E às vezes, muitas vezes, tão sem graça quanto.

Com um leve tremor, seguiu-o à sala do comandante.

— Realmente incrível. — Ele ignorou a ordem dela para que não tocasse naquilo que escolheu.

O equipamento era moderno e eficiente, e podia-se escutar seu ruído enquanto as luzes circulavam sobre o teto. O quarto era redondo, como deveria, e tinha um parapeito estreito circundando-o do lado de fora. As grades de ferro estavam enferrujadas, mas ele as achou encantadoras. Quando saiu, o vento o esbofeteou como uma mulher insultada, e ele riu.

— Fabuloso. Duvido que eu não trouxesse minhas mulheres pra cá também. É romântico, sexy e um pouquinho assustador. Você tem que ajeitar isso aqui — ele disse, olhando para ela. — Aqui podia ser um estúdio incrível.

— Eu não preciso de um estúdio.

— Precisaria, se prestasse atenção no seu talento, como devia.

— Eu não sou uma artista.

Ele sorriu, entrou novamente e fechou a porta contra o vento.

— Acontece que eu sou um agente de arte excelente e estou te dizendo que você é. Tá com frio?

— Um pouco. — Ela se abraçava por baixo do casaco. — É muito úmido aqui.

— Vai dar mofo, se você não fizer alguma coisa. Isso ia ser um crime. Eu também sou especialista em crime. — Ele esfregou os braços dela, para aquecê-los. — O barulho do mar é diferente daqui. Misterioso, quase ameaçador.

— Numa tempestade fica mais ameaçador ainda. A luz continua funcionando pra guiar os barcos e impedir que eles cheguem muito perto das pedras. Mesmo assim, foram muitos os naufrágios no último século.

— Os fantasmas dos marinheiros dos barcos afundados, chacoalhando os esqueletos, vêm assombrar o litoral.

— Difícil.

— Eu consigo escutar os fantasmas. — Ele a envolveu com os braços. — Clamando por misericórdia.

— Você ouve o barulho do vento, é isso — ela o corrigiu, mas ele conseguiu fazer com que ela tremesse. — Viu o suficiente?

— Nem pensar. — Ele baixou os lábios e encostou-os nos dela. — Mas quero ver tudo.

Ela tentou livrar-se. — Boldari, se você acha que vai me seduzir num farol úmido e imundo, você realmente perdeu a noção.

— Isso é um desafio? — Ele mordiscou o pescoço de Miranda.

— Não, é um fato. — Mas os músculos de suas coxas já se haviam afrouxado. Ele tinha a língua mais tentadora. — Tem um quarto perfeito em casa, aliás, vários. Quentinhos, com colchões excelentes.

— A gente vai experimentar, mais tarde. Eu já te disse que você tem um corpo delicioso, dra. Jones? — Suas mãos já estavam ocupadas, explorando-o. Aqueles dedos rápidos e sensíveis abriram o botão da calça e fizeram deslizar o fecho ecler antes que ela pudesse protestar.

— Ryan, aqui não é lugar pra...

— Era bom o suficiente pro seu avô — ele lembrou a ela, depois deslizou os dedos para dentro dela, lentamente. Ela já estava excitada, molhada, e ele manteve os olhos nos dela, vendo-os tornarem-se cegos, sombrios, desesperados. — Se entrega. Eu quero sentir o seu gozo, aqui. Quer ver o que eu faço pra te enlouquecer?

Seu corpo não lhe deu chance. Vibrava como uma máquina lubrificada em direção a um objetivo. Um longo e profundo tremor percorreu-lhe a pele, um súbito curto-circuito, um leve choque nos nervos, depois uma onda líquida de prazer invadindo todo o seu corpo.

Sua cabeça pendeu num gemido, e ele a moveu para que pudesse lamber a parte exposta de seu pescoço. — Ainda tá com frio? — ele sussurrou.

— Não. Meu Deus, não. — A pele dela estava em chamas, o sangue pulsando como um rio quente. Segurando os ombros dele para equilibrar-se, ela dançava em suas mãos molhadas.

Agora, a boca máscula contra a sua, ela respondia ao chamado com sua própria demanda. Tempo e lugar não representavam nada diante da necessidade.

Sua calça desceu até os pés, o casaco escorregou de seus ombros. Mole como cera derretida, ela moldou o corpo ao dele enquanto ele a empurrava de encontro à bancada do equipamento que mandava, eficientemente, sua luz circular ao mar.

— Levanta os braços, Miranda.

Ela obedeceu, a respiração curta, enquanto ele tirava sua suéter lentamente. Ele viu o prazer no rosto de Miranda, ao passo que usava os dedos para tocar-lhe os mamilos através do tecido fino do sutiã.

— Sem vinho pra nublar as suas sensações hoje à noite. — Os dedos dele passeavam suavemente sobre a seda branca. — Quero que você sinta tudo, quero que você imagine o que vem depois. —

Baixou uma das alças do sutiã com a ponta do dedo, depois a outra, e mordiscou-lhe os ombros nus.

Era como se estivesse sendo... provada, saboreada, ela pensou, os olhos pesadamente cerrados. A língua de Ryan lambendo delicadamente a sua pele, os dentes roçando, as pontas dos dedos subindo e descendo, subindo e descendo pelas laterais do seu corpo, baixando aos poucos a peça de lingerie presa nos seus quadris.

Ele permaneceu, íntimo, entre suas pernas abertas, enquanto ela agarrava a borda da bancada, compreendendo o que significava estar completamente sob o controle de outra pessoa. Querendo estar. Ardendo por estar completamente nas mãos de outra pessoa.

Tudo que ele fazia era um choque, um salto nos rígidos padrões de sua mente, que somente segundos depois seria desejada e bem-vinda novamente.

Uma parte de seu cérebro enxergava sua imagem agora, quase nua, a pele eriçada, o corpo arqueado, rendido ao homem que a manipulava, completamente vestido.

Mas, quando ele tirou seu sutiã e baixou aquela boca habilidosa até seus seios, ela não se importou.

Ele não sabia que ela poderia ser assim, ou quão poderosa a excitação que fazia com que aquela mulher forte e cautelosa se entregasse completamente a ele. Ela era sua, toda sua, para que tivesse prazer com ela, para dar prazer a ela. Mas a emoção disso, em vez de sombria e limítrofe, era quase insuportavelmente doce.

A luz do grande farol a banhava, transformando sua pele em branco brilhante; depois ia embora, deixando-a ligeiramente dourada sob o reflexo das velas. O cabelo, recentemente perseguido pelo vento, caía-lhe sobre os ombros como seda vermelha. A boca, suave e carnuda, se partia sob a sua.

O beijo se aprofundou, aqueceu, e eles mergulharam além do desejo que haviam previsto. Por um momento, grudaram-se, tremeram. E tremeram.

Era como um sonho em que o ar era doce e denso. Uma bala quente, derretida em fogo brando.

Nenhum deles prestou atenção ao frio nem à umidade. Desceram até o chão coberto de poeira, duro e frio, e deitaram juntos, como um casal numa cama de plumas.

Sem uma palavra, as mãos seguras, ela tirou a camisa dele. E pressionou-lhe o coração com os lábios, permanecendo ali, porque sabia que de alguma forma ele lhe roubara o seu.

Ele queria dar carinho a ela, a compaixão do acasalamento junto com o tesão. Portanto, era suave com a boca, as mãos, amando-a de uma maneira que transbordava emoção e necessidade.

Um murmúrio, um suspiro, um lento e longo balanço de ondas mornas que ninavam, em vez de atacar.

E, quando ela estava enroscada em volta dele, a cabeça encostada em seu pescoço, ele a acariciou, acalmou, deu-se de presente a mesma ternura.

Quando a colocou sobre si, acariciando seus quadris até que ela o tomasse, o tomasse profundamente, ela soube o que significava amar seu amante.

# Capítulo Vinte

Miranda acordou ao lado de Ryan pela segunda manhã consecutiva, e em outro continente. Era uma experiência estranhamente excitante, que parecia despretensiosamente incrível tanto quanto absolutamente sofisticada.

Pecando com estilo.

Ela teve urgência de passar os dedos no cabelo dele, brincar com eles no seu rosto, explorar a charmosa cicatriz acima do olho. Carícias leves, tolas, que poderiam levar ao suave e preguiçoso sexo matinal.

Era estranho, todos esses sentimentos tomando conta dela, ganhando um espaço que não sabia ter em seu íntimo, aquecendo pontos que assumira permaneceriam frios e inabitados. Havia tanto mais dentro dela agora, pensou, depois sentiu a primeira pontada de desejo. Muito mais, o que a deixava completamente vulnerável.

E isso era apavorante.

Portanto, em vez de tocar naquilo que queria, saiu da cama e foi pé ante pé até o chuveiro, exatamente como fizera na manhã ante-

rior. Dessa vez, no entanto, mal tinha enfiado a cabeça debaixo d'água quando braços envolveram sua cintura.

— Por que você faz isso?

Ela esperou até que seu coração voltasse para o lugar. — Faz o quê?

— Some da cama de manhã. Eu já te vi nua.

— Eu não sumi. — Tentou se libertar, mas os dentes dele morderam suavemente seu ombro. — Eu só não queria te acordar.

— Eu sei reconhecer uma saída sorrateira. — Ele levantou a sobrancelha diante do resmungo dela. — E não adianta dizer "vou fazer café", "vou colocar a chaleira no fogo", porque não funciona. Eu nunca saí sorrateiramente da cama de uma mulher. Entrar, sim, sair, não.

— Muito engraçado. Agora, se você me dá licença, estou tentando tomar banho.

— Eu vou te ajudar. — Mais do que interessado em prestar assistência, ele pegou o sabonete, cheirou-o e começou a passá-lo gentilmente nas costas dela. Que eram, ele pensou, definitivamente excelentes.

— Eu já passei na matéria "banho". Posso tomar um sozinha.

— Por quê? — Como a voz dela soasse deliciosamente puritana, ele a virou e abraçou seu corpo molhado e escorregadio.

— Porque é... — Ela sentiu que enrubescia e detestou isso. — É íntimo.

— Entendi... — ele disse, a língua na face dela. — E o sexo não é íntimo.

— É diferente.

— Ok. — Sorrindo com os olhos, ele passou suas mãos ensaboadas sobre os seios dela. — A gente faz um acordo e conjuga os dois.

O que ela tinha em mente era algo bem diferente de uma higiene rápida e básica.

Quando já estava sufocada pelo vapor, e sob os efeitos elétricos posteriores, ele mordiscou seu pescoço. — Isso — disse — foi íntimo. Depois, suspirou: — Eu tenho que ir à missa.

— O quê? — Ela balançou a cabeça, certa de que havia água em seus ouvidos. — Você disse que tinha que ir à missa?

— Hoje é domingo de Páscoa.

— É, é domingo de Páscoa. — Esforçando-se para acompanhá-lo, afastou o cabelo molhado dos olhos. — É meio estranho pensar nisso, dadas as circunstâncias.

— Eles podem não ter tido o benefício da água encanada nos tempos da Bíblia, mas, com certeza, faziam muito sexo.

Miranda imaginou que ele tinha um ponto de chegada, mas ainda sentia-se ligeiramente desconfortável ao pensar em religião enquanto as mãos molhadas de Ryan deslizavam sobre o seu bumbum.

— Você é católico. — Ela balançou a cabeça diante da sobrancelha arqueada dele. — Já sei, meio irlandês, meio italiano, o que mais você pode fazer? Mas eu não imaginava que você era do tipo praticante.

— A maior parte do tempo, eu sou relapso. — Ele saiu do chuveiro, entregou uma toalha para ela e pegou outra para si. — E se você contar pra minha mãe que eu disse isso, digo que você é uma mentirosa de marca maior. Mas é domingo de Páscoa. — Ele sacudiu rapidamente o cabelo, depois enrolou a toalha na cintura. — Se eu não for à missa, minha mãe me mata.

— Entendi. Eu me sinto na obrigação de lembrar que a sua mãe não tá aqui.

— Mas ela vai saber — ele disse com algum sofrimento. — Ela sempre sabe, e eu vou pro inferno, porque ela vai dar um jeito de fazer isso acontecer. — Ele a observou alinhar as extremidades da toalha, dobrá-la, depois acomodá-la entre os seios. A eficiência do gesto não contribuiu em nada para diminuir sua sensualidade. O cômodo cheirava a ela... sabonete com toques de madeira. De repente, ele não queria deixá-la, nem mesmo por uma hora.

Ao se dar conta disso, mexeu os ombros, como se precisasse desfazer-se de um peso desconfortável.

— Por que você não vai comigo? Pode usar suas orelhinhas de coelhinho da Páscoa.

— Além de eu não ter essas orelhinhas, preciso organizar minhas ideias. — Ela pegou um secador de cabelo no armário ao lado da pia. — E eu preciso conversar com o Andrew.

Começou a pensar na possibilidade de ir à missa da tarde e arrancar a toalha dela. Mas deixou o pensamento de lado. — O que você pretende contar pra ele?

— Nada de mais. — E isso a envergonhou. — Diante das circunstâncias, enquanto ele... eu detesto quando ele bebe assim. Detesto. — Envergonhou-a a irregularidade em sua respiração, também. — E ontem, por um minuto, detestei o meu irmão. O Andrew é tudo que eu tenho e tive ódio dele.

— Não. Você teve ódio do que ele tava fazendo.

— É, você tem razão. — Mas ela sabia qual era o sentimento que brotara quando levantara o olhar e o vira trôpego no alto da escada. — Em todo caso, eu tenho que falar com ele. Tenho que dizer alguma coisa. Nunca menti pra ele antes, sobre nenhum assunto.

Não havia nada que Ryan compreendesse melhor que laços familiares, ou os emaranhados em que uma pessoa pode se meter por causa disso. — Até começar a tratar desse problema com a bebida, ele não é o homem que você conhece ou em quem você confia.

— Eu sei. — Isso massacrava seu coração.

NO BANHEIRO DA PRÓXIMA ALA, ONDE O CHEIRO DE VÔMITO antigo ainda tomava conta do ar, Andrew debruçava-se sobre a pia, esforçando-se para encarar seu rosto no espelho.

Estava cinza, os olhos vermelhos, a pele pálida. O olho esquerdo era puro hematoma e, logo acima, havia um corte fino, talvez de um centímetro. Ardia como se estivesse com febre.

Não se lembrava de mais do que alguns fragmentos da noite anterior, mas as partes que lhe voltavam à memória faziam seu estômago revirar novamente.

Viu-se de pé no topo da escadaria, acenando com a garrafa praticamente vazia, e gritando, cuspindo palavras enquanto Miranda o encarava.

E havia algo parecido com ódio nos olhos dela.

Ele fechou os seus. Estava tudo bem, ele podia se controlar. Talvez tivesse ido um pouco além da conta na noite anterior, mas não o faria outra vez. Tiraria uns dias de folga do álcool, provaria a todos que era capaz disso. Andava estressado, só isso. Tinha motivos para estar estressado.

Tomou uma aspirina, fingiu que suas mãos não tremiam. Quando deixou o frasco e os comprimidos caírem no chão, não os pegou. Saiu do banheiro enjoado.

Encontrou Miranda no escritório dela, vestida casualmente, com suéter e legging, o cabelo preso no topo da cabeça, trabalhando no computador com a postura impecável.

Precisou de mais tempo do que gostaria para juntar coragem para entrar. Mas, quando o fez, ela olhou para ele e, rapidamente, salvou e fechou os documentos na tela.

— Bom-dia. — Ela sabia que sua voz soava fria, mas não conseguiu forças para enternecê-la. — Tem café na cozinha.

— Desculpe.

— Tudo bem. Talvez seja bom colocar um gelo nesse machucado.

— O que você quer mais? Eu já pedi desculpas. Bebi demais. Constrangi você, agi feito um imbecil. Não vai acontecer outra vez.

— Não?

— Não. — Enfureceu-o o fato de ela não amolecer nem um pouquinho. — Eu passei do limite, só isso.

— Uma dose é passar do limite pra você, Andrew. Enquanto não aceitar isso, vai continuar constrangendo a si mesmo e as pessoas que se importam com você.

— Olha só, enquanto você tava por aí, tendo seu casinho com Boldari, eu fiquei aqui, cheio até as orelhas, dando conta das coisas. E uma parte dessas coisas tem a ver com a sua cagada em Florença.

Muito lentamente, ela se levantou. — Desculpa, eu não entendi.

— Você me ouviu, Miranda. Fui eu que tive que escutar nossa mãe e nosso pai reclamando da confusão com o seu bronze. E eu passei dias procurando a porcaria dos documentos do *Davi*, sendo que a encarregada era você. Tô levando a culpa disso também, porque você tá fora. Você pode sair por aí e passar o tempo trepando...

O estalo da mão dela no rosto dele deixou os dois chocados, sem fôlego. Miranda manteve os punhos fechados e afastou-se do irmão.

Ele permaneceu onde estava, perguntando-se por que o novo pedido de desculpas que ardia dentro de si não encontrava o caminho até sua boca. Portanto, sem dizer uma palavra, virou-se e saiu do escritório.

Ela ouviu a porta da frente bater minutos depois, olhou pela janela e viu o carro do irmão indo embora.

Por toda a sua vida, Andrew fora sua rocha, seu porto seguro. E agora, pensou, simplesmente porque era incapaz de compaixão suficiente, ela o atacara quando ele precisava dela. Afastara-o.

Não sabia se seria capaz de trazê-lo de volta.

O fax tocou e começou a imprimir uma mensagem com seus gemidos agudos. Massageando o pescoço para aliviar a tensão, Miranda foi até a máquina e esperou o papel deslizar na bandeja.

*Você achou que eu não ia ficar sabendo? Divertiu-se em Florença, Miranda? Eu sei aonde você vai. Sei o que você faz. Sei o que você pensa. Estou bem aí, dentro da sua cabeça, o tempo todo.*

*Você matou o Giovanni. O sangue dele está nas suas mãos.*

*Você não vê isso?*

*Eu vejo.*

Enfurecida, Miranda amassou o papel e atirou-o longe. Pressionou os olhos com a ponta dos dedos, esperando que sumisse aquele

halo vermelho de fúria e de medo. Quando sumiu, ela caminhou lentamente, pegou a folha de papel e desamassou-a cuidadosamente.

Guardou-a na gaveta junto com as outras duas.

RYAN VOLTOU COM FLORES TÃO VIVAS E COLORIDAS QUE ELA foi incapaz de não abrir um sorriso. Mas como este não envolvesse seus olhos, ele a segurou pelo queixo.

— O que foi?

— Nada. São lindas.

— O que foi que aconteceu? — ele repetiu e viu que ela se esforçava para superar a relutância habitual em dividir os problemas.

— Eu e o Andrew discutimos. Ele saiu. Não sei pra onde ele foi, e sei que não tem nada que eu possa fazer.

— Você tem que deixar seu irmão encontrar o próprio caminho, Miranda.

— Também sei disso. Tenho que colocar as flores na água. — Num impulso, pegou o vaso favorito da avó, levou-o para a cozinha e ocupou-se de fazer o arranjo na mesa. — Eu avancei um pouco — ela disse. — Juntei algumas listas.

Ela pensou no fax, perguntou-se se deveria contar para ele. Mais tarde, decidiu. Mais tarde, quando tivesse pensado sobre o assunto.

— Listas?

— Minhas listas organizando pensamentos, fatos e tarefas no papel. Vou pegar as cópias impressas pra poder estudar tudo direitinho.

— Tudo bem. — Ele abriu a geladeira, examinou o conteúdo. — Quer um sanduíche? — Como ela já tivesse saído, deu de ombros e começou a pensar no que um homem criativo poderia juntar para se alimentar.

— A carne e o pão estão no limite da validade — ele disse quando ela voltou. — Mas ou a gente arrisca ou morre de fome.

— Era pro Andrew ter feito compras. — Viu-o fatiar tomates nitidamente passados e fez uma careta. Ele parecia à vontade, total-

mente em casa, concluiu. Não somente se virando com os ingredientes da cozinha, como preparando comida.

— Imagino que você saiba cozinhar.

— Ninguém sai da nossa casa sem saber cozinhar. — Olhou na direção dela. — Imagino que você não saiba.

— Sou ótima cozinheira — ela respondeu, com uma ligeira irritação.

— Jura? Como é que você fica de avental?

— Com cara de eficiente.

— Duvido. Por que você não coloca o avental pra eu ver?

— *Você* tá fazendo o almoço. Eu não preciso de avental. E, só uma observação, você é um pouco apegado a essa história de refeições regulares.

— Comida é paixão. — Ele lambeu lentamente o suco do tomate que escorria em seu dedo. — Eu sou muito apegado a essa história de paixões regulares.

— Tô vendo. — Ela se sentou e juntou as pontas das folhas de papel que trazia consigo. — Agora...

— Mostarda ou maionese?

— Tanto faz. Agora, o que eu fiz...

— Café ou uma bebida gelada?

— Tanto faz. — Ela controlou a respiração, dizendo para si mesma que não era possível que ele estivesse interrompendo seu pensamento só para irritá-la. — Pra gente...

— O leite estragou — ele disse, cheirando a caixa que tirara da geladeira.

— Joga essa porcaria fora, então, e senta. — Seus olhos faiscaram quando ela olhou para cima e o flagrou sorrindo. — Por que você me provoca de propósito?

— Porque você fica linda quando está corada de raiva. — Ele levantou uma lata de Pepsi. — Diet?

Ela teve que rir, e, quando o fez, ele sentou-se à mesa, à sua frente. — Assim é muito melhor — concluiu, puxou-a para perto de si

e pegou o sanduíche. — Não consigo me concentrar em nada que não seja você, quando você tá triste.

— Ah, Ryan. — Como ela poderia defender seu coração contra aqueles ataques de candura? — Eu não tô triste.

— Você é a mulher mais triste que eu conheço. — Ele beijou os dedos dela. — Mas a gente vai consertar isso. Então, o que foi que você conseguiu?

Ela se deu um momento para recobrar o equilíbrio, depois pegou a primeira folha. — Primeiro eu fiz uma emenda na lista que você tinha do pessoal que teve acesso a um ou aos dois bronzes.

— Emenda.

— Me lembrei de um técnico que foi a Florença pra trabalhar com o Giovanni em outro projeto naquela mesma época. Ele só ficou uns dias, pelo que eu me lembro, mas pra gente ser bem preciso, achei melhor incluir o nome dele. Não tava nos relatórios que a gente viu, porque ele era, tecnicamente, empregado da filial de Florença, e só temporariamente. Também incluí o tempo de serviço, o que talvez influencie a lealdade, e os salários, já que dinheiro sempre pode ser um motivo.

Ela também colocara os nomes em ordem alfabética, ele percebeu. Por Deus. — A sua família paga bem. — Ele reparara nisso antes.

— Equipe de qualidade demanda reconhecimento financeiro apropriado. Na outra lista, eu fiz um estudo de probabilidades. Você vai ver que o meu nome continua, mas a probabilidade é baixa. Eu sei que não roubei os originais. Tirei o Giovanni, já que ele não poderia estar envolvido.

— Por que não?

Ela piscou os olhos. *O sangue dele está nas suas mãos.* — Porque ele foi assassinado. Está morto.

— Desculpe, Miranda, isso só quer dizer que ele tá morto. Ainda existe a possibilidade de ele estar envolvido, e de ter sido morto por inúmeras razões.

— Mas ele tava fazendo os testes com os bronzes quando foi assassinado.

— Ele teria que fazer, pra ter certeza. Talvez ele tenha entrado em pânico, tenha pedido mais grana ou estivesse com raiva dos sócios. O nome dele fica.

— Não foi o Giovanni.

— Isso é emoção, não lógica, dra. Jones.

— Tudo bem. — O maxilar contraído, ela adicionou o nome de Giovanni. — Você pode discordar, mas coloquei a minha família como baixa probabilidade. Na minha opinião, ela não faz sentido aqui. Eles não têm motivo pra roubar de si mesmos. — Ele simplesmente olhou para ela, e, depois de um longo instante, ela afastou o papel.

— Vamos fazer um gráfico com a lista de probabilidades até agora. Eu fiz uma linha do tempo do dia em que o *Davi* chegou às nossas mãos, e do tempo que ficou no laboratório. Sem as minhas anotações e os meus relatórios, eu tive que tentar adivinhar a hora e as datas de cada teste, mas acho que tá bastante próximo.

— Você fez um gráfico e tanto. — Ele se aproximou para admirar o trabalho. — Que mulher.

— Não entendi o porquê do sarcasmo.

— Eu não tô sendo sarcástico. Tá incrível. Colorido. Você colocou duas semanas. Mas não teria trabalhado nisso sete dias direto, durante vinte e quatro horas.

— Aqui. — Ela mostrou outro gráfico e sentiu-se um pouco tola. — Aqui tem o tempo aproximado que o *Davi* ficou guardado no cofre do laboratório. Pra chegar a ele, seriam necessários um cartão-chave, liberação da segurança, a combinação e uma outra chave. — Ou — ela acrescentou, inclinando a cabeça — um excelente ladrão.

O olhar dele deslizou até ela, sombrio e debochado. — Eu estava em Paris nessa época.

— De verdade?

— Não faço a menor ideia, mas no seu estudo eu não conto, porque eu não teria nenhuma razão pra roubar uma cópia e ser sugado pra dentro dessa confusão, se realmente tivesse pego o original.

Cabeça inclinada, ela sorriu docemente. — Talvez você tenha feito isso só pra me levar pra cama.

Ele levantou o olhar, sorriu. — Isso sim é um bom pensamento.

— Isso — ela respondeu prontamente — é sarcasmo. Aqui é a linha do tempo da *Senhora Sombria*. A gente tem os relatórios, e tá tudo muito fresco na minha memória, tá bem preciso. Nesse caso, a procura dos documentos ainda tá andando, e a autenticação ainda não é oficial.

— Projeto concluído. — Ryan leu e olhou para ela. — Esse foi o dia da sua demissão.

— Se você prefere tratar as coisas com simplicidade, foi. — Ainda estava ferida no coração e no orgulho. — No dia seguinte, o bronze foi transferido pra Roma. A troca teve que ser feita num curto espaço de tempo, já que eu tinha feito os testes naquela tarde.

— A menos que a troca tenha acontecido em Roma.

— Como?

— Alguém da Standjo acompanhou a transferência?

— Não sei. Alguém da segurança, talvez a minha mãe. Deve ter tido algum documento pra assinar na saída e na chegada.

— Bem, é uma possibilidade, mas também só dá algumas horas a mais, de todo modo. Eles já deviam estar preparados, a cópia pronta. O encanador ficou com a estatueta uma semana, pelo menos foi o que ele disse. Depois o governo assumiu a responsabilidade, mais uma semana pra eles gastarem com a documentação e contratarem a Standjo. A sua mãe te contrata e te chama pro trabalho.

— Ela não me chamou. Ela me deu uma ordem pra ir pra Florença.

— Humm. — Ele estudou o quadro. — Por que demorou seis dias entre o telefonema e a viagem? Pelo que você diz, ela não me parece uma pessoa paciente.

— Me disseram, e eu planejei assim, pra ir no dia seguinte, dois dias depois, no máximo. Mas eu precisei me atrasar.

— Por quê?

— Fui assaltada.

— O quê?

— Um homem enorme, de máscara, apareceu do nada e encostou uma faca no meu pescoço. — As mãos dela flutuaram até ali, como se quisessem confirmar que as gotas de sangue derramadas eram somente uma lembrança ruim.

Ryan segurou os dedos de Miranda para afastá-los da garganta e ver com os próprios olhos, apesar de saber que não havia marca alguma. Ainda assim, não gostava nem de pensar na possibilidade. E seus olhos endureceram.

— Como foi que isso aconteceu?

— Eu tinha acabado de chegar de viagem. Saltei do carro na frente de casa, e lá veio ele. Pegou a minha pasta, minha bolsa. Pensei que o cara ia me estuprar e considerei minhas chances de lutar contra ele, contra aquela faca. Eu tenho certa fobia de faca.

Os dedos dela tremeram levemente, e ele os apertou. — Ele te cortou?

— Um pouquinho, só... só o suficiente pra me assustar. Depois ele me jogou no chão, furou os pneus do carro e sumiu.

— Ele te derrubou?

Ela piscou os olhos diante da frieza na voz dele, diante da ternura insuportável daqueles dedos que acariciavam o seu rosto.

— Derrubou.

Ele ficou cego de fúria só de pensar em alguém pressionando o pescoço dela com uma faca, aterrorizando-a. — Você se machucou muito?

— Não, nada. Só uns hematomas e uns arranhões. — Como os olhos dela ardiam, baixou o olhar. Tinha medo de que as emoções que experimentava fossem aparentes, o questionamento e a confusão de seus sentimentos por ele. Ninguém além de Andrew jamais a olhara com tamanha preocupação, tamanho cuidado.

— Não foi nada — ela repetiu, depois o mirou, desprotegida, enquanto ele levantava seu queixo e beijava o rosto.

— Não precisa ser delicado comigo. — Uma lágrima escapou-lhe dos olhos antes que pudesse impedir. — Eu não lido bem com isso.

— Vai ter que aprender. — Ele a beijou novamente, suavemente, depois limpou a lágrima com o polegar. — Você já teve esse tipo de problema por aqui?

— Não, nunca. — Ela soluçou, depois estabilizou a respiração. — Por isso eu fiquei tão chocada, eu acho; estava despreparada. Aqui é uma área de muito pouco crime. Na verdade, foi uma aberração tão grande que ficou passando no noticiário local durante dias.

— Nunca pegaram o cara?

— Não. Eu não consegui fazer uma descrição muito detalhada. Ele tava de máscara, a única coisa que deu foi pra dizer a altura dele, o tipo físico.

— Diz pra mim.

Ela não queria lembrar o incidente, mas sabia que ele a pressionaria até que cedesse. — Branco, um metro e oitenta, noventa, olhos castanhos. Escuros. Braços longos, mãos grandes, canhoto, ombros largos, pescoço curto. Nenhuma cicatriz ou marca que eu pudesse ver, claro.

— Parece que você prestou bastante atenção no cara, considerando a situação.

— Não o suficiente. Ele não abriu a boca, nem uma palavra. Isso foi outra coisa que me apavorou. Ele fez tudo tão rápido, foi tão silencioso. E ele pegou o meu passaporte e a minha carteira de

motorista. Toda a minha identidade. Levei vários dias, mesmo mexendo meus pauzinhos, pra conseguir os documentos novos.

Um profissional, Ryan concluiu. Com um propósito.

— O Andrew ficou revoltado — ela lembrou com um sorriso pálido. — Passou uma semana fazendo a ronda em volta da casa com um taco de golfe, toda noite, na esperança de que o cara resolvesse voltar e ele pudesse cair matando.

— Um bom sentimento.

— Essa é uma reação masculina. Eu teria preferido cuidar de tudo sozinha. Foi humilhante não ter lutado, ter ficado paralisada.

— Alguém encostou uma faca no seu pescoço. Ficar paralisada foi uma escolha inteligente.

— Eu tava mais assustada que ferida — ela murmurou e olhou fixamente para a superfície da mesa.

— Fico arrasado por você. Ele não tentou entrar na casa?

— Não, só agarrou a minha bolsa, a pasta, me deu um empurrão e saiu correndo.

— Joias?

— Não.

— Você tava usando alguma?

— Estava com um colar de ouro e com o meu relógio, a polícia também me perguntou isso. Mas eu estava de casaco, acho que ele não viu.

— O mesmo relógio? — Ele levantou o pulso dela e examinou o Cartier de dezoito quilates. Qualquer idiota o venderia por mil pratas no mínimo, pensou. — Um roubo desse tipo não parece coisa de amador que deixaria passar um artigo tão fácil de vender. E ele não te forçou a abrir a casa pra roubar objetos de qualidade.

— A polícia achou que era alguém atrás de dinheiro vivo.

— Ele podia achar que você tinha umas duzentas pratas, se estivesse com sorte. Não o suficiente pra um assalto à mão armada.

— Tem gente que mata por um tênis de marca.

— Não esse tipo de ladrão. Ele tava atrás da sua identidade, *darling*, porque alguém não queria que você chegasse a Florença tão cedo. Eles precisavam de tempo pra trabalhar na cópia, e não podiam correr o risco de você aparecer antes que tivessem tudo sob controle. Então, contrataram um profissional. Alguém que não ia fazer besteira nem serviço porco. E devem ter pago o suficiente pra ele não ser ganancioso.

A explicação era tão simples, tão perfeita, que ela simplesmente o encarou, perguntando-se por que ela mesma não associara os fatos. — Mas a polícia nunca sugeriu essa possibilidade.

— Eles não tinham todas as informações. A gente tem.

Lentamente, ela concordou com um gesto de cabeça. E, devagar, a raiva começou a crescer dentro de seu peito, subindo-lhe pela garganta. — Ele colou uma faca no meu pescoço por causa de um passaporte. Foi tudo pra me atrasar. Pra terem mais tempo.

— Eu diria que a probabilidade de ser isso é bem alta. Me conta tudo de novo, tim-tim por tim-tim. É pouco possível, mas talvez algum conhecido meu possa descobrir quem é esse cara.

— Se eu puder — ela disse, séria —, não quero conhecer esse seu conhecido.

— Não se preocupa, dra. Jones. — Ele virou a mão dela e beijou-lhe a palma. — Você não vai conhecer.

NÃO HAVIA LUGAR ONDE FOSSE POSSÍVEL COMPRAR UMA garrafa de bebida no domingo de Páscoa. Quando se flagrou dirigindo a esmo, procurando uma, Andrew começou a tremer. Não era que precisasse, disse para si mesmo. Queria uma, e isso era bem diferente. Queria apenas dois drinques para aliviar a tensão.

Droga, todo mundo o perseguia. Tudo caía sobre seus ombros. Estava de saco cheio disso. Que se danassem, todos, resolveu, socando o volante. Que se danassem todos.

Continuou dirigindo. Rumaria para o sul, e não pararia até que estivesse bem e pronto. Tinha bastante dinheiro, o que não tinha era a droga do sossego.

Não pararia até que pudesse respirar novamente, até que encontrasse uma porcaria de loja de bebidas que estivesse aberta num domingo de Páscoa.

Baixou o olhar, viu seu punho cerrado socando o volante ininterruptamente. Um punho ferido e sangrento que parecia pertencer a outra pessoa. Alguém que o assustava absurdamente.

Meu Deus, meu Deus. Ele estava com problemas. Com as mãos tremendo, jogou o carro no meio-fio, e, deixando o motor ligado, apoiou a cabeça no volante e rezou pedindo ajuda.

Uma batida suave na janela fez com que desse um pulo e encarasse o rosto de Annie através do vidro. Com a cabeça inclinada, ela fez um sinal circular com o dedo, pedindo que ele abrisse a janela. Só quando a viu percebeu que se dirigira à sua casa.

— O que é que você tá fazendo, Andrew?

— Tô só dando um tempo aqui.

Ela mudou a sacola que carregava de mão e observou o rosto dele. Estava péssimo, ela notou, ferido, com cor de doente, cansado.

— Você brigou com alguém?

— Minha irmã.

Ela arqueou as sobrancelhas. — A Miranda te deu um soco no olho?

— O quê? Não, não. — Constrangido, ele passou os dedos sobre o machucado. — Eu escorreguei na escada.

— Jura? — Seus olhos estreitados fixaram-se nos cortes recentes e no sangue seco nos nós dos dedos. — Você socou os degraus?

— Eu... — Ele levantou a mão, a boca seca enquanto olhava para ela. Nem mesmo sentira dor. O que um homem era capaz de fazer quando parava de sentir dor? — Posso entrar? Eu não bebi — disse rapidamente, ao ver a rejeição nos olhos dela. — Eu quero beber, mas não bebi.

— Você não vai beber na minha casa.

— Eu sei. — Ele manteve o olhar firme. — Foi por isso que eu vim pra cá.

Ela o analisou por mais alguns instantes, depois fez um aceno positivo. — Ok.

Abriu a porta de casa, entrou e acomodou a sacola sobre a mesa, lotada de papéis e formulários, alguns descansando sob uma máquina de calcular.

— Tô fazendo minha declaração de imposto de renda — explicou. — Saí pra comprar isso. — Tirou um frasco de remédio extraforte para dor de cabeça da sacola. — Você tem um negócio, tem lucro envolvido, vai ter dor de cabeça na hora de declarar.

— Eu já tenho essa dor de cabeça.

— Imagino. Vamos tomar umas drogas. — Com um ligeiro sorriso, ela serviu dois copos d'água. Abriu o frasco e tirou dois comprimidos para cada. Solenemente, os engoliram.

Ela foi até o freezer e pegou um pacote de ervilhas congeladas.

— Bota isso na mão por enquanto. Vou limpar esses seus machucados.

— 'Brigado. — Ele pode não ter sentido a dor quando socou o volante do carro, mas estava sentindo agora. Desde os punhos até as pontas dos dedos, suas mãos doíam absurdamente. Mas ele conteve o grito enquanto segurava o pacote gelado sobre os ferimentos. Já fizera estrago suficiente ao próprio ego e à própria masculinidade na frente de Annie McLean.

— Agora, o que foi que você fez pra irritar a sua irmã?

Ele quase não mentiu, inventou uma briga idiota entre irmãos. Ego e masculinidade à parte, ele não conseguiria mentir para aqueles olhos silenciosos, perscrutadores. — Eu devia estar completamente bêbado, e humilhei a Miranda na frente do novo namorado.

— Miranda tá com um namorado?

— É, foi meio de repente. Tudo certo. Diverti o cara caindo da escada, depois vomitando tudo que tinha dentro do estômago.

Ela sentiu uma pontada de compaixão, mas simplesmente inclinou a cabeça. — Você anda ocupado, Andrew.

— Ah, é. — Ele jogou o pacote de ervilhas na pia e começou a andar pela cozinha. Estava ansioso, nervoso. Não conseguia ficar parado. Batia com os dedos nas pernas, no rosto, uns nos outros enquanto vagava. — Aí, hoje de manhã, eu resolvi piorar as coisas criticando os problemas dela no trabalho, com a família, me metendo na vida sexual dela. — Ele passou os dedos sobre o rosto, lembrando-se do tapa que a irmã lhe dera.

Flagrando-se dando um passo na direção dele, Annie virou-se e pegou um antisséptico no armário atrás de si. — Provavelmente o estopim fora o comentário sobre a vida sexual dela. As mulheres não gostam da participação dos irmãos nessa área.

— É, talvez você tenha razão. Mas a gente tá cheio de problemas no instituto. Eu tô debaixo de muito estresse.

Ela contraiu os lábios, olhou para a pilha de papéis e formulários na mesa, os envelopes com notas fiscais, os tocos de lápis e os rolos adicionais de fita para a máquina de calcular. — Se você tá vivo, tá debaixo de estresse. Pode beber até cair, mas quando acordar, o estresse vai estar no mesmo lugar.

— Olha só, pode ser que eu tenha realmente um problema. Eu vou dar conta disso. Só preciso de um pouco de tempo, de um sossego pra minha cabeça. Eu... — Pressionou os olhos com a ponta dos dedos, tonto.

— Você tem um baita problema e pode dar conta dele. — Ela foi até ele, pegou seus punhos e baixou-lhe as mãos para que olhasse para ela. — Você precisa de um dia, porque é só hoje o que conta.

— Até agora, hoje tá um saco.

Ela sorriu, ficou na ponta dos pés e beijou-lhe o rosto. — E provavelmente vai piorar. Senta um pouco, eu vou cuidar dessa sua mão, garoto durão.

— 'Brigado. — Depois ele suspirou e repetiu: — 'Brigado, Annie.

Ele a beijou no rosto, depois descansou a cabeça de encontro à dela, sentindo-se confortado pelo gesto. Ela ainda segurava seus punhos, suavemente, e seus dedos pareciam tão competentes, tão fortes, o cabelo era tão perfumado. Beijou sua cabeça, depois a testa.

Em seguida, de alguma maneira, sua boca estava sobre a dela, e o gosto de Annie invadia sua corrente sanguínea como a luz do sol. Quando os dedos dela dobraram-se dentro dos seus, ele os soltou, mas somente para segurar o rosto dela entre as mãos, para trazê-la para perto de si, segurá-la ali enquanto seu calor o acalmava como um bálsamo faz com um ferimento.

Quantos contrastes, esse foi seu pensamento. O corpo firme, o cabelo suave, a voz sussurrada, a boca generosa.

A força e a suavidade dela, tão encantadoras e tão familiares. E tão necessárias para ele.

Ela sempre estivera presente. Ele sempre soubera que podia contar com ela.

Não foi fácil libertar-se. Não das mãos dele — ela poderia ter se afastado facilmente. As mãos dele eram suaves como as asas de um pássaro sobre seu rosto. A boca, carente e terna.

Ela se perguntara, permitira-se a pergunta uma vez, se seria a mesma coisa. A sensação do corpo dele, o gosto. Mas isso já fora há muito tempo, antes de se convencer de que sua amizade seria suficiente. Agora não era fácil desfazer-se daquele único e longo beijo silencioso, de sua demanda, daquilo que fizera brotar.

Ela precisava de toda a sua força de vontade para afastar o desejo sorrateiro que ele trouxera de volta. Um desejo, uma necessidade, disse para si mesma, que não faria bem a nenhum dos dois.

Ele quase a derrubou, já tateava cegamente quando ela levantou as mãos, em alerta. Ele deu um pulo atrás, como se tivesse levado outro tapa no rosto.

— Meu Deus, desculpe, Annie, desculpe. — O que fizera? Como poderia arruinar a única amizade sem a qual não julgava ser capaz de viver? — Eu não tinha intenção de fazer isso. Foi um gesto impensado. Desculpe.

Ela esperou que ele se acalmasse, esperou que a culpa sumisse do rosto dele. — Eu expulsei um cara de quase cem quilos do bar ontem à noite porque ele achou que podia me comprar junto com a cerveja e um galo na testa. — Ela agarrou o polegar da mão esquerda de Andrew e torceu-o levemente. Ele arregalou os olhos e prendeu a respiração. — Eu podia fazer você se ajoelhar, meu amigo, gemer de dor, se eu quisesse torcer esse dedo de verdade. A gente não tem mais dezessete anos, não é mais idiota, nem um pouco inocente. Se eu não quisesse as suas mãos em mim, você já estaria no chão, conferindo os buracos do meu teto.

Gotas de suor brotaram na testa dele. — Será que dá pra soltar agora?

— Claro. — Atendendo ao pedido, ela soltou seu dedo e manteve a sobrancelha arrogantemente arqueada. — Quer uma Coca? Você tá um pouco suado. — Virou-se e dirigiu-se à geladeira.

— Eu não quero estragar as coisas.

— Estragar o quê?

— A gente. Você é importante pra mim, Annie. Sempre foi.

Ela ficou olhando fixamente dentro da geladeira. — Você também. Eu te aviso quando você estiver estragando as coisas.

— Eu queria falar sobre... antes.

Ele esperou que ela abrisse as duas garrafas. Era encantadora a sua economia de movimentos, pensou, a coluna ereta naquele corpo bem torneado. Ele notara aquelas coisas antes? Notara o brilho dourado nos olhos dela? Ou simplesmente os arquivara para que viessem à tona em um momento como aquele?

— Por quê?

— Talvez seja bom encarar as coisas de frente. Coisas que não tinha percebido até pouco tempo que estavam presas em mim. —

Ele flexionou os dedos, sentiu dor. — Não ando na melhor forma agora, mas tenho que começar de algum lugar. Em algum momento.

Ela colocou as garrafas na bancada, forçou-se a se virar, a olhá-lo nos olhos. E os seus nadavam em emoções que se esforçara para manter trancadas durante anos. — É doloroso pra mim, Andrew.

— Você queria ter tido o bebê. — Simplesmente respirar fazia seu peito doer. Nunca falara sobre o bebê antes, não em voz alta. — Eu vi no seu rosto quando você me disse que tava grávida. Eu me apavorei.

— Eu era muito nova pra saber o que queria. — Ela fechou os olhos, porque era uma mentira. — É, é, eu queria ter o bebê. Eu tinha essa fantasia idiota de que eu ia te contar, e você ia ficar felicíssimo e me pegar no colo. Depois, a gente... bem, a gente só foi até aí. Mas você não me quis.

Sua boca estava seca como se tivesse engolido um punhado de areia, o estômago, revirado. Ele sabia que uma dose resolveria tudo. Maldizendo-se por pensar nisso naquele momento, pegou uma das garrafas na bancada e virou o refrigerante, que lhe pareceu melado e doce demais. — Eu me preocupava com você.

— Você não me amava, Andrew. Eu era só a garota com quem você se deu bem uma noite na praia.

Ele baixou a garrafa com violência. — Não foi assim. Que droga, Annie, você sabe que não foi nada disso.

— Foi exatamente isso — ela disse, segura. — Eu era apaixonada por você, Andrew, e eu sabia que você não era apaixonado por mim quando a gente deitou naquele lençol na areia. Eu não me importei. Não esperava nada. Andrew Jones de Jones Point e Annie McLean da beira-mar? Eu era jovem, mas não idiota.

— Eu teria casado com você.

— Teria? — Sua voz esfriou. — A sua oferta não foi nem um pouco segura.

— Eu sei. — E isso era algo que o atormentava, um pouquinho de cada vez, por quinze anos. — Eu não te dei o que você precisava

naquele dia. Se tivesse dado, talvez você tivesse feito uma escolha diferente.

— Se eu tivesse te aceito ali, você ia me odiar. Quando você fez a oferta, em parte você já me odiava. — Ela virou os ombros, pegou seu refrigerante. — E, olhando pra trás, eu não posso te culpar. — A garrafa ficou parada a caminho de seus lábios enquanto ele se aproximava dela. O brilho de ira nos olhos dele fez com que ela se apoiasse na bancada. Ele tirou a garrafa da mão dela, depois a segurou com firmeza pelos ombros.

— Eu não sei como teria sido, e isso é uma coisa que me perguntei mais de uma vez ao longo desses anos. Mas eu sei como era. Talvez eu não estivesse apaixonado por você, eu não sei. Mas fazer amor com você foi importante pra mim. — E isso, deu-se conta, era outra coisa que nunca dissera em voz alta, algo que nenhum dos dois encarara. — Por mais que eu tenha sido péssimo pra lidar com tudo depois, aquela noite foi importante. E, droga, Annie, droga — ele acrescentou, sacudindo-a suavemente —, você podia ter sido a mulher da minha vida.

— Eu nunca fui a mulher certa pra você — ela disse num sussurro, com raiva.

— Como é que você sabe? A gente nunca teve oportunidade de descobrir. Você me disse que tava grávida e, antes de eu ter a chance de absorver a informação, você fez um aborto.

— Eu nunca fiz um aborto.

— Você cometeu um erro — ele disse, devolvendo as palavras que ela uma vez jogara na sua cara. — E o consertou. Eu teria cuidado de você, dos dois. — Uma dor há muito tempo fragilmente enterrada veio à tona sob a forma de murros cegos no ar. — Eu teria feito o melhor por você. — Seus dedos apertaram os braços dela. — Mas não era o suficiente. Ok, a decisão era sua, era o seu corpo, sua escolha. Mas, caramba, era parte de mim também.

Ela levantara as mãos para afastá-lo e agora as enroscava na camisa dele. O rosto de Andrew estava absolutamente pálido, não fossem os hematomas, os olhos sombrios. A dor no coração dela era pelos dois, agora. — Andrew, eu não fiz um aborto. Eu perdi o bebê. Eu te disse isso, perdi sem querer.

Algo se iluminou no fundo dos olhos dele. Suas mãos afrouxaram o aperto nos ombros dela e ele deu um passo atrás. — Você perdeu sem querer?

— Eu te contei na época.

— Eu sempre achei, deduzi que você... — Ele se virou, foi até a janela. Sem pensar, abriu-a e, apoiando as mãos no parapeito, respirou fundo. — Eu achei que você tinha me dito isso pra facilitar as coisas pra nós dois. Imaginei que você não confiava em mim o suficiente pra te dar apoio, pra tomar conta de você e da criança.

— Eu não teria feito um aborto sem te contar.

— Você me evitou durante muito tempo depois disso. A gente nunca tocou no assunto, nunca parecia capaz de falar no assunto. Eu sabia que você queria o bebê, e eu pensei, até hoje, pensei que você tinha interrompido a gravidez porque eu não tinha te dado o suporte que você precisava.

— Você... — Ela precisou engolir o bolo que havia em sua garganta. — Você queria o bebê?

— Eu não sabia. — Mesmo agora ele não sabia. — Mas nunca me arrependi de nada na vida como não ter te segurado aquele dia na praia. Depois, as coisas foram escapando, quase como se nunca tivessem acontecido.

— Me machucou. Eu tive que superar. Esquecer. Tive que esquecer você.

Lentamente, ele fechou a janela novamente. — Você conseguiu?

— Eu construí uma vida pra mim. Um casamento ruim, um divórcio terrível.

— Isso não é resposta.

Quando ele se virou, os olhos muito azuis nos seus, ela balançou negativamente a cabeça. — Não é uma pergunta justa, agora. Não vou começar uma coisa com você com base no que já foi.

— Então, talvez seja bom a gente prestar atenção em onde a gente tá agora e começar a partir daí.

# Capítulo Vinte e Um

Miranda voltou a trabalhar no computador, revendo gráficos, criando novos. Isso mantinha sua cabeça ocupada, não fossem os momentos em que se flagrava olhando pela janela, na esperança de que o carro de Andrew aparecesse.

Ryan estava no quarto, no seu celular. Ela imaginou que não queria várias de suas ligações constando da conta de telefone dela. Isso era algo com que não precisava se preocupar.

Ele lhe abrira uma nova frente de preocupação. Se estivesse certo, o roubo rápido e rude em plena luz do dia não fora simplesmente uma obra do acaso, não fora coisa de algum ladrão itinerante em busca de dinheiro vivo. Fora algo bem planejado, cuidadosamente orquestrado, parte de um plano completo. Ela fora um alvo específico, e o motivo oculto fora retardar sua viagem para a Itália e seu trabalho no bronze.

Quem roubara a peça e a copiara já tinha a intenção de tirar-lhe o crédito. Seria algo pessoal ou a bola da vez?, perguntava-se.

Acreditava que, assim como tinha poucos amigos verdadeiros, seriam poucos os inimigos de fato. Ela simplesmente evitava se aproximar o suficiente de qualquer pessoa, a fim de criar relações de uma espécie ou de outra.

Mas as mensagens chegando via fax eram pessoais, ela pensou, feitas para assustar. O silêncio, a faca encostada na sua garganta. Fora aquilo tudo algo rotineiro para seu atacante ou ele teria recebido instruções para deixar sua vítima paralisada de choque e pavor?

Custara-lhe uma grande parte da confiança, de seu senso de segurança, certamente de sua dignidade. E retardara sua viagem por quase uma semana. O atraso causara uma situação desagradável entre ela e a mãe, antes mesmo do começo do trabalho.

Camadas, pensou, inteligentemente aplicadas para assegurar a intenção central. E não começara com o assalto, mas antes, com o roubo do *Davi*.

O que andava acontecendo na sua vida na época? O que ela estava esquecendo que poderia ligar uma coisa à outra?

Ela trabalhava na sua tese de doutorado, lembrou. Dividia seu tempo entre o instituto, os estudos, a tese. Sua vida social, nunca realmente glamorosa, era nenhuma então.

O que a circundava? Isso, deu-se conta, era mais difícil de rastrear. Prestar atenção às pessoas à sua volta não era sua tarefa predileta. E algo que pretendia mudar.

Por enquanto, fechava os olhos e tentava trazer o tempo de volta, as pessoas de volta.

Elise e Andrew estavam casados, e ainda profundamente apaixonados, pelo que parecia. Não conseguia lembrar-se de nenhuma briga, nenhum desentendimento. O vício de Andrew era rotina, mas nada com que se preocupasse.

E ela fizera o possível para dar ao casal o máximo de privacidade.

Giovanni e Lori se divertiam com um caso rápido, amigável. Ela sabia que eles estavam dormindo juntos, mas, como isso não inter-

feria na qualidade nem na quantidade do trabalho dos dois, manteve-se de fora.

Sua mãe fora rapidamente ao instituto. Passara um dia ou dois, Miranda lembrava agora. Não mais que isso. Haviam tido uma série de reuniões, um desconfortável jantar de família e mais nada.

Seu pai ficara somente o tempo necessário para os testes iniciais do bronze. Estivera em apenas algumas das reuniões e dera uma desculpa para evitar a reunião familiar.

Vincente e a mulher estiveram presentes em lugar de seu pai, mas nem suas personalidades vivazes haviam iluminado o evento. Se a memória tinha alguma serventia, Gina aparecera no laboratório uma vez.

De Richard Hawthorne, ela só lembrava vagamente, sempre enterrado nos livros ou debruçado sobre a tela do computador.

Quanto a John Carter, sua presença fora constante, analisando projetos, preocupando-se com relatórios. Miranda esfregou as têmporas, com dificuldade para lembrar-se de detalhes. Estivera ele um pouco fora do seu tom habitual, um tanto lento, insatisfeito? Uma gripe, lembrou-se. Ele estivera gripado, mas trabalhara mesmo assim.

Como ela poderia lembrar? Desconfortável, deixou as mãos penderem. A rotina, a rotina do trabalho sempre fora sua força motriz. Tudo o mais eram fragmentos do momento em que tivera aquela estatueta pequena e adorável nas mãos.

Ela vira a aquisição do *Davi* como mais um passo em sua carreira, e usara a autenticação da peça como base de um de seus escritos. Atraíra grande atenção com isso nos mundos acadêmico e científico. Fora convidada a dar palestras e ganhara aclamação considerável.

Fora o verdadeiro início de sua ascensão profissional, acreditava. Aquele pequeno bronze a destacara da multidão e a colocara solidamente na liderança.

Olhava cegamente para as palavras na tela do computador, um ligeiro zumbido em seus ouvidos.

O Bronze Fiesole teria feito sua reputação subir aos céus. Teria consolidado seu nome como uma das maiores do mundo no seu campo. Não apenas no mundo acadêmico, mas na imprensa também. Estamos falando de Michelangelo, de romance, de mistério, de dinheiro. Ela fechou os olhos e esforçou-se para lembrar.

As duas peças eram dela. As duas ofereciam solidez à sua reputação. E as duas haviam sido falsificadas. E se elas não fossem o alvo?

E se ela fosse?

Cruzou as mãos, esperou que suas emoções se acomodassem. Havia uma lógica, havia uma razão. Era algo mais que plausível.

Mas onde estava o motivo?

Que outras peças autenticadas por ela estariam sendo testadas novamente no instituto, sem muito comentário? O Cellini. Sentiu o estômago revirar ao pensar nisso. A estátua de Rodin, pensou, forçando-se a manter a calma e a clareza. Havia o Rômulo e Remo com a loba.

Ela tinha que voltar ao laboratório. Tinha que ter certeza de que nenhuma delas fora trocada por falsificações.

Deu um salto ao ouvir o telefone tocar, e encarou o aparelho por vários segundos antes de atender. — Alô?

— Miranda, tenho notícias ruins pra dar pra você.

— Mãe. — Ela passou a mão sobre o peito. *Acho que tem alguém tentando me machucar. Acho que estão tentando me destruir. Era verdadeiro. O bronze era verdadeiro.* — O que foi?

— Na noite de quinta-feira o laboratório foi invadido. Destruíram equipamentos, arquivos, relatórios.

— Destruíram? — ela disse com dificuldade. *Isso, estou sendo destruída.*

— Giovanni... — A pausa foi longa, e, pela primeira vez em muito tempo, Miranda percebeu um toque de emoção na voz da mãe. — Giovanni foi assassinado.

— Giovanni. — *Você se importava. Meu Deus, você se importava.* Ela fechou os olhos e lágrimas brotaram. — Giovanni — repetiu.

— Pelo que parece, ele deve ter resolvido aproveitar a calmaria do laboratório no feriado pra trabalhar. Não conseguimos identificar em que projeto ele estava envolvido. A polícia...

Mais uma vez aquele embargo na voz, que, apesar de mais forte, continuava instável. — A polícia está investigando, mas eles não têm nenhuma pista até agora. Tenho tentado dar assistência a eles durante esses dias. O enterro é amanhã.

— Amanhã?

— Achei melhor você saber por mim. Conto com você pra avisar o Andrew. Sei que você gostava muito do Giovanni. Acho que todos nós gostávamos. Não há necessidade de você vir para o enterro. Vai ser tudo muito simples e discreto.

— A família dele.

— Já falei com a família. Apesar de termos arranjado tudo pra fazer doações pra caridade em nome dele, acho que eles apreciariam flores. É um momento difícil pra todos nós. Espero que você possa deixar de lado as questões profissionais e mandar flores, ou algo do gênero, pra família.

— Claro. Mas eu poderia viajar hoje à noite.

— Não é necessário nem inteligente fazer isso. — A voz de Elizabeth estava novamente rascante. — A imprensa vai saber muito bem que vocês trabalharam juntos no Bronze Fiesole. Esse assunto já rendeu o suficiente na mídia. A sua presença só ia trazer tudo à tona novamente. Pelo bem da família do Giovanni, o velório e o enterro vão ser discretos e distintos.

Ela se lembrou das últimas palavras finais do fax anterior: *O sangue dele está nas suas mãos. Você não vê isso?* — Você tá certa. Eu não faria nada além de piorar a situação. — Fechou os olhos, era melhor concentrar-se em manter a voz regular. — A polícia sabe o motivo da invasão no laboratório? Alguma coisa foi roubada?

— É difícil dizer, mas parece que não levaram nada. Muita coisa foi destruída. O alarme foi desativado, de dentro. A polícia acha possível que ele conhecesse o invasor.

— Eu gostaria que você me mantivesse informada do andamento das investigações. Ele era muito importante pra mim.

— Eu sei que vocês tinham uma relação íntima.

— Nós não éramos amantes, mãe. — Miranda disse isso como um suspiro. — Nós éramos amigos.

— Eu não tive a intenção de... — Elizabeth silenciou, mantendo-se assim por alguns segundos. — Pode deixar que mantenho você informada. Se for sair da cidade, avise ao Andrew onde você está desta vez.

— Meu plano é ficar por aqui — Miranda disse. — E fazer jardinagem. — Ela sorriu um pouco ao perceber que não houve resposta. — As férias forçadas vão me dar tempo pra desenvolver um hobby. Dizem que faz bem pra alma.

— Já ouvi falar. Que bom que você está fazendo uso produtivo do seu tempo, em vez de se amofinar. Diga ao Andrew que quero um update das investigações daí assim que for possível. Talvez eu dê um pulo rápido em casa, e gostaria de um relatório sobre tudo que diz respeito ao *Davi* ordenado de maneira coerente.

*Vou alertá-lo.* — Vou passar isso pra ele.

— Ótimo. Tchau, Miranda.

— Tchau, mãe.

Colocou o fone no gancho cuidadosamente, depois ficou olhando para o aparelho até se dar conta de que Ryan estava atrás dela.

— Ela conseguiu me enganar por um minuto. Até comecei a acreditar que era um ser humano. Ela pareceu triste de verdade quando me contou sobre o Giovanni. Mas, antes de encerrar a ligação, ela voltou ao normal. É melhor eu ficar a distância, porque a minha presença pode ser perturbadora.

Teve o instinto de enrijecer o corpo quando as mãos dele tocaram seus ombros. Isso a enfureceu. Fechou os olhos e forçou-se a relaxar sob o toque dele. — Fui instruída a informar todos os meus passos pro Andrew, caso eu resolvesse sair da cidade de novo, e ela pediu pra eu avisar ao meu irmão que ele tem de passar todas

as novidades das investigações sobre o roubo daqui assim que for possível.

— Ela tá com muita coisa na cabeça, Miranda. Todo mundo da sua família.

— E quando a sua família tem uma crise? Como eles fazem?

Ele se agachou, girou a cadeira dela até que o olhasse no rosto.

— A sua família e a minha são diferentes, e você não pode esperar que reajam da mesma maneira.

— Não. A minha mãe é a diretora, o tempo todo. O meu pai mantém a distância e a apatia habituais, e o Andrew se afoga no álcool. E o que eu faço? Ignoro tudo, dentro do possível, e tento não deixar que essas coisas interfiram na minha rotina.

— Não é isso que eu tenho visto.

— Você tem visto uma mancha na tela, não o programa habitual. — Ela o afastou para poder se levantar. — Vou dar uma corrida.

— Miranda. — Ele a segurou pelo braço antes que ela pudesse sair correndo do quarto. — Se você não se importasse, se eles não fossem importantes, você não estaria triste.

— Eu não tô triste, Ryan. Estou resignada. — Ela se livrou das mãos dele e foi trocar de roupa.

Não corria com frequência. Considerava andar mais eficiente e, certamente, um exercício mais digno. Mas, quando a situação e as emoções se avolumavam tanto, corria.

Escolheu a praia sob a colina, porque a água ficava próxima e o ar era fresco. Seguiu na direção norte, os pés fincando a areia enquanto as ondas atacavam calorosamente o litoral escarpado, lançando gotas de água salgada na luz do sol. Gaivotas pairavam no céu e se jogavam na água, dando gritos agudos e fantasmagóricos.

Quando seus músculos se aqueceram, tirou o casaco leve e deixou-o cair no chão. Ninguém o roubaria. O índice de criminalidade era baixo em Jones Point, pensou com certo desconforto.

Boias cor de laranja pululavam na superfície da água em tom azul-escuro. Outras, altas, cinzentas, apodrecidas, deslizavam

através de ruídos esparsos e soturnos. Um pequeno píer boiava inclinado como um bêbado na água, ignorado, já que nem ela nem Andrew velejavam. Mais ao longe, barcos trafegavam e pessoas aproveitavam o domingo ensolarado de feriado.

Ela seguiu o curso da praia, ignorando a ardência na batata das pernas e no peito, a trilha de suor entre os seios.

Um barco pesqueiro navegava ao sabor da corrente enquanto o marinheiro, de boné vermelho vivo, checava o produto de sua pesca. Ele levantou uma das mãos e acenou. E o simples gesto de um estranho fez com que seus olhos se enchessem de lágrimas. Com a visão turva, ela acenou de volta, depois parou, dobrou o corpo, as mãos nos joelhos, a respiração arfante saindo de seus pulmões.

Não correra até muito longe, pensou, mas correra muito rápido. Não medira o ritmo. Tudo estava acontecendo muito rápido. Ela mal conseguia acompanhar; ainda assim, não se atrevia a desacelerar.

E, por Deus, ela nem mesmo sabia para onde estava indo.

Havia um homem em casa, um homem que conhecia há poucas semanas. Um homem que era um ladrão, provavelmente um mentiroso e, sem dúvida, perigoso. E, mesmo assim, ela pusera parte de sua vida nas mãos dele. Tornara-se íntima, mais íntima do que jamais se permitira ser de qualquer pessoa.

Olhou para trás e para frente, observou o foco de claridade que era o prédio branco do farol. Apaixonara-se por ele naquela torre. Não importava que estivesse se encaminhando para isso desde antes, fora lá que se apaixonara. E ainda não tinha certeza de que aterrissaria em terra firme.

Ele a abandonaria assim que terminasse o que viera fazer. Seria sedutor e inteligente. Não seria cruel. Mas voltaria para sua vida. A dela, dava-se conta, ainda estaria uma bagunça.

Eles podiam encontrar os bronzes, reconstruir sua reputação, resolver o quebra-cabeça e, até mesmo, pegar um assassino. Mas sua vida continuaria uma bagunça.

E, sem precedentes, sem fórmula, sem dados, ela não era capaz de adivinhar quanto tempo levaria para se reestruturar.

Seus pés estavam à beira de uma pequena piscina da água calma e cristalina. Havia vida correndo sob ela, em cores e formas de outro mundo.

Quando era criança, sua avó passeava com ela na praia — ou com os dois irmãos juntos. Estudavam as pequenas piscininhas de maré à beira-mar, mas não como se fosse uma aula disfarçada.

Não, lembrou-se, eles se acocoravam e apreciavam. Riam quando uma pequena pedra raspava seus pés, como se perturbada com sua presença.

Pequenos mundos, sua avó as nomeava. Cheios de paixão, sexo, violência e política — e muitas vezes mais sensíveis que a vida levada na parte seca do planeta.

— Queria que você estivesse aqui — Miranda murmurou. — Queria que eu ainda tivesse você pra conversar.

Olhou novamente para o oceano, tão distante do mundo ocupado aos seus pés, e deixou o vento sacudir seu cabelo, lamber seu rosto. O que devia fazer agora?, perguntou-se. Agora que sabia o que era amar alguém até que doesse, o que era preferir a dor ao vazio que lhe era tão familiar que mal percebia?

Sentou-se na superfície lisa de uma pedra, suspendeu os joelhos e apoiou a cabeça neles. Isso, supôs, era o que acontecia quando o coração tinha permissão para controlar a mente, as ações, as decisões. Com todo o resto ruindo em volta dela, estava sentada numa pedra, olhando para o mar e amofinando-se com um caso de amor destinado a acabar.

Um passarinho pousou na beira da água e montou guarda em busca de moluscos, mantendo a aparência importante. Isso fez com que ela sorrisse. Aparentemente, até mesmo os pássaros se preocupam com as aparências. Olhem para mim, ele parecia dizer, sou muito legal.

— A gente veria como você é legal se eu tivesse trazido um pedaço de pão — ela lhe disse. — Você ia ficar louco pra engolir todas as migalhas antes que os seus coleguinhas ficassem sabendo e resolvessem aparecer pra brigar por elas.

— Já ouvi dizer que gente que bebe muito começa a acreditar que pode se comunicar com os pássaros. — Andrew percebeu os ombros da irmã enrijecerem, mas continuou falando: — Você deixou isso cair. — Colocou o casaco no colo dela.

— Fiquei com calor.

— Mas se você ficar sentada aqui sem casaco, depois de correr, vai ficar resfriada.

— Eu tô bem.

— Como você quiser. — Foi preciso um bocado de coragem para que ele se sentasse na pedra ao lado dela. — Miranda, desculpe.

— Acho que já teve essa parte.

— Miranda. — Ele soube exatamente o quanto a afastara quando ela não deixou que pegasse a sua mão.

— Eu vim até aqui pra ficar um minuto a sós com você.

E ele sabia o quanto ela podia ser teimosa quando se sentia atacada. — Eu queria dizer algumas coisas. Quando eu terminar, você pode me dar outro tapa, se quiser. Eu me excedi além da conta hoje de manhã. Não tem desculpa pro que eu te disse. Não queria escutar o que você tava me dizendo, então joguei sujo.

— Entendido. A gente tá de acordo que é melhor cada um ficar fora das escolhas pessoais do outro.

— Não. — Dessa vez ele ignorou a tentativa dela de se afastar e segurou sua mão. — Não, a gente não tá. A gente sempre contou um com o outro.

— Bem, eu não posso mais contar com você, Andrew, posso? — Encarou-o, viu o quanto o rosto dele estava extenuado atrás dos óculos escuros que usava. Poderia lembrar uma caricatura, um personagem de ficção, pensou. Em vez disso, era uma figura deplorável.

— Eu sei que te desapontei.

— Eu posso cuidar de mim mesma. Você decepcionou a si mesmo.

— Miranda, por favor. — Ele sabia que não seria fácil, mas não tinha se dado conta do quanto a rejeição dela o maltratava. — Eu

sei que tenho um problema. Tô tentando dar um jeito nisso. Eu... eu vou a uma reunião do AA hoje à noite.

Ele viu o brilho de esperança, de compaixão, de amor no olhar dela e sacudiu a cabeça. — Eu não sei se é a coisa certa pra mim. Eu vou lá ouvir, ver como eu me sinto.

— É um bom começo, um passo.

Ele se levantou, olhou para o mar incansável. — Quando eu saí, hoje de manhã, fui atrás de uma bebida. Não me dei conta disso, não foi uma coisa consciente. Não até eu começar a tremer, até me ver dirigindo em círculos, procurando por uma loja de bebida, um bar, qualquer lugar que estivesse aberto num domingo de manhã.

Ele olhou para baixo, para as próprias mãos, dobrou os dedos, sentiu as pequenas feridas. — Fiquei apavorado.

— Eu vou te ajudar, Andrew. Eu li tudo sobre o assunto. Frequentei um grupo de suporte pra parentes de alcoólatras.

Ele se virou para olhar para a irmã. Ela o observava, torcendo o casaco com as mãos. E a esperança era mais profunda em seus olhos.

— Eu tive tanto medo de que você começasse a me odiar — ele disse.

— Eu quis te odiar. Só que eu não consigo. — Ela secou as lágrimas. — Fiquei com tanta raiva de você, com raiva de você estar me fazendo querer me afastar. Quando você saiu, hoje, eu fiquei achando que você ia voltar bêbado, ou que, finalmente, ia ser idiota o suficiente pra dirigir de cara cheia e acabar se matando. Eu teria te odiado por isso.

— Eu fui à casa da Annie. Não sabia que eu ia parar lá também, até estacionar em frente ao prédio dela. Ela... eu... droga. Eu vou ficar na casa dela uns dias. Vou te dar alguma privacidade com o Ryan, dar um pouco de espaço pra nós dois.

— Na casa da Annie? Você vai ficar na casa da Annie?

— Eu não tô dormindo com ela.

— Annie? — ela repetiu, embasbacada. — Annie McLean?

— Algum problema?

Foi o tom defensivo dele que fez com que ela apertasse os lábios.

— Não, nada, nenhum. Isso é uma coisa que eu gostaria de ver. Ela é uma mulher decidida, ambiciosa. E não vai aturar gracinha de você.

— A Annie e eu... — Ele não tinha certeza de qual a melhor maneira de explicar. — A gente tem um passado. Talvez agora a gente consiga ter um presente.

— Eu achei que vocês eram só amigos.

Ele olhou para a praia, achando que poderia identificar o lugar onde dois adolescentes sem juízo haviam perdido a inocência. — A gente era, depois deixou de ser. Não sei o que a gente é agora. — Mas descobrir, pensou, estava lhe dando uma direção, um propósito que ele não tinha havia muito tempo. — Eu vou dormir no sofá dela umas noites. Vou colocar os pés no chão de novo, não importa quanto isso me custe. Mas sempre existe a possibilidade de eu desapontar você antes de conseguir.

Ela lera tudo que conseguira ter à mão sobre alcoolismo, os tratamentos, a recuperação. Sabia tudo sobre recaída, começar de novo, falência. — Você não está me desapontando hoje. — Estendeu a mão e apertou os dedos dele com força. — Eu senti tanto a sua falta.

Ele a levantou da pedra e a abraçou. Sabia que ela estava chorando, podia sentir pelos ligeiros tremores do corpo dela contra o seu. Mas ela não fez nenhum ruído. — Não desiste de mim, ok?

— Eu tentei, não deu certo.

Ele riu um pouco e apertou o rosto contra o dela. — Essa coisa que você tem com o cara de Nova York...

— Como assim? Antes ele era Ryan, e agora é o cara de Nova York?

— Agora ele tá mexendo com a minha irmã, e estou guardando meu julgamento final. Essa coisa que você tem — ele repetiu. — Tá sendo bom pra você?

Ela se retraiu. — Tá sendo bom, hoje.

— Tudo bem. Agora que a gente fez as pazes, por que não tomamos um drinque pra comemorar? — Suas covinhas saltaram no rosto. — Piada de bêbado. Que tal um rosbife?

— Tá muito tarde pra começar a preparar um rosbife. Mas eu faço um bolo de carne de macho pra você.

— Ok, aceito.

Enquanto caminhavam de volta, ela se preparou, sabendo que teria de contar para ele e estragar o momento. — Andrew, a mamãe ligou mais cedo.

— Será que ela não descansa nem na Páscoa, como todo mundo?

— Andrew. — Ela parou, manteve a mão no braço do irmão. — Alguém invadiu o laboratório em Florença. O Giovanni tava lá, sozinho. Ele foi assassinado.

— O quê? O Giovanni? Meu Deus. — Ele se virou, foi até a beira d'água, as marolas ensopando seus sapatos. — O Giovanni tá morto? Assassinado? Caramba, o que é que tá acontecendo?

Ela não podia correr o risco de contar. A força de vontade dele, as emoções, a doença... eram uma combinação muito instável.

— Eu queria saber! Ela disse que o laboratório foi vandalizado, os equipamentos e os relatórios, destruídos. E o Giovanni... eles acham que ele ficou trabalhando até tarde, e aí alguém invadiu.

— Roubo?

— Eu não sei. Não parece... Ela disse que acha que nada de valor foi roubado.

— Não faz sentido. — Ele girou de volta, o rosto lúgubre e abatido. — Alguém invade a galeria aqui, leva um bronze de valor e não mata uma mosca pra entrar, nem pra sair. Agora alguém invade o laboratório da Standjo, mata o Giovanni, detona tudo e não leva nada?

— Eu também não entendo. — Isso, pelo menos, era parcialmente verdade.

— Qual é a ligação? — ele murmurou, e ela o olhou embasbacada.

— Ligação?

— Não existe coincidência aí. — Revirando as moedas no bolso, ele começou a andar de um lado para outro. — Duas invasões, em duas semanas, em divisões diferentes da mesma empresa. Uma lucrativa e silenciosa, a outra, violenta e sem razão aparente. Sempre tem uma razão. O Giovanni trabalhava nos dois lugares ao mesmo tempo. — Por trás das lentes escuras, seus olhos se estreitaram. — Ele participou do trabalho com o *Davi*, não foi?

— Ah... é, participou.

— O *Davi* é roubado, os documentos desaparecem, e agora o Giovanni tá morto. Qual é a ligação? — Ele não esperava uma resposta, e ela estava muito atordoada para tentar uma mentira.

— Vou passar isso pro Cook, seja lá pro que for. Talvez eu deva ir a Florença.

— Andrew. — A voz dela queria falhar. Ela não o colocaria em risco, não o deixaria aproximar-se de Florença. Ou da pessoa que matara Giovanni. — Não é uma boa ideia, agora. Você precisa ficar perto de casa, reconstruir o seu dia a dia e a sua estabilidade. Deixa a polícia fazer o trabalho dela.

— De qualquer maneira, talvez seja mesmo melhor tentar descobrir as coisas aqui mesmo — concluiu. — Vou ligar pro Cook, dar algum material pra ele se distrair, além do domingo de Páscoa.

— Eu já vou. — Ela forçou um sorriso. — Pra preparar o seu bolo de carne de Páscoa.

Ele estava distraído o suficiente para não perceber quão rapidamente o sorriso se desfez no rosto dela. Mas viu Ryan no caminho do penhasco. Orgulho, ego, vergonha e resistência fraternal foram sentimentos que cresceram dentro dele muito rapidamente.

— Boldari.

— Andrew. — Ryan decidiu evitar uma inútil disputa de território e se retraiu.

Mas Andrew já estava preparado. — Talvez você pense que, já que ela é uma mulher adulta e a família é tão zoneada, não tem ninguém pra tomar conta dela, mas você tá enganado. Se machucar a minha irmã, seu filho da mãe, eu te arrebento. — Seus olhos eram duas nesgas quando Ryan sorriu para ele. — Eu disse alguma coisa engraçada?

— Não. É que a última parte do que você falou foi muito parecida com o que eu disse pro marido da minha irmã, Mary Jo, quando peguei os dois se agarrando no carro dele. Mas eu arrastei o cara pra fora e dei uns socos, primeiro, pra desgosto da Mary Jo.

Andrew girou nos calcanhares. — Você não é o marido da minha irmã.

— Nem ele, na época. — As palavras lhe escaparam desinibidas, antes que se desse conta de seu potencial significado. O humor fugiu-lhe dos olhos, cedendo lugar para o desconforto. — O que eu quis dizer foi...

— É? — Divertindo-se, Andrew fez um aceno positivo. — O que foi que você quis dizer?

Um homem era capaz de pensar um bocado no espaço de tempo necessário para um pigarro. — Eu quis dizer que tenho uma afeição enorme e muito respeito pela sua irmã. Ela é uma mulher muito bonita, interessante e atraente.

— Você é rápido, Ryan. — Parecia que o assunto voltara a girar em torno de Ryan por enquanto. — Parece equilibrado. — Os dois olharam na direção de Miranda, de pé na praia, vendo as ondas se formarem.

— E ela não é tão forte quanto pensa que é — Andrew acrescentou. — Ela não se aproxima de muitas pessoas, porque, quando isso acontece, se sente frágil, exposta.

— Ela é importante pra mim. É isso que você quer ouvir?

— É. — Particularmente, Andrew pensou, já que fora dito de maneira bastante acalorada e com alguma relutância. — Serve.

Aliás, obrigado pelo que você fez, ontem à noite, e por não ter jogado na minha cara, hoje.

— Como é que tá o olho?

— Doendo pra cacete.

— Acho que isso é castigo suficiente.

— Talvez. — Ele se virou e começou a subir a trilha. — A gente vai fazer bolo de carne — disse de longe. — Vê se você consegue fazê-la vestir o casaco, por favor.

— Ok — Ryan murmurou. — Acho que vou fazer isso. — Começou a descer, escolhendo o caminho por entre as pedras, escorregando um pouco no cascalho. Ela vinha subindo, firme como uma cabrita montês.

— Esse sapato não é bom pra esse tipo de coisa.

— Nem precisa me dizer. — Ele a segurou junto ao corpo. — Seu braço tá gelado. Por que você não veste o casaco?

— O sol tá quentinho. O Andrew está indo a um encontro do AA, hoje à noite.

— Que ótimo. — Ele encostou os lábios na testa dela. — É um bom começo.

— Ele vai conseguir. — A brisa tirou alguns fios do cabelo dela do elástico, forçando-a a afastá-los do rosto. — Eu sei que vai. Ele vai ficar na casa de uma amiga uns dias, pra ganhar um tempo pra se estabilizar. E acho que ele não tá muito confortável de dormir debaixo do mesmo teto que a gente.

— Conservadorismo ianque.

— Não vamos chover no molhado. — Ela respirou fundo. — Ah, e tem outra coisa. Contei pra ele do Giovanni. Ele ligou as coisas.

— Como assim ligou as coisas?

— Nos últimos anos ele vem queimando os neurônios, e quase me esqueci de que ele era tão inteligente. Ele juntou as coisas em dois segundos. A invasão daqui e a de Florença. Vai falar com o detetive Cook sobre isso.

— Ótimo, vai trazer a polícia.

— É a coisa mais razoável a se fazer. É muita coincidência pra ele. — Falando rápido, ela repetiu o que o irmão dissera. — Ele vai explorar o assunto. Eu não falei o que sei nem do que suspeito. Não posso arriscar o estado dele agora que ele tem que se concentrar em se recuperar, mas também não posso continuar mentindo pra ele. Não por muito tempo.

— Então, a gente tem que trabalhar rápido. — Ele não tinha nenhuma intenção de formar uma equipe, nem de dividir os bronzes. Uma vez que os recuperasse, ficaria com eles. — O vento tá aumentando — comentou, e envolveu-a nos braços durante a subida. — Ouvi rumores de que ia ter bolo de carne.

— Você vai ser alimentado, Boldari. E prometo que o meu bolo de carne é feito com muita paixão.

— Em algumas culturas, bolo de carne é considerado um afrodisíaco.

— Jura? Estranho isso nunca ter aparecido num dos meus cursos de antropologia.

— Só funciona se for servido com purê de batata.

— Então, só nos resta comprovar essa teoria.

— Não pode ser purê de pacote.

— Por favor, não me ofende.

— Eu acho que sou louco por você, dra. Jones.

Ela riu, mas a fragilidade de que seu irmão falara estava à vista.

PARTE TRÊS

# O Preço

*A ira é cruel, e a raiva, ultrajante;*
*mas quem é capaz de se interpor à inveja?*

PROVÉRBIOS

# Capítulo Vinte e Dois

O silêncio do campo manteve Ryan acordado e fez com que pensasse em Nova York. No conforto e no ruído constante do tráfego, no ritmo que adentrava o sangue, de maneira que a pessoa acelerava o passo para chegar à próxima esquina, chegar ao sinal de trânsito a tempo, manter-se em movimento.

Lugares muito próximos do mar fazem com que você diminua a velocidade. E, uma vez diminuindo a velocidade, você pode acabar acomodado e enraizado antes de se dar conta do que está acontecendo.

Ele precisava voltar para Nova York, para a sua galeria, a qual já deixara nas mãos de outrem por muito tempo. Claro, ele o fazia com frequência, mas isso quando estava viajando, indo de um lugar a outro. Não quando estava... plantado daquela maneira.

Precisava levantar acampamento, e rápido.

Ela dormia ao lado dele, a respiração acompanhando o vai e vem contínuo das ondas do mar em maré baixa. Não se aninhara contra seu corpo, mantinha-se no seu espaço, deixando-o com o dele. Disse

a si mesmo que gostava disso. Mas não era verdade. Incomodava-o o fato de que ela não se grudava a ele, ou pelo menos fingia tentar segurá-lo.

Seria tão mais fácil resistir a ela se o fizesse.

Não conseguia concentrar-se, assim. Ela era uma distração constante do que tinha para fazer, simplesmente por estar ao alcance da mão. Era uma mulher absolutamente deliciosa de tocar, no mínimo porque sempre se surpreendia de alguma maneira com carícias ligeiras.

E como ele queria fazê-lo, excitá-la e acordá-la com carícias ligeiras, mordidas e beijos silenciosos até que estivesse pronta, escorregadia, com sede dele, levantou-se.

Sexo devia ser uma forma simples de entretenimento, não uma obsessão, pelo amor de Deus.

Vestiu uma calça branca larga, encontrou seu charuto e seu isqueiro, abriu silenciosamente as portas da varanda e saiu.

Respirar profundamente era como beber um vinho branco gelado e doce, pensou. Poderia tornar-se um hábito casual, facilmente aceito como se não tivesse importância, como se fosse algo gratuito. A altura proporcionava uma visão total do mar, da nesga de terra firme onde ficavam o farol e sua lança de luz brilhante.

O lugar guardava uma sensação de tempo e tradição, de segurança também tida como gratuita por aqueles que o viam todos os dias. As coisas mudavam lentamente ali, se é que algum esforço era feito para que mudassem de fato.

Ali, você podia ter a mesma vista uma manhã após a outra, pensou. Uma disposição similar de barcos espalhados sobre o mesmo mar agitado, e tudo isso com o pulsar das ondas de pano de fundo. Ele conseguia ver as estrelas, brilhantes e claras como pequenos broches sobre veludo. A lua estava indo embora, perdendo o contorno.

Ele estava com medo de perder o seu.

Irritado consigo mesmo, acendeu o charuto, soltou uma baforada ao vento que nunca parecia descansar.

Não estavam indo a lugar algum, refletiu. Miranda podia criar gráficos, calcular linhas de tempo, introduzir dados até gerar pilhas de documentos. Nada disso os fazia entrar no coração e na mente das pessoas envolvidas. Não alcançava a cobiça, a raiva, o ciúme, a inveja, o ódio. Um gráfico não ilustraria por que uma pessoa tirava a vida de outra por um pedaço de metal.

Ele precisava conhecer os jogadores, entendê-los, e mal havia começado.

Pensou que já a conhecia. Era uma mulher eficiente, encoberta por uma casca de praticidade, uma natureza altiva e arredia que poderia ser desvendada se usada a chave correta, e exposta ao calor e às necessidades escondidas sob a superfície. Sua criação fora privilegiada e fria. Reagira distanciando-se das pessoas, ensimesmando-se, estabelecendo seus objetivos e buscando um caminho reto, linear, para atingi-los.

Sua fragilidade era o irmão.

Haviam ficado presos um ao outro, ligando-se inicialmente por autodefesa, rebelião ou afeto verdadeiro. Não importava o que criara o elo; ele existia, era real, forte e os unia. O resultado era lealdade e amor. Vira com os próprios olhos a reação que o alcoolismo de Andrew, sua imprevisibilidade, havia despertado nela. Deixara-a instável, irada, confusa.

E vira também a esperança e a felicidade nos olhos dela durante o jantar que haviam compartilhado naquela noite. Ela acreditava que ele estava caminhando para voltar a ser o irmão que conhecia. Precisava acreditar, precisava ter aquela fé. Ele não suportava a ideia de abalar sua crença.

Portanto, manteria suas suspeitas para si. Sabia o que o vício, qualquer tipo de vício, era capaz de fazer com um homem. Era capaz de fazê-lo considerar possibilidades, agir de uma maneira nunca antes imaginada.

Andrew dirigia o instituto, tinha poder, liberdade de movimento suficiente dentro da empresa para ter trocado o primeiro bronze.

O motivo poderia ter sido dinheiro, o simples desejo de posse ou a redenção à chantagem. Ninguém estava em melhor posição para orquestrar os roubos e as falsificações melhor que um dos Jones.

Considerou Charles Jones. Fora ele o descobridor do *Davi*. Não seria impensável supor que ele o queria para si. Mas teria precisado de ajuda. Andrew? Possivelmente. Giovanni, só uma possibilidade. Ou qualquer membro da equipe absolutamente confiável.

Elizabeth Jones. Orgulhosa, fria, motivada. Baseara a vida na arte, na ciência da arte, em lugar da beleza. Ela e o marido haviam deixado a família à margem para que pudessem concentrar energia, tempo e esforço na busca pelo prestígio. O próprio. Uma estátua de valor inestimável não seria o troféu perfeito para uma vida de dedicação?

Giovanni. Um empregado de confiança. Um cientista brilhante, de outra maneira não faria parte do time de Miranda. Sedutor, pelo que se dizia. Um homem solteiro que gostava de flertar com as mulheres. Talvez tivesse flertado com a pessoa errada, ou tivesse desejado mais do que sua posição na Standjo oferecia.

Elise. Ex-mulher. Ex-mulheres eram muitas vezes vingativas. Fora transferida do instituto para a Standjo, em Florença. Ocupava posição de confiança e poder. Poderia muito bem ter usado Andrew, depois tê-lo descartado. Como gerente do laboratório, teria acesso a todos os dados. Teria em suas mãos os dois bronzes. Cobiçara-os?

Richard Hawthorne. Rato de biblioteca. Águas paradas muitas vezes são profundas e violentas. Ele conhecia seu histórico, sabia como pesquisar. Esse tipo normalmente passava despercebido, ofuscado pelos mais exuberantes, mais exigentes. Isso podia destruir um homem aos poucos.

Vincente Morelli, amigo e associado de longa data. Casado com uma mulher muito jovem, muito exigente. Dedicara anos de sua vida, de trabalho, de sua capacidade, ao instituto e à Standjo. Por que não ganhar mais que seu salário e um tapinha nas costas, pelo serviço prestado?

John Carter, com seus sapatos velhos e gravatas ridículas. Firme como uma rocha. Por que não tão obstinado? Estava no instituto há mais de quinze anos, trilhando lentamente seu caminho. Obedecendo a ordens, prendendo-se à rotina. Talvez até ainda estivesse obedecendo a ordens.

Qualquer um poderia ter planejado tudo, concluiu. Mas não acreditava que nenhum deles, sozinho, pudesse ter feito as trocas sem deixar vestígios. Havia uma equipe, engrenagens associadas. E uma mente fria e calculista por trás de tudo.

Ele precisaria de mais que relatórios de pessoal e gráficos para desvendar essa mente.

Observou uma estrela cadente riscando o céu com um arco de luz em direção ao mar. E começou a articular seu plano.

— COMO ASSIM VOCÊ VAI LIGAR PRA MINHA MÃE?

— Eu ia ligar pro seu pai — Ryan disse, olhando por cima do ombro dela para descobrir o que fazia no computador —, mas tive a impressão de que a sua mãe é mais envolvida no trabalho. O que é que você tá fazendo aí?

— Nada. Por que você vai ligar pra minha mãe?

— O que é isso? Um site de jardinagem?

— Eu preciso de alguns dados, só isso.

— Sobre flores?

— É. — Ela já imprimira várias informações sobre tratamentos de solo, colheitas, estações de plantio, portanto fechou a página da internet. — Minha mãe?

— Eu te explico em um minuto. Por que você precisa de tantos dados sobre flores?

— Porque vou fazer um jardim, e não sei nada sobre o assunto.

— Ah, então você tá atrás de uma abordagem científica. — Ele inclinou o corpo e beijou-lhe o topo da cabeça. — Você é realmente uma graça, Miranda.

Ela tirou os óculos e colocou-os sobre a mesa. — Adoro saber que eu te divirto. Agora, será que dá pra você responder à minha pergunta?

— Sua mãe? — Ele se sentou sobre a mesa, de frente para ela. — Vou ligar pra dizer pra ela quais são as minhas condições para o empréstimo dos Vasari, de um Rafael e de um Botticelli.

— Rafael e Botticelli? Você nunca concordou em emprestar nada pra gente, a não ser os Vasari.

— Novo acordo. Cinco quadros, e talvez eu deixe sua mãe me convencer a deixar também uma escultura de Donatello, três meses de empréstimo, com a Galeria Boldari e todo o material de publicidade, e os rendimentos arrecadados indo pro Fundo de Doações para as Artes.

— Arrecadações?

— Vou chegar lá. A razão de eu ter escolhido o Instituto de História da Arte da Nova Inglaterra foi a reputação dessa instituição, a dedicação não só em expor arte, como pra ensinar, restaurar, estudar e preservar. Fiquei muito impressionado quando vim aqui há algumas semanas e fiz um tour pelas instalações com a dra. Miranda Jones.

Ele soltou o cabelo dela, deixando-o cair sobre seus ombros, como ele mais gostava. E ignorou a reclamação. — Fiquei particularmente intrigado com a ideia de ter uma exposição sobre a história e progresso da Renascença italiana — continuou —, mostrando as questões religiosas, sociais e políticas.

— Ficou? — ela murmurou. — Jura?

— Fiquei arrebatado. — Ele brincou com os dedos dela e percebeu que Miranda tirara o anel que ele colocara em sua mão. O fato de que a falta do objeto fizesse com que suas sobrancelhas estreitassem era algo para pensar depois. — Fiquei impressionado com essa exposição e com a ideia de fazer um display parecido, depois dos três meses, na minha galeria em Nova York.

— Entendi. Uma parceria.

— Exatamente. A gente concordou, e, quando começou a discutir o que fazer, você deu a ideia de criar um fundo de arrecadações no instituto pro Fundo de Doações para as Artes. Como a Galeria Boldari tem patrocinadores constantes, eu topei. Foi muito esperto da sua parte me seduzir com essa isca.

— Foi — ela resmungou —, não foi?

— Estou pronto pra seguir com esse projeto conjunto o mais rápido possível, mas como me disseram que a dra. Jones tá de férias, fiquei preocupado. Não posso fazer isso com outra pessoa. E esse atraso me fez pensar na possibilidade de trabalhar com o Instituto de Arte de Chicago.

— Ela não vai dar a mínima pra isso.

— Eu não pensei que ela fosse. — Retirou os grampos da mão dela, antes que prendesse novamente o cabelo, jogando-os descuidadamente para trás.

— Que droga, Ryan...

— Não interrompe. A gente precisa de você de volta no instituto. A gente precisa que a pessoa que tá por trás das falsificações saiba que você voltou ao trabalho. Aí, quando a gente tiver organizado, vai precisar de todas as pessoas que tiveram alguma conexão com os bronzes aqui, juntas, no mesmo lugar.

— Talvez você até consiga a primeira parte. Uma exposição como a que você descreveu pode dar muito prestígio.

Ela teria se levantado para pegar os grampos, mas ele acariciava seu cabelo novamente, apreciando a expressão no seu rosto enquanto juntava e torcia suas mechas. — A minha mãe gosta do poder que o prestígio dá. Obviamente a segunda parte viria logo depois. Mas não sei como você espera conseguir a última parte.

— Vou te dizer. — Ele riu e acariciou o rosto dela com os dedos. — A gente vai dar uma festa. Uma baita festa.

— Uma festa? Pra arrecadar fundos?

— Isso. — Ele se levantou e começou a remexer as prateleiras dela, as gavetas. — E a festa vai ser em homenagem ao Giovanni. Uma espécie de memorial.

— Giovanni. — O nome congelou-lhe o sangue. — Você vai usar o Giovanni pra isso? Ele tá morto.

— Você não pode mudar isso, Miranda. Mas a gente vai dar um jeito pra que o assassino, seja quem for, compareça. E a gente vai ficar um passo mais perto dos bronzes.

— Não tô entendendo.

— Eu ainda estou trabalhando nos detalhes. Você não tem um bloco de desenho?

— Tenho, claro. — Oscilando entre a irritação e a confusão, ela se levantou e pegou o bloco em um dos armários.

— Eu devia ter imaginado. Traz o bloco aqui e pega uns lápis também.

— Levo pra onde?

— Pra varanda dos fundos. Você pode ficar planejando o seu jardim enquanto eu dou uns telefonemas.

— Você acha que eu vou ficar desenhando um jardim no meio disso tudo?

— Vai te relaxar. — Ele escolheu alguns lápis na mesa dela, guardou-nos no bolso da camisa, pegou os óculos de Miranda e enfiou-os no bolso dela. — E você vai fazer um jardim melhor, se souber que tipo de planta vai querer ver. — Pegou a mão dela e a arrastou para fora do quarto.

— Quando é que você teve todas essas ideias?

— Ontem à noite. Não consegui dormir. A gente anda dando voltas em vez de agir. E permitindo que alguém comande o show, e tá na hora de a gente começar a dar as cartas.

— Isso tudo é muito interessante e metafórico, Ryan, mas criar um fundo em nome do Giovanni não garante que o assassino vai aparecer. E, com certeza, não vai trazer os bronzes pra nossas mãos.

— Um passo de cada vez, baby. Você tá agasalhada o suficiente?

— Não enche. Sentar lá fora e desenhar não vai me relaxar. Se a gente vai montar essa exposição, eu devia estar trabalhando nela.

— Você vai se enfiar no trabalho daqui a pouco.

Resignada, ela foi para a varanda. O mês de abril começava de maneira suave, trazendo uma brisa agradável ao céu ensolarado. Isso poderia mudar num instante, ela sabia, e surpreender a todos com uma neve de primavera e ventos fortes. Era parte do charme e dos caprichos das estações na costa, supunha.

— Senta. — Ele lhe deu um beijo fraternal na testa. — Eu cuido dessa parte.

— Então tá. Não vou esquentar minha cabecinha.

Ele riu e pegou o celular. — A única coisa que merece diminutivo em você, dra. Jones, é a tolerância. Mas, de alguma forma, acho isso charmoso. Qual é o telefone da sua mãe?

Ela ordenou seus pensamentos, aceitou o fato de que ele era habilidoso, sedutor e irritante por natureza — muitas vezes sendo tudo isso ao mesmo tempo. — Esse é o número dela — disse, depois de recitá-lo. — Com a diferença de horário, é mais provável que a minha mãe se encontre nesse telefone.

Enquanto ele teclava os números, ela apreciava o gramado. Ele seduziria Elizabeth, Miranda concluiu. Seu talento com as mulheres era indiscutível, e algo que não competia a ela considerar muito profundamente. Ele saberia exatamente como apelar. Com o tempo, duvidava que houvesse uma só mulher no planeta que ele não fosse capaz de convencer a comer nas suas mãos talentosas.

Ela suspirou ao ouvir a maneira com que a voz dele pronunciava o nome da sua mãe, assim que a conexão se estabeleceu. Depois, parou de prestar atenção.

O azul tremeluzente do céu, os espasmos de mar e pedras que brilhavam sob o sol só faziam seu gramado parecer mais desprezível. A tinta descascada na grade da varanda era visível, assim como o

mato ressecado pelo inverno que brotava na superfície lascada das rochas que acompanhavam o caminho para os penhascos.

Sua avó cuidara da casa e da terra como uma mãe cuida dos filhos, lembrou. Agora, ela e Andrew abandonavam a propriedade, ignoravam os pequenos detalhes, davam as costas para o que consideravam a mais tediosa das responsabilidades.

Reparos importantes e manutenção eram mais simples. Bastava contratar alguém que fizesse o serviço. Achava que ela e Andrew nunca haviam cortado a grama, retirado folhas mortas, aparado um arbusto ou arrancado um tufo de erva daninha.

Seria uma boa mudança, pensou. Algo que poderiam compartilhar. O trabalho braçal, a satisfação de ver as melhorias, isso seria uma boa terapia para ele. E para ela. De um jeito ou de outro, o ciclo da vida pelo qual estava passando chegaria ao fim. Quando isso acontecesse, precisaria de algo para preencher o vazio.

Trazendo a atenção de volta, tentou se lembrar da aparência do jardim lateral quando era criança e sua avó ainda estava firme e forte para cuidar dele.

Flores lindas, tons de roxo e vermelho profundos. Um pouco de amarelo amanteigado nas margaridas, cujos caules se curvavam sob o peso dos botões. Seu lápis começou a mover-se enquanto ela trazia as recordações de volta. Chumaços verdes de caules longos, cujas terminações eram copos-de-leite. Havia um perfume, também, de flores que pareciam cravos com pendões brancos e vermelhos, de fragrância forte e apurada.

Trombetas azuis. Sim, e antúrios. Estava ridiculamente excitada por ser capaz de nomear aquela variedade de flores.

Ryan fazia seu número ao telefone com Elizabeth e observava a filha. Estava relaxando, percebeu, sorrindo um pouco enquanto desenhava. Movimentos rápidos, do tipo que requisitava talento natural e bom olho.

O cabelo dela estava bagunçado, os dedos esticados, as unhas bem-feitas e curtas sem esmalte. Tirara os óculos do bolso e os colo-

cara no rosto. A suéter pendia-lhe nos ombros, a calça da cor de argila.

Ele pensou que ela era a mulher mais deslumbrante que já conhecera.

E porque pensara isso, perdeu o fio da meada, virou-se e foi até o final do jardim.

— Por favor, pode me chamar de Ryan. Espero poder te chamar de Elizabeth. Com certeza você sabe o quanto a sua filha é brilhante e encantadora, mas preciso lhe dizer que ela me causou uma tremenda boa impressão. Quando soube que ela estava de férias, bem, desapontamento é uma palavra fraca pra descrever meu sentimento.

Ele a escutou por alguns instantes, sorrindo para si mesmo. Perguntou-se se Miranda sabia que sua voz tinha o mesmo tom aristocrático quando tentava disfarçar a irritação.

— Ah, claro, não tenho dúvidas de que existem pessoas na equipe do instituto capazes de pegar a ideia original e acrescentar muito a ela. Mas não tenho interesse de trabalhar com o segundo time. Apesar de Lois Berenski, do Instituto de Arte de Chicago, você conhece a Lois, imagino... Isso. Ela é muito competente e está bastante interessada nessa proposta. Prometi dar uma resposta em quarenta e oito horas. Por isso tomei a liberdade de perturbar você em casa. Minha preferência é o instituto, com Miranda, mas, se isso for impossível antes da minha data limite, eu vou...

Ele silenciou, sorrindo francamente, agora que Elizabeth começava a mostrar suas garras na negociação. Encontrou uma posição confortável passando uma das pernas por cima da grade da varanda e montando nela como se fosse uma sela, enquanto o seu olhar desviava-se para a costa, as gaivotas, permitindo a Elizabeth que fizesse propostas e mais propostas, até que ele conseguisse o que queria.

Desligou, jogou uma azeitona na boca. — Miranda?

Ela ainda desenhava, rabiscando seu terceiro ângulo para o jardim desejado. — Hummm.

— Atende o telefone.

— O quê? — Levantou o olhar, ligeiramente irritada com a interrupção. — Não tá tocando.

Ele piscou. — Espera tocar — disse para ela, depois sorriu quando o aparelho da cozinha deu sinal de vida. — Deve ser a sua mãe. Se eu fosse você, fingiria surpresa, e um pouquinho de relutância.

— Ela concordou?

— Atende o telefone e você descobre.

Ela levantou e apressou-se em direção à cozinha, tirou o fone do gancho. — Alô?... Ah, oi, mãe. — Levou a mão ao coração acelerado e escutou.

O pedido chegou como uma ordem, mas isso era de esperar. Mais, foi descrito como fato consumado. Suas férias deviam ser interrompidas imediatamente, ela devia contatar a Galeria Boldari e acordar o prosseguimento do novo projeto. Sua agenda deveria ser ajustada, isso deveria ser uma prioridade, e a exposição seria concebida, planejada, organizada e finalizada no segundo final de semana de maio.

— Mas não chega a um mês. Como...

— Eu sei que o tempo é curto pra uma coisa dessa monta, mas o sr. Boldari tem outros compromissos conflitantes. Ele vai trabalhar com Andrew na publicidade da festa de lançamento. O Vincente vai participar. Sua única preocupação nas próximas semanas é a exposição. Ele espera muito de você, Miranda, e eu também. Você entendeu?

— Claro. — Tirou os óculos sem prestar atenção, enrolou-os na cordinha e guardou-os no bolso. — Vou começar agora mesmo. O Giovanni...

— O enterro foi comovente. A família agradeceu pelas flores. Vou estar em contato direto com você por conta dessa exposição, Miranda, e espero organizar a minha agenda pra poder estar presen-

te na primeira semana de maio, se for possível, pra supervisionar os toques finais. Não deixe de me mandar os relatórios.

— Você vai receber tudo. Tchau... Feito — Miranda sussurrou ao desligar o telefone. — Simples assim. Como se nada tivesse acontecido.

— Eu não mencionei o Giovanni — Ryan disse para ela. — Isso não pode partir de mim. Você vai ter a ideia amanhã, e depois de passar a sugestão para mim e ter certeza de que eu concordo, vai mandar um memorando pra ela.

Ele acomodou seu prato na bancada, escolheu um biscoito para ela e o cobriu com uma fatia de queijo. — Daí, vai aparecer a ideia de que todos os membros importantes de todas as organizações Jones deverão comparecer ao evento, numa demonstração de harmonia, apoio e respeito.

— Eles vão vir — ela murmurou. — A minha mãe vai fazer isso acontecer. Mas não vejo o bem disso.

— Logística. Todo mundo ligado, no mesmo lugar, na mesma hora. — Ele sorriu e comeu mais um pedaço de queijo. — Tô louco pra isso acontecer.

— Eu tenho que arregaçar as mangas. — Passou as mãos no cabelo. — Tenho uma exposição pra planejar.

— Vou pra Nova York amanhã.

Ela parou a caminho da porta e olhou para trás. — Ah, você vai?

— Vou. De manhã. Vai ser um prazer ver você de novo, dra. Jones.

# Capítulo Vinte e Três

— É bom ter você de volta. — Lori havia colocado um café fresquíssimo sobre a mesa de Miranda.

— Tomara que você ainda ache isso no fim da semana. Eu vou te deixar esgotada.

— Eu aguento. — Lori levou a mão ao braço de Miranda. — Sinto muito pelo Giovanni. Eu sei que vocês eram amigos. Todo mundo gostava muito dele.

— Eu sei. — *O sangue dele está nas suas mãos.* — Ele vai fazer falta. Preciso trabalhar, Lori. Tenho que mergulhar nessa exposição.

— Tudo bem. — Ela foi até a cadeira, apoiou o lápis sobre o laptop. — Por onde a gente começa?

Cuide do que tem que ser feito, Miranda disse para si mesma. Um passo de cada vez. — Marca com o pessoal da carpintaria, eu quero o Drubeck. Ele fez um bom trabalho na exposição do Flemish alguns anos atrás. Preciso falar com o departamento jurídico, ver os contratos, e a gente vai precisar fazer alguma pesquisa. Quero alguém que consiga checar dados com rapidez. Preciso de uma hora

e meia com o Andrew, e quero ser informada assim que o sr. Boldari chegar. Marca um almoço no salão VIP, marca pra uma da tarde, pro Andrew poder almoçar com a gente. Checa o pessoal da restauração. Quero saber quando os trabalhos que estão em curso vão ser completados. E convida a sra. Collingsforth. Ela é minha convidada pra um chá, qualquer dia da semana, mais uma vez no salão VIP.

— Vai pedir emprestada a coleção dela?

O desejo aguçou os olhos de Miranda. — Acho que consigo fazer com que ela goste de ver seus quadros nessa exposição, com uma placa bonita de metal, de bom gosto, dizendo "empréstimo da coleção de...".

E se não fosse capaz de convencer a sra. Collingsforth, Miranda pensou, empurraria Ryan para cima dela.

— Preciso das medidas da Galeria Sul. Se não estiverem aqui no relatório, me arruma uma trena. Quero isso hoje. Ah, e quero ver um decorador.

Lori fez uma pausa com o lápis. — Um decorador?

— Eu tenho uma ideia pra... atmosfera. Preciso de alguém criativo, eficiente e que saiba receber ordens em vez de dar. — Miranda tamborilou na mesa. Ah, sim, ela sabia o que queria, tim-tim por tim-tim. — Vou precisar de um quadro-negro aqui, e de um lá na minha casa. Manda um memorando pro Andrew, pedindo pra ele me copiar em todos os passos da publicidade e da concepção do fundo de arrecadação. Ligações do sr. Boldari devem ser passadas a qualquer hora e os desejos dele devem ser satisfeitos sempre que possível.

— Claro.

— Pronto.

— Daqui a quatro semanas, pode me pedir um aumento.

Lori sorriu. — Duplamente pronta.

— Vamos começar.

— Só uma coisa. — Lori fechou sua agenda. — Tem um recado na sua secretária eletrônica. Deixei gravado. Era em italiano. Não entendi a maior parte.

Ela se levantou, foi até a máquina de Miranda e apertou o botão para rebobinar as mensagens. Imediatamente, a sala foi invadida por uma enchente de palavras em um italiano excitado, passional. Parcialmente irritada, Miranda apertou o stop, preparou a mente para a tradução e voltou a gravação.

*Dra. Jones, eu preciso falar com você. Tentei fazer isso aqui. Ninguém mais vai acreditar em mim. Meu nome é Rinaldi, Carlo Rinaldi. Eu encontrei a estátua. Segurei-a. Eu sei que ela é verdadeira. Você também sabe. Os jornais dizem que você acreditou nela. Ninguém quer me ouvir. Ninguém dá atenção a um homem como eu. Mas você é importante. Você é uma cientista. Eles vão escutar. Por favor, liga pra mim. A gente se fala. A gente sabe a verdade. A sua mãe, ela me expulsou do escritório dela. Me expulsou como se eu fosse um pedinte ou um ladrão. No governo, eles acham que eu ajudei a fazer uma fraude. Isso é mentira. Você sabe que isso é mentira. Por favor, a gente tem que contar a verdade pra todo mundo.*

Ele ditou um número de telefone, duas vezes, e repetiu seu apelo.

E agora estava morto, Miranda pensou ao final da mensagem. Pedira ajuda, mas ela não estava lá. Agora estava morto.

— O que é? — Preocupada com a expressão devastada de Miranda, Lori estendeu a mão para tocá-la no braço. — O meu italiano se limita ao cardápio de massas. Notícia ruim?

— Não — Miranda murmurou. — Notícia velha, e eu cheguei tarde demais.

Apertou o botão para apagar a mensagem, mas sabia que a mensagem do morto ficaria em sua cabeça por um longo tempo.

ERA BOM ESTAR DE VOLTA AO RITMO, TER TAREFAS E OBJETIVOS específicos. Ryan estivera certo quanto a isso, ela concluiu. Precisava de ação.

Estava no setor de restauração, checando pessoalmente o progresso do Bronzino, quando John Carter entrou.

— Miranda. Ando tentando te encontrar. Bem-vinda de volta.

— Obrigada, John. Estou feliz de ter voltado.

Ele tirou os óculos, limpou-os no jaleco. — Que notícia horrível a história do Giovanni! Não consigo acreditar.

Ela teve uma lembrança rápida, o corpo estendido, o olhar fixo, o sangue.

— Eu tive que fazer o pronunciamento ontem. O laboratório parecia um necrotério. — Ele respirou fundo, depois exalou. — Vou sentir falta da maneira como ele animava isso aqui quando ficava uns dias pra trabalhar. A gente teve algumas ideias, mas a que todo mundo preferiu foi a de plantar uma árvore no parque. Várias pessoas almoçam lá quando o tempo tá bom, e a gente achou que podia ser uma homenagem bacana.

— Acho adorável, John. Ele ia adorar.

— Queria saber a sua opinião, antes. Você ainda é a diretora do laboratório.

— Eu apoio. Espero que o fato de eu ser diretora não me impeça de contribuir pro fundo.

— Todo mundo sabe que vocês eram amigos, isso vem em primeiro lugar.

— Você... você ficava com ele quando vinha pra cá, e quando você ia pra Standjo.

— É, ele costumava dizer que eu era um graveto. — Carter sorriu, nostálgico. — Ele queria dizer "um espeto", mas eu me divertia com isso, nunca corrigi. Ele me convencia a sair pra tomar uma garrafa de vinho ou pra jantar. Dizia que ia me tirar da rotina e que ia me ensinar a paquerar as mulheres bonitas. Depois, pedia pra ver as fotos mais recentes dos meus filhos.

A voz dele ficou embargada, os olhos brilharam, molhados, ele se virou e deu um pigarro. — Bem, então eu vou... vou providenciar a árvore.

— Faz isso. Obrigada, John. — Ela também se virou, envergonhada por deixar que as suspeitas de Ryan a fizessem duvidar do sofrimento do homem.

— Enquanto isso, ah, espero que você volte logo pro laboratório. Você faz falta.

— Vou dar uma passadinha lá, mas esse projeto vai ser prioridade nas próximas semanas.

— Exposição nova sobre o Renascimento. — Ele forçou um sorriso mais uma vez, quando ela voltou o olhar para ele. — Se você conseguir botar um sangue novo por aqui, vai ser uma injeção de ânimo. Uma exposição desse porte é tudo o que a gente precisa pra esquecer o trauma das invasões. Foi uma ótima ideia.

— É... — Ela silenciou ao ver o detetive Cook entrar. — Desculpe, John, é melhor eu cuidar desse assunto.

— É... não sei por quê... — Ele baixou a voz até quase um sussurro. — Mas ele me deixa nervoso. Parece que ele suspeita de todo mundo.

Com um ligeiro aceno de cabeça para Cook, ele saiu, os sapatos sujos mal fazendo barulho.

— Detetive? Posso fazer alguma coisa por você?

— É uma pintura e tanto essa que você tem aqui, dra. Jones. — Em vez de tirar o que pareciam óculos para perto, ele apertou os olhos. — É a original, não é?

— É, é um Bronzino. Século dezesseis, um artista renascentista italiano. O instituto tem muito orgulho de ter essa peça. Os seus donos emprestaram pra exposição.

— Se você não se importar, eu gostaria de perguntar: o que ela tá fazendo aqui?

O restaurador mal olhou para ele, por trás das lentes de aumento dos óculos. — O quadro era parte de uma coleção muito malcuidada de um recluso da Geórgia — Miranda disse. — Essa pintura, assim como várias outras, sofreu alguns estragos... poeira, umidade, luz solar, durante um tempo, infelizmente. Ela foi limpa. É um processo lento, delicado. A gente não pode correr o risco de estragar o trabalho. Demora e demanda muita habilidade. Agora estamos tentando restaurar um pouco do estrago na pintura. A gente só usa

materiais que existiam na época em que o quadro foi feito, pra preservar a integridade da peça. Isso requer pesquisa, talento e paciência. Se a gente tiver feito um bom trabalho, o quadro vai ficar do jeito que foi pintado pelo artista.

— Parece até trabalho de polícia.

— É?

— É um processo lento, delicado, a gente não pode correr o risco de estragar o caso. A gente só usa informações procedentes. Precisa fazer pesquisa, precisa ter certo talento — disse com um sorriso pálido. — E um bocado de paciência. Se fizer tudo direitinho, consegue pintar o quadro todo no final.

— Uma analogia muito interessante, detetive. — E que a deixava incrivelmente nervosa. — E você está conseguindo pintar o quadro todo?

— Só uns pedaços aqui e ali, dra. Jones. Só uns pedaços aqui e ali. — Ele enfiou a mão no bolso e pegou um pacote de chiclete. — Quer um?

— Não, obrigada.

— Estou tentando parar de fumar. — Tirou um pedaço, embrulhou no papel laminado e guardou de novo no bolso. — Ainda me deixa louco. Até tô com esse adesivo, mas não é tudo que falam, vou te confessar. Você fuma?

— Não, não fumo.

— Garota esperta. Eu fumava dois maços por dia. Aí começou a não poder fumar aqui, não poder fumar ali. Você dá uns tragos dentro de um armário ou do lado de fora, na chuva. Acaba se sentindo um criminoso. — Sorriu novamente.

Miranda queria mudar o peso do corpo de um pé para outro, e, em vez disso, imaginou-se batendo o pé no chão, estalando os dedos. — Com certeza, é um hábito difícil de deixar.

— É um vício, não é um hábito. É difícil encarar um vício. Pode levar a vida toda, pode destruir a sua vida, te levar a fazer coisas que não faria se não fosse isso.

Ele sabia sobre o alcoolismo de Andrew. Ela via isso nos olhos dele e imaginou que essa era exatamente a intenção do detetive.

— Eu nunca fumei — disse sem emoção. — Você quer ir até o meu escritório?

— Não, não, não vou te prender. — Respirou o ar que cheirava a tinta, terebintina e produtos de limpeza. — Nem achei que ia esbarrar com você, já que me disseram que estava fora. De férias?

Ela começou um movimento de anuência. Não saberia dizer se foi o instinto ou simplesmente medo que fez com que parasse.

— Imagino que você saiba que me mandaram tirar férias, detetive, por causa da invasão aqui e de algumas dificuldades depois da minha ida a Florença, no mês passado.

Ela era rápida, ele pensou, e não era fácil de derrubar. — Ouvi falar algo a respeito, sim. Outra peça de bronze, não é isso? Você teve problemas com a autenticação.

— Eu não. Outras pessoas tiveram. — Ela se afastou do quadro, consciente de que os ouvidos estavam abertos.

— Causou problemas, de toda forma. Dois bronzes. Engraçado, você não acha?

— Não acho nada engraçado ter a minha reputação em jogo.

— Entendo. Mas, mesmo assim, você só ficou fora alguns dias.

Dessa vez, ela nem mesmo hesitou. — Era pra demorar mais tempo, mas a gente vai começar uma exposição importante que tem a ver com a minha área de conhecimento.

— Também fiquei sabendo disso. E soube do cara lá da Itália. O assassinato. Terrível.

O sofrimento apareceu nos olhos dela, fazendo com que desviasse o olhar. — Ele era um amigo. Um grande amigo.

— Tem alguma ideia de quem tirou seu amigo do caminho?

Miranda voltou a olhar para ele. — Detetive Cook, se eu soubesse quem esmagou o crânio do meu amigo, estaria em Florença, contando pra polícia.

Cook moveu o chiclete dentro da boca com a língua. — Não sabia que eles haviam deixado vazar a fratura no crânio.

— Minha mãe foi avisada — ela disse, com a mesma frieza na voz —, assim como a família do Giovanni. — Ela só podia rezar para que fosse verdade. — Você tá investigando o assassinato ou o roubo aqui no instituto?

— Só curiosidade. Policiais são mesmo curiosos. — Espichou as mãos. — Vim aqui porque o seu irmão tem uma teoria sobre a possibilidade de os dois incidentes estarem relacionados.

— É, ele me falou. Você vê alguma ligação?

— Às vezes a gente não consegue enxergar até ficar cara a cara. Você também autenticou o, ah... — Ele pegou seu bloco de anotações, passou os olhos nele para refrescar a memória. — Bronze do *Davi*, século dezesseis, no estilo de Leonardo.

Apesar de sentir as palmas das mãos umedecerem, ela resistiu à tentação de esfregá-las na calça. — Isso.

— Parece que ninguém conseguiu encontrar a documentação da peça, os relatórios, as fotos.

— Andrew me disse isso também. Só posso induzir que o ladrão tenha levado os documentos junto com o bronze.

— Faz sentido, mas ele teria que saber onde procurar, não? A interrupção na imagem das câmeras só dura... — Passou as páginas novamente. — Dez minutos, mais ou menos. Ele teria de ser rápido e escorregadio pra acrescentar uma viagem até o laboratório a fim de buscar os relatórios. Eu fiz o percurso o mais rápido que pude. Leva um minuto. Não parece muito, mas se você pensar na diferença entre oito e dez minutos é bastante coisa.

Ela não poderia permitir que seu olhar titubeasse, que sua voz enfraquecesse. — Tudo que eu posso dizer é que os relatórios ficavam arquivados, e agora estão desaparecidos junto com o bronze.

— Você tem muita gente trabalhando sozinha aqui, de noite, até tarde? Feito seu amigo de Florença?

— Às vezes, apesar disso só acontecer com a equipe mais antiga. A segurança não permite que ninguém entre depois que o prédio fecha.

— Como você e o seu irmão fizeram, uma semana depois do assalto.

— Como assim?

— Peguei uma declaração do seu segurança noturno, e ele disse que no dia 23 de março, mais ou menos às duas e meia da manhã, você ligou e avisou que ia trabalhar no laboratório com o dr. Andrew Jones. Essa informação procede?

— Eu não discutiria a informação.

— Você trabalha muito tarde.

— Não habitualmente. — Seu coração pulava dentro do peito, mas as mãos estavam firmes quando ela recolocou um grampo frouxo no cabelo. — A gente resolveu vir e trabalhar um pouco no silêncio. Isso é um problema, detetive?

— Não pra mim. Só quero organizar as informações. — Ele guardou o bloco, passou os olhos pelo ambiente mais uma vez. — Você sabe que é difícil ver alguma coisa fora do lugar aqui. Você e seu irmão são muito ordeiros.

— Em casa, ele deixa as meias espalhadas no chão da sala e nunca guarda as chaves no mesmo lugar. — Estaria ficando boa nisso?, perguntou-se. Estaria, de alguma maneira escusa, finalmente começando a gostar de brincar com a polícia?

— Aposto que você, sim... mantém tudo no lugar, eu quis dizer. Aposto que coloca tudo no mesmo lugar, sempre. Coisa de rotina. Hábito.

— Você pode chamar isso de vício. — Sim, deu-se conta, de alguma maneira escusa, ela estava gostando disso. Gostando do fato de que estava se segurando. — Detetive, eu tenho uma reunião daqui a pouco, e o meu tempo está apertado.

— Eu não tinha a intenção de te segurar por tanto tempo. Agradeço pela atenção e pela explanação — acrescentou, gesticulando em direção ao quadro. — Parece que dá um trabalho danado. Quase mais fácil pintar de novo.

— Aí não seria um Bronzino.

— Muita gente não saberia a diferença. Você saberia. — Ele acenou para ela com a cabeça. — Aposto que você pode identificar uma falsificação só de bater o olho numa peça.

Ela se perguntou se o sangue teria de fato sumido de seu rosto ou se era somente uma sensação. Ele chegara muito perto e muito rápido, enquanto ela se congratulava por fazer a sua parte com tanta perfeição.

— Nem sempre. Uma avaliação visual não é, não pode ser conclusiva, quando a cópia é bem executada. É preciso fazer testes de laboratório.

— Como os que você faz aqui, os que foi fazer em Florença mês passado.

— Exatamente. — A trilha de suor que percorreu sua espinha era fria como o gelo. — Se você tiver interesse, posso fazer uma demonstração. Mas não agora — ela disse olhando para o relógio. — Eu realmente... — Ela silenciou, devorada por uma onda de alívio quando Ryan passou pela porta.

— Miranda. Que bom ver você de novo. O seu assistente me disse que talvez eu te encontrasse aqui. — Com suavidade, ele pegou a mão dela, levou até os lábios. — Desculpe, eu me atrasei um pouco. O tráfego.

— Tudo bem. — Ela ouviu as palavras, mas não conseguiu sentir a boca se mexendo. — Eu fiquei presa também. Detetive Cook...

— Ah, sim, a gente se conheceu, não foi? — Ryan estendeu a mão. — Na manhã seguinte ao roubo. Algum progresso?

— A gente tá trabalhando pra isso.

— Tenho certeza. Eu não quis interromper. Quer que eu espere no seu escritório, Miranda?

— Quero. Não. A gente encerrou por enquanto, detetive?

— Sim, senhora. Fico feliz de saber que você não se deixou abalar pelo assalto aqui, sr. Boldari. Nem todo mundo emprestaria para uma galeria de arte que teve a segurança ameaçada.

— Eu confio plenamente na dra. Jones, e no instituto. Tenho certeza de que a minha propriedade vai estar bem protegida.

— Ainda assim, não seria mal acrescentar alguns homens.

— Estamos providenciando isso — Miranda disse a Cook.

— Eu podia te dar os nomes de alguns policiais que dobram o turno fazendo segurança particular.

— É muita gentileza sua. Pode passar os nomes pra minha assistente.

— Sem problemas, dra. Jones. Sr. Boldari. — Havia algo entre aqueles dois, Cook pensou ao se dirigir para a porta. Talvez fosse apenas sexo. E talvez fosse algo mais.

E havia algo estranho, definitivamente, com aquele Boldari. Talvez tudo sobre ele indicasse limpeza total, mas havia algo estranho.

— Ryan...

Ele interrompeu Miranda com um aceno quase invisível de cabeça. — Sinto por você não ter recuperado a sua peça.

— Nós não desistimos. Marquei um almoço na área VIP. Achei que assim a gente teria tempo pra discutir os planos pra exposição.

— Perfeito. — Ele ofereceu o braço a ela. — Estou ansioso pra ouvir mais detalhes do que você pensou. — Conduziu-a pelo hall e subiram as escadas, mantendo uma conversa despretensiosa até que estivessem sozinhos, em segurança, no pequeno e elegante salão. — Ele tava te importunando há muito tempo?

— Pareceu uma eternidade. Falou de falsificações, queria saber se eu era capaz de detectar uma só de olhar.

— Jura? — A mesa já estava preparada para três, com torradinhas e patês de aperitivo. Ele pegou uma. — Ele é um policial astuto, apesar da rotina do Columbo andar meio devagar.

— Columbo?

— Delegado Columbo. — Ryan mordeu a torrada. — Peter Falk, charuto barato, casaco de chuva amarrotado. — Ela olhou para ele com a expressão vazia, e Ryan balançou a cabeça. — A sua educação em cultura é bem fraca. Mas não importa. — Ele dispensou o assunto. — Ele até pode vir a ser uma ajuda, antes de isso tudo acabar.

— Ryan, se ele fizer a ligação, se ele for atrás desse ângulo, pode acabar chegando a você. Você tem as cópias.

— Isso não vai fazê-lo chegar a mim, nem a você. E em um mês, talvez em alguns dias, eu não vou mais ter as cópias. Vou ter as peças verdadeiras. E nós dois vamos limpar a reputação.

Ela pressionou os olhos com os dedos, tentando trazer de volta aquela sensação momentânea de satisfação que experimentara. Simplesmente não estava ali. — Não consigo ver como isso pode funcionar.

— Você tem que confiar em mim, dra. Jones. Esse é o meu campo de *expertise*. — Ele gesticulou em direção ao outro lugar à mesa. — Quem vem encontrar a gente?

— Andrew.

— Você não pode contar pra ele, Miranda.

— Eu sei. — Ela juntou as mãos e quase torceu os dedos. — Ele tá tentando colocar a vida no lugar. Eu não vou aumentar o estresse dele contando que me envolvi num plano de roubo.

— Se as coisas andarem de acordo com o planejado, vai ter um roubo — ele acrescentou, pegando as mãos dela, na tentativa de acalmá-la —, e tudo que a gente tá fazendo é devolver o que foi roubado. Então, por que não dizer que a gente tá envolvido num projeto de recuperação?

— Isso não faz com que deixe de ser crime. Não faz com que eu me sinta menos culpada quando o Cook me olha com aquela cara de cão farejador e me pergunta sobre falsificações.

— Você conseguiu lidar com ele.

— E tava começando a gostar — ela resmungou. — Não sei o que tá acontecendo comigo. Cada passo que eu dou ou planejo é fora da lei.

— Dentro, fora. — Ele deu de ombros. — Essa fronteira muda com muito mais frequência do que você imagina.

— Não a minha, Boldari. Minha fronteira sempre ficou firme no mesmo lugar. — Ela se virou. — Tinha uma mensagem na secretária eletrônica aqui do escritório. Do Carlo Rinaldi.

— Rinaldi? — Ele baixou a torrada que acabara de preparar. — O que ele queria?

— Ajuda. — Ela fechou os olhos. Não estava ajudando ninguém, a não ser a si mesma. O que isso fazia dela? — Ele me pediu ajuda. Ninguém acreditava nele e na autenticidade do bronze. Ele deve ter procurado a minha mãe, porque disse que foi expulso do escritório dela. Disse que eu era a única pessoa que podia ajudar a provar que o bronze era verdadeiro.

— E é isso que você vai fazer.

— Ele tá morto, Ryan. Ele e o Giovanni estão mortos. Não tem nada que eu possa fazer pra ajudar.

— Você não é responsável pelo que aconteceu com eles. Não é — ele insistiu, puxando o rosto dela para encará-la. — Agora, faz a seguinte pergunta... — Segurou os ombros dela com firmeza, manteve os olhos nos dela. — Você acha que um dos dois ia querer que você parasse, antes de encerrar essa história? Até você poder provar que o bronze é verdadeiro? Até, ao provar isso, ser capaz de apontar o dedo pro assassino?

— Eu não sei. Não posso saber. — Ela respirou fundo, deixou o ar sair devagar. — Mas eu sei que não vou conseguir viver bem comigo mesma, a menos que termine essa história. Um me pediu ajuda, o outro me fez um favor. Eu não posso parar até isso acabar.

— A fronteira mudou de lugar, Miranda. Quem matou os dois fez com que mudasse.

— Eu quero vingança. — Ela fechou os olhos. — Fico esperando ter vergonha disso, mas não tenho. Não posso.

— *Darling*, você sempre questiona cada emoção humana que sente?

— Acho que venho sentindo mais coisas ultimamente. Isso dificulta na hora de buscar um padrão lógico.

— Você quer pensar num padrão lógico? Vou te ajudar. Quero ouvir seus planos pra exposição.

— Não, você não quer.

— Claro que quero. A Galeria Boldari tá emprestando peças muito importantes pra vocês. — Ele levou a mão aos lábios dela. — Quero saber o que pretende fazer com elas. Isso é negócio.

— Ryan. — Ela não tinha certeza do que queria dizer, e também não teve chance de fazê-lo, porque Andrew abriu a porta e entrou.

— As coisas estão andando rápido — ele comentou, atento à maneira que Ryan mordiscava os dedos da irmã.

— Oi, Andrew. — Ryan baixou a mão de Miranda, mas a manteve dentro da sua.

— Por que vocês não me contam o que tá rolando por aqui?

— Com prazer. A gente resolveu ir adiante com aquele plano de empréstimo entre a minha galeria e a empresa de vocês. E expandir essa ideia. Tem a vantagem de levantar um bom dinheiro pro Fundo de Doações para as Artes e trazer Miranda de volta.

Ryan virou-se para a mesa, levantou a jarra e serviu três copos d'água. — A sua mãe tava muito entusiasmada com o projeto.

— É, eu falei com ela. — O que explicava parcialmente seu mau humor, supôs. — Ela me disse que você ligou de Nova York.

— Disse? — Com um sorriso, Ryan distribuiu os copos. — Ela deve ter imaginado que eu estivesse lá. Por que não deixar que ela e todo mundo pense isso? Muito menos complicado. Eu e Miranda preferimos resguardar o nosso relacionamento extraprofissional.

— Então, vocês não deviam passear pelo prédio de mãos dadas. A rede de fofocas já começou a trocar informações.

— Isso não é um problema pra mim, é pra você? — ele perguntou para Miranda, e continuou falando ainda mais suavemente, antes que ela pudesse responder. — Miranda ia começar a me contar os planos pra exposição. Eu também tenho algumas ideias, e pensei em algumas coisas pra festa de abertura. Por que a gente não senta e conversa sobre isso tudo?

Concluindo que assim seria melhor, Miranda se colocou entre eles. — Isso vai ser um evento importante pra nós, pra mim particularmente. Fico feliz que Ryan queira ir adiante. Isso me trouxe de volta, e eu preciso estar aqui. Além disso, eu passei anos sonhando e desejando uma exposição desse porte. Essa é uma das razões pra eu fazer tudo com rapidez. Tá na minha cabeça há muito tempo.

Ela levou a mão ao braço do irmão. — Depois do que aconteceu em Florença, a mamãe nunca me daria uma oportunidade, se não fosse a insistência do Ryan de trabalhar comigo.

— Eu sei. Eu sei. Talvez eu ande demorando um pouco pra mudar os comandos ultimamente.

— Mas tá tudo bem?

— Eu não bebi. Terceiro dia — ele disse, com um sorriso pálido. E depois de duas noites de tremedeiras, suores e desespero. — Eu não quero entrar em detalhes com você, Miranda.

— Tudo bem. — Ela deixou a mão cair. Parecia que os dois tinham seus segredos, agora. — Vou avisar que estamos prontos pra almoçar.

*NÃO É JUSTO, NÃO ESTÁ CERTO. ELA NÃO TINHA NADA QUE voltar, assumir as rédeas de novo. Ela não vai arruinar os meus planos. Eu não vou permitir. São anos de espera, anos de sacrifício.* A Senhora Sombria *é minha. Ela veio para mim, e naquele sorriso escorregadio eu vi um espírito livre, uma mente que pode esperar, assistir, planejar e acumular poder como se fosse dinheiro num cofre. E naquele sorriso eu vi, finalmente, o caminho para destruir todos os meus inimigos. Para pegar o que era meu, o que sempre foi meu.*

*Eu tinha acabado com ela. Eu já tinha conseguido.*

A mão que escrevia começou a tremer, usando a caneta como uma lâmina para atacar a página do diário ferozmente, até que o ambiente fosse preenchido por sua respiração entrecortada. Gradualmente, todo o movimento foi parando, e a respiração ficou mais lenta, mais profunda e equilibrada, quase como se num transe.

O controle estava indo embora, escorregando daqueles dedos competentes, deixando aquela mente forte e calculista. Mas poderia voltar de uma hora para outra. O esforço era doloroso, mas podia ser feito.

*Isso é só um adiamento, algumas semanas para o olho do furacão. Eu vou encontrar uma maneira de fazer com que ela pague, com que*

*todos paguem pelo que me negaram.* A Senhora Sombria *ainda é minha. Nós matamos juntas.*

*Miranda tem a cópia. É a única explicação. A polícia não encontrou a arma. Tão corajoso da parte dela ir a Florença, tão pouco a cara dela, encontrar uma maneira de roubar o bronze. Nunca pensei que ela pudesse fazer esse tipo de coisa. Então não previ, não pensei nessa possibilidade.*

*Não vou cometer esse erro novamente.*

*Ela ficou ali parada, olhando para o Giovanni? Havia horror e medo nos olhos dela? Ah, eu espero. O medo vai fazer com que fique parada, como um cão de caça à espreita?*

*Vai, eu sei que vai; ela voltou correndo para o Maine. Será que ela olha nervosamente para trás quando atravessa os corredores do instituto? Ela sabe, intimamente, que o tempo dela é curto?*

*Que ela tenha esse adiamento, que conquiste o poder que não fez nada para ter. Será ainda mais doce quando tudo lhe for tirado de uma vez por todas.*

*Não planejei tirar a vida dela também. Mas os planos mudam.*

*Quando estiver morta, a reputação destruída pelo escândalo, vou chorar em seu túmulo. Serão lágrimas de triunfo.*

# Capítulo Vinte e Quatro

O bigode falso dava coceira e provavelmente era desnecessário. Assim como as lentes de contato, que transformavam seus olhos castanhos em um mel indistinto, e a peruca loura que prendera num rabo de cavalo. Seu rosto e qualquer parte exposta da pele haviam sido cuidadosamente clareados, trazendo à sua tez dourada os tons pálidos e sem cor de um homem que prefere passar a vida longe do sol.

Três brincos brilhavam em sua orelha, óculos de armação de aço e lentes pequenas e rosadas acomodadas sobre o nariz. Ele gostava do brilho com que as lentes coloriam as coisas.

Escolhera o guarda-roupa com cuidado. Calça comprida vermelha, apertada, camisa de flanela alaranjada e mangas soltas, botas pretas de couro e salto baixo.

Afinal, ele não queria ser sutil.

Parecia um desses tipinhos ultramodernos, fanáticos por arte, à beira do mau gosto. Já vira uma infinidade deles ao longo de sua carreira e sabia como andavam, conhecia seus jargões.

Conferiu o rosto no espelho retrovisor do sedã pequeno que alugara numa espelunca. Não era nenhum prazer dirigir aquele carro, mas rodara com ele os sessenta e poucos quilômetros de estrada até a Fundição Pine State. Tinha esperança de que o levasse de volta à costa quando terminasse.

Saltou do carro com seu portfólio barato de capa de couro falso. Ali dentro havia dezenas de rascunhos — a maioria emprestada por Miranda, por assim dizer.

A cópia do *Davi* deveria ter sido feita em outro lugar, pensou. Em algum lugar nas proximidades, devido às limitações de tempo. E aquela era a fundição mais perto do instituto. A mesma que a equipe e estudantes usavam habitualmente, segundo suas pesquisas.

Pegou algumas balas de hortelã para mascar enquanto analisava a fundição. O lugar era uma mancha na paisagem da colina, concluiu. Uma construção feia de tijolos e metal, pontiaguda, espalhada para os lados, com chaminés que exalavam fumaça; perguntou-se o quanto atendiam às normas ambientais de construção, depois lembrou que isso não era problema seu nem sua missão.

Jogando o rabo de cavalo para trás, pendurou o portfólio no ombro e dirigiu-se ao prédio de metal com janelas empoeiradas.

Com os saltos das botas, um ruído a mais nas passadas era natural.

Dentro do prédio, havia uma grande bancada com prateleiras lotadas de fichários, potes plásticos repletos de pregos e parafusos, e grandes objetos de metal que desafiavam os poderes de definição. Sentada num banco alto, uma mulher folheava uma revista com dicas para a casa.

Ela levantou o olhar até Ryan. Suas sobrancelhas arquearam-se imediatamente, os olhos percorrendo o visitante de alto a baixo. O ligeiro sorriso não foi muito bem disfarçado. — Precisa de alguma ajuda?

— Meu nome é Francis Kowowski. Eu estudo no Instituto de História da Arte da Nova Inglaterra.

Ela prendia escancaradamente o riso, agora. Sentiu o perfume dele e pensou em papoulas. Pelo amor de Deus, que tipo de homem queria cheirar a papoulas? — Ah, é?

— É. — Ele foi à frente, fazendo com que o entusiasmo fosse visível em seus olhos. — Vários colegas meus fundiram bronzes aqui. Essa é a minha arte. Eu sou escultor. Acabei de ser transferido pro instituto.

— Você não é um pouco velho pra ser estudante?

Ele fingiu rubor. — Só agora eu consegui ter dinheiro pra perseguir meu desejo, entende? — Ele parecia arrasado, constrangido, e tocou o coração da balconista.

— É, eu sei, é difícil. Você trouxe alguma coisa pra fundir?

— Eu não trouxe o modelo, só os desenhos. Quero ter certeza de que vai ficar exatamente como nas minhas especificações. — Como se ganhasse confiança, rapidamente abriu o portfólio. — Um dos alunos me falou que vocês fizeram um bronze pequeno aqui... mas eu não consigo lembrar quem fundiu. Aqui tem um desenho da peça. É um *Davi*.

— Como o Davi do Golias, certo? — Ela inclinou a cabeça, virando o desenho para si. — O desenho é muito bom. É seu?

— É. — Ele lançou um olhar rutilante para ela. — Eu queria achar quem fez a fundição dessa estátua e combinar de fazer a minha. Tem mais ou menos uns três anos, pelo que o meu amigo me falou.

— Três anos? — Ela contraiu os lábios. — Isso é tempo à beça.

— Eu sei. — Ele tentou um olhar desolado novamente. — É importantíssimo pra mim descobrir isso. O meu amigo disse que a peça ficou linda. O bronze ficou perfeito, e a pessoa que fez o trabalho usou uma fórmula renascentista, o cara realmente sabia o que tava fazendo. A escultura ficou com qualidade de museu.

Ele pegou outro desenho, mostrou *A Senhora Sombria* para ela.

— Trabalhei duro nessa peça. Ela consumiu todas as minhas energias. Quase a minha vida, se você quer saber. — Os olhos dele brilhavam enquanto ela analisava o desenho.

— É linda. Realmente linda. Você devia vender esses desenhos, garoto. Sério.

— Eu ganho algum fazendo retratos — ele murmurou. — Não é o que eu quero fazer. É só pra comer.

— Aposto que você vai fazer um baita sucesso.

— Obrigado. — Deliciado, ele deixou as lágrimas inundarem seus olhos. — É tanta ralação, já me desapontei tantas vezes. Tem horas que dá vontade de desistir, mas de alguma forma...

Ele levantou a mão, como se derrotado. Ela tirou um lenço de papel de uma caixa e ofereceu-o a ele, com simpatia.

— Obrigado. Desculpe. — Passou suavemente o papel nos olhos, debaixo das lentes coloridas. — Mas eu sei que posso fazer isso. Eu tenho que fazer isso. E para esse bronze eu preciso do melhor. Economizei dinheiro suficiente pra pagar o que você quiser cobrar. Pago a mais, se tiver que pagar.

— Não se preocupe com isso. — Ela deu um tapinha na mão dele, depois virou-se para o computador. — Três anos atrás. Deixa ver o que consigo descobrir. Pode ser que tenha sido o Whitesmith. Ele faz muita coisa pros alunos.

Ela começou a clicar com as unhas grandes e vermelhas. Piscou para ele. — Vamos ver se eu consigo alguém de primeira.

— Eu te agradeço tanto. Quando eu tava a caminho daqui, sabia que ia ser um dia especial pra mim. Aliás, adorei as suas unhas. Essa cor fica maravilhosa com a sua pele.

Não levou dez minutos.

— Aposto que foi ele. Pete Whitesmith, exatamente como eu imaginei. Ele é o melhor por aqui, e em muitos lugares, se você quer saber. Fez um trabalho pra esse garoto... eu lembro dele. Harrison Mathers. Ele também era muito bom. Não tão bom quanto você — acrescentou, sorrindo maternalmente para Ryan.

— Ele fez muita coisa aqui? O Harrison?

— Fez. Várias peças. Vivia atrás do Pete. Garoto nervoso. Aqui tem um bronze pequeno de um Davi com um estilingue. É esse.

— Incrível. Lindo. Whitesmith. Ele ainda trabalha aqui?

— Claro, ele é fundamental. Vai lá na fundição. Diz pro Pete que a Babs o mandou te tratar bem.

— Eu não sei como te agradecer.

— Quanto você cobraria pra fazer um desenho dos meus filhos?

— Pra você, nada. — Sorriu amplamente para ela.

— CLARO QUE EU LEMBRO. — WHITESMITH ESFREGOU O rosto na aba do boné azul. Ele tinha um rosto que merecia ser entalhado em mármore, absolutamente anguloso e com linhas bem marcadas. Sua constituição era como a de um projétil, mais largo embaixo e estreito nos ombros. Sua voz ecoava acima do rugido dos fornos, do tilintar do metal.

— A peça era essa?

Whitesmith encarou o desenho que Ryan lhe mostrou. — Isso. O Harry foi extremamente específico com essa. Tinha a fórmula do bronze por escrito, queria que eu acrescentasse um pouco de chumbo pra curar mais rápido, no mais era a fórmula antiga. Eu vou fazer um intervalo, vamos levar isso lá pra fora.

Agradecido, Ryan o seguiu para longe do calor e do barulho.

— Eu trabalho com fundição há vinte e cinco anos — Whitesmith disse, acendendo seu Camel do intervalo e soltando a fumaça no ar levemente gelado. — Eu vou te dizer, essa peça era uma coisa preciosa. Nossa. Uma das minhas favoritas.

— Você fez outras pra ele também?

— Claro. Umas quatro, talvez cinco, num período de dois anos. Mas essa foi a melhor de todas. Eu tive certeza de que a gente tinha uma coisa especial quando ele trouxe o molde e a cópia de cera. Agora, pensando nisso... — E ele pensou, dando uma longa tragada no cigarro, soltando a fumaça. — Foi a última peça que eu fiz para ele.

— Foi?

— Isso. Não lembro de ver mais o jovem Harry depois disso. Os alunos do instituto... — Levantou os ombros estreitos. — Eles vêm e vão.

— Ele trabalhava com mais alguém?

— Não. Pelo que eu me lembro, fiz todos os trabalhos dele. Ele tinha interesse no processo. Nem todos os alunos davam importância pra isso. Só ligam pro que acham que é arte. — Fez uma ligeira careta. — Vou te falar, camarada, o que eu faço é arte, sim. Um bom fundidor é um artista.

— Concordo totalmente. Por isso eu tava tão desesperado pra te encontrar, o artista que trabalhou nesse *Davi* incrível.

— É, com certeza. — Obviamente satisfeito, Whitesmith inalou a fumaça. — Alguns desses tipinhos artistas são uns malcriados, uns bons filhos da mãe. Acham que um cara feito eu é só uma ferramenta. Eu sou um artista e um cientista. Você faz uma escultura digna de prêmio aqui, tem que me agradecer. Mas a maioria nem se toca.

— Conheci um fundidor de Toledo. — Ryan suspirou, vigoroso. — Achava aquele homem um deus. Espero que Harrison tenha apreciado seu trabalho como devia.

— Ele era tranquilo.

— Imagino que ele tenha usado um molde flexível pro *Davi.*

— É, usou. Silicone. Tem que ser cuidadoso. — Whitesmith sacudiu o cigarro, enfático, depois o prendeu entre o polegar e o indicador, jogando-o longe num arco comprido. — Pode distorcer, encolher. Mas o garoto sabia o que tava fazendo. Usou cera pra fazer o molde. Já eu posso trabalhar com tudo, cera, areia, gesso. Uso o acabamento e as ferramentas que o cliente escolher. E fico trabalhando até acabar. Também não gosto que me apressem.

— Ah, o Harry te apressava?

— Nessa última peça, ele me torrou a paciência. — Whitesmith riu. — Parecia que era o Leonardo da Vinci com prazo de entrega,

cacete. — Depois encolheu os ombros. — O garoto era tranquilo. Tinha talento.

Apesar de saber que seria difícil, Ryan tirou o desenho da *Senhora Sombria.* — O que é que você acha?

Whitesmith pressionou os lábios. — Isso sim é uma guria sexy. Não me importaria de fundir essa, não. O que é que você tá usando nela?

Um pouco de conhecimento, Ryan pensou, poderia ser uma coisa perigosa. Ou poderia ser o suficiente. — Cera com preenchimento de gesso.

— Bom. Dá pra trabalhar bem com isso. Trabalhar bem o gesso aqui, também. Não é legal dar bolha na cera, parceiro.

— Não, com certeza. — Ryan guardou o desenho novamente. O homem era bastante firme, pensou, muito cooperativo para que o envolvesse. — Então, o Harry nunca trouxe ninguém aqui?

— Não que eu lembre. — Os olhos de Whitesmith estreitaram. — Por quê?

— Eu só fiquei pensando se o meu amigo que me falou da estatueta e você tinham se conhecido através dele. Ele falava tão bem do seu trabalho.

— E quem era esse?

— James Crispin — Ryan improvisou. — Ele é pintor, não teria vindo aqui se não fosse com o Harry. Eu pesquisei a fórmula — acrescentou. — Se trouxer junto com a cera e o molde, você faz esse trabalho?

— É pra isso que estou aqui.

— Eu agradeço. — Ryan estendeu a mão. — E dou notícia.

— Gostei da cara da sua senhora aí. — Whitesmith acrescentou, com um aceno positivo de cabeça na direção do portfólio de Ryan ao voltar-se para a porta da fundição. — Não é sempre que a gente tem a chance de trabalhar com uma coisa tão sofisticada assim. Vou cuidar dela como se deve.

— Obrigado. — Assoviando baixinho, Ryan voltou para o carro. Parabenizava-se pela manhã de trabalho fácil e bem-sucedido, quando outro carro entrou no estacionamento.

Cook saltou, esticou as costas, olhou para Ryan com suavidade.

— Bom-dia.

Ryan fez um gesto de cabeça, ajustou os óculos de lentes rosa e entrou atrás do volante de seu carro alugado enquanto Cook caminhava em direção à fundição.

Perto, muito perto, Ryan pensou. Mas não houve uma fagulha sequer de reconhecimento nos olhos do policial. Por enquanto, ele ainda estava um pequeno passo à frente.

QUANDO VOLTOU PARA CASA, ELE TIROU O BIGODE, A PERUCA e, aliviado, as lentes de contato. A precaução acabara sendo necessária, no final das contas, pensou ao tirar a camisa ridícula.

Aparentemente, Cook estava com a falsificação na cabeça.

Tudo bem. Quando o trabalho chegasse ao fim, ter a investigação de Cook aproximando-se de quase toda a verdade seria uma vantagem.

Por enquanto era somente ligeiramente enervante.

Removeu a maquiagem do rosto, do pescoço, das mãos, preparou uma xícara de café e acomodou-se para trabalhar.

Eram oito os estudantes que haviam utilizado a fundição naquelas duas semanas críticas. Ele já eliminara três, já que seus projetos eram muito grandes.

Agora, graças aos bons e velhos Babs e Pete, chegara àquele que queria. Não foi preciso muito tempo para voltar aos relatórios que já acessara no instituto. E lá ele encontrou a turma de Harry no final do semestre. Bronzes Renascentistas, a Forma Humana.

E Miranda dera o curso.

Ele não imaginara isso, deu-se conta. Gostaria de ter visto outro nome. O de Carter, o de Andrew, qualquer um em quem pudesse se

concentrar em desmascarar. O *Davi* era dela, *A Senhora Sombria* era dela. Ela era a chave, o centro, e ele estava começando a acreditar que era também o motivo.

Um de seus alunos fundira um bronze do *Davi*. *O* bronze do *Davi*, Ryan não tinha dúvidas.

Foi adiante, procurando as notas finais. Ela era dura, pensou com um sorriso. Miranda não dava notas máximas como se fossem balas. Somente quatro de seus vinte alunos haviam conseguido uma, algumas beirando a média e um punhado de notas fracas.

E um curso incompleto.

Harrison K. Mathers. Curso incompleto, sem projeto final. Desistência.

Agora, por que você faria isso, Harrison K., Ryan ponderou, quando se deu ao trabalho de fundir o bronze dias antes do prazo final, a não ser que não estivesse preocupado com notas?

Checou o histórico de Harrison, notou que ele frequentara doze cursos no instituto, durante um período de dois anos. As notas eram admiráveis... até o último semestre, quando teve uma queda drástica.

Pegou seu celular e ligou para o número listado nas informações pessoais de Harrison.

— Alô?

— Oi, aqui é Dennis Seaworth, da secretaria do Instituto de História da Arte da Nova Inglaterra. Eu gostaria de falar com Harrison Mathers.

— Aqui é a sra. Mathers, mãe dele. O Harry não mora mais aqui.

— Ah... Nós estamos fazendo uma nova listagem de alunos, buscando pessoas interessadas nos próximos cursos. Será que a senhora poderia me colocar em contato com ele?

— Ele se mudou para a Califórnia. — A voz dela soou vulnerável. — Ele nunca terminou as aulas no instituto.

— É, nós temos o histórico dele aqui. Gostaríamos de descobrir se algum de nossos antigos alunos estava insatisfeito com o nosso programa.

— Se descobrir, me avise. Ele estava indo tão bem. Ele adorava.

— É bom saber. Será que eu consigo falar com ele?

— Com certeza. — Ela recitou um número com código de área de San Francisco.

Ryan ligou o número da Costa Oeste e foi informado por uma gravação que a linha havia sido desligada.

Bem, pensou, uma viagem à Califórnia lhe daria a oportunidade de ver o irmão, Michael.

— HARRISON MATHERS.

Com os planos recentes para a exposição ainda povoando sua cabeça, Miranda franziu o cenho para Ryan. — E?

— Harrison Mathers — ele repetiu. — Me fala dele.

Ela tirou o casaco, pendurou-o no armário da entrada. — Eu conheço um Harrison Mathers?

— Ele foi seu aluno alguns anos atrás.

— Você tem que me dar alguma coisa além do nome, Ryan. Eu tive centenas de alunos.

— Você deu aula de bronzes renascentistas pra ele, há três anos. Ele não terminou o curso.

— Não terminou? — Ela se esforçou para reordenar os pensamentos. — Harry. — O nome lhe voltou com uma mistura de prazer e pesar. — É, ele fez o curso. Já estudava no instituto fazia alguns anos, eu acho. Era talentoso, muito inteligente. Começou muito bem comigo, tanto na teoria quanto nos desenhos.

Ela girou o pescoço enquanto entrava no gabinete. — Eu me lembro que ele começou a faltar às aulas, ou então aparecia com uma cara de quem passou a noite em claro. Andava distraído, o rendimento dele caiu.

— Drogas?

— Eu não sei. Drogas, problemas de família, namorada. — Ela deu de ombros. — Ele só tinha dezenove, vinte anos. Pode ter sido qualquer coisa. Eu falei com ele, avisei que precisava se concentrar no trabalho. Ele melhorou, mas não foi grande coisa. Depois ele parou de aparecer, logo antes do final do curso. Nunca entregou o projeto final.

— Ele tinha uma peça fundida. Na Fundição Pine State. Segunda semana de maio. Uma estatueta de bronze.

Ela o encarou. Depois, sentou-se na poltrona. — Você tá querendo me dizer que ele está envolvido nisso tudo?

— Estou te dizendo que ele tinha uma estatueta, um Davi com estilingue. Um projeto que ele nunca entregou. Ele tava lá enquanto o *Davi* estava sendo testado e abandonou as aulas logo depois. Ele foi alguma vez ao laboratório?

O enjoo e o desconforto estavam de volta ao estômago dela. Lembrou-se de Harry Mathers. Não muito bem, não com clareza, mas bem o suficiente para que doesse. — A turma toda foi levada ao laboratório. Todo aluno passa pelo laboratório, pelo centro de pesquisa, de restauração. Faz parte do programa.

— Com quem ele andava?

— Não sei. Não me envolvo com a vida particular dos meus alunos. Só me lembro dele com tanta clareza porque tinha um talento genuíno, e me deu a impressão de jogar tudo fora no final.

Sentiu uma dor de cabeça se insinuando atrás de seus olhos. Estranhamente, esquecera-se de tudo durante horas daquele dia que não fosse a exposição — que não fosse a excitação de planejá-la.

— Ryan, ele era um menino. Não pode estar por trás de uma falsificação como essa.

— Quando eu tinha vinte anos, roubei um vitral de Nossa Senhora, do século treze, de uma coleção particular em Westchester, depois saí pra comer uma pizza com Alice Mary Grimaldi.

— Como é que você pode ficar se gabando de uma coisa dessas?

— Eu não tô me gabando, Miranda. Só atestando um fato, e lembrando que idade não tem nada a ver com certos tipos de comportamento. Agora, se eu quisesse me gabar, te contaria sobre o cavalo Tang que roubei do Metropolitan alguns anos atrás. Mas eu não vou fazer isso — acrescentou. — Porque te aborrece.

Ela simplesmente olhou para ele. — É essa a sua maneira de tentar aliviar o clima?

— Não funcionou, né? — E, como ela subitamente parecia tão cansada, ele caminhou até a garrafa de vinho branco que já abrira e serviu uma taça para ela. — Vamos tentar isso, então.

Em vez de beber, ela transferiu a taça de uma mão para outra.

— Como é que você descobriu isso tudo sobre o Harry?

— Só pesquisa básica, um trabalho rápido de campo. — O olhar triste que apareceu no rosto dela o distraiu. Ele se sentou no braço da poltrona e começou a massagear o pescoço e os ombros dela. — Eu vou ter que sair da cidade por uns dias.

— O quê? Pra onde?

— Nova York. Tem uns detalhes que tenho que resolver, vários envolvendo o transporte das peças para a exposição. Também preciso ir a San Francisco e encontrar o seu jovem Harry.

— Ele tá em San Francisco?

— De acordo com a mãe, mas o telefone dele foi desligado.

— Você descobriu tudo isso hoje?

— Você tem o seu trabalho, eu tenho o meu. Como vão as coisas?

Ela passou as mãos no cabelo, nervosa. Aqueles dedos de ladrão eram mágicos e relaxavam músculos que ela nem se dava conta de estarem tensos. — Eu... eu escolhi um tecido para o revestimento, e trabalhei com o carpinteiro em algumas plataformas. Os convites chegam hoje. Já aprovei.

— Ótimo, a gente tá em dia.

— Quando você viaja?

— Amanhã, no primeiro horário. Volto em uma semana, mais ou menos. A gente fica em contato. — Sentindo que Miranda

começava a relaxar, fez um cafuné no cabelo dela. — Talvez você queira ver se o Andrew não volta pra cá, pra você não ficar sozinha.

— Eu não me importo de ficar sozinha.

— Eu me importo. — Ele a levantou, escorregou para o assento da poltrona e colocou-a em seu colo. Como ela não estava bebendo o vinho, ele tirou a taça de sua mão e colocou-a na mesinha ao lado. — Mas já que ele não tá aqui agora... — Segurou-a pelo pescoço e puxou a boca de Miranda ao encontro da sua.

Quisera que fosse só isso, um beijo, um momento suave. Mas o gosto dela aqueceu-o mais do que esperava. O cheiro rascante de madeira da pele dela era mais provocante do que devia. Flagrou-se mordiscando-lhe o lábio inferior, e ela sentiu um arrepio.

E, quando os braços dela o envolveram com força, e a boca moveu-se com urgência sob seu comando, ele perdeu o controle, escorregou para dentro dela, cercou-se dela.

Curvas, linhas, cheiros, sabores.

Suas mãos, ocupadas, abriram os botões da blusa dela, passearam pelos ombros desnudos, buscando hipnoticamente o espaço entre seus seios.

Suspiros, gemidos, tremores.

— Eu não canso de você. — Suas palavras eram mais irritadas que satisfeitas. — Eu sempre acho que sim, depois basta olhar pra você pra te querer mais.

E ninguém a quisera dessa maneira. Miranda teve a impressão de uma queda, profunda, muito profunda, um mergulho nas águas quentes de um poço de sensações. Somente sentimentos. Nada de pensamentos, nada de razão. Só necessidade, básica, como respirar.

Os dedos dele brincavam sobre seus seios, asas de seda em movimento. A língua os seguia enquanto ele a mudava de posição, acariciando-a até que sua boca se fechasse, quente, sobre ela e o tremor em sua barriga espelhasse a dor do prazer. Ele mordiscou o mamilo dela, uma mordida leve, uma dor ligeira e agradável.

Ardendo de desejo, ela arqueou as costas, entregando-se a ele, ao momento, deliciando-se com seu foco único.

De alimentar-se dela.

Com a mesma concentração, ela passou as mãos sobre ele, acariciando, deslizando, sedentas, buscando seu caminho até a carne sob a camisa. Experimentou a textura da pele, e os dois rolaram da poltrona para o tapete.

Suas pernas se abriram, prendendo-o num V erótico, os quadris arqueados para que o calor de um corpo pressionasse o do outro, cada movimento uma tortura para ambos.

Ele precisava estar dentro dela, preenchê-la, enterrar-se nela. A necessidade primitiva de possuir, de ser possuído, fez com que os dois se atrapalhassem com as roupas, em busca de ar enquanto rolavam pelo chão.

Depois ela montou sobre ele, seu corpo inclinou-se para frente, as palmas das mãos pressionando-lhe o peito para que as bocas pudessem juntar-se novamente. Lentamente, bem lentamente, ele levantou os quadris. Olhos nos olhos, embaçados, tomados. Finalmente, ela debruçou-se nele, tomou-o para si, abraçou-o, os músculos tesos e trementes.

Ela girou, o corpo arqueado para trás, o cabelo flutuando como uma chuva selvagem vermelha sobre seus ombros, os olhos semicerrados de tanto prazer. A velocidade comandava agora. Energia, ondas elétricas de poder percorrendo a corrente sanguínea, chicoteando o coração, alimentando o corpo até sua explosão.

Mais rápido, mais forte, mais profundo, os dedos dele cravando seus quadris, sua respiração arfante. O orgasmo percorreu seu corpo, o ápice a enlouquecendo de prazer.

Ele estava dentro dela, mantendo-a presa, enquanto a levava à loucura com movimentos firmes e fortes.

Um rugido tomou conta de sua cabeça, como um mar em dia de vendaval, e a onda seguinte, abrasadora, a arrebatou.

Ela pensou ter ouvido alguém gritar.

E ele a viu, naquele momento desprendido da razão, o cabelo jogado, o corpo arqueado, os braços levantados, os olhos semicerrados, os lábios curvados num sorriso de sabedoria feminina.

Ela não tem preço, era tão sedutora e magnífica quanto *A Senhora Sombria*, e tão poderosa quanto. Quando seu próprio corpo foi tomado pela descarga do orgasmo, ele só teve um pensamento.

Ali estava seu destino.

Depois, sua mente clareou quando a mesma onda o pegou e o levou ao limite.

— Meu Deus! — Foi o máximo que conseguiu dizer. Nunca antes se perdera tão profundamente com uma mulher, ou se sentira tão preso a ela. Apesar de ainda tremer, ela parecia derreter-se sobre ele, o corpo escorregando até que seus sussurros fossem abafados no pescoço dele.

— Miranda. — Ele disse seu nome uma vez, passando-lhe a mão pelas costas. — Jesus, eu vou sentir a sua falta.

Ela manteve os olhos fechados, não disse uma palavra. Mas abandonou-se, entregou-se, porque uma parte dela não acreditava que ele voltaria.

ELE JÁ TINHA IDO EMBORA QUANDO ELA ACORDOU NA MANHÃ seguinte, deixando somente um bilhete no travesseiro ao seu lado.

*Bom-dia, dra. Jones. Eu fiz café. Está fresco, a não ser que você durma demais. Os ovos acabaram. Eu te ligo.*

Embora isso fizesse com que se sentisse tola como uma adolescente, ela leu o bilhete meia dúzia de vezes, depois levantou-se e guardou-o na caixa de joias, como se fosse uma declaração de devoção indubitável.

O anel que ele colocara em seu dedo, o anel que guardava tolamente numa caixinha forrada de veludo, não estava lá.

O AVIÃO POUSOU ÀS NOVE E MEIA, E RYAN CHEGOU À SUA galeria às onze. Era uma fração do tamanho do instituto, parecendo-se mais com uma suntuosa casa do que uma galeria.

O teto era alto, os corredores, amplos, e as escadas, curvas, dando ao espaço uma sensação arejada e fluida. Os tapetes que ele escolhera para espalhar sobre o piso de mármore e madeira eram trabalhos de arte, assim como os quadros e as esculturas.

Seu escritório era no quarto andar. Era pequeno, porque ele queria destinar cada pequeno espaço ao público. Mas era bonito, bem decorado e equipado, bastante confortável.

Passou três horas à mesa, atualizando o trabalho com seu assistente, reunindo-se com o diretor da galeria, aprovou compras e vendas, e organizou o esquema de transporte e segurança apropriados para as peças que viajariam para o Maine.

Arranjou tempo para dar entrevistas à imprensa e falar sobre a exposição por vir, e sobre a arrecadação de fundos, decidiu experimentar um smoking novo e ligou para a mãe para dizer que comprasse um vestido.

Mandaria toda a família para a noite de gala no Maine.

O próximo item da agenda era um telefonema para seu primo, agente de viagens.

— Joey, é Ry.

— E aí, meu viajante favorito. Como é que você vai?

— Tudo bem. Preciso de um voo pra San Francisco, depois de amanhã, a volta em aberto.

— Sem problemas. Que nome você quer usar?

— O meu.

— Que mudança! Tudo bem, vou te encaixar e passo um fax com o itinerário. Onde você tá?

— Em casa. E você pode marcar também a ida da minha família pro Maine. — Informou as datas ao primo.

— Anotei. Tudo primeira classe, certo?

— Lógico.

— É sempre um prazer fazer negócio com você, Ry!

— É bom ouvir isso, porque preciso te pedir um favor.

— Manda.

— Vou te dar uma lista de nomes. Preciso descobrir que tipo de viagem esse pessoal fez. Nos últimos três anos e meio.

— Três anos e meio! Jesus Cristo, Ry.

— Pode se concentrar nos voos internacionais, indo e vindo da Itália, principalmente. Pronto pra eu te passar os nomes?

— Olha só, Ry, eu te amo como se você fosse meu irmão. Esse tipo de coisa vai levar dias, talvez semanas, e é um risco. Não é só apertar uns botões e conseguir esse tipo de informação. As companhias aéreas não têm autorização pra sair entregando tudo.

Ele já ouvira essa lenga-lenga antes. — Eu tô com ingressos pra temporada toda dos Yankees. Salão VIP, com acesso aos vestiários.

Houve um breve silêncio. — Me passa os nomes.

— Sabia que podia contar com você, Joey.

Quando terminou, recostou-se na cadeira. Pegou o anel que dera para Miranda no bolso, observou seu brilho sob a luz que entrava pela janela às suas costas.

Pensou que pediria ao seu amigo joalheiro que retirasse as pedras e fizesse um par de brincos para ela. Brincos eram mais seguros que um anel. Mulheres, mesmo as inteligentes, práticas, poderiam ter uma interpretação errada das coisas com um anel.

Ela apreciaria o gesto, pensou. E ele ficaria devendo alguma coisa a ela, no final das contas. Mandaria fazer os brincos, depois os mandaria para ela, quando ele — e os bronzes — estivesse a uma distância confortável.

Imaginou que, depois que ela tivesse conseguido pensar em tudo calmamente, concluiria que ele agira da única maneira lógica. Ninguém poderia esperar que ele saísse de seu último trabalho de mãos abanando.

Guardou o anel no bolso novamente, na tentativa de parar de pensar em como ficaria na mão dela.

Ela teria aquilo de que precisava, lembrou a si mesmo, e, quando tirou os dedos do bolso, ainda brincavam com o anel. Provariam que o bronze era verdadeiro, revelariam uma falsificação, um assassino, e ela voltaria à luz dos refletores com a reputação brilhando como ouro.

Ele tinha vários clientes que pagariam uma boa quantia por um prêmio como *A Senhora Sombria*. Só precisaria escolher o vencedor de sorte. E esse dinheiro cobriria seu tempo, suas despesas, os problemas, e ainda proporcionaria um bônus como uma cereja em cima do bolo.

A menos que decidisse mantê-la consigo, ela seria, sem dúvida, o prêmio de sua coleção particular.

Mas... negócios são negócios. Se encontrasse o cliente certo — e recebesse a quantia certa —, poderia começar uma galeria nova em Chicago, Atlanta ou... no Maine.

Não, teria que se afastar do Maine, depois que tudo terminasse.

Uma pena, pensou. Aprendera a adorar aquele lugar, perto do mar, das montanhas, perto do perfume da água salgada e dos pinheiros. Sentiria falta.

Sentiria falta dela.

Nada podia ser feito, disse a si mesmo. Tinha de encerrar muito bem uma fase de sua vida e começar uma nova. Como um corretor de arte absolutamente legítimo. Manteria a palavra dada à família, e manteria a palavra dada a Miranda. Mais ou menos.

Todo mundo voltaria para o lugar ao qual pertencia.

Era culpa sua ter deixado seus sentimentos se misturarem um pouco. Muito disso, ele tinha certeza, se dera devido ao fato de estarem os dois praticamente vivendo juntos por semanas.

Ele gostava de acordar ao lado dela, um pouco demais até. Gostava de sentar-se com ela à beira do penhasco, ouvindo aquela voz rouca, conquistando um daqueles raros sorrisos que ela dava.

Aqueles que tomavam os olhos e mandavam a tristeza do olhar embora.

O fato era — o verdadeiro e preocupante fato — que não havia nada nela que não o atraísse.

Era bom que os dois tivessem os seus espaços novamente. Olhariam em perspectiva, veriam as coisas com alguma distância.

Mas ele se perguntou por que, quase se convencendo de que era verdade, sentia um aperto tão desagradável no coração.

ELA TENTOU NÃO PENSAR NELE. NÃO SE PERGUNTAR SE ELE pensara nela. Era mais produtivo, disse para si mesma, focar completamente, exclusivamente, no trabalho.

Era provavelmente tudo o que tinha, por algum tempo.

Quase conseguiu. Durante a maior parte do dia, cuidou de vários detalhes que requeriam sua atenção e sua habilidade. Se sua mente vagasse de vez em quando, era suficientemente disciplinada para trazê-la de volta à tarefa que tinha nas mãos.

Se uma nova onda de solidão a acometesse num único dia, ela aprenderia a se ajustar.

Tinha de aprender.

Miranda estava prestes a encerrar o dia e levar o resto do trabalho para casa quando o computador acusou o recebimento de um e-mail. Preparou uma longa mensagem sobre comprimento de tecidos solicitados para o decorador que contratara, com cópia para Andrew e o responsável pelos pedidos.

Passou os olhos pela mensagem mais uma vez, fez pequenas alterações, depois apertou o botão de enviar e receber. O e-mail novo na caixa postal apareceu na tela sob o título: UMA MORTE NA FAMÍLIA.

Desconfortável, leu o conteúdo.

*Você está com a falsa* Senhora Sombria. *A mão dela está cheia de sangue. Ela quer que seja o seu. Admita seu erro, pague o preço e fique viva. Faça o que está fazendo, e nada fará com que ela pare.*

*Ela se transforma na arte de matar.*

Miranda olhou para a mensagem, lendo cada palavra repetidamente, até dar-se conta de que estava enroscada na cadeira, ninando-se.

Queriam que ela tivesse medo, que ficasse aterrorizada. E, por Deus, ela estava.

Sabiam que ela estava com a cópia. O que só poderia querer dizer que fora vista com Giovanni ou que ele contara a alguém. Alguém que o matara e queria vê-la morta.

Esforçando-se para manter o controle, analisou o endereço para resposta. Perdido1. Quem seria Perdido1? A url era uma rota padrão que todas as pessoas na Standjo utilizavam para correspondência eletrônica. Ela fez uma rápida busca por nomes, mas não encontrou nada. Depois, apertou o botão Responder.

*Quem é você?*

Só escreveu isso e enviou. Bastaram alguns segundos para que a mensagem voltasse. Não era um usuário conhecido.

Ele fora rápido, concluiu. Mas arriscara-se a mandar a mensagem. O que podia ser enviado podia ser rastreado. Imprimiu uma cópia e salvou o recado em um arquivo.

Olhou rapidamente para o relógio e viu que eram quase seis horas. Não havia ninguém para ajudá-la agora. Ninguém esperava por ela.

Estava só.

# Capítulo Vinte e Cinco

— Então, teve notícias do Ryan?

Miranda checou os itens da lista na sua prancheta enquanto supervisionava a equipe de manutenção que removia os quadros selecionados das paredes da Galeria Sul.

— Tive. O escritório dele me mandou um fax detalhando a agenda das entregas. Todos os itens vão chegar na próxima quarta-feira. Vou mandar uma equipe de segurança encontrar com eles no aeroporto.

Andrew analisou o perfil da irmã por um momento, depois encolheu os ombros. Os dois sabiam que não fora essa a pergunta. Ryan viajara havia uma semana.

Enfiou a mão no saco de biscoitos nos quais se viciara. Comia aos montes. Davam-lhe sede e, quando ele tinha sede, bebia litros d'água. Depois, urinava como um cavalo de corrida.

Colocara na cabeça que todo aquele líquido levava embora as toxinas do seu corpo.

— A srta. Purdue e Clara estão cuidando do bufê — disse para ela. — A gente não tem o número final de presenças, mas elas querem aprovar o cardápio. Eu queria que você desse uma olhada nisso, antes da gente assinar contrato. É o seu show, na verdade.

— É o *nosso* show. — Miranda corrigiu-o, ainda conferindo sua lista. Queria tanto os quadros quanto as molduras limpos antes da inauguração, e mandara um memorando para a restauração pedindo prioridade.

— É melhor ser bom. O fechamento desta galeria gerou um monte de reclamação dos visitantes.

— Se eles voltarem daqui a umas semanas, vão achar que valeu a pena. — Ela tirou os óculos e esfregou os olhos.

— Você anda trabalhando demais.

— Tem muita coisa pra fazer, e não tanto tempo. De qualquer jeito, eu gosto de ficar ocupada.

— É. — Ele sacudiu os biscoitos. — Nem eu nem você andamos atrás de tempo livre agora.

— Você tá bem?

— Esse é o código pra perguntar se eu tô bebendo? — As palavras saíram de sua boca num tom que ele não intencionara. — Desculpe. — Seus dedos mergulharam no saco novamente. — Não, eu não tô bebendo.

— Eu sei. Não era um código.

— Tô lidando com o problema.

— Eu fiquei feliz de você ter voltado pra casa, mas não quero que sinta que é sua obrigação ficar lá comigo, se preferir ficar na Annie.

— O fato de eu ter descoberto que quero ficar com a Annie faz com que seja mais difícil dormir no sofá da casa dela. Se é que você me entende.

— Entendo. — Ela foi até ele e mergulhou a mão no saco de biscoitos.

— Alguma ideia de quando o Ryan volta?

— Não exatamente.

Ficaram algum tempo em silêncio, comendo biscoitos e pensando no aborrecimento da frustração sexual. — Quer sair pra beber mais tarde? — Andrew sorriu para ela. — Foi só uma piada sem graça.

— Rá, rá. — Enfiou a mão no saco, pegou uns restos de sal, suspirou. — Tem mais biscoito?

A PRIMEIRA PARADA DE RYAN EM SAN FRANCISCO FOI NA SUA galeria. Escolhera um antigo armazém à beira-mar porque queria bastante espaço, e resolvera separar sua galeria das dezenas que existiam no centro da cidade.

Dera certo, e fizera de seu espaço um lugar mais exclusivo, especial, permitindo que artistas novos tivessem a oportunidade de expor numa galeria de primeira.

Escolhera uma ambientação casual, em vez da elegância que criara para Nova York. Os quadros eram iluminados contra paredes de tijolos aparentes ou madeira, e as esculturas frequentemente colocadas em colunas de metal rústico. Grandes janelas sem cortinas ofereciam a vista da baía e do tráfego de turistas.

No segundo andar havia um café onde os artistas e o os amantes da arte desfrutavam de cappuccinos fumegantes e outras bebidas, em mesinhas reminiscentes de uma *trattoria*, enquanto apreciavam a galeria principal lá embaixo ou olhavam para os estúdios do terceiro piso.

Ryan sentou-se a uma das mesas e sorriu para o irmão Michael.

— E aí, como vão os negócios?

— Lembra daquela escultura de metal que você me disse que parecia a lataria de um trem?

— Acho que a minha opinião foi de que parecia a lataria de um trem de circo.

— Isso, exatamente essa. A gente vendeu ontem por vinte mil e uns quebrados.

— Tem muita gente com mais dinheiro que gosto. Como tá a família?

— Você vai ver com os próprios olhos. Tá todo mundo te esperando pra jantar.

— Eu vou. — Ele recostou, analisando o irmão, que pedia um café para os dois.

— Combina com você — Ryan comentou. — Casamento, família, a casa no subúrbio.

— É melhor que combine. Eu quero que dure. E é bom pra você, porque tira a Mama da sua cola.

— Não ajuda muito. Estive com ela, ontem. Fui encarregado de te dizer que ela precisa de fotos novas das crianças. Como é que ela vai se lembrar da cara delas se você não manda fotos?

— A gente mandou milhares, no mês passado.

— Você vai poder entregar a próxima leva pessoalmente. Eu quero que toda a família vá pra abertura da exposição do instituto. Você recebeu o memorando, não recebeu?

— Recebi, sim.

— Algum problema de agenda?

Michael refletiu enquanto o café era servido. — Nada que eu lembre. A gente deve conseguir ir. As crianças adoram ir pra Nova York e ver a família, brigar com os primos, ganhar doces do papai. E eu vou poder conhecer essa Ph.D. de quem a mamãe tanto fala. Como ela é?

— Miranda? Inteligente, muito inteligente. Capaz.

— Inteligente e capaz? — Michael deu um gole no café, percebendo que Ryan tamborilava levemente na mesa. Ele não era muito dado a movimentos inúteis, pensou. A mulher inteligente e capaz estava na cabeça do irmão... e nos nervos. — A mamãe disse que ela é linda, tem cabelos ruivos, cheios.

— É, ela é ruiva.

— Você normalmente gosta das loiras. — Ryan arqueou a sobrancelha, e Michael riu. — Anda, Ryan, conta. Qual é o caso?

— Ela é bonita. É complicada. É complicado — concluiu e, finalmente, deu-se conta de que estava batendo com os dedos. — A gente tá trabalhando junto em vários níveis.

Agora foi a vez de Michael arquear a sobrancelha. — Ah, é?

— Eu não quero falar disso, agora. — Sentir a falta dela era como uma ardência na boca do estômago. — Vamos deixar assim: a gente tá trabalhando em vários projetos, a exposição é um deles. E também temos uma relação pessoal. Um gosta da companhia do outro. É isso.

— Se fosse só isso, você não ia estar com esse ar preocupado.

— Eu não tô preocupado. — Ou não estivera, até que ela se infiltrasse no seu pensamento novamente. — É complicado.

Michael resmungou em concordância e concluiu que gostaria de contar à mulher que Ryan fora completamente fisgado por uma Ph.D. ruiva do Maine. — Você sempre conseguiu sair com facilidade das complicações.

— É. — Como era melhor pensar que sim, Ryan concordou. — Em todo caso, esse é só um dos motivos de eu estar aqui. Estou procurando um artista. Tenho o endereço, mas achei que você podia conhecer. Harrison Mathers. Escultor.

— Mathers. — Michael franziu a testa. — Assim, de cara, não. Posso dar uma olhada, uma pesquisada nos arquivos pra ver se a gente já expôs alguma coisa dele.

— Vamos fazer isso. Não sei se ele ainda mora nesse endereço.

— Se ele tá em San Francisco, e se tenta vender arte, a gente vai encontrar. Você já viu o trabalho dele?

— Acho que sim — Ryan murmurou, pensando no *Davi* de bronze.

O ÚLTIMO ENDEREÇO CONHECIDO DE MATHERS ERA UM apartamento no terceiro andar de um prédio sem elevador, do lado ruim da cidade. Caía uma chuva leve quando Ryan se aproximou do edifício. Um pequeno grupo de homens jovens se amontoava na entrada, os olhos vasculhando a rua, em busca de confusão.

Na parede externa do hall fétido, numa fileira de caixas de correio incrivelmente pequenas, Ryan viu a inscrição "H. Mathers" na caixa referente ao 3B.

Subiu as escadas sob um terrível cheiro de urina e vômito velho.

Na porta do 3B alguém havia pintado um excelente estudo de castelo medieval, com torreões e pontes levadiças. Lembrava um conto de fadas sombrio, Ryan pensou, onde se vê um único rosto na janela do alto olhando para fora e gritando de terror.

Harry, divertiu-se, tinha talento, além de excelente noção de sua circunstância atual. Sua casa podia ser seu castelo, mas ele era um prisioneiro aterrorizado dentro dela.

Bateu e esperou. Quase imediatamente a porta atrás dele foi aberta. Ryan girou nos calcanhares e olhou para trás.

A mulher era jovem, e talvez fosse atraente se não tivesse o rosto pintado para o trabalho noturno. Era uma maquiagem de prostituta, pesada nos lábios e nos olhos. Os olhos, sob o peso da sombra e dos cílios, eram de um azul gelado. O cabelo era castanho e curto como o de um menino. Ele imaginou que ela usava peruca nas horas de trabalho.

Apesar de prestar atenção em tudo, assim como no corpo luxuriante descuidadamente coberto por um robe curto e florido, seu foco estava centrado na enorme .45 preta na mão dela. A boca era muito larga e estava apontada direto para o seu peito.

Ele decidiu que era melhor manter os olhos nos dela, as mãos à mostra e uma explicação simples.

— Eu não sou da polícia. Não quero vender nada. Só tô procurando o Harry.

— Achei que você era o outro cara. — O sotaque era nitidamente do Bronx, mas isso não fez com que se sentisse mais seguro.

— Vamos dizer que, diante das circunstâncias, ainda bem que não. Você poderia apontar essa arma pra outro lugar?

Ela o observou por um momento, depois deu de ombros. — Tá, claro. — Baixou-a e recostou na maçaneta da porta. — Não gostei da cara do outro sujeito. Também não gostei do jeito dele.

— Enquanto você tá segurando essa arma, me comporto do jeito que você quiser.

Ela riu do comentário, um flash rápido que quase suplantou a maquiagem de boneca de sex shop. — Você é tranquilo, Escorregadio. O que é que você quer com o Rembrandt?

— Conversar.

— Bem, ele não tá aí, e não aparece já faz uns dias. Foi isso que eu disse pro outro cara.

— Entendi. Você sabe onde o Harry tá?

— Eu cuido da minha vida.

— Com certeza. — Ryan mostrou a palma de uma das mãos, levou a outra lentamente até a carteira. Viu os lábios dela se contraírem ao perceber que ele tirava uma nota de cinquenta. — Você tem um minuto?

— Talvez. Mais cinquenta e eu te dou uma hora. — Mas ela balançou a cabeça. — Escorregadio, você não me parece do tipo que paga por uma festinha.

— Uma conversa — ele disse novamente, e mostrou a nota de cinquenta.

Bastaram três segundos para que ela estendesse a mão e pegasse o dinheiro com a ponta das unhas pintadas de um vermelho fatal.

— Tudo bem, pode entrar.

O quarto tinha uma cama, uma cadeira, duas mesas de brechó e uma arara de metal cheia de trajes coloridos de tecido barato. Ele estivera certo quanto à peruca, pôde comprovar. Duas, uma comprida,

encaracolada e loura, a outra, negra e lisa, descansavam sobre cabeças de isopor.

Sobre uma pequena escrivaninha havia um espelho de camarim e uma infinidade de cosméticos.

Apesar de quase vazio, o quarto era arrumado como os relatórios de um contador.

— Por cinquenta — ela disse para ele — você pode tomar uma cerveja.

— Eu agradeço. — Enquanto ela se encaminhava para o fogão de duas bocas e a pequena geladeira que constituíam sua cozinha, Ryan foi até um dragão de bronze que decorava uma de suas mesas insignificantes.

— Essa peça é muito bonita.

— É, é arte de verdade. Rembrandt que fez.

— Ele tem talento.

— Imagino. — Ela sacudiu os ombros, não se importou em ajeitar o robe. Ele tinha o direito de olhar a mercadoria, ela pensou, caso quisesse investir mais cinquenta. — Eu comentei que tinha gostado, e a gente combinou uma troca. — Ela sorriu e deu uma garrafa de Budweiser para ele.

— Vocês são amigos?

— Ele é legal. Não tenta me dar golpinho pra vir de graça. Uma vez, tinha um cara aqui que queria me usar de saco de pancada, em vez de usar o colchão. O garoto veio correndo bater na porta quando ouviu que eu tava com problemas. Gritou que era da polícia. — Ela riu, dando um gole na cerveja. — O desgraçado saiu pela janela com a calça nos tornozelos. O Rembrandt é legal. Fica meio deprimido, fuma muita maconha. Coisa de artista, eu acho.

— Ele tem muitos amigos?

— Escorregadio, ninguém nesse prédio tem muitos amigos. Ele está aqui há uns dois anos; agora, é a primeira vez que eu vejo duas pessoas virem bater na porta dele no mesmo dia.

— Me fala do outro cara.

Ela guardou a nota de cinquenta no bolso do robe. — Grande. Feio. Cara de mau. Olhou pra mim como se eu fosse um pedaço de carne, um braço, sabe? E dava pra ver que ele gosta de dar porrada. Disse que queria comprar uma das estátuas do Rembrandt, mas aquele cara não era um amante da arte. Me deu uma bronca quando eu falei que ele não tava em casa e que não sabia onde ele tava.

Ela hesitou um momento, depois encolheu os ombros novamente. — Ele tava armado. Tinha um volume debaixo da jaqueta. Eu fechei a porta na cara dele e peguei minha amiga no armário. — Ela inclinou a cabeça em direção à bancada mínima da cozinha, onde deixara sua arma. — Vocês não se encontraram por uma questão de minutos, por isso achei que era ele de novo.

— Ele era muito grande, o outro cara?

— Um metro e noventa, talvez dois. Braços de gorila e umas mãos enormes. Uns olhos de dar medo, gelados, sabe? Um cara desses aparece na minha frente, eu passo.

— Faz bem. — A descrição era muito próxima da do homem que atacara Miranda. Harrison Mathers tinha muita sorte de não estar em casa.

— Então, o que é que você quer com o Rembrandt?

— Eu sou negociante de arte. — Ryan tirou um cartão do bolso, entregou-o a ela.

— Chique.

— Se você souber do Harry, ou se ele voltar, dá meu cartão pra ele, por favor. Diz que eu gosto do trabalho dele. Queria falar sobre isso pessoalmente.

— Claro. — Ela passou o dedo pelo alto-relevo, depois levantou o dragão e colocou o cartão debaixo de seu rabo de serpente. — Sabe, Escorregadio... — Ela estendeu a mão e passou uma de suas unhas assassinas sobre a camisa dele. — Tá frio, tá chovendo lá fora. Você quer... conversar um pouco mais? Eu te dou um desconto.

Ele teve uma forte atração por uma jovem do Bronx, uma vez. Esse sentimento fez com que tirasse mais uma nota de cinquenta da

carteira. — Isso é pela ajuda, e pela cerveja. — Virou-se para a porta, olhando uma última vez para o dragão. — Se você ficar apertada de dinheiro, leva isso pro Michael, na Galeria Boldari, à beira-mar. Ele vai pagar bem por essa peça.

— Tá bom. Vou ficar com isso na cabeça. Volta outra hora, Escorregadio. — Ela o brindou com a cerveja. — Eu te devo um passeio de graça.

Ryan cruzou o corredor, forçou a fechadura e entrou no apartamento de Harry antes que sua segunda nota de cinquenta estivesse guardada.

O ambiente era uma réplica em tamanho do outro no qual entrara. Ryan duvidou que os tanques para fundir metal tivessem passado pela aprovação do proprietário. Havia várias peças em diferentes estágios. Nenhuma delas mostrava o talento ou a inspiração do dragão que dera à prostituta em troca de sexo. Seu coração estava nos bronzes, Ryan concluiu ao analisar o pequeno nu na pia manchada do banheiro.

Um autocrítico, pensou. Artistas podiam ser tão pateticamente inseguros.

Conseguiu dar uma busca em todo o apartamento em menos de quinze minutos. Havia um colchão no chão, com um emaranhado de lençóis e cobertas, uma cômoda marcada de cigarro e gavetas emperradas.

Vários blocos de desenho, a maioria usada, estavam empilhados no chão. Miranda estava certa, Ryan divertiu-se ao passar as páginas, ele tinha mão boa.

As únicas coisas no apartamento que pareciam bem cuidadas eram os materiais de trabalho, arrumados em prateleiras de metal cinza e guardados em embalagens de leite.

Na cozinha havia uma caixa de cereal, seis latinhas de cerveja, três ovos, bacon defumado e seis pacotes de comida congelada. Também encontrou quatro baseados bem apertados, escondidos numa lata de chá.

Encontrou sessenta e três centavos e uma barra de chocolate velha. Não havia cartas, bilhetes, nem dinheiro. Localizou a última notificação de desligamento da linha telefônica juntamente com outras latas vazias.

Não havia uma pista sobre o paradeiro de Harry nem o motivo de seu sumiço, nem de quando pretendia voltar.

Ele voltaria, Ryan refletiu, dando mais uma olhada pelo quarto. Não abandonaria seus materiais nem seu suprimento de drogas.

E, quando voltasse, telefonaria assim que pusesse as mãos no seu cartão de visita. Artistas famintos podem ser temperamentais, mas também são previsíveis. E todo filho ou filha da mãe tinha fome de algo mais que comida.

De um consumidor.

— Volta logo, Harry — Ryan murmurou e deixou o apartamento.

# Capítulo Vinte e Seis

Miranda olhou para o fax que acabara de sair da máquina. Todo em maiúsculas, como se o remetente gritasse as palavras.

EU NÃO ODEIO VOCÊ DESDE SEMPRE. MAS SEMPRE A OBSERVEI. ANO APÓS ANO. VOCÊ SE LEMBRA DA PRIMAVERA EM QUE SE FORMOU NA FACULDADE — COM HONRA, É CLARO — E TEVE UM CASO COM O ADVOGADO? GREG ROWE ERA O NOME DELE, E ELE SAIU FORA, TE LARGOU PORQUE VOCÊ ERA MUITO FRIA E NÃO PRESTAVA ATENÇÃO SUFICIENTE ÀS NECESSIDADES DELE. LEMBRA DISSO, MIRANDA?

ELE DISSE PARA OS AMIGOS QUE VOCÊ ERA UMA PORCARIA. APOSTO QUE VOCÊ NÃO SABIA DISSO. BEM, AGORA SABE.

EU NÃO ESTAVA MUITO LONGE. NÃO ESTAVA MUITO LONGE MESMO.

ALGUMA VEZ VOCÊ SENTIU QUE EU OBSERVAVA VOCÊ?

SENTE AGORA?

NÃO HÁ MUITO TEMPO DE SOBRA. VOCÊ DEVIA TER FEITO O LHE FOI INDICADO. DEVIA TER ACEITO A MANEIRA COMO AS COISAS SÃO. A MINHA MANEIRA. TALVEZ O GIOVANNI ESTIVESSE VIVO, SE VOCÊ TIVESSE ESCUTADO.

VOCÊ ALGUMA VEZ PENSOU NISSO?

EU NÃO ODEIO VOCÊ DESDE SEMPRE, MIRANDA. MAS AGORA É ASSIM.

VOCÊ SENTE O MEU ÓDIO?

VAI SENTIR.

O papel tremia em sua mão enquanto lia. Havia algo terrivelmente infantil nas letras garrafais, nas provocações violentas. Isso tinha a intenção de ferir, de humilhar e assustar, disse para si mesma. Não poderia permitir que tivesse sucesso.

Mas, quando o interfone tocou, ela arquejou e seus dedos agarraram e amassaram o fax.

Colocou o papel na mesa, ajeitando ridiculamente as pontas amassadas enquanto atendia ao chamado de Lori.

— Oi?

— O sr. Boldari está aqui, dra. Jones. Perguntou se você tem um minuto pra ele.

Ryan. Ela quase disse seu nome em voz alta, pressionou os lábios com os dedos para manter a palavra apenas em sua cabeça. — Pede pra ele esperar, por favor.

— Claro.

Então ele estava de volta. Miranda esfregou as mãos nas faces para trazer a cor de volta a elas. Tinha seu orgulho, pensou. Tinha direito ao seu orgulho. Não sairia correndo em direção à porta para se jogar nos braços dele como uma amante maluca.

Ele estivera fora por quase duas semanas e não telefonara para ela uma só vez. Ah, houve contato, ela pensou enquanto pegava seu pó compacto e usava o pequeno espelho para ajeitar o cabelo, passar

batom. Memorandos, fax e e-mails, todos enviados por alguém do escritório e assinados em seu nome.

Ele não se dera ao trabalho de se afastar gentilmente quando seu interesse por ela terminara. Mandara a equipe do seu escritório fazer isso.

Não faria uma cena. Eles ainda tinham negócios juntos, em vários níveis. Ela iria até o fim.

Ele não teria a satisfação de saber que precisava dele. Que precisara dele todos os dias e noites daquelas duas semanas.

Firmou-se, destrancou a gaveta para guardar o último fax junto com os outros. Eles chegavam diariamente agora, alguns só com uma linha, outros longos como o de hoje. A impressão do e-mail estava com eles, apesar de Perdido1 nunca mais tê-la contatado.

Trancou a gaveta, guardou a chave, depois foi até a porta.

— Ryan. — Sorriu educadamente. — Desculpa fazer você esperar. Por favor, entra.

À sua mesa, Lori olhou de um rosto para outro, pigarreou.

— Seguro as ligações pra você?

— Não, não precisa. Você quer um...

Ela nunca concluiu a frase. Quando fechou a porta atrás deles, ele a encurralou e apertou sua boca à dela num beijo faminto que chacoalhou a parede que ela construíra com tanto cuidado.

Com os punhos cerrados, Miranda manteve os braços nas laterais do corpo e não correspondeu a nada, nem mesmo com a emoção da resistência.

Quando ele se afastou — os olhos estreitos em suspeita —, ela inclinou a cabeça e mudou de posição. — Como foi sua viagem?

— Longa. Aonde você foi, Miranda?

— Fiquei aqui, imagino que você queira ver o design final. Eu tenho os desenhos. Te levo lá embaixo com prazer e mostro o que já tá concluído. Acho que você vai gostar.

Ela foi até os desenhos e começou a desenrolar um canudo enorme.

— Isso pode esperar.

Ela olhou para cima, inclinou a cabeça. — Você tinha alguma outra coisa em mente?

— Completamente. Mas obviamente isso também pode esperar. — Seus olhos permaneceram estreitos enquanto ia até ela, como se a estivesse vendo pela primeira vez e absorvendo os detalhes. Quando estavam frente a frente, olho no olho, ele segurou o queixo dela e acariciou seu rosto com os dedos.

— Senti sua falta. — Ele disse isso com um toque de confusão na voz, como se tivesse acabado de resolver um enigma complexo. — Mais do que eu pretendia, mais do que eu esperava.

— Jura? — Ela se afastou, porque o toque dele a desestruturava. — Foi por isso que você me ligou tantas vezes?

— Foi por isso que eu não liguei. — Ele enfiou as mãos nos bolsos. Sentiu-se um tolo. E sentia um nervosismo na boca do estômago que o informava de que um homem podia experimentar emoções mais alarmantes que tolas. — Por que você não me ligou?

Ela balançou a cabeça. Era uma visão estranha, pensou. Ryan Boldari desconfortável. — É, os seus assistentes foram bastante eficientes, me dando seu itinerário. Como tudo aqui estava andando dentro dos prazos combinados, não tinha nenhuma razão pra eu te incomodar. E como você parece ter resolvido cuidar da outra parte dos nossos negócios sozinho, não tinha nada que eu pudesse fazer.

— Não era pra você ter tanta importância na minha vida. — Ele balançava sobre os calcanhares enquanto falava, como se buscasse equilíbrio. — Eu não quero que você tenha tanta importância. Me atrapalha.

Ela virou de lado, esperando ter sido rápida o suficiente para que ele não visse a dor que sabia estar estampada em seus olhos. Algo tão potente, tão agudo, seria visível. — Se você queria terminar nosso relacionamento pessoal, Ryan, podia ter feito isso de maneira menos radical.

Ele apoiou as mãos nos ombros dela, apertou-os e virou-a com raiva quando ela quis se afastar. — Eu tô com cara de quem queria

terminar alguma coisa? — Arrastou-a para si e cobriu-lhe a boca com a sua mais uma vez, segurando-a ali, enquanto ela lutava para se libertar. — Esse foi um beijo de quem quer terminar alguma coisa?

— Não brinca comigo assim. — Ela parou de lutar e sua voz estava embargada e frágil. Podia desprezar-se por isso, mas não podia mudar o que sentia. — Eu não tenho ferramentas pra esse tipo de jogo.

— Eu não sabia que podia te machucar. — E sua raiva evaporou; ele apoiou sua testa na dela. As mãos, que apertavam os ombros dela, afrouxaram e passearam suavemente pelos seus braços. — Talvez eu quisesse ver se podia. Isso não é uma boa desculpa.

— Eu não achei que você fosse voltar. — Desejando alguma distância e o controle que imaginava vir com ela, Miranda livrou-se dos braços dele. — As pessoas se afastam de mim com uma facilidade incrível.

Ele via agora que danificara algo muito frágil, e algo que não reconhecera como precioso. Não somente a confiança dela, mas sua crença neles dois. Ele não pensou num plano, nem calculou possibilidades, simplesmente olhou para ela e disse: — Estou no meio do caminho pra amar você. Talvez mais. E isso não é fácil.

Os olhos dela endureceram e o rosto empalideceu. Ela apoiou a mão na beirada da mesa ao perceber que precisava equilibrar-se.

— Eu... Ryan... — Nenhum esforço faria com que alcançasse as palavras que flutuavam em círculos em sua cabeça e as transformasse em pensamentos coerentes.

— Não tem uma resposta lógica pra isso, tem, dra. Jones? — Ele foi até ela, pegou-lhe as mãos. — O que a gente vai fazer com essa situação?

— Eu não sei.

— Seja o que for, não quero fazer isso aqui. Você pode sair?

— Eu... posso, acho.

Ele sorriu, passou os lábios sobre os dedos dela.

— Então, vem comigo.

Foram para casa.

Ela imaginou que ele gostaria de ir para algum lugar calmo, onde pudessem conversar, falar sobre essas emoções que eram tão obviamente estrangeiras para os dois. Talvez um restaurante, ou o parque, já que a primavera estava tão bonita no Maine.

Mas ele cruzou a estrada do litoral, e nenhum dos dois abriu a boca. Ela observou a estrada se estreitar, a água, singelamente azul sob o sol, nas laterais da estrada.

Na praia rochosa a leste, uma mulher olhava um menino que brincava nas ondas e jogava migalhas de pão para as gaivotas gulosas. A estrada tinha uma curva próxima o suficiente para que Miranda visse o sorriso amplo e feliz no rosto dele enquanto os pássaros voavam baixo para comer o banquete.

Acima deles, as velas vermelhas de uma escuna capturavam o vento, e o barco navegava com agilidade em direção ao sul.

Ela se perguntou se já fora inocentemente feliz como aquele garoto, ou tão pacificamente confiante quanto uma escuna.

Do outro lado, as árvores vestiam-se do verde de abril, mais névoa que textura. Era o visual de que mais gostava, deu-se conta, aquele começo delicado. Estranho que nunca tivesse sabido disso a seu respeito. Enquanto a estrada subia, as árvores se moviam, sacudindo suavemente sob o céu delicado da primavera, decorado com nuvens brancas, inofensivas, como o algodão.

E ali, à beira daquela colina onde ficava a casa antiga, via-se um súbito mar de tons amarelos, alegres. Um oceano de narcisos, uma floresta de girassóis, todos plantadas antes de ela nascer.

Ele a surpreendeu ao parar o carro e sorrir. — Isso é incrível.

— Minha avó plantou tudo. Ela dizia que amarelo é uma cor simples, e faz as pessoas sorrirem.

— Eu gosto da sua avó. — Saltou do carro num impulso, foi até a beirada e pegou um punhado de flores para ela. — Acho que ela não ia se importar — disse ao entrar novamente no carro e entregar o buquê para Miranda.

— Acho que não. — Mas flagrou-se com vontade de chorar.

— Eu te dei narcisos uma vez. — Passou a mão no rosto dela até que ela se virasse e olhasse para ele. — Por que essas não fazem você sorrir?

Com os olhos fechados, ela encostou o rosto nas flores. Seu perfume era extremamente doce. — Eu não sei o que fazer com o que estou sentindo. Eu preciso de etapas, preciso de etapas razoáveis, compreensíveis.

— Você nunca tem vontade de tropeçar e ver onde você cai?

— Não. — Mas ela sabia que isso era exatamente o que fizera. — Eu sou covarde.

— Você é tudo, menos covarde.

Ela sacudiu violentamente a cabeça. — Quando eu entro no terreno das emoções, sou covarde, e tenho medo de você.

Ele deixou a mão cair, mudou de posição e segurou o volante com as duas mãos. Excitação e culpa ardiam dentro dele. — Essa é uma coisa perigosa de se dizer pra mim. Sou capaz de usar isso, de me aproveitar.

— Eu sei. Assim como você é capaz de parar o carro no meio da estrada e colher narcisos. Se pelo menos você só fosse capaz de uma dessas coisas, eu não teria medo.

Sem dizer nada, ele religou o carro, dirigiu devagar pela estradinha sinuosa de subida e estacionou em frente à casa. — Eu não quero recuar e fazer disso entre a gente só um negócio. Se você acha que essa é uma opção, tá enganada.

Ela deu um pulo quando a mão dele segurou seu queixo.

— Completamente enganada — ele acrescentou, e a ameaça velada em sua voz fez com que o pulso dela disparasse de excitação.

— Não importa o que eu sinta, não vou ser pressionada. — Ela levou a mão ao quadril de Ryan e o empurrou. — E mantenho minhas escolhas em aberto.

Ao dizer isso, abriu a porta e saltou do carro, sentindo falta do sorriso iluminado dele. E do calor de seus olhos.

— A gente vai ver, dra. Jones — ele murmurou e a seguiu pela escadaria.

— Seja qual for nossa relação pessoal, temos prioridades. E precisa repassar os planos da exposição.

— Vamos fazer isso. — Ryan sacudiu umas moedas no bolso enquanto Miranda destrancava a porta da frente.

— Eu preciso que você me dê mais detalhes do que imagina que vai acontecer quando a gente juntar todo mundo.

— Vou te passar.

— Precisamos falar sobre tudo isso, passo a passo. Preciso ter tudo organizado na minha cabeça.

— Eu sei.

Ela fechou a porta. Ficaram olhando um para o outro em silêncio no hall. A garganta dela secou quando ele tirou o casaco, encarando-a.

Como caça e caçador, ela pensou, e perguntou-se por que essa sensação era tão prazerosa. — Eu tenho uma cópia da planta aqui. No meu escritório. Toma. Aqui tá toda a documentação. As cópias estão lá em cima.

— Claro que você tem tudo. — Ele deu um passo à frente. — Eu não esperaria menos. Você sabe o que eu quero fazer com você, dra. Jones? Aqui? Agora? — Aproximou-se ainda mais, parou antes de tocá-la, mesmo podendo sentir a urgência do desejo pulsando em cada célula dela.

— A gente ainda não resolveu nada nessa área. E precisamos cuidar dos negócios. — O coração de Miranda batia desgovernado, pressionava-lhe as costelas, como um convidado rude e inconveniente batendo a uma porta trancada. — Eu tenho as cópias aqui — ela repetiu. — Eu pude trabalhar nelas quando não estava... lá. Meu Deus.

Jogaram-se um no outro. As mãos atrapalhando-se com as roupas, as bocas se batendo, depois fundindo-se. O calor subiu como um vulcão em erupção, queimando-os com seus vapores.

Ela puxou a camisa dele com desespero. — Meu Deus, detesto isso.

— Nunca mais visto.

— Não, não. — Deixou escapar uma gargalhada entrecortada. — Detesto ser tão carente. Toca em mim. Eu não aguento mais. Toca em mim.

— Estou tentando. — Ele arrancou o fecho do cashmere que ela vestia sob o blazer. — Você escolheu logo hoje pra vestir essa porcaria de roupa complicada.

Conseguiram chegar ao pé da escada, tropeçaram. O colete saiu voando. — Espera. Eu tenho que... — Seus dedos mergulharam no cabelo dela, soltando os grampos e os cachos vermelhos volumosos.

— Miranda. — Sua boca estava sobre a dela novamente, oceanos de desejo explodindo naquele encontro de lábios.

Ele engoliu os gemidos dela, os próprios, alimentou-se deles enquanto subiam mais dois degraus. Ela puxava sua camisa, esforçava-se para arrancá-la pelas mangas, sem fôlego, soluçando por mais, até que finalmente, finalmente, suas mãos encontraram a carne.

Seus músculos tremeram ao toque das mãos dela. Miranda podia sentir as batidas do coração dele, tão selvagem quanto o dela. Era apenas sexo. Não resolvia nada, não provava nada. Mas, por Deus, ela não se importou com isso.

Sua camisa engomada ficou presa em seus punhos, e, por um momento, Miranda estava presa, excitada, impotente ao ser empurrada por ele contra a parede e tê-lo alimentando-se de seus seios.

Ele queria uma guerra depravada, primitiva, selvagem. E encontrou isso em si mesmo, diante da resposta e da demanda feroz dela. Seus dedos apressaram-se para baixo, desabotoando a calça masculina, deslizando sobre a pele dela, dentro dela, de maneira que fazia com que avançasse com os quadris. Ela gozou violentamente, engasgando ao falar o nome dele enquanto o corpo tremia em choques de prazer.

Sua boca percorria o rosto dele, o pescoço, as mãos agarravam-lhe os quadris, rasgavam-lhe a roupa, enlouquecendo-o. Ele mergulhou para dentro dela ali mesmo onde estavam, empurrando-lhe a mão contra a parede, penetrando-a cada vez mais profundamente.

Ela se agarrava a ele agora, suas unhas arranhando-lhe as costas. Os ruídos que fazia, grunhidos primitivos, gritos desenfreados, gemidos roucos, faziam-no arder. Quando ela parou, ele a levantou pelos quadris, cego e surdo para tudo que não fosse o desejo irracional de possuir, possuir e possuir. Cada carícia violenta era uma possessão.

*Minha.*

— Mais — ele disse, arfante. — Fica comigo. Volta.

— Eu não aguento. — As mãos dela escorregaram por seus ombros suados. A mente e o corpo exauridos.

— Mais um pouquinho.

Ela abriu os olhos, viu-se presa aos dele. Tão intensos, tão quentes, o dourado profundo brilhando como uma queimadura de sol, focados exclusivamente nela. Sua pele se arrepiou novamente, pequenos estremecimentos de desejo tomaram as extremidades de seu corpo e se espalharam. Depois, esses estremecimentos transformaram-se em desejo profundo, cru, um desejo pulsante que fazia com que cada respiração se tornasse um gemido. O prazer tinha garras, e elas a rasgavam, ameaçavam deixá-la aos pedaços.

Quando ela gritou, ele enterrou o rosto em seu cabelo e desmoronou.

ERA COMO SE TIVESSE SOBREVIVIDO A UM ACIDENTE DE TREM, Ryan concluiu. Sobrevivido por um triz. Estavam espalhados no chão, os corpos unidos e dormentes, a mente entorpecida. Ela se encontrava deitada sobre ele simplesmente porque era assim que haviam chegado ao chão — seu diafragma sobre a barriga dele, a cabeça para baixo, de frente para o tapete persa.

De poucos em poucos minutos, a barriga dela estremecia; portanto, ele sabia que ainda estava viva.

— Miranda — ele conseguiu dizer, dando-se conta subitamente de que sua garganta estava seca. A resposta dela foi algo entre um grunhido e um gemido. — Você acha que consegue levantar?

— Quando?

Ele riu um pouco e acariciou-lhe o bumbum. — Agora seria ótimo. — Como ela não se moveu, ele rosnou: — Água. Eu preciso de água.

— Não dá pra você simplesmente me empurrar?

Não era tão simples assim, mas ele conseguiu sair debaixo do corpo lânguido dela. Apoiou uma das mãos na parede para manter o equilíbrio enquanto descia a escada. Na cozinha, nu, bebeu dois copos d'água de uma vez, depois tomou outro. Mais firme, olhou para trás e abriu um sorriso ao ver as roupas e as flores espalhadas pelo chão.

Ela ainda estava no topo da escada, deitada de costas agora, os olhos fechados, um braço sobre a cabeça, os cabelos vermelhos gloriosos indo de encontro ao tapete da mesma cor.

— Dra. Jones. O que uma revista de arte diria sobre isso?

— Humm.

Ainda sorrindo, ele agachou, tocou-lhe a lateral do seio com o copo, pedindo atenção. — Toma, você provavelmente tá precisando disso.

— Humm. — Ela conseguiu se sentar, pegou o copo com as duas mãos e bebeu até a última gota. — A gente nem conseguiu chegar ao quarto.

— Tem sempre a próxima vez. Você tá bem relaxada.

— Parece que eu tô drogada. — Ela piscou, focando no quadro pendurado na parede atrás dele, e encarou o sutiã branco que pendia como uma celebração do canto superior da moldura. — Aquilo é meu?

Ele olhou para trás, passou a língua sobre os dentes. — Acho que eu não estava vestindo um.

— Meu Deus!

Ele teve de parabenizá-la pela recuperação rápida, já que se levantou de uma só vez e puxou a peça de vestiário de volta. Com os olhos bem abertos agora, e pequenos arquejos de sofrimento saindo de sua garganta, ela começou a correr para juntar as roupas, na tentativa de salvar as flores esmagadas por eles.

Ryan encostou as costas na parede e assistiu ao show.

— Não sei onde foi parar uma das minhas meias.

Ryan sorriu quando ela olhou para ele, roupas emboladas de encontro ao peito. — Você ainda tá com ela.

Ela olhou para baixo, viu a meia tradicional, com estampa de losangos, no seu pé esquerdo. — Ah.

— Você tá uma graça assim. Tem uma câmera?

Como o momento parecia propício, ela jogou as roupas na cabeça dele.

POR INSISTÊNCIA DE RYAN, LEVARAM UMA GARRAFA DE vinho para o penhasco e sentaram-se sob o sol morno da primavera.

— Você tem razão — ele disse. — Aqui é lindo na primavera.

A água ia de um azul-claro no horizonte a um matiz mais profundo onde os barcos se amontoavam na superfície, depois a um tom ainda mais escuro, um verde suntuoso, perto da margem onde as ondas explodiam de encontro às pedras.

O vento estava suave, uma carícia em lugar de um tapa.

Os pinheiros que margeavam a propriedade mostravam viço novo nas folhas que renasciam. Os troncos exibiam os sinais das folhas por vir.

Ninguém passeava na nesga de praia abaixo, nem perturbava as conchas quebradas, lançadas à areia na última tempestade. Ele estava feliz com isso, feliz porque os barcos pareciam brinquedos a distância, e as boias faziam silêncio.

Estavam sós.

Se olhasse para trás, em direção à casa, veria somente o contorno do jardim. A parte pior, do mato amarelecido, dos galhos secos, havia sido limpa. A terra parecia recentemente remexida e tratada. Ele já conseguia ver os sinais de montinhos verdes. Ela disse que cuidaria do jardim, ele lembrou, e era mulher de cumprir promessas.

Gostaria de vê-la fazendo jardinagem, percebeu. Adoraria vê-la de joelhos ali, concentrada em trazer de volta à vida o velho jardim, transformando aqueles desenhos que fizera em realidade.

Gostaria de ver o que ela faria brotar ali.

— A gente devia estar no escritório, trabalhando — ela disse quando a culpa começou a intrometer-se no prazer da tarde.

— Vamos chamar isso de trabalho de campo.

— Você precisa ver a planta final da exposição.

— Miranda, se eu não confiasse completamente em você pra isso, não emprestaria minhas peças. — Tomou um gole do vinho, relutantemente voltando seu pensamento para o trabalho. — De qualquer forma, você enviou relatórios diários pro meu escritório. Eu imagino que já tenha uma ideia.

— Trabalhar nisso me deu mais tempo pra colocar outras coisas em perspectiva. Eu não sei o que a gente vai conseguir com isso, além dos benefícios óbvios pra sua empresa, pra minha e das contribuições pro fundo. A outra parte...

— A outra parte tá progredindo.

— Ryan, a gente devia dar todas as informações que puder pra polícia. Eu tenho pensado nisso. Era o que a gente devia ter feito desde o começo. Eu me deixei levar... pelo ego, com certeza, e pelo que eu sinto por você...

— Você não me falou o que sente. Vai me falar?

Ela desviou o olhar, observou as boias altas de ferro balançarem suavemente e sem ruído. — Nunca senti o que sinto por você por ninguém. Eu não sei o que é, ou o que fazer com isso. A minha família não sabe lidar com relações pessoais.

— E o que é que a sua família tem a ver com isso?

— A maldição dos Jones. — Ela deu um suspiro rápido, porque não precisou olhar para trás para saber que ele sorrira. — Sempre estragamos tudo. Negligência, apatia, a gente se dá muita importância. Eu não sei o que é, mas a gente simplesmente não sabe estar com outra pessoa.

— Então, você é um produto dos seus genes, e não uma mulher independente.

Ela girou rapidamente a cabeça, fazendo-o rir do insulto instantâneo que apareceu em seus olhos. Depois, controlou-se e inclinou a cabeça. — Essa foi boa. Mas o fato continua sendo que estou perto dos trinta e nunca tive um relacionamento longo. Não sei se sou capaz disso.

— Primeiro, você tem que querer descobrir.

— É. — Ela começou a passar a mão, nervosa, sobre a calça, mas ele a segurou.

— Então, a gente começa agora. Eu tô tão fora do meu habitual quanto você.

— Você nunca tá fora do seu habitual — ela murmurou. — Você tem muitas caras.

Ele riu e apertou a mão dela. — Por que a gente não se comporta como um casal normal e eu te conto sobre a minha ida a San Francisco?

— Você encontrou seu irmão.

— Isso, meu irmão e a família dele vêm pra festa de abertura. O resto da família vem de Nova York.

— Todo mundo? Toda a sua família vem?

— Claro. É um evento importante. De qualquer forma, eu vou te avisar, você vai ser observada de cabo a rabo.

— Maravilhoso. Mais uma coisa pra me deixar nervosa.

— Sua mãe vem. E seu pai, o que é um pequeno dilema, já que ele pensa que eu sou outra pessoa.

— Ai, meu Deus! Eu tinha me esquecido! O que é que a gente vai fazer?

— A gente não vai fazer a menor ideia do que ele tá falando. — Ryan simplesmente riu quando ela olhou para ele boquiaberta. — O Rodney é inglês, eu não sou. E ele não é nem de longe tão bonito quanto eu.

— Você realmente acha que o meu pai vai cair numa história dessas?

— Claro que vai, porque essa é a nossa história e a gente vai ser fiel a ela. — Ele cruzou as pernas, inspirou o ar fresco e levemente úmido. E percebeu que não relaxava tão completamente havia dias. — Por que no mundo eu me apresentaria a ele como outra pessoa, principalmente se eu estava em Nova York quando ele veio te ver? Ele vai ficar confuso, mas dificilmente vai insistir e chamar Ryan Boldari de mentiroso.

Ela deixou essa ideia assentar por uns instantes. — Não sei que alternativa a gente tem, e, também, meu pai não presta atenção nas pessoas, mas...

— Basta seguir as minhas instruções, e sorrir muito. Agora, quando eu estava em San Francisco, fui procurar o Harry Mathers.

— Encontrou?

— Encontrei o apartamento dele. Ele não estava lá. Mas passei uma meia hora muito interessante com uma vizinha dele, uma prostituta. Ela me disse que ele sumiu já fazia uns dias e que...

— Um segundo. — Ela puxou a mão, que ele segurava, e levantou o indicador. — Dá pra repetir isso?

— Que ele sumiu já fazia uns dias?

— Não, a parte que você passou algum tempo com uma prostituta.

— Valeu os cinquenta que eu paguei, quer dizer, cem, na verdade. Eu dei mais cinquenta pra ela quando a gente terminou.

— Ah, sei, tipo gorjeta?

— Isso. — Ele abriu um sorriso. — Ciúme, *darling*?

— É pra ter ciúme?

— Um pouquinho de ciúme faz bem.

— Então, tudo bem. — Ela cerrou o punho livre e socou o estômago dele.

Ele ficou sem ar, sentou-se com cuidado, caso ela decidisse atacá-lo novamente. — Preciso me corrigir. Ciúme definitivamente não faz bem. Eu paguei pra ela conversar comigo.

— Se eu tivesse imaginado outra coisa, você estaria a caminho das pedras lá embaixo. — Foi a vez de ela sorrir, enquanto ele a olhava com suspeita. — O que foi que ela te contou?

— Você sabe que esse seu lado ianque pode ser um pouquinho assustador, dra. Jones? Ela me disse que eu era o segundo homem que aparecia naquele dia procurando por ele. Ficou com uma arma enorme apontada pra mim o tempo todo.

— Uma arma? Ela tinha uma arma?

— Ela não gostou da aparência do outro cara. Mulheres desse meio geralmente sabem avaliar um homem numa olhada. Pela descrição dela, eu diria que tava certa sobre ele, dá pra ver de cara. Acho que foi o mesmo cara que atacou você.

A mão dela subiu rapidamente até a garganta. — O homem que veio aqui, que roubou a minha bolsa? Ele tava em San Francisco?

— Procurando pelo seu jovem Harry; e meu palpite é: seu ex-aluno teve sorte de não estar em casa. Ele tá envolvido, Miranda. A pessoa pra quem ele fez aquele bronze, a pessoa pra quem ele o vendeu ou deu, não quer mais ver o cara andando por aí.

— Se acharem o Harry...

— Eu coloquei uma pessoa de olho nele. A gente tem que encontrar esse cara antes.

— Talvez ele tenha fugido. Talvez soubesse que tinha gente atrás dele.

— Não. Eu entrei no apartamento. Ele deixou todas as ferramentas, um pouco de maconha. — Ryan apoiou o corpo nos cotovelos novamente e observou as nuvens vaporosas no céu. — Não fiquei com a impressão de que ele saiu com pressa. A vantagem é

que sabemos que tem alguém atrás dele. Por enquanto, ninguém sabe quem a gente é. Do jeito que esse garoto anda vivendo, ou ele não conseguiu uma grana muito boa pela cópia ou queimou tudo e não explorou o mundo encantado da chantagem.

— Será que eles ameaçaram o Harry primeiro?

— Pra quê? Eles não queriam que o cara fugisse. Querem eliminar o sujeito, rápido e em silêncio. — Mas havia algo nos olhos dela.
— Por quê?

— Eu ando recebendo uns... comunicados. — A palavra escolhida era direta, profissional, deixava-a menos inquieta.

— Comunicados?

— Fax, na maioria das vezes. Já faz um tempo. Eles têm chegado diariamente, desde que você viajou. Vários fax, um e-mail, aqui e no escritório.

Ele se sentou novamente. Agora seus olhos estavam estreitos e frios. — Ameaças?

— Não exatamente, ou não exatamente ameaças até recentemente.

— Por que você não me contou?

— Eu *tô* te contando.

— Por que você não me deixou saber que isso tava acontecendo esse tempo todo? — O olhar que ela lhe dirigiu fez com que ele se levantasse rapidamente e largasse o copo de qualquer maneira, fazendo-o rolar sobre as pedras. — Nunca te ocorreu, ocorreu? Me contar que você tava com medo — ele soltou, antes que ela pudesse responder. — Eu posso ver isso na sua cara.

Ele viu demais, ela pensou, com muita facilidade. — O que é que você poderia ter feito?

Ele a encarou, os olhos ardentes, depois enfiou as mãos nos bolsos. — O que é que eles dizem?

— Várias coisas. Alguns são bem calmos, breves e sutilmente ameaçadores. Outros são mais confusos, meio aos pedaços. São mais pessoais, falam de coisas que já aconteceram, de fatos da minha vida.

Uma sensação de pavor percorreu-lhe a espinha e ela se levantou. — Um chegou depois do Giovanni... depois do Giovanni — ela repetiu. — Dizia que o sangue dele estava nas minhas mãos.

Ele não teve escolha senão deixar de lado seu próprio ressentimento e sua dor. Surpreendeu-o o quanto sofria por ela não ter confiado nele. Não ter contado com ele. Mas virou-se, olhando-a diretamente nos olhos.

— Se você acreditar nisso, se deixar um desgraçado sem nome te fazer acreditar nisso, você é uma tola, e vai dar pra eles exatamente o que querem.

— Eu sei disso, Ryan. Eu entendo isso perfeitamente. — Ela pensou que podia falar calmamente, mas sua voz ficou embargada. — Eu sei que é alguém que me conhece bem o suficiente pra usar o que mais pode me ferir.

Ele foi até ela, envolveu-a carinhosamente nos braços. — Me abraça. Vai, me abraça. — Quando os braços dela finalmente o envolveram, ele passou o rosto no cabelo dela. — Você não tá sozinha, Miranda.

Mas ela estivera, por tanto tempo. Um homem como ele nunca saberia o que era estar num ambiente cheio de gente e sentir-se tão só. Tão estrangeiro. Tão indesejado.

— O Giovanni... ele era uma das poucas pessoas que faziam com que eu me sentisse... normal. Eu sei que o assassino é quem tá mandando essas mensagens. Eu sei disso racionalmente, Ryan. Mas, no meu íntimo, sempre vou me culpar. E eles sabem disso.

— Então, não deixa que usem isso, ou a ele, dessa maneira.

Ela fechara os olhos, soterrada pelo conforto que ele lhe oferecia. Agora os abria, olhava em direção ao mar enquanto as palavras dele começavam a fazer sentido. — Usando o Giovanni — ela murmurou. — Você tá certo. Eu venho deixando que eles usem o Giovanni pra me ferir. Quem quer que seja essa pessoa, ela me odeia, e garantiu que eu soubesse disso no fax que chegou hoje.

— Você tem cópia de todos?

— Tenho.

— Eu quero ver. — Quando ela tentou se afastar, ele a segurou. Acariciou seu cabelo. Será que ela não percebeu que tremia, ele se perguntou. — O e-mail. Você rastreou?

— Não tive muita sorte. O nome usado não aparece no servidor, é o mesmo servidor que a gente usa aqui e na Standjo.

— Você guardou o e-mail no computador?

— Guardei.

— Então a gente vai rastrear. — Ou Patrick o faria, ele pensou. — Que pena que eu não estava aqui. — Ele se afastou, encarou-a. — Mas estou aqui agora, Miranda, e ninguém vai te machucar enquanto eu estiver. — Ela não respondeu, e ele a segurou com mais força, olhou cuidadosamente o rosto dela. — Eu não faço qualquer promessa porque não quebro as promessas que faço. Eu vou com você até o fim. E não vou deixar nada te acontecer.

Ele fez uma pausa, depois deu um passo em direção ao que considerava um limite desagradável. — Você ainda quer falar com o Cook?

Ela tivera tanta certeza de que era a coisa certa. Tanta certeza até ele olhar para ela e prometer. Até levá-la a acreditar, ao fazer isso, contra tudo o que era razoável, que podia confiar nele.

— A gente vai até o fim, Ryan. Acho que nenhum dos dois consegue engolir menos que isso.

— COLOCA ESSA BASE EM CIMA DA MARCA. — MIRANDA OBSERVAVA os dois homens parrudos da manutenção puxarem a enorme coluna de mármore até o centro da sala. Ela sabia que era o centro exato porque medira pessoalmente o lugar três vezes. — Isso, perfeito. Ótimo.

— É o último, dra. Jones?

— Aqui, é. Obrigada.

Ela estreitou os olhos, imaginando o bronze da Vênus se banhando, de Donatello, sobre a coluna.

Aquela galeria dedicava-se aos trabalhos do começo da Renascença. Um desenho premiado de Brunelleschi estava impren-

sado entre vidros e dois quadros de Masaccio, já pendurados, levavam uma moldura suntuosa, juntamente com um Botticelli de três metros que exibia a majestosa ascensão da Mãe de Deus. Havia também um Bellini que já enfeitara a parede de uma villa veneziana.

Tendo o Donatello como ponto central, a exposição apresentava a primeira grande explosão da inovação artística que fora não só a fundação para o brilhantismo do século dezesseis, como um período de arte maior.

Verdade, ela considerava o estilo do período menos emocional, menos apaixonado. A representação figurativa, até mesmo no trabalho de Masaccio, era de alguma forma estática, sendo as emoções humanas mais estilizadas que reais.

Mas o milagre era que tais coisas existiam e podiam ser estudadas, analisadas centenas de anos depois de sua execução.

Batendo com os dedos nos lábios, analisou o resto da sala. Mandara fazer cortinas em tecido azul-marinho, com detalhes em dourado. Mesas de tamanhos variados também estavam revestidas com o mesmo pano, e, sobre elas, as ferramentas dos artistas da época. Os cinzéis, as palhetas, os compassos e os pincéis. Ela escolhera cada um pessoalmente nas vitrines do museu.

Era uma pena que tivessem que ficar trancados sob proteção de vidro, mas mesmo com um público sofisticado e rico, dedos podiam ser pegajosos.

Numa grande vitrine de madeira com incrustações, uma grande Bíblia exibia, em impressão esmerada, páginas escritas por monges. Outras mesas ainda ostentavam joias usadas tanto por homens quanto por mulheres da época. Havia chinelos bordados, uma escova, uma caixa feminina de marfim para artigos de toucador, cada peça cuidadosamente escolhida para cada lugar. Grandes candelabros de ferro margeavam o corredor.

— Impressionante. — Ryan se postou entre eles.

— Quase perfeito. Arte e suas bases religiosas, políticas, econômicas e sociais. Meados de 1400. O nascimento de Lorenzo,

o Magnífico, a Paz de Lodi, e o equilíbrio, apesar de precário, do chefe dos Estados italianos.

Ela apontou para um grande mapa na parede, datado de 1454.

— Florença, Milão, Nápoles, Veneza e, é claro, o papado. E o nascimento de uma nova escola de pensamento sobre a arte, o humanismo. Questionamento racional, essa foi a chave.

— A arte nunca é racional.

— Claro que é.

Ele simplesmente balançou a cabeça. — Você se ocupa demais com o trabalho pra enxergar. A beleza — ele disse, apontando para o rosto sereno da *Madonna* — é coisa mais irracional que existe. Você tá nervosa — ele acrescentou quando pegou a mão dela e sentiu que suava frio.

— Ansiosa — ela corrigiu. — Você viu as outras salas?

— Achei que você ia me mostrar.

— Tudo bem, mas eu não tenho muito tempo. A minha mãe deve estar aqui, no máximo, em uma hora. Quero tudo no lugar quando ela chegar.

Ela cruzou a sala com ele. — Deixei indicações de percurso pro público, e coloquei esculturas, com o bronze de Donatello na posição central, dispostas de uma maneira que as pessoas tenham uma visão circular. Todo mundo pode andar por aí, depois as pessoas voltam pra rota e entram na próxima galeria, a maior, a da Alta Renascença.

Ela continuou andando: — A gente segue com o tema aqui, pra mostrar não só a arte, mas todo o entorno, as bases, as camadas, as fontes de inspiração. Usei mais dourado aqui, e vermelho. Pra dar uma ideia da força do poder, da Igreja, da realeza.

Os saltos de seus sapatos tilintavam sobre o piso de mármore enquanto ela andava, analisava detalhes, buscava algum ajuste, ainda que mínimo, mas necessário. — Essa era foi mais rica e mais dramática. Como havia energia. Não podia durar, mas, mesmo

sendo um período curto, produziu trabalhos mais importantes em comparação com qualquer época antes ou depois.

— Santos e pecadores?

— Desculpe, não entendi.

— Os modelos mais populares da arte, os santos e os pecadores. A sexualidade e o egoísmo crus, mas elegantes, dos deuses e das deusas, contrapondo a brutalidade da guerra, lado a lado com o sofrimento do mártir.

Ele havia estudado religiosidade a partir de expressões faciais de São Sebastião, o corpo flechado, um semblante confuso. — Eu nunca fui atrás de mártires. É... sobre o que falávamos mesmo?

— A fé pode ser uma resposta óbvia.

— Ninguém pode roubar a sua fé, mas pode tirar a sua vida, e de maneiras perversas, criativas. — Ele enfiou os dedos nos bolsos. — Flechas pro mais popular, São Sebastião, queimado vivo pra São Lourenço. Crucificações, partes do corpo arrancadas com deleite e abandono. Leões, tigres e ursos. Meu Deus.

Ela riu, sem perceber. — É por isso que são mártires.

— Exatamente. — Ele deu as costas para São Sebastião e sorriu para ela. — Então, você tá diante da horda pagã e dos seus primitivos e terrivelmente eficientes métodos de tortura. Por que não dizer: "Claro, não tem problema, meninos e meninas. Que deus você prefere adorar hoje?" A resposta não muda o que você pensa nem as suas crenças, mas pode certamente mudar o modo como você vive.

Ele apontou para o quadro. — Basta perguntar pro pobre São Sebastião.

— Já vi que você se deu bem nas perseguições.

— Com certeza.

— E palavras como coragem, convicção, integridade?

— Por que morrer por uma causa? Melhor viver por ela.

Enquanto ela ponderava a filosofia dele, procurando falhas, ele foi até uma mesa muito bem decorada com artigos religiosos. Crucifixos de prata, cálices, relíquias.

— Você fez um trabalho excelente aqui, dra. Jones.

— Eu acho que funciona bem. Ticiano vai ser o foco principal, junto com Rafael. É uma peça maravilhosa, Ryan.

— É, eu gosto bastante. Quer comprar? — Ele se virou e sorriu para ela. — A beleza do meu negócio, dra. Jones, é que tudo tem um preço. Se você paga, é seu.

— Se você tá falando sério sobre vender esse Rafael, eu vou fazer uma proposta. Mas as nossas peças, na maioria, são doações ou empréstimos permanentes.

— Nem pra você, *darling*.

Ela encolheu os ombros. Não esperava uma resposta diferente.

— Eu colocaria *A Senhora Sombria* ali — ela disse de repente. — Toda vez que eu imaginava esta sala, trabalhava nas perspectivas, na cadência, no tema, eu via o bronze numa coluna branca, coberta de vinhas até embaixo. Bem aqui. — Deu um passo à frente. — Aqui, bem embaixo da luz. Onde todo mundo pudesse ver. Onde eu pudesse ver.

— A gente vai pegar a *Senhora* de volta, Miranda.

Ela não disse nada, irritada consigo mesma por sonhar acordada. — Você quer ver a próxima sala? Os seus Vasari estão lá.

— Mais tarde. — Ele se aproximou dela. Sua intenção havia sido contar imediatamente, mas não fora capaz de trazer aquela expressão assustada de volta aos olhos dela. — Miranda, meu irmão me ligou de San Francisco. O Michael. Um corpo foi jogado na baía ontem à noite. Era Harry Mathers.

Ela simplesmente o encarou por um longo momento de silêncio antes de fechar os olhos e virar-se. — Não foi um acidente. Não foi por acaso.

— Os noticiários que o meu irmão ouviu não deram muitos detalhes. Só diziam que ele foi assassinado antes de ser jogado na água.

A garganta dele fora cortada, Ryan pensou, mas não havia razão alguma para acrescentar esse detalhe. Ela já sabia quem e por quê. Que bem faria saber como?

— Três pessoas, agora. Três pessoas mortas. E por quê? — Ainda de costas para ele, ela encarou o rosto da gloriosa *Madonna.* — Por dinheiro, pela arte, pelo ego? Talvez pelos três.

— Ou talvez por nenhum dos três. Talvez por você.

A pontada que sentiu no coração fez com que começasse a tremer antes de se virar. Ele viu medo nos olhos dela, e sabia que o medo não era para ela. — Por mim? Por minha causa? Alguém pode me odiar tanto assim? Por quê? Não consigo pensar em ninguém pra quem eu tenha tanta importância, ninguém que eu tenha ferido tão profundamente que mataria pra proteger uma mentira que destrói a minha reputação profissional. Pelo amor de Deus, Ryan, o Harry era um garoto.

Sua voz era sombria, áspera pela fúria que corria por trás do medo. — Um garoto — ela repetiu —, e ele foi aniquilado como uma ponta solta. Sem cuidado algum. Pra quem eu posso ter tanta importância a ponto de alguém matar um garoto desse jeito? Eu nunca fui importante pra ninguém.

Isso, ele pensou, era a coisa mais triste que já ouvira alguém dizer. Ainda mais triste era o fato de ela acreditar. — Você causa mais impacto do que imagina, Miranda. Você é forte, é bem-sucedida. É focada no que quer e no lugar aonde quer chegar. E você chega lá.

— Eu não passei por cima de ninguém no caminho.

— Talvez você não tenha percebido. Patrick tá tentando rastrear o e-mail que você recebeu.

— Tá. — Passou a mão no cabelo. Não percebi?, perguntou-se. Será que ela era tão autocentrada, tão inatingível, tão fria assim? — Ele conseguiu? Já tem mais de uma semana. Achei que ele tinha desistido.

— Ele nunca desiste quando se envolve num mistério do mundo virtual.

— O que é? O que é que você tá tentando não me dizer?

— O nome do usuário estava anexado a uma conta. Criada e desativada. Soterrada por um monte de jargões da informática.

Ela sentiu uma bola de gelo se formar em seu estômago. Era algo ruim, ela sabia. Muito ruim. — Qual era a conta?

Ele apoiou as mãos nos ombros dela. — Era da sua mãe.

— Não é possível.

— A mensagem saiu de Florença, com aquele código de área, veio de uma conta registrada no nome de Elizabeth Standford-Jones, e tinha a senha dela. Desculpe.

— Não pode ser. — Ela se afastou. — Não importa o quanto, o pouco, não importa o quê — conseguiu dizer. — Ela não faria isso. Ela não pode me odiar tanto assim.

— Ela teve acesso aos bronzes. Ninguém questionaria a sua mãe. Ela te chamou, depois te demitiu e te mandou pra casa. Te afastou do instituto. Desculpe. — Ele passou a mão no rosto dela. — Mas você vai ter que considerar esses fatos.

Era ilógico. Era monstruoso. Ela fechou os olhos e deixou que os braços dele a envolvessem.

— Desculpe.

Ela deu um pulo nos braços dele, como se fossem tiros e não palavras que ouvia atrás de si. Muito lentamente, ela se virou e respirou profundamente para preparar-se. — Oi, mãe.

Elizabeth não parecia ter passado as últimas horas sobrevoando o oceano e lidando com os pequenos aborrecimentos de viagens internacionais. Seu cabelo estava perfeitamente penteado, o terno azul metálico não apresentava uma ruga sequer.

Miranda se sentiu como sempre na presença da perfeição inabalável da mãe — desarrumada, esquisita, perdedora. Agora a suspeita se adicionara ao pacote. Poderia aquela mulher que pregara integridade a vida inteira ter traído a própria filha?

— Desculpe se interrompi o seu... trabalho.

Acostumada demais à desaprovação dos pais para reagir, Miranda mal acenou com a cabeça. — Elizabeth Standford-Jones, Ryan Boldari.

— Sr. Boldari. — Elizabeth avaliou a situação e concluiu que o dono da galeria pedira a participação de Miranda no projeto por mais razões que as qualificações da filha. Como o resultado benefi-

ciava o instituto, sorriu calorosamente. — Que prazer conhecer você, finalmente!

— O prazer é meu. — Ele cruzou a sala para apertar-lhe a mão, percebendo que mãe e filha nem mesmo se deram o trabalho daqueles beijos jogados ao vento que as mulheres frequentemente trocam. — Espero que seu voo tenha sido tranquilo.

— Foi, sim, obrigada. — Um rosto bonito, ela pensou, e boas maneiras. As fotografias que vira dele em revistas de arte ao longo dos anos não haviam sido capazes de captar o poder da combinação. — Desculpe por não ter conseguido chegar antes, como eu planejei. Espero que o projeto esteja em progresso, como fora previsto, sr. Boldari.

— Me chama de Ryan, por favor. E ainda excedeu as minhas expectativas. A sua filha é tudo o que eu poderia desejar.

— Você tem andado ocupada — ela disse para Miranda.

— Muito. A gente fechou a ala do andar pro público, nos últimos dias, a equipe está trabalhando muitas horas, mas está valendo a pena.

— É, dá pra ver. — Ela passou os olhos pela sala, impressionada e satisfeita, mas disse somente: — Você ainda tem trabalho a fazer, claro. Vai confraternizar com os talentos da Standjo, agora. Vários membros do staff viajaram hoje, e alguns vão chegar amanhã. Eles sabem que estão à sua disposição. Elise e Richard já estão aqui, com Vincente e a mulher.

— O Andrew sabe que a Elise tá aqui?

Elizabeth ergueu as sobrancelhas. — Se não sabe, vai saber logo. — E o aviso no tom de sua voz era claro. Nenhum assunto de família seria discutido ou teria interferência. — Seu pai deve chegar à noite. Ele vai ser uma ajuda enorme na seleção final dos artefatos.

— Eu já fiz a seleção final — Miranda disse, de maneira direta.

— É raro que um projeto desse porte não se beneficie de um olhar de fora.

— Você tem planos de me tirar *deste* projeto também?

Houve um momento em que pareceu que Elizabeth responderia. Seus lábios se abriram, mas depois voltaram a fechar-se, e ela se voltou para Ryan: — Eu adoraria ver os seus Vasari.

— Isso, Ryan, mostra os Vasari pra ela. Eles estão na próxima ala. Vocês dois vão me dar licença, mas eu tenho uma reunião.

— Me sinto obrigado a dizer a você, Elizabeth — Ryan começou a dizer quando Miranda saiu —, que esta exposição impressionante não teria sido possível sem a sua filha. Ela concebeu tudo, planejou e colocou em prática.

— Eu conheço os talentos da Miranda.

— Conhece mesmo? — ele disse com suavidade, e uma ligeira e jocosa arqueada de sobrancelha. — Então, eu estou obviamente enganado. Achei que, como você não comentou nada sobre o resultado de quatro semanas de trabalho intenso dela, achava que não estava completo de alguma maneira.

Algo brilhou nos olhos de Elizabeth, talvez constrangimento. Ele esperava que fosse. — De maneira nenhuma. Eu tenho plena confiança na capacidade da Miranda. E se ela tem um defeito, é excesso de entusiasmo, e a tendência a se envolver demais pessoalmente.

— Muita gente consideraria isso uma coisa boa, e não uma falha.

Ele a estava testando, mas ela não podia saber a razão. — Nos negócios, objetividade é essencial. Tenho certeza de que você concorda com isso.

— Eu prefiro paixão em todas as coisas. É mais arriscado, mas os efeitos são muito mais compensadores. Miranda tem paixão, mas tende a reprimir isso. Esperando, imagino eu, pela sua aprovação. Você alguma vez fez isso?

A raiva apareceu friamente nela, um gelo no olhar, na voz.

— O meu relacionamento com Miranda não é da sua conta, sr. Boldari, assim como a sua relação com ela não me diz respeito.

— Estranho. Diria que o oposto é verdadeiro, já que eu e sua filha somos amantes.

Os dedos dela apertaram ligeiramente a alça da pasta de couro que carregava. — Miranda é adulta. Eu não interfiro nos relacionamentos pessoais dela.

— Só nos profissionais, então. Me fala um pouco da *Senhora Sombria.*

— Como? Não entendi.

— *A Senhora Sombria.* — Ele manteve os olhos nos dela. — Onde ela está?

— O Bronze Fiesole — Elizabeth disse, finalmente — foi roubado de um depósito no Bargello, várias semanas atrás. Nem eu nem as autoridades temos nenhuma ideia de onde ele se encontra agora.

— Eu não estava me referindo à cópia, mas ao verdadeiro.

— Verdadeiro? — O rosto dela permaneceu sem expressão. Mas ele viu algo escondido. Conhecimento, choque, consideração, era difícil ter certeza, sendo ela uma mulher tão rigidamente controlada.

— Elizabeth? — Um grupo de pessoas se aproximou, Elise à frente. Ryan viu uma mulher pequena, bem constituída, com cabelo de duende e olhos grandes, brilhantes. Logo atrás, um homem a caminho da calvície, pálido, que ele imaginou ser Richard Hawthorne; depois uma mulher vistosa, com ares de Sophia Loren, de braços dados com um homem robusto, de pele cor de oliva e cabelos brancos. Os Morelli, concluiu. Pairando entre eles, sorrindo amplamente, estava John Carter.

— Desculpe. — Elise juntou as mãos bonitas. — Eu não sabia que você estava ocupada.

Mais agradecida pela interrupção do que jamais se permitiria demonstrar, Elizabeth fez as apresentações.

— É um prazer conhecer você — Elise disse a Ryan. — Eu estive na sua galeria em Nova York no ano passado. É um tesouro. E isto — seus olhos brilharam enquanto fazia um círculo para apreciar a sala — é glorioso. Richard, tira o nariz do mapa e dá uma olhada nos quadros.

Ele se virou, um sorriso encabulado no rosto. — Eu não consigo resistir a um mapa. É uma exposição maravilhosa.

— Vocês devem ter trabalhado como escravos. — Vincente deu um tapa pesado nas costas de Carter.

— Eu esperei ser chamado pra lavar o chão a qualquer momento. Miranda fez a gente suar a camisa. — Carter sorriu, mais uma vez encabulado. — A restauração do Bronzino só terminou ontem. Soube que todo mundo tremia quando ela chegava. Todos os chefes de departamento vêm tomando remédio pra úlcera nas duas últimas semanas. Miranda nem parece se incomodar. A mulher tem nervos de aço.

— Ela fez um trabalho brilhante. — Elise olhou em volta novamente. — Cadê ela?

— Tinha uma reunião — Elizabeth disse.

— Eu coloco as coisas em dia com Miranda mais tarde. Espero que ela bote a gente pra trabalhar.

— Ela sabe que vocês estão à disposição.

— Ótimo. Eu, hum, eu pensei em ver se o Andrew está livre um minuto. — Ela sorriu melancolicamente para Elizabeth, desculpando-se. — Queria ver como ele anda. Se você não precisar de mim agora.

— Não, pode ir. — Ela olhou com ligeiro divertimento quando Gina Morelli deu um grito diante da vitrine de joias. — Richard, eu sei que você anda louco pra visitar a biblioteca.

— Eu sou previsível.

— Divirta-se.

— Todo mundo sabe onde encontrar o Richard — Vincente comentou. — Enterrado nos livros. Eu vou esperar a Gina analisar e cobiçar cada quinquilharia. Depois, ela vai me arrastar pras compras. — Sacudiu a cabeça. — Ela também é previsível.

— Duas horas — Elizabeth anunciou, com tom de diretora. — Depois nos encontramos aqui novamente e fazemos o que precisa ser feito.

ELISE HESITOU POR UM MOMENTO, AINDA DO LADO DE FORA da sala de Andrew. A assistente dele não estava em sua mesa, e ela ficou aliviada. A srta. Purdue era devotada a Andrew e não aprovaria a visita não agendada da ex-mulher. Ouviu a voz dele através da porta entreaberta. Era uma voz forte e lhe trazia de volta uma sensação nostálgica.

Ela sempre gostara da voz dele. O tom claro, o sotaque aristocrático, com certo charme dos Kennedy, pensou. Imaginou tê-lo visto como uma espécie de descendente de uma típica família poderosa e bem-sucedida da Nova Inglaterra.

Havia potencial no casamento deles, pensou. Ela tivera esperanças. Mas, no final, não havia mais nada a ser feito, além do divórcio. Pelo que sabia, dera continuidade à própria vida melhor do que Andrew.

Apesar de ter consciência do remorso em seu olhar, estampou um sorriso e bateu de leve à porta.

— A gente espera uns quinhentos convidados — ele disse ao telefone, depois levantou os olhos e ficou paralisado.

A memória do passado lhe voltou em pequenas gotas. A primeira vez que a vira, quando ela aceitara o emprego de assistente de chefia do laboratório, por recomendação do seu pai. De jaleco e óculos de cientista. A maneira como empurrara os óculos para o topo da cabeça quando Miranda os apresentara.

A maneira como rira e dissera que já não era sem tempo, quando ele finalmente tomara coragem e a convidara para sair.

A primeira vez em que fizeram amor.

Sua fisionomia no dia do casamento, radiante, delicada. Sua expressão no dia em que lhe dissera que estava tudo acabado, tão fria e distante. E todos os estados entre os dois momentos, a esperança e a felicidade que se transformaram em insatisfação, desapontamento e, depois, falta de interesse.

A voz do outro lado da linha era um zumbido em seu ouvido. Sua mão se cerrou sob a mesa. Ele desejou com todas as forças que houvesse uma bebida ali.

— Eu vou ter que te ligar depois, mas todos os detalhes estão no press release. Tenho certeza de que a gente pode coordenar uma entrevista rápida amanhã à noite durante o evento... De nada.

— Desculpe, Drew — ela começou a dizer quando ele desligou. — A srta. Purdue não tava na mesa, eu arrisquei pra ver se você tava na sala.

— Tudo bem. — As palavras tolas arranhavam sua garganta. — Era só mais um jornalista.

— O evento tá trazendo bastante publicidade positiva.

— A gente precisa.

— Os dois últimos meses têm sido difíceis. — Ele não se levantou, como ela imaginou que devia; portanto, entrou na sala e encarou-o, tendo a mesa como uma barreira entre eles. — Achei que seria melhor, mais fácil pra nós dois se conversássemos um minuto. Eu não queria vir, mas a Elizabeth insistiu. E eu tenho que admitir que detestaria perder isso tudo.

Ele não conseguia tirar os olhos dela, por mais que isso o machucasse. — A gente queria todas as pessoas importantes da equipe aqui.

— Você ainda tem muita raiva de mim.

— Eu não sei o que eu sinto.

— Você parece cansado.

— Colocar esse troço de pé não tem me deixado muito tempo pra descansar.

— Eu sei que é estranho. — Ela estendeu a mão, depois recolheu-a, como se percebesse que não seria bem-vinda. — A última vez que a gente se viu foi...

— No escritório do advogado — ele completou.

— É. — Ela baixou os olhos. — Eu queria que tivesse sido diferente. Nós dois estávamos com tanta raiva, tão feridos, Drew. Eu esperava que agora a gente pudesse ser pelo menos...

— Amigos? — Ele deixou escapar uma risada amarga não tão ferina quanto a palavra inócua que a permeava.

— Não, não amigos. — Aqueles olhos encantadores dela estavam suaves e úmidos de emoção. — Só não queria que a gente fosse inimigo.

Não era o que ela esperava, aquele olhar duro, cínico. Esperava pesar, remorso, infelicidade, até mesmo raiva. Preparara-se para qualquer uma dessas coisas. Mas não para aquele escudo que barrava todos os seus esforços.

Ele a amara. Ela sabia que ele a amara, e se apegara a isso mesmo enquanto assinavam os papéis do divórcio.

— A gente não precisa ser inimigo, Elise. A gente não precisa ser mais nada.

— Tudo bem, eu me enganei. — Ela piscou uma vez, duas, e as lágrimas fugiram. — Eu não queria que nada estragasse o sucesso, amanhã. Se você ficasse mal e começasse a beber...

— Eu parei de beber.

— Jura? — A voz dela estava fria novamente, e a diversão sombria em seu tom era impiedosa. Um talento do qual havia se esquecido. — Será que eu já não ouvi isso antes?

— A diferença é que agora não tem nada a ver com você, e tudo a ver comigo. Eu esvaziei muitas garrafas por sua causa, Elise, e isso acabou. Talvez você esteja chateada por eu não estar rastejando, devastado de te ver na minha frente. Você não é mais o centro da minha vida.

— Eu nunca fui. — Seu controle fraquejou o suficiente para que as palavras lhe saíssem apressadas. — Se eu tivesse sido, você ainda me teria.

Ela se virou e saiu apressada. Quando chegou ao elevador, as lágrimas ardiam-lhe nos olhos. Apertou o botão com o punho cerrado.

Esperou até que o som das passadas rápidas de Elise ficasse distante e baixou a cabeça sobre a mesa. Seu estômago estava revirado,

clamava por um drinque, só um para colocar tudo no lugar outra vez.

Ela era tão linda. Como ele podia ter esquecido o quanto era linda? Já fora sua e ele falhara em segurá-la, em manter seu casamento, em ser o homem de que ela precisava.

Perdera-a porque não soubera dar o suficiente, amar o suficiente, ser o suficiente.

Precisava sair. Tomar ar. Precisava caminhar, correr, tirar o perfume dela de sua lembrança. Usou a escada, evitando a ala onde todos trabalhavam arduamente, e escapou passando pelos visitantes até chegar do lado de fora.

Seu carro estava no estacionamento, portanto andou, andou até que a ardência em seu estômago cedesse. Andou até que não mais precisasse concentrar-se em inspirar e expirar equilibradamente. Disse a si mesmo que pensava com clareza, perfeita clareza.

E quando parou em frente a uma loja de bebidas, quando olhou para as garrafas e seu alívio promissor, na felicidade, no escape, disse a si mesmo que poderia dar conta de umas poucas doses.

Não apenas podia dar conta, como *merecia*. Conquistara esse direito por ter sobrevivido ao cara a cara com a mulher que prometera amar, honrar e respeitar. Mulher que lhe prometera o mesmo. Até a morte.

Entrou, olhou para as paredes e suas garrafas nas prateleiras. Doses, goles, canecas esperando, *implorando* para serem escolhidas.

Experimente-me e você se sentirá melhor. Ficará bem novamente. Maravilhoso. Fantástico.

Garrafas brilhantes, rótulos coloridos. Garrafas lisas com nomes másculos.

Wild Turkey, Jim Beam, Jameson.

Pegou uma garrafa de Jack Daniel's, passou o dedo sobre o rótulo preto e familiar. E o suor começou a acumular-se na base da sua coluna.

O bom e velho Jack. O Jack Black em que se pode confiar.

Podia sentir o gosto em sua língua, sentir o calor descer pela sua garganta e aninhar-se, bem-vindo, em seu estômago.

Levou a garrafa ao caixa e seus dedos lhe pareceram inchados quando pegou a carteira.

— Só isso? — O atendente suspendeu a garrafa.

— Só — Andrew disse bruscamente. — Só isso pra mim.

Carregou a bebida num saco de papel. Enquanto andava, sentia-lhe o peso, a forma.

Um gole e seus problemas desapareceriam. A dor terrível em suas entranhas seria esquecida.

Foi até o parque sob o sol que se encaminhava para o ocaso e o ar que esfriava.

Os narcisos amarelos estavam em esplendor, um pequeno oceano de alegria suportado por ainda mais elegantes tulipas vermelhas. As primeiras folhas se desenrolavam nos carvalhos e *maples* que ofereceriam sombra quando o calor do verão assolasse o Maine em seu curto período. A fonte gotejava, uma dança bonita no meio do parque.

À esquerda, os balanços e escorregas estavam vazios. As crianças estavam em casa, sendo banhadas para o jantar, ele pensou. Quisera ter filhos, não quisera? Imaginara-se constituindo família, uma família de verdade, na qual todos eram capazes de amar, tocar uns aos outros. Gargalhadas, histórias na hora de dormir, refeições barulhentas.

Também não conseguira.

Sentou-se num banco, encarando os balanços vazios, escutando o som da fonte, passando a mão pela garrafa dentro do saco de papel.

Só uma dose, pensou. Bastava um gole da garrafa. Depois, nada daquilo teria a menor importância.

Dois goles, e se perguntaria por que alguma vez tivera.

ANNIE PREPAROU DOIS DRINQUES ENQUANTO O PROCESSAdor ao seu lado batia os ingredientes para margueritas. O happy hour era bastante popular às sextas-feiras. Os frequentadores eram, em geral, homens de negócios, mas ela tinha algumas mesas ocupadas por universitários aproveitando o desconto nos preços e os petiscos grátis enquanto falavam mal dos professores.

Esticou as costas, tentando aliviar a dor na base da coluna enquanto passava os olhos pelo salão e certificava-se de que os clientes estavam satisfeitos com o atendimento. Decorou os copos com sal e limão.

Um de seus clientes assíduos contava uma piada que envolvia um homem e um sapo dançarino. Ela completou seu copo com vodca e riu na hora certa.

A TV no alto exibia um jogo de beisebol.

Viu Andrew entrar, viu o que tinha nas mãos. Sentiu uma pressão na boca do estômago, mas continuou trabalhando. Trocou os cinzeiros sujos por limpos, limpou as manchas de copo da bancada. Viu-o caminhar em sua direção, sentar-se num banco vazio e apoiar a garrafa no bar.

Seus olhares se encontraram sobre o saco de papel. Os olhos dela cuidadosamente inexpressivos.

— Eu não abri a garrafa.

— Que bom. Isso é bom.

— Eu quis abrir. Ainda quero.

Annie fez sinal para o chefe dos garçons, depois tirou seu avental. — Dá uma olhada nas coisas pra mim. Vamos dar uma volta, Andrew.

Ele concordou, mas levou a garrafa junto quando a seguiu até o lado de fora. — Eu entrei numa loja de bebidas. E me senti bem lá dentro.

As luzes da rua estavam acesas, brilhando, pequenas ilhas de claridade na escuridão. O tráfego de final de semana era intenso.

Músicas variadas, vindas de diferentes estações de rádio, brigavam através das janelas abertas dos carros.

— Eu fui até o parque e sentei num banco perto da fonte. — Andrew passava a garrafa de uma mão para outra, como se para mantê-la flexível. — Não havia ninguém em volta. Eu achei que podia dar só uns goles. Só o suficiente pra me acalmar.

— Mas você não fez isso.

— Não.

— É difícil. O que você tá fazendo é difícil. E hoje você fez a escolha certa. Seja o que for, você não pode acrescentar a bebida ao que está ruim.

— Eu vi a Elise.

— Ah.

— Ela veio pra exposição. Eu sabia que ela estava vindo. Mas quando eu vi que ela tava na minha sala, isso me derrubou. Ela tava tentando melhorar as coisas, mas eu não deixei.

Annie curvou os ombros, enfiou as mãos nos bolsos e disse a si mesma que era louca de achar que Andrew tinha alguma chance. Que ela tinha alguma chance. — Você tem que fazer o que achar que é certo, nesse caso.

— Eu não sei o que é certo. Só sei o que é errado.

Ele voltou ao parque, sentou-se no mesmo banco, a garrafa ao seu lado.

— Eu não posso te dizer o que fazer, Andrew, mas acho que, se não resolver deixar essa história no passado, ela vai continuar te machucando.

— Eu sei.

— Ela só vai ficar aqui uns dias. Se você conseguir fazer as pazes com o passado de vocês, e com ela, enquanto ela tá aqui, vai ser melhor pra você. Eu nunca fiz as pazes com o Buster. Aquele desgraçado.

Ela sorriu, esperando que ele fizesse o mesmo, mas Andrew continuou a encará-la com os olhos parados, sérios. — Ah, Andrew. — Ela suspirou, desviou olhar. — O que eu quis dizer foi que eu nunca

fiz um esforço pra ser civilizada, e isso ainda me perturba um bocado. Ele não valia o meu sofrimento, Deus sabe, mas ainda me fere. Ele me machucou de muitas maneiras, e tudo o que eu queria no final era machucar de volta. Mas queria que fosse pior. Claro que isso nunca aconteceu, porque ele não tava nem aí.

— Por que você ficou com ele, Annie?

Ela passou a mão no cabelo. — Porque disse que ficaria. Casar no cartório na hora do almoço é a mesma coisa que fazer isso numa igreja enorme, vestida de noiva.

— É. — Ele apertou a mão dela, que agora segurava a sua. — Eu sei disso. Pode acreditar, eu quis manter os meus. Eu quis provar que podia. Falhar nisso era o mesmo que dizer que eu não era diferente do meu pai, do pai dele, de qualquer um deles.

— Você é você, Andrew.

— Esse é um pensamento assustador.

Como ele precisasse, e ela também, Annie se inclinou, encostou seus lábios nos dele. Abriu-os quando ele a abraçou. Deixou-o entrar.

Deus a ajude!

Ela podia sentir o desespero, mas ele foi cuidadoso. Ela conhecia muitos homens que não eram cuidadosos. Passou a mão no rosto dele e sentiu a barba por fazer, depois a suavidade da pele do pescoço.

As necessidades dentro dela eram imensas, e ela tinha medo de que não ajudassem a nenhum dos dois.

— Você não é como eles. — Ela colou o rosto ao dele antes que o beijo a fragilizasse demais.

— Pelo menos, não hoje. — Ele pegou a garrafa, entregou-a a ela. — Toma. Cem por cento de lucro pra você.

Sentiu certo alívio ao fazer isso, ele percebeu. Do tipo que um homem sente quando puxa o volante do carro antes de cair num penhasco. — Vou a uma reunião antes de ir pra casa. — Respirou fundo. — Annie, sobre amanhã à noite, se você mudar de ideia e resolver ir, vai ser muito importante pra mim.

— Andrew, você sabe que eu não me encaixo com essa gente sofisticada do mundo da arte.

— Você se encaixa comigo. Sempre se encaixou.

— As noites de sábado sempre têm muito movimento. — Desculpas, pensou. Covarde. — Eu vou pensar. Tenho que ir.

— Eu te trago de volta. — Ele se levantou, pegou a mão dela novamente. — Vem comigo amanhã, Annie.

— Vou pensar — ela repetiu, sem nenhuma intenção de fazê-lo. A última coisa do mundo que queria fazer era competir com Elise.

# Capítulo Vinte e Sete

— Você precisa sair daqui.

Miranda olhou sobre a mesa, onde estava enterrada num mar de papéis, e viu Ryan observando-a da porta. — Neste momento, eu praticamente moro aqui.

— Por que você acha que tem que fazer tudo sozinha?

Ela girou o lápis entre os dedos. — Tem alguma coisa errada na maneira como as coisas estão sendo feitas?

— Não foi isso que eu disse. — Ele foi até ela, apoiou as mãos na mesa e inclinou o corpo em sua direção. — Você não tem que provar nada pra ela.

— Isso não tem nada a ver com a minha mãe. Eu só quero ter certeza de que a noite de amanhã vai ser um sucesso. Tem uma porção de detalhes que preciso organizar.

Ele tomou a dianteira, tirou o lápis da mão dela e partiu-o em dois.

Ela piscou, espantada com a maturidade e a certeza nos olhos dele. — Isso, sim, foi um gesto maduro.

— Melhor do que fazer a mesma coisa com o seu pescoço.

Se ela tivesse um escudo e o colocasse entre os dois, ele não pareceria uma parede mais intocável do que a expressão fechada que tinha no rosto.

— Não me expulsa. Não fica aí sentada brincando com uma das suas mil listas como se não existisse nada mais importante pra você do que o próximo item que pode ser marcado como resolvido. Eu não sou uma porcaria de item, de tarefa, e sei exatamente o que tá se passando dentro de você.

— Não fala grosso comigo.

Ele se virou e encaminhou-se para a porta. Ela esperou que ele saísse de uma vez, que fosse embora, como outros haviam feito. Em vez disso, ele bateu a porta, trancou-a. Ela tremeu da cabeça aos pés.

— Eu não entendo por que você tá com tanta raiva.

— Não? Acha que eu não vi a sua cara quando te disse de onde vinha o e-mail? Você realmente pensa que tem o controle de tudo, dra. Jones, que não dá pra ver o seu estado de devastação?

Isso o estava matando. As complexidades e complicações dela acabavam com ele. Não as queria, pensou com violência. Não queria flagrar-se constantemente lutando para abrir caminho até ela.

— Mas eu não perdi o controle e tentei matar o mensageiro da má notícia — ela começou a dizer.

— Não usa esse tom de professora primária comigo, não funciona. Eu vi a sua cara quando a sua mãe chegou. Vi como tudo dentro de você entrou em compasso de espera. Espera fria.

Isso foi direto, e doeu. Brutalmente. — Você me pediu pra aceitar a possibilidade de a minha mãe ter me usado, me traído, me aterrorizado. De ela estar envolvida num roubo que já resultou em três mortes. Você me pede pra aceitar isso, depois critica a minha maneira de lidar com a informação.

— Eu preferia ter visto você derrubando a sua mãe no chão e pedindo uma explicação.

— Isso pode funcionar na sua família. A gente não é tão explosivo assim.

— É, a sua família prefere uma lâmina afiada e gelada, do tipo que machuca sem deixar escorrer sangue. Eu vou te dizer, Miranda, uma explosão é mais limpa no final, e muito mais humana.

— O que é que você esperava que eu fizesse? Caramba, o quê? Que eu gritasse com ela, jogasse acusações na cara dela? — Bateu na mesa, fazendo com que papéis cuidadosamente organizados e lápis meticulosamente apontados voassem. — Eu, obrigar a minha mãe a contar a verdade? A confessar ou negar? Se ela me odeia o suficiente pra ter feito uma coisa dessas, me odeia o suficiente pra mentir na minha cara.

Ela empurrou a cadeira, que se chocou contra a parede. — Ela nunca me amou. Nunca me fez um gesto gratuito de afeição. Nenhum deles, nem pra mim, nem pro Andrew, nem um pro outro. Durante minha vida inteira, nenhum deles disse que me amava, nem se deu ao trabalho de fingir, pra eu poder ter essa ilusão. Você não sabe como é viver sem nunca ter tido colo, ninguém dando conselho, mesmo morrendo de vontade de ter isso tudo.

Ela levou as mãos à boca do estômago como se sentisse uma dor insuportável. — Nem sentir uma dor tão grande e tão profunda, ter que parar de querer pra não morrer.

— Não, eu não sei como é — ele disse baixinho. — Me diz.

— É como crescer dentro de uma porcaria de laboratório, tudo estéril, tudo em ordem, documentado, calculado, mas sem a graça da descoberta. Regras, só isso. Regras de linguagem, conduta, educação. Faz isso assim, e não assado, porque é inaceitável. Não existe outra maneira certa. Quantas dessas regras ela descumpriu, se tiver feito isso?

Ela arfava, seus olhos brilhavam, os punhos cerrados. Ele observou, escutou e não se moveu nem ergueu a voz. O único som do ambiente agora era a respiração irregular dela enquanto olhava para a destruição que causara na sala.

Assustada, afastou o cabelo do rosto, passou a mão sobre o coração acelerado. Pela primeira vez se deu conta de que lágrimas escorriam sobre seu rosto, tão quentes que poderiam queimar-lhe a pele.

— Era isso que você queria que eu fizesse?

— Eu queria que você colocasse pra fora.

— Acho que eu acabei de fazer isso. — Pressionou a testa com os dedos. — Esse tipo de surto me deixa com dor de cabeça.

— Isso não foi um surto.

Ela deixou escapar uma gargalhada frágil. — E que nome você daria?

— Honestidade. — Ele sorriu levemente. — Mesmo no meu campo de trabalho eu tenho uma vaga familiaridade com o conceito. Você não é fria, Miranda — ele disse com suavidade. — Você só tem medo. Você não é impossível de amar, só é mal apreciada.

Ela sentiu as lágrimas descerem e ficou quieta enquanto elas inundavam seu rosto. — Eu não quero que a minha mãe tenha feito isso, Ryan.

Ele foi até Miranda, afastou os dedos dela do rosto e trocou-os pelos seus. — Tem muita chance de a gente conseguir as respostas nos próximos dias. Isso vai acabar.

— Mas eu vou ter que conviver com as respostas.

ELE A LEVOU PARA CASA E CONVENCEU-A A TOMAR UM COMprimido para dormir, ir cedo para a cama. O fato de que ele não precisara se esforçar para que ela aceitasse somente confirmava que ela já deveria estar dormindo com os anjos àquela altura.

Quando teve certeza de que dormia profundamente, e que Andrew se fechara em sua própria ala da casa, Ryan vestiu a suéter escura e o jeans preferidos para suas invasões noturnas.

Enfiou suas ferramentas no bolso, escolheu uma pasta com alça, para o caso de encontrar algo que precisasse transportar na volta.

Encontrou as chaves de Miranda eficientemente guardadas no bolso lateral de sua bolsa. Saiu rapidamente da casa, entrou no carro dela e ajustou a altura do banco antes de colocar o automóvel em ponto morto e soltar o freio de mão. O veículo desceu lentamente a colina, com os faróis desligados.

Ele poderia ter dito que estava sem sono, que pegara o carro para dar uma volta, caso ela ou Andrew ouvissem o barulho do motor. Mas por que mentir sem necessidade? Esperou até ter passado de um quarto do caminho de descida e ligou a ignição, os faróis.

Tocava Puccini no rádio, e, apesar de ele compartilhar a paixão de Miranda pela ópera, a música não se encaixava com seu humor momentâneo. Registrou o dial, depois apertou o botão de busca. Quando ouviu George Thorogood gritando os versos de "Bad to the Bone", sorriu para si mesmo e deixou tocar.

O tráfego se avolumava um pouco nas proximidades da cidade. Pessoas indo a festas, ele imaginou, a encontros de final de semana ou para casa, caso o programa não fosse muito interessante. Ainda não era meia-noite.

Muito diferente da cidade que nunca dorme, pensou.

Dormem cedo, acordam cedo esses ianques, concluiu. Uma gente tão admirável. Parou no estacionamento do hotel, bem longe da entrada. Estava quase certo de que o mesmo hábito se aplicaria aos visitantes de Florença. As sete horas de diferença podiam ser bastante exaustivas nos primeiros dias.

Ficara no mesmo hotel em sua primeira viagem e conhecia perfeitamente as instalações. Também se preocupara em pegar o número dos quartos que pretendia visitar naquela noite.

Ninguém notou sua presença ao cruzar o lobby e caminhar diretamente para os elevadores como se fosse um homem apressado para ir para a cama.

Elizabeth e Elise dividiam um apartamento com dois quartos, na cobertura. Era preciso de chave para liberar a porta do elevador.

E, como era um homem de visão — e como era um hábito antigo —, guardara uma quando se hospedara ali da outra vez.

Não viu nenhuma luz acesa sob as três portas da suíte, não ouviu o som de vozes nem de televisão vindo de dentro.

Entrou no gabinete em apenas dois minutos. Ficou parado, quieto no escuro, escutando, prestando atenção, deixando que seus olhos se ajustassem. Como precaução, destrancou as portas da varanda, criando uma saída alternativa caso precisasse escapar.

Depois, mãos à obra. Deu uma busca no gabinete primeiro, apesar de duvidar que qualquer uma das mulheres pudesse deixar algo vital ou incriminador ali.

No primeiro quarto, foi forçado a utilizar uma lanterna discreta, mas manteve-a distante da cama, de onde era capaz de ouvir a respiração suave e regular de uma mulher. Pegou a pasta e a bolsa, voltou ao gabinete para vasculhar.

Era Elizabeth na cama, percebeu ao remexer a carteira. Tirou tudo das bolsas, revistou cada recibo, cada pedaço de papel, leu todas as anotações da agenda. Encontrou uma chave exatamente no mesmo lugar em que a filha guardava a sua — dentro do bolso lateral. Uma chave de cofre, percebeu, e guardou-a no próprio bolso.

Checou o passaporte, vendo que os carimbos coincidiam com as datas que seu primo lhe dera. Era a primeira viagem de Elizabeth para os Estados Unidos em mais de um ano, mas ela fora rapidamente à França e à Inglaterra nos últimos seis meses.

Colocou tudo de volta onde encontrara, menos a chave, e repetiu o processo com a bagagem; depois, revistou o armário, as gavetas, o nécessaire no banheiro.

Precisou de uma hora até que ficasse satisfeito e se encaminhasse ao outro quarto.

Ele conhecia muito bem a ex-mulher de Andrew quando terminou a busca. Ela gostava de roupas de baixo de seda, e seu perfume era Opium. Apesar de as roupas terem um estilo conservador, ela

preferia os designers sofisticados. Gosto requintado requer dinheiro. Ele anotou para checar sua renda.

Ela trouxera trabalho para a viagem, se é que o laptop na sua mesa era uma indicação. O que fazia dela, em sua opinião, uma mulher dedicada ou obsessiva. O conteúdo da bolsa e da pasta estava organizado, não havia pedaços de papel nem de embalagens espalhados. A pequena caixa de joias de couro que encontrou continha algumas boas peças de ouro italiano, algumas pedras bem escolhidas e um medalhão antigo que exibia o retrato de um homem de frente para o de uma mulher. Eram em preto e branco, envelhecidas, e, pelo estilo, imaginou que tivessem sido tiradas por volta dos anos quarenta.

Os avós, supôs, e concluiu que Elise tinha uma personalidade emotiva.

Deixou as duas mulheres dormindo e desceu o corredor em direção ao quarto de Richard Hawthorne. Ele também dormia profundamente.

Ryan precisou de dez minutos para encontrar o recibo de um guarda-volumes em Florença — o qual guardou no bolso.

Foram necessários treze minutos para que encontrasse o revólver calibre 38. Neste, ele não mexeu.

Em vinte, localizara uma pequena caderneta de anotações escondida dentro de uma meia preta. Passando os olhos pelo que estava escrito, com a ajuda da pequena lanterna, Ryan leu rapidamente trechos a esmo. Seus lábios se contraíram num sorriso sombrio.

Guardou a caderneta no bolso e deixou Richard dormir. Seu despertar, pensou ao sair, seria abrupto.

— ESPERA AÍ, VOCÊ TÁ ME DIZENDO QUE INVADIU O QUARTO da minha mãe ontem à noite?

— Eu não quebrei nada — ele garantiu a ela. Sentia-se como se estivesse perseguindo Miranda por horas, tentando roubar uma meia hora para que ficassem a sós.

— O quarto dela?

— Entrei pelo gabinete, se isso te deixa mais confortável. Não fazia o menor sentido ter conseguido colocar todo mundo no mesmo lugar se eu não fosse fazer alguma coisa com isso. Peguei uma chave de cofre na bolsa dela. Achei estranho ela carregar uma chave dessas numa viagem desse tipo. Mas é de um banco americano. Um banco no Maine, com agência em Jones Point.

Miranda sentou-se à escrivaninha, a primeira vez em que não estava de pé desde as seis horas daquela manhã. Agora era meio-dia e Ryan finalmente conseguira segurá-la durante seu encontro com o florista e oferecer-lhe as opções de ir andando até sua sala ou ser carregada por ele.

— Eu não entendo, Ryan. Por que uma chave de cofre de banco seria importante?

— As pessoas normalmente guardam nesse tipo de lugar as coisas que acham importantes ou valiosas pra elas, e quando não querem que outras pessoas tenham acesso. De qualquer maneira, vou dar uma checada.

Ele esperou que Miranda abrisse a boca e a fechasse novamente, sem dizer uma palavra. — Não achei nada no quarto de Elise, a não ser o laptop dela. Achei estranho ela trazer o computador numa viagem de quatro dias, se ela vai passar a maior parte do tempo aqui. Vou voltar lá e ver se consigo dar uma olhada nele quando ela não estiver no quarto.

— Ah, isso ia ser bem melhor — ela disse, com um leve aceno de mão.

— Exatamente. Encontrei joias suficientes pra quebrar o pescoço de um elefante no quarto dos Morelli. Aquela mulher tem um vício sério com tudo que brilha, e se eu conseguir acesso à conta do Vincente, a gente vai ver o tamanho do buraco que ele precisou abrir pra sustentar esse vício. Agora, o seu pai...

— Meu pai? Ele só ia chegar depois da meia-noite.

— Agora que você tá me dizendo isso? Eu quase tropecei nele no hall quando estava indo pro quarto da sua mãe. Foi bom o pessoal do hotel colocar todo mundo no mesmo andar.

— A gente reservou os quartos assim — ela murmurou.

— De qualquer maneira, como eu vasculhei os outros quartos antes, deu tempo pra ele se acomodar. Apagou em um segundo. Você sabia que seu pai esteve nas ilhas Cayman três vezes no ano passado?

— Nas ilhas Cayman? — Ela se perguntou se sua cabeça não cairia no chão e sairia rolando, de tanto que girava.

— É um lugar muito frequentado. Bom pra mergulhar, pra tomar sol e pra lavar dinheiro. Agora, tudo isso é especulação. Mas eu encontrei ouro no quarto do Hawthorne.

— Você teve uma noite bem cheia enquanto eu dormia.

— Você precisava descansar. Encontrei isto. — Ele pegou um recibo de guarda-volumes no bolso, desdobrou-o. — Ele alugou um espaço um dia depois que o bronze foi levado pra Standjo. Um dia antes de a sua mãe ligar e chamar você pra ir pra lá. O que foi mesmo que o Andrew disse sobre coincidências? Que elas não existem?

— As pessoas alugam espaços em guarda-volumes por muitas razões.

— Mas, geralmente, elas não alugam uma garagem pequena fora da cidade se não têm carro. Eu chequei, e ele não tem. E, depois, tem a arma.

— Arma?

— Uma pistola, não me pergunta o modelo. Eu tento evitar armas, mas ela me pareceu bem eficiente.

Preguiçosamente, ele tirou a jarra de café da cafeteira e ficou satisfeito ao ver que o que restava ainda estava fresco. — Acho que tem algo na legislação pra transportar armas em aviões — ele acrescentou enquanto se servia de uma xícara. — Duvido que ele tenha feito tudo direitinho pra trazer essa pistola pra cá. E por que um pesquisador tranquilo, legal, iria precisar de um revólver numa exposição?

— Eu não sei. O Richard tem uma arma. Isso não faz sentido.

— Eu acho que talvez faça, depois de você ler isto. — Ele tirou a caderneta de anotações do bolso. — Eu sei que você vai querer ler, mas vou te dar os destaques. Descreve um bronze, noventa centímetros, vinte e quatro quilos e sessenta e oito gramas. Uma mulher nua. Dá os resultados dos testes feitos no bronze, a data, de final do século quinze, o estilo de Michelangelo.

Ele viu o rosto dela empalidecer, os olhos embaçarem e entregou a xícara de café, que foi imediatamente agarrada pelas duas mãos dela. — O primeiro teste foi concluído às sete horas da noite do dia em que *A Senhora Sombria* foi aceita na Standjo. Imagino que o laboratório feche às oito na maioria dos dias.

— Ele fez os testes por conta própria.

— Tem uma lista dos testes, com as horas e os resultados. Duas noites de trabalho. E com várias anotações de pesquisa. A documentação. Ele achou uma coisa que você não descobriu, e não te falou nada. Uma certidão antiga de batismo, do Convento de Nossa Senhora da Misericórdia, assinada pela abadessa, de um bebê, do sexo masculino. O nome da mãe tá registrado como Giulietta Buonadoni.

— Ela teve um filho. Eu li que tinha uma criança, possivelmente filho ilegítimo de um dos Médici. Ela mandou o bebê pra longe, provavelmente pra proteção da própria criança, já que era uma época de muita tensão política.

— O bebê foi batizado com o nome de Michelangelo. — Ele viu quando a ideia fez sentido para ela. — Alguém pode especular... uma homenagem ao pai.

— Michelangelo nunca teve um filho. Ele era, pelo que se sabe, homossexual.

— Isso não faz com que ele seja incapaz de ter um filho. — Ele encolheu os ombros. — Também não significa que a criança era dele, mas apoia a teoria de que é muito possível que eles tenham tido um relacionamento íntimo, e se eles tiveram...

— Isso aumenta a possibilidade de ele ter usado a amante como modelo.

— Exatamente. Hawthorne achou isso importante o suficiente pra registrar na caderneta, e pra esconder de você. Se eles foram amantes, mesmo que só por um dia, ou se tiveram um relacionamento platônico e íntimo o suficiente pra ela ter dado o nome dele ao próprio filho, isso favorece a conclusão de que ele fez uma estátua dela.

— Não seria uma prova, mas é verdade, é um dado a mais. Fica ainda menos provável a ideia de que ela não tenha posado pra ele, e a gente não tem nenhum documento de nenhuma outra escultura ou pintura do Michelangelo usando Giulietta como modelo. Ah, isso é bom — ela murmurou, fechando os olhos. — No mínimo como um trampolim, um sinal pra gente continuar procurando.

— Ele não queria que você procurasse.

— Não, e eu andei bem na linha. Deixei quase toda a pesquisa nas mãos dele. Tudo que eu fiz foi a partir das fontes que ele me deu. Ele reconheceu a estátua, exatamente como eu. Provavelmente logo que colocou os olhos nela.

— Eu diria que essa é uma conclusão bastante apurada, dra. Jones.

Ela conseguia ver o sentido agora, a lógica e os passos. — O Richard roubou o bronze e fez a cópia. E o *Davi*... ele deve ter roubado o *Davi* também. — Sua mão cerrada pressionou o peito. — Ele matou o Giovanni.

— Não seria uma prova — Ryan disse, colocando a caderneta na mesa dela —, mas é um dado a mais.

— A gente precisa levar isso pra polícia.

— Ainda não. — Ele colocou a mão sobre a caderneta, antes que ela pudesse pegá-la. — Eu teria mais... confiança no resultado se a gente estivesse com os bronzes na mão antes de falar com a polícia. Eu vou pra Florença amanhã, vou dar uma olhada nessa garagem.

Se eles não estiverem lá, vão estar no apartamento dele, ou o registro de onde eles estão vai estar lá.

— Ele tem que pagar pelo que fez com o Giovanni.

— Ele vai. Vai pagar por tudo. Eu preciso de quarenta e oito horas, Miranda. A gente já chegou até aqui.

Ela comprimiu os lábios. — Eu não perdi de vista o que isso pode fazer com a minha carreira, nem o que pode significar para o mundo da arte. E eu sei que a gente fez um trato. Mas estou te pedindo agora pra concordar, pra prometer, que a justiça pelo que aconteceu com o Giovanni venha em primeiro lugar.

— Se o Hawthorne for o responsável pela morte do Giovanni, ele vai pagar. Eu te prometo isso.

— Tudo bem. A gente espera até você voltar de Florença pra ir à polícia. Mas, hoje à noite, como a gente vai conseguir suportar hoje à noite? Ele vai estar lá. Ele tá aqui.

— Hoje à noite vai ser tudo como combinado. Você vai receber centenas de pessoas — ele continuou, antes que ela pudesse protestar. — Tá tudo organizado. Você só precisa ir com a corrente. O instituto e as minhas galerias estão muito envolvidos pra gente recuar. Você tá completamente envolvida. E a gente não sabe se ele agiu sozinho.

Ela passou as mãos pelos braços. — Ainda pode ser a minha mãe. Qualquer um deles.

Não havia nada que ele pudesse fazer quanto ao olhar assustado no rosto dela. — Você tem que aguentar firme, Miranda.

— Eu pretendo fazer isso. — Ela deixou as mãos caírem. — Eu vou fazer isso.

— O Hawthorne cometeu um erro. Agora, a gente vai ver se ele, ou alguém mais, comete outro. Quando eu tiver os bronzes, a gente entrega o Richard pra polícia. Eu tenho a impressão de que ele não vai querer se enforcar sozinho.

Ela deu um pulo. — Enforcar?

— É uma expressão.

— Mas... cadeia ou alguma coisa pior. É isso que vai acontecer. Anos, talvez a vida inteira na prisão, ou... Se for alguém da minha família, se for um deles, Ryan, eu não vou conseguir. Não, não vou conseguir fazer isso. Eu me enganei.

— Miranda... — Ele buscou as mãos dela, mas Miranda as puxou, em pânico.

— Não, não, desculpe. Não, isso não tá certo, eu sei que não é certo. O Giovanni, e aquele pobre homem com mulher e filhos, mas... se a gente descobrir que é um deles, eu não sei se sou capaz de viver sabendo que ajudei a colocar alguém da minha família atrás das grades.

— Só um segundo, caramba. — Ele a segurou antes que ela pudesse escapulir, surpreendendo-os com a explosão rápida e eficiente. — O responsável por isso tudo colocou a sua vida em risco. Eu quero que eles paguem por isso, também.

— Não, a minha vida, não. A minha reputação, um momento importante da minha carreira.

— Quem contratou o desgraçado que te aterrorizou com uma faca? Quem anda mandando os fax pra te assustar, te machucar?

— Deve ter sido o Richard. — O sofrimento fazia com que seus olhos lacrimejassem. — E se não foi ele, eu não posso ser responsável por mandar alguém da minha família pra cadeia.

— Qual é a alternativa? Eles saírem ilesos? Deixar *A Senhora Sombria* onde ela tá, destruir essa caderneta, esquecer o que aconteceu?

— Eu não sei. Mas *eu* também preciso de tempo. Você me pediu quarenta e oito horas. Estou te pedindo a mesma coisa. Tem que existir um meio-termo. Em algum lugar.

— Eu acho que não existe. — Ele pegou a caderneta, colocou-a na palma da mão como se quisesse sopesá-la. Depois estendeu a mão. — Toma. Você fica com ela.

Ela olhou para a caderneta, pegando-a com cautela, como se a capa de couro pudesse queimá-la. — Como é que eu vou aguentar o resto do dia? Até amanhã?

— Com essa sua firmeza ianque? Você vai ficar bem. Eu vou estar do seu lado. Nós dois estamos nisso juntos.

Ela concordou, colocou a caderneta numa gaveta e trancou-a. Quarenta e oito horas, pensou. Era todo o tempo que tinha para decidir se tornava o conteúdo daquela caderneta público ou se a queimava.

*VAI SER PERFEITO. EU SEI EXATAMENTE COMO TUDO VAI FUNcionar, agora. Está tudo em ordem. Miranda colocou tudo em ordem para mim. Todas aquelas pessoas vão estar lá, admirando a grande arte, bebendo champanhe, enfiando todos aqueles canapés sofisticados na boca. Ela vai estar entre eles, graciosa e tranquila. A brilhante dra. Jones. A perfeita dra. Jones.*

*A condenada dra. Jones.*

*Ela vai ser o próprio centro das atenções, vai receber todos os cumprimentos. Uma exposição brilhante, Dra. Jones. Um evento glorioso. Ah, sim, eles vão dizer isso, vão pensar isso, e os erros que ela cometeu, o constrangimento que causou vai sumir. Como se todo o meu trabalho não valesse nada.*

*A estrela dela está subindo novamente.*

*Mas, hoje à noite, ela cai.*

*Eu planejei a minha própria exposição para esta noite, e a minha vai ofuscar a dela. Eu a intitulei de* Morte de uma Traidora.

*Acho que as críticas vão ser bastante significativas.*

# Capítulo Vinte e Oito

Ninguém sabia que o estômago dela dava voltas, provocando calafrios que pareciam pontadas geladas. Suas mãos estavam frias e firmes, seu sorriso, fácil. Por dentro, tremia a cada passo, claudicava em qualquer conversa. Mas o escudo estava levantado, a inabalável dra. Jones, impassível.

Escolhera vestir um longo azul-marinho de gola alta e mangas compridas de punhos estreitos. Estava grata pelo quanto de seu corpo a roupa cobria, porque sentia frio, muito frio. Não sentira um só vestígio de calor desde que Ryan lhe entregara a caderneta.

Observou a mãe, elegante como uma imperatriz em seu vestido de gala rosa-claro, comunicando-se com o público — um toque num braço aqui, uma mão estendida ou face oferecida ali. Sempre sabendo a coisa certa a dizer na hora certa à pessoa certa.

O marido estava ao seu lado, claro, esplêndido em seu smoking, o aventureiro viajado com ares interessantes de intelectual. Como eram bonitos juntos, como pareciam perfeitos, os Jones de Jones

Point. Nenhuma mancha escurecendo o polimento. E nenhuma mácula por trás do brilho.

Como trabalhavam bem em equipe quando queriam fazê-lo, ela pensou. Fariam escolhas em nome do instituto, da arte, da reputação dos Jones, como jamais haviam feito em nome da família.

Ela queria odiá-los por isso, mas pensou na caderneta e tudo que sentiu foi medo.

Afastou-se deles e cruzou o corredor.

— Você devia estar num desses quadros ali atrás. — Ryan pegou a mão dela e girou-a minutos antes que se aproximasse de outro pequeno grupo. — Você tá absolutamente linda.

— Estou absolutamente apavorada. — Depois riu ligeiramente, dando-se conta de que poucos meses antes não teria sido capaz de dizer a ninguém o que sentia. — Eu sempre fico quando tem muita gente.

— Então vamos fingir que somos só você e eu. Mas falta uma coisa. Você precisa de champanhe.

— Vou ficar só na água hoje.

— Uma taça, um brinde. — Ele entregou uma das taças que pegara na bandeja de um garçom a ela. — Aos resultados altamente positivos do nosso trabalho, dra. Jones.

— Tá difícil aproveitar.

— Se deixa levar pelo momento — ele lembrou a ela. — Este é um bom momento. — Encostou levemente os lábios nos dela. — Acho a sua timidez um charme — murmurou no ouvido dela, causando mais que um simples arquear de sobrancelhas. — E a sua habilidade em mascarar essa timidez é admirável.

As nuvens em seus olhos se dissiparam. — Você nasceu com esse talento ou foi desenvolvendo aos poucos?

— Qual deles? Eu tenho tantos.

— O talento de saber exatamente o que dizer na hora certa.

— Talvez eu saiba o que você precisa ouvir. Tem uma pista de dança no salão principal. Você nunca dançou comigo.

— Eu sou péssima dançarina.

— Talvez você nunca tenha sido conduzida da maneira apropriada. — O comentário fez com que ela levantasse as sobrancelhas, com ligeiro desdém. — Vamos descobrir agora.

Ele manteve a mão nas costas dela enquanto passavam pelos grupos de pessoas. Também sabia como lidar com o público, ela percebeu. Como encantar com poucas palavras e seguir adiante. Ela pôde ouvir os acordes distantes de uma valsa — piano e violino —, o murmúrio das conversas, a excitação ocasional de uma gargalhada.

O salão principal estava decorado com vinhas e vasos de plantas, todos enfeitados com pequenas lâmpadas que pareciam estrelas. Lírios brancos, perfumados, e rosas despontavam em vasos envoltos por laços dourados. Cada gota do lustre antigo fora limpa a mão em vinagre para brilhar com sua chuva de cristais.

Casais circulavam ou bebiam vinho aqui e ali, belas figuras em seus trajes de festa. Outros se juntavam de pé pela escadaria ou sentavam-se nas cadeiras que ela revestira em tons de damasco.

Foi parada e cumprimentada pelo menos uma dúzia de vezes. Se houve algum murmúrio ocasional a respeito do Bronze Fiesole, as pessoas foram em geral discretas o suficiente para esperar que ela estivesse fora do alcance de suas vozes.

— Olha ali a sra. Collingsforth. — Miranda sinalizou na direção de uma mulher de incríveis cabelos brancos, vestida de gala em veludo marrom.

— Da Portland Collingsforths?

— É. Quero garantir que ela fique absolutamente confortável e seja bem servida. E quero que vocês se conheçam. Ela é fã de homens jovens e atraentes.

Miranda andou no ritmo da música até o local onde a viúva estava sentada. — Sra. Collingsforth, espero que a senhora esteja se divertindo.

— A música está ótima — ela disse, e sua voz soou como o grito de um corvo. — Boa iluminação. Já era tempo de você dar uma

energizada aqui. Lugares onde se guarda arte não precisam ser sem vida. A arte é viva. Não devia ser armazenada como um cadáver. E quem é ele?

— Ryan Boldari. — Ele inclinou o corpo para pegar-lhe a mão e beijar-lhe as juntas dos dedos. — Pedi a Miranda que nos apresentasse, sra. Collingsforth. Queria agradecer pessoalmente a generosidade de emprestar ao instituto tantas peças maravilhosas da sua coleção pessoal. A senhora fez a exposição.

— Se essa moça desse mais festas, em vez de se enterrar num laboratório, eu as teria emprestado antes.

— Não posso estar mais de acordo. — Ele sorriu para a sra. Collingsforth, fazendo com que Miranda se sentisse supérflua. — A arte precisa ser celebrada, e não simplesmente estudada.

— Ela vive grudada num microscópio.

— Onde muitas vezes se perde a perspectiva.

A sra. Collingsforth estreitou os olhos, contraiu os lábios.

— Gostei de você.

— Obrigado. E pergunto se poderia convidá-la para uma dança.

— Bem — seus olhos brilharam —, eu gostaria disso, sr. Boldari.

— Por favor, me chame de Ryan — ele pediu enquanto a ajudava a se levantar. Lançou um sorriso maroto a Miranda por cima do ombro e guiou a sra. Collingsforth em direção à música.

— Quanta polidez — Andrew murmurou, na altura do pescoço da irmã.

— Um tampo de mesa encerado. Não sei como ele não escorrega e quebra o próprio nariz. — Como ainda tinha uma taça de champanhe na mão, deu um gole. — Você conheceu a família dele?

— Tá brincando? Acho que todo mundo aqui é parente dele. A mãe me imprensou querendo saber se a gente nunca tinha pensado em dar aulas de arte pra crianças aqui, e por que não, e perguntou se a gente não gostava de criança. E, antes de eu conseguir abrir a boca, ela me apresentou a uma psicóloga infantil, solteira — Andrew acrescentou. — Ela é ótima.

— A psicóloga?

— Não... Bem, ela me pareceu legal e ficou quase tão confusa quanto eu fiquei. A mãe do Ryan. Ela é ótima. — Suas mãos entravam e saíam dos bolsos, seguravam o corrimão da escada, ajeitavam a gravata.

Miranda segurou uma delas e a apertou. — Eu sei que isso é difícil pra você. Toda essa gente... a Elise.

— É uma espécie de teste de fogo. Elise, nossos pais, eu e garrafas de bebida de graça em toda parte. — Ele olhou novamente para a entrada. Annie não viera.

— Você tem que ficar ocupado. Quer dançar?

— Eu e você? — Ele olhou para ela, surpreso, depois se derreteu numa gargalhada franca e fácil. — A gente ia acabar parando numa emergência de hospital com os dedos do pé quebrados.

— Eu corro o risco, se você quiser.

A gargalhada de Andrew tornou-se um sorriso meigo.

— Miranda, você sempre foi um ponto alto na minha vida. Eu tô bem. Vamos ficar aqui mesmo, observando as pessoas que sabem o que estão fazendo.

Depois, seu sorriso endureceu. Miranda não precisou desviar o olhar para saber que ele vira Elise.

Ela foi até eles, uma fadinha suave e insinuante num branco transparente. Mesmo que Miranda se ressentisse, viu o nervosismo nos olhos de Elise.

— Eu só queria dar os parabéns, aos dois, pelo sucesso desta exposição maravilhosa. Todo mundo está encantado. Vocês fizeram um trabalho fabuloso para o instituto e pra toda a organização.

— A gente teve muita ajuda — Miranda disse. — A equipe trabalhou muitas horas pra colocar isso de pé.

— Não podia ter ficado mais perfeito, Andrew. — Ela parecia respirar com dificuldade. — Eu queria me desculpar por dificultar as coisas. Sei que o fato de eu estar aqui é estranho pra você. Não vou ficar muito tempo, hoje, e resolvi voltar pra Florença amanhã.

— Você não precisa mudar seus planos por minha causa.

— É por mim, também. — Ela olhou para Miranda e esforçou-se para sorrir. — Eu não queria ir embora sem dizer o quanto admiro o que vocês fizeram aqui. Seus pais devem estar extremamente orgulhosos.

Miranda arregalou os olhos, antes que pudesse se controlar.

— Meus pais?

— É, a Elizabeth acabou de dizer que...

— Annie. — Andrew disse o nome dela quase como uma oração, e Elise parou de falar para olhar para ele. — Licença.

Ele se afastou, caminhou em direção a ela. Annie parecia perdida num mar de gente, ele pensou. E tão adorável, com seu cabelo lustroso. O vestido vermelho brilhava como uma labareda, dava vida e calor a todo aquele preto sóbrio e conservador.

— Estou tão feliz que você veio.

— Eu não sei por que eu vim. Já tô me sentindo ridícula. — O vestido era curto demais, ela pensou. Vermelho demais. Tudo demais. Seus brincos de loja de departamentos pareciam lustres baratos, e que dinheiro tinha para comprar sapatos com presilhas de rinoceronte? Ela devia estar parecendo uma vagabunda de beira de estrada.

— Estou tão feliz que você tá aqui — ele repetiu, e, ignorando as sobrancelhas arqueadas, beijou-a.

— Acho que eu simplesmente devia pegar uma bandeja e sair servindo drinques. Eu me encaixaria muito melhor no cenário.

— Você se encaixa perfeitamente. Vem comigo falar com a Miranda. — Mas, quando ele se virou, seu olhar encontrou o de Elise. Ela permanecia exatamente onde a deixara. Viu Miranda tocar-lhe o braço, murmurar algo, mas Elise simplesmente balançou a cabeça e afastou-se apressada.

— Parece que a sua mulher ficou chateada — Annie comentou, deixando escapar a acidez que sentia na boca do estômago.

— Ex-mulher — Andrew lembrou a ela, grato por ver que Miranda vinha na direção deles.

— Annie, tão bom ver você aqui. Agora entendi quem o Andrew tava procurando a noite toda.

— Eu não vinha.

— Que bom que você mudou de ideia. — Era raro Miranda seguir um impulso, mas o fazia agora ao inclinar o corpo e beijar o rosto de Annie. — Ele precisa de você — ela sussurrou, depois aprumou-se com um sorriso. — Tô vendo umas pessoas que você vai gostar de conhecer. Andrew, por que você não apresenta a Annie pros pais do Ryan?

Ele seguiu a direção do gesto indicativo da irmã e sorriu. — Boa ideia, obrigado. Vem, Annie, você vai amar esse pessoal.

Sossegou o coração de Miranda ver aquele brilho nos olhos de Andrew. Levantou seu astral, tanto que permitiu que Ryan a tirasse para dançar.

Quando viu Richard, o nariz grudado num quadro da Sagrada Família, os olhos intensos por trás dos óculos, ela simplesmente deu as costas.

Aceitaria o conselho de Ryan — desta vez — e viveria o momento.

Pensava em tomar mais uma taça de champanhe e aceitar mais uma dança quando Elizabeth a encontrou. — Miranda, você está negligenciando suas obrigações. Falei com várias pessoas que me disseram não ter conseguido trocar duas palavras com você. A exposição não é tudo, você tem que ir até o fim.

— Claro, você tem razão. — Entregou o champanhe para a mãe, sem dar um gole sequer, e seus olhares se encontraram por um longo momento. — Vou fazer a minha obrigação. O que tem que ser feito pelo instituto. — Deu um passo para trás.

Não, deu-se conta, também faria o que precisava ser feito por si mesma. — Você deveria ter dito pra mim, bastava dizer uma vez,

hoje à noite, que eu fiz um bom trabalho. Mas acho que as palavras teriam ficado presas na sua garganta.

Ela se virou e subiu a escada para juntar-se aos convidados no segundo andar.

— Algum problema, Elizabeth?

Ela olhou rapidamente para o marido, que chegava ao seu lado, depois voltou a olhar para Miranda. — Eu não sei. Mas acho que vou ter que descobrir.

— O senador Lamb queria ver você. Ele é um grande patrocinador do fundo.

— Eu sei quem ele é — disse num tom um tanto ácido. Deliberadamente, suavizou a voz: — Vou ter o maior prazer em falar com o senador.

Depois, pensou, lidaria com Miranda.

ELA PERDEU RYAN DE VISTA E IMAGINOU QUE ANDREW ESTIvesse dando conforto a Annie junto aos Boldari. Por uma hora, Miranda concentrou-se em seu papel de anfitriã. Quando finalmente escapuliu até o banheiro feminino, ficou feliz em ver que estava vazio.

Gente demais, ela pensou, apoiando-se por um momento na bancada da pia. Ela simplesmente não era boa com tanta gente. Conversas, bate-papos, piadas sem graça. Seu rosto estava rijo de tanto sustentar sorrisos.

Depois, recompôs-se. Não tinha do que reclamar. Tudo estava perfeito. A exposição, a festa, a imprensa, a resposta. Tudo em seu devido lugar para reconstituir as fissuras em sua reputação.

Ela deveria estar grata por isso. Deveria estar grata por isso se soubesse o que fazer depois.

Decisões ficariam para amanhã, lembrou a si mesma. Amanhã, depois de confrontar a mãe. Essa era a única resposta, decidiu. A única atitude lógica. Era hora de as duas ficarem cara a cara.

E se a mãe fosse culpada? Se fizesse parte da conspiração de roubo e assassinato?

Sacudiu a cabeça. Amanhã, pensou novamente, e levou a mão à bolsa em busca do batom.

O barulho de uma explosão fez com que sua mão escorregasse. O tubinho dourado do batom caiu sobre a bancada. Seus olhos, fixos nos seus gêmeos de espelho, arregalaram-se, em choque.

Tiros? Impossível.

Mesmo que a negação percorresse seu ser, ouvira o grito alto e assustador de uma mulher.

Correu para a porta, puxando a bolsa da bancada e espalhando seu conteúdo.

Do lado de fora, pessoas gritavam, algumas corriam. Ela abriu caminho, usando as mãos e os cotovelos. Livrou-se e correu para a escada exatamente no momento em que Ryan chegava do primeiro piso.

— Veio... veio lá de cima.

— Fica aí.

Ele deveria ter poupado o esforço. Ela suspendeu a saia e foi atrás dele. Ryan arrancou a corda de veludo que bloqueava o terceiro andar, o dos escritórios, separando-o da área da festa.

— Você olha daquele lado. Eu vou...

— Mas não vai mesmo. Se você não quer ficar quieta aí, melhor vir comigo. — Ele segurou a mão dela com firmeza, fazendo o possível para protegê-la com o próprio corpo enquanto cruzavam o corredor.

Outros passos soaram na escada atrás deles. Andrew pulou os três últimos degraus. — Foi um tiro. Miranda, desce. Annie, vai com ela.

— Não.

Como nenhuma das mulheres parecia querer escutar, Ryan gesticulou à sua esquerda. — Vocês olham daquele lado. A gente vai por aqui. Quem quer que tenha atirado já deve estar bem longe —

ele disse enquanto abria cuidadosamente a porta. — Mas você fica atrás de mim.

— Por quê? Você é à prova de bala? — Ela tateou a parede debaixo do braço dele e acendeu a luz. Ele a empurrou para trás e entrou na sala para dar uma olhada rapidamente. Estava vazia, e ele, satisfeito, deixou-a entrar.

— Fica aqui. Tranca a porta e chama a polícia.

— Eu vou chamar a polícia quando souber o que dizer. — Empurrou-o com o cotovelo e cruzou o corredor até a próxima sala.

Ele puxou o braço dela com força. — Tenta ser um alvo menos fácil, dra. Jones.

Caminharam até que ele visse uma luz branda vindo de baixo da porta da sala dela. — Você trocou de roupa pra festa aqui. Lembra se deixou as luzes acesas?

— Não, não deixei. E a porta devia estar trancada. E não tá nem totalmente fechada.

— Tira os sapatos.

— Não entendi.

— Tira os sapatos — ele repetiu. — Eu quero que você possa correr se precisar, sem quebrar o tornozelo com esse salto.

Sem dizer nada, ela se apoiou nele para tirar os sapatos. Devia ser uma visão engraçada, ela pensou, ele segurando um dos pés do sapato como se fosse uma arma enquanto se aproximavam da porta.

Mas sua mão estava suada dentro da dele, e ela não conseguiu enxergar o humor.

Ele se encaminhou para a lateral da porta, cutucou-a. A porta se abriu dois centímetros e encontrou um obstáculo. Mais uma vez, Miranda acendeu a luz sob o braço de Ryan.

— Meu Deus!

Ela reconheceu a parte inferior do vestido branco, o brilho suave dos sapatos prateados. Ajoelhou-se e empurrou a porta com o cotovelo, até que pudesse espremer-se para entrar.

Elise estava caída, contorcida, de barriga para baixo. Um rastro de sangue escorria de um ferimento na base de sua cabeça, descia pela face pálida. — Ela tá viva — Miranda disse rapidamente ao pressionar com os dedos o pescoço de Elise e sentir-lhe a pulsação frágil. — Ela tá viva. Chama uma ambulância. Rápido.

— Toma. — Ele enfiou um lenço na mão dela. — Pressiona o ferimento. Vê se você consegue parar o sangramento.

— Anda rápido. — Ela dobrou o lenço, tentando fazer com que ficasse mais grosso, e pressionou o pescoço de Elise. Seu olhar percorreu a sala e pousou sobre o bronze da *Vênus* que mantinha no escritório. Uma cópia do Donatello que Ryan cobiçava.

Outro bronze, pensou com pesar. Mais uma cópia. Mais uma vítima.

— Miranda, o que... — Andrew empurrou a porta, depois parou bruscamente. — Jesus. Meu Jesus, Elise. — Ele se ajoelhou, tateando o ferimento, o rosto dela. — Ela está morta? Meu Deus do céu!

— Não, ela tá viva. O Ryan foi chamar uma ambulância. Me dá o seu lenço. Eu acho que não é um ferimento profundo, mas preciso estancar o sangramento.

— Ela precisa de uma coberta. Você tem uma manta? Toalha? — Annie se manifestou. — Ela precisa ficar aquecida, se estiver em choque.

— Na minha sala. Lá tem uma manta. Basta seguir o corredor.

Annie passou rapidamente por cima de Andrew.

— Eu acho que a gente tem que virar ela pra cima. — Miranda pressionava o lenço com firmeza. — Pra ter certeza de que não tem outro ferimento. Você consegue fazer isso, Andrew?

— Consigo. — Sua mente congelara. Ele estendeu os braços cuidadosamente e segurou o pescoço de Elise enquanto a girava. Os olhos dela reviraram. — Acho que ela tá voltando a si. Eu não tô vendo sangue em nenhum outro lugar, fora o ferimento na cabeça.

— Ele passou gentilmente o dedo sobre um hematoma que se formava na testa dela. — Ela deve ter batido a cabeça ali quando caiu.

— Miranda. — Annie entrou na sala. Seus olhos estavam sombrios, a voz fraca. — Ryan tá te chamando. Eu e o Andrew tomamos conta dela.

— Ok. Tenta fazê-la ficar calma, se acordar. — Levantou-se e parou quando Annie deu um aperto em seu braço.

— Se prepara — ela murmurou, depois moveu-se para cobrir Elise com a manta. — Ela vai ficar bem, Andrew. A ambulância já tá a caminho.

Miranda entrou em sua sala. Uma ambulância não seria suficiente, pensou, zonza. Dois lenços não estancariam todo o sangue.

Ele estava empoçado em sua mesa, pingando e ensopando seu tapete. Gotas manchavam o vidro da janela como uma chuva vermelha e pegajosa.

Em sua mesa, deitado de costas, o vermelho se espalhando pela camisa branca, estava Richard Hawthorne.

A SEGURANÇA MANTINHA A IMPRENSA E OS CURIOSOS LONGE do terceiro andar. Quando a equipe de homicídios chegou, o lugar já fora isolado, e Elise já estava a caminho do hospital.

Miranda depôs várias vezes, refazendo cada passo. E mentindo. Mentir, pensou, vulnerável, estava se tornando uma segunda natureza.

Não, ela não fazia a menor ideia do motivo para Richard ou Elise terem estado em sua sala. Não, ela não sabia por que alguém o mataria. Quando finalmente lhe disseram que podia ir embora, desceu as escadas, as pernas parecendo-lhe frágeis como vidro.

Annie estava sentada no primeiro degrau, abraçando os cotovelos.

— Eles não vão deixar você ir embora, Annie?

— Vão. Disseram que terminaram comigo, por enquanto.

Miranda olhou em direção aos guardas protegendo os corredores, os policiais espalhados pelo hall. E sentou-se ao lado de Annie.

— Também não sei o que fazer. Acho que eles ainda estão falando com o Ryan. Não vi o Andrew.

— Eles deixaram o Andrew ir com a Elise pro hospital.

— Ah. Ele deve ter achado que era a coisa mais certa.

— Ele ainda ama a ex-mulher.

— Eu acho que não.

— Ele ainda tá preso a ela, Miranda. Por que não estaria? — Depois, pressionou com as mãos as laterais da cabeça. — E eu tô louca, com vergonha, com raiva de estar me preocupando com isso quando um homem levou um tiro e a Elise tá ferida.

— Você não pode controlar seus sentimentos o tempo todo. Eu não acreditava nisso, mas agora sei que é verdade.

— E eu estava acostumada a gerenciar bem os meus. — Ela fungou, esfregou o rosto com as mãos, depois se levantou. — Melhor eu ir pra casa.

— Espera o Ryan, Annie. A gente te leva.

— Está tudo bem. O meu calhambeque está aí fora. Eu tô bem. Fala pro Andrew que eu espero que a Elise fique boa, e... que a gente se fala.

— Annie, eu realmente acredito no que disse mais cedo. Ele precisa de você.

Annie tirou os brincos, esfregou as orelhas. — Ele precisa contar consigo mesmo. Precisa saber quem ele é e o que quer. Eu não posso ajudar nisso, Miranda, nem você.

Ela não parecia ajudar ninguém, Miranda pensou quando ficou só, encarando as próprias mãos. Nada que tocara, nada que fizera nos últimos meses resultara em algo que não fosse um desastre.

Olhou por cima do ombro ao ouvir passos na escada. Ryan desceu, passou por ela, depois, sem dizer nada, ajudou-a a se levantar e abraçou-a.

— Meu Deus, meu Deus, Ryan. Quantos mais?

— Shh. — Ele acariciou as costas dela. — Era a arma dele mesmo — murmurou no ouvido dela. — A mesma que eu encontrei no quarto. Alguém atirou no desgraçado com a arma dele. Não tem nada que você pudesse ter feito.

— Nada que eu pudesse ter feito. — Ela disse isso exausta, mas afastou-se para ficar de pé sozinha. — Eu quero ir até o hospital, saber da Elise. O Andrew tá lá. Não é bom ele ficar só.

ELE NÃO ESTAVA SÓ. MIRANDA SE SURPREENDEU AO VER A MÃE na sala de espera, olhando pela janela, um copo de café na mão.

Andrew parou de andar de um lado para outro quando ela chegou, depois balançou a cabeça e voltou a andar.

— Já deram alguma notícia?

— Eles conseguiram estabilizar o quadro dela na emergência. Fizeram radiografias, exames, mas ainda não vieram falar dos resultados. O médico encarregado pensou em concussão, mas eles querem fazer uma tomografia pra descartar a possibilidade de algum dano cerebral. Ela ficou desacordada por muito tempo. Perdeu muito sangue.

Parte do sangue, ele pensou, manchava o vestido de Miranda.

— Você devia ir pra casa — Andrew disse. — Ryan, leva ela pra casa.

— Eu vou ficar com você, assim como você ficaria comigo.

— Tudo bem, tudo bem. — Ele apoiou sua testa na dela. Ficaram juntos enquanto Elizabeth os estudava. Quando ela percebeu que Ryan a observava, suas faces ruborizaram levemente.

— Tem café. Não está fresco nem bom, mas está bem quente.

— Não. — Miranda se afastou de Andrew, deu um passo à frente. — Cadê o papai?

— Eu... não sei. Acho que ele voltou pro hotel. Não tinha nada que ele pudesse fazer aqui.

— Mas você tá aqui. A gente precisa conversar.

— Com licença. Dra. Jones?

Os três Jones se viraram, fazendo com que Cook contorcesse os lábios. — Acho que isso é um bocado confuso.

— Detetive Cook. — Miranda sentiu imediatamente um frio na boca do estômago. — Espero que você não esteja doente.

— Doente? Ah, não, não... hospital, doente... Não. Eu vim pra falar com a dra. Warfield quando os médicos liberarem.

— Com a Elise? — Confuso, Andrew balançou a cabeça. — Achei que o seu departamento cuidava de roubos. Ninguém foi roubado.

— Às vezes essas coisas estão ligadas. Os rapazes do departamento de homicídios vão falar com ela. Vai ser uma noite longa. Talvez você possa me dizer alguma coisa, me dar uma ideia mais clara antes de eu falar com a dra. Warfield.

— Detetive... Cook, é isso? — Elizabeth se adiantou. — É realmente necessário fazer um interrogatório numa sala de espera de hospital enquanto a gente aguarda os resultados dos exames, com toda essa tensão?

— Desculpe pelo seu estresse, madame. Dra. Jones.

— Standford-Jones.

— Exato. Elizabeth Standford-Jones. A senhora é a patroa da vítima.

— Isso. Tanto Richard quanto Elise trabalham comigo em Florença. Trabalhavam comigo — ela emendou, com uma ligeira mudança de cor. — Richard trabalhava pra mim.

— O que ele fazia?

— Basicamente pesquisa. O Richard era um historiador da arte brilhante. Era uma fonte de informação e de dados; mais ainda, ele entendia o espírito do trabalho que estava pesquisando. Era inestimável.

— E a dra. Warfield?

— Ela é diretora do meu laboratório em Florença. É capaz, eficiente e uma cientista confiável.

— Ela já foi sua nora.

O olhar de Elizabeth não se alterou, nem mesmo se desviou na direção ao filho. — Isso. E nós mantivemos um bom relacionamento.

— Que bom! Na maioria das vezes, as ex-sogras tendem a culpar as esposas dos filhos pelos problemas. Não há muitas que conseguem trabalhar juntas por aí... mantendo uma boa relação.

— Nós duas somos profissionais, detetive. E eu não permito que dificuldades familiares interfiram no meu trabalho, ou na minha opinião sobre um indivíduo. Eu gosto bastante da Elise.

— Não havia nada entre ela e o Hawthorne?

— Entre? — Isso foi dito com uma frieza tão desagradável que a temperatura pareceu despencar. — O que o senhor está sugerindo é degradante, aviltante e inapropriado!

— Eu tenho informação de que os dois eram adultos e solteiros. Não tenho a intenção de insultar ninguém perguntando se eles estavam envolvidos. Os dois estavam juntos no terceiro andar. A festa era lá embaixo.

— Eu não faço a menor ideia do que eles faziam no escritório da Miranda, mas obviamente não estavam sozinhos. — Ela passou por ele quando um médico de avental verde transpôs a porta. — Elise?

— Ela está bem — ele lhes informou. — Uma concussão séria, um pouco de desorientação, mas pela tomografia está tudo bem, ela se encontra estável.

Elizabeth fechou os olhos, a respiração irregular. — Gostaria de vê-la.

— Eu deixei a polícia entrar. Eles queriam fazer perguntas, assim que fosse possível, e ela concordou. Ficou um pouco agitada quando sugeri que esperasse até amanhã. Me pareceu que ela ficaria mais tranquila se falasse com eles ainda hoje.

— Eu vou querer um tempinho com ela. — Cook mostrou o distintivo, depois fez um sinal de anuência para Elizabeth e Andrew. — Eu espero. Tenho bastante tempo.

Esperou mais de uma hora, e não a teria visto se ela, mais uma vez, não insistisse em dar seu depoimento.

Cook deparou com uma mulher frágil, ferida levemente na têmpora direita, um forte hematoma que se espalhava na direção do olho.

Mas as falhas contribuíam para aumentar-lhe a beleza. O cabelo escuro estava escondido por bandagens. Ele sabia que a pancada fora na parte de trás da cabeça, e que sangrara profusamente. Imaginou que lhe haviam raspado parte do cabelo brilhante para dar os pontos. Era uma pena.

— O senhor é o detetive... Desculpe, não consigo lembrar do nome que me deram.

— Cook. Agradeço por você aceitar falar comigo.

— Eu quero ajudar. — Ela gemeu ao mudar de posição, fazendo com que uma dor irradiasse pela sua cabeça. — Eles vão me drogar daqui a pouco. Não vou conseguir pensar com clareza depois disso.

— Vou tentar ser rápido. Se importa se eu sentar aqui?

— Não, por favor. — Ela olhou para o teto como se buscando concentrar-se em algo que não fosse a dor. — Toda vez que eu começo a falar, acho que é um pesadelo. Que não aconteceu de verdade.

— Você consegue me dizer o que aconteceu? Tudo que você lembra?

— Richard. Ele atirou no Richard.

— Ele?

— Eu nem sei dizer, não com certeza. Eu não vi. Eu vi o Richard. — Seus olhos encheram-se de lágrimas, que transbordaram e rolaram-lhe pelo rosto. — Ele morreu. Me disseram que ele morreu. Pensei que, talvez... não sei, mas disseram que ele morreu. Pobre Richard.

— O que é que você estava fazendo lá em cima com ele?

— Eu não estava com ele. Eu estava procurando por ele. — Ela levantou a mão livre para secar as lágrimas. — Ele disse que voltaria

pro hotel na hora que eu quisesse ir embora. O Richard não é muito de festa. A gente ia rachar um táxi. Eu queria ir embora.

— A festa estava chata?

— Não. — Ela sorriu levemente. — Foi uma exposição maravilhosa, lindamente inaugurada. Mas eu... com certeza, você já sabe o histórico, a esta altura. Eu e o Andrew éramos casados, e é uma situação esquisita. Ele estava com uma namorada.

— Desculpe, sra. Warfield, mas eu tenho a informação de que vocês são divorciados.

— Isso, a gente se divorciou já faz mais de um ano, mas isso não te impede de sentir... de sentir. — Ela finalizou a frase. — Foi estranho, deprimente pra mim. Me senti obrigada a ficar pelo menos duas horas. A Elizabeth é muito boa pra mim, e essa exposição era importante pra ela. Eu e a Miranda continuamos mais ou menos amigas, e eu não queria ir embora e dar a impressão de que o trabalho dela não tinha a menor importância. Mas eu queria ir e achei que ninguém ia reparar, àquela altura.

— Então a senhora foi procurar o Hawthorne.

— Fui. Ele só conhecia algumas pessoas na festa, e não era um homem muito sociável. A gente concordou em ir embora por volta das dez e meia, então fui atrás dele. Imaginei que ele ia estar encolhido num canto ou com o nariz enfiado em algum mapa. Depois achei que ele poderia ter subido, ido pra biblioteca. Mas ele não estava lá. Ah... desculpe, eu acabo perdendo a linha do raciocínio.

Ela fechou os olhos. — Eu fiquei andando à toa por um tempo, e vi a luz acesa na sala da Miranda. Comecei a me encaminhar pra lá, mas então ouvi a voz dele. Ouvi quando ele gritou alguma coisa, tipo "chega, não vou tolerar mais nada".

Seus dedos começaram a puxar o lençol em movimentos rápidos e agitados. — Eu fui até lá. Ouvi vozes. Mas não consegui ouvir o que estavam dizendo.

— Eram vozes de homem ou de mulher?

— Eu não sei. — Frágil, ela passou a mão na testa. — Simplesmente não sei. Eles falavam muito baixo, na verdade era mais um

murmúrio. Fiquei ali parada um minuto, sem saber o que fazer. Acho que eu pensei que ele e Miranda tinham subido pra discutir alguma coisa, e eu não queria interromper.

— Miranda?

— Era a sala dela, eu imaginei que fosse ela. Pensei em voltar sozinha, e aí... ouvi os tiros. Tão alto, tão de repente. Fiquei tão chocada que não pensei em nada. Corri pra sala. Acho que gritei, chamei alguém. Eu... eu não me lembro direito.

— Tudo bem. Basta contar o que você lembra.

— Eu vi o Richard caído em cima da mesa. Havia sangue por todos os lados. Também senti cheiro de sangue e acho que de pólvora. Cheiro de algo queimado. Deve ter sido nessa hora que gritei. Devo ter gritado, depois voltei, queria fugir dali. Tenho tanta vergonha, eu ia sair correndo e deixar o Richard lá. Alguém, alguma coisa me atingiu.

Cuidadosamente, ela passou a mão na bandagem na base da cabeça. — Eu só lembro de um facho de luz dentro da minha cabeça, depois mais nada. Nada até eu acordar dentro da ambulância.

— Você se lembra de quanto tempo passou procurando por ele?

— Dez ou quinze minutos, talvez. Não sei exatamente.

— Quando você entrou na sala, não viu ninguém?

— Só o Richard. — Ela fechou os olhos e as lágrimas atravessaram seus cílios. — Só o Richard, e agora ele está morto.

# Capítulo Vinte e Nove

Amanhecia quando Annie abriu a porta e encontrou Andrew no corredor. Ele estava pálido como cera, os olhos pesados e sombrios. Ainda de smoking, a gravata frouxa em volta do pescoço, sem o alfinete. A camisa branca estava amarrotada e manchada de sangue.

— Elise?

— Vai ficar tudo bem. Ela vai ficar em observação, mas teve sorte. Uma concussão, alguns pontos. Não tem nenhum sinal de hemorragia cerebral.

— Entra, Andrew. Senta um pouco.

— Eu precisava vir te contar.

— Eu sei. Entra. Eu já fiz café.

Ela estava enrolada num robe e tirara a maquiagem, mas ele viu como seus olhos estavam cansados. — Você dormiu?

— Eu tentei, mas não consegui. Vou fazer alguma coisa pra gente comer.

Ele fechou a porta, observou-a cruzar a curta distância até a cozinha e abrir a geladeira pequena. Pegou ovos, bacon, uma frigideira. Serviu café em duas xícaras azuis grandes.

A luz da manhã entrava pelas janelas estreitas, criava desenhos no chão. O ambiente cheirava a café e cravo.

Ela estava descalça.

Colocou o bacon na frigideira de teflon e logo a cozinha estava preenchida por seu cheiro e seu som. Uma perfeita manhã de domingo, ele pensou. Cheiros simples da vida caseira.

— Annie.

— Senta, Andrew. Você tá dormindo em pé.

— Annie. — Ele a puxou pelos ombros, virou-a. — Eu precisava ficar com a Elise, hoje à noite.

— Claro que precisava.

— Não me interrompe. Eu precisava ir lá pra ter certeza de que ela tava bem. Ela já foi minha mulher, eu devia isso a ela. Eu não administrei bem o casamento, e foi pior ainda com o divórcio. Pensei em tudo isso enquanto esperava o médico aparecer e dizer como ela tava. Pensei nisso e no que eu poderia ter feito de diferente pra que as coisas dessem certo. A resposta foi: nada.

Ele deixou escapar uma rápida risada, passou as mãos pelos braços. — Nada. Normalmente, essa certeza me fazia achar que eu era um fracasso. Agora eu entendi que foi só o meu casamento que não deu certo. Não eu, não ela. O casamento.

Quase involuntariamente, ele inclinou o corpo e beijou a testa de Annie. — Eu esperei até ter certeza de que ela ia ficar bem pra vir aqui, porque eu tinha que te contar.

— Eu sei disso, Andrew. — Para apoiá-lo, levemente impaciente, ela deu um tapinha no braço dele.

— Eu não terminei de te contar. Aliás, nem comecei.

— Me contar o quê?

— Meu nome é Andrew e eu sou alcoólatra. — Ele pareceu tremer um pouco, depois firmou-se. — Tô sóbrio há trinta dias. Vou

ficar sóbrio trinta e um dias. Passei a noite no hospital e pensei sobre a bebida. Ela simplesmente não é a resposta. Depois eu pensei em você. Você é a resposta. Eu te amo.

Os olhos dela umedeceram, mas ela balançou a cabeça. — Eu não sou a sua resposta, Andrew. Não posso ser. — Ela se afastou, começou a virar o bacon, mas ele foi até ela e desligou o fogo.

— Eu amo você. — Ele envolveu o rosto dela com as mãos, mantendo-a parada. — Parte de mim sempre te amou. O resto de mim precisava crescer pra enxergar isso. Eu sei o que eu sinto e sei o que quero. Se você não sente a mesma coisa por mim, e não quer a mesma coisa que eu, me diz. Me diz de uma vez. Isso não vai me fazer sair daqui atrás de bebida. Mas eu preciso saber.

— O que você quer que eu diga? — Ela bateu a mão cerrada contra o peito dele. — Você é um doutor. Eu só tenho o ensino médio. Você é Andrew Jones, da família Jones do Maine, e eu sou Annie McLean, de lugar nenhum. — Ela pousou as mãos sobre as dele, mas não foi capaz de afastá-las do seu rosto. — Eu tenho um bar, você tem o instituto. Se toca, Andrew.

— Eu não tô interessado em nobreza no momento.

— Nobreza? — Sua voz falhou. — Pelo amor de Deus...

— Você não me respondeu. — Ele a segurou até que ela ficasse na ponta dos pés. — O que é que você sente por mim? O que é que você quer?

— Eu amo você, e eu quero um milagre.

O sorriso se ampliou lentamente no rosto dele, as covinhas se aprofundando em suas faces. Ela tremia sob suas mãos, e o mundo dele acabara de se tornar firme como uma rocha. — Eu não sei se isso pode ser chamado de milagre. Mas eu vou fazer o possível. — Ele a pegou no colo.

— O que é que você tá fazendo?

— Levando você pra cama.

O pânico tomou conta dela. — Eu não disse que iria pra cama com você.

— Você não disse que não iria. Eu tô arriscando.

Ela segurou a porta, agarrando-a com desespero. — Jura? Verdade?

— Verdade pura. Pode ser que você não goste desta vez. Se não gostar, provavelmente vai me dizer não quando eu perguntar se você quer se casar comigo.

Os dedos dela afrouxaram de uma vez e escorregaram como se a madeira da porta estivesse coberta de cera. — Você... você podia perguntar agora e acabar com o suspense.

— Não. — Olhos fixos nos dela, ele a deitou na cama. — Depois. Depois, Annie — murmurou e mergulhou sobre ela.

Era como voltar para casa, como encontrar um tesouro. Simples e extraordinário.

Não eram mais inocentes, não eram crianças, ansiosas e curiosas. E todos aqueles anos até agora deram ao que existia entre eles tempo para amadurecer.

Agora, era como decantar vinho de uma boa safra.

Os braços dela o envolveram. Ele era tão delicado, tão cuidadoso, tão gloriosamente completo. Suas mãos grandes eram suaves sobre a pele dela, desenhavam seu pescoço, os ombros, abrindo caminho até os lábios.

Ele sussurrava palavras sedutoras enquanto ela tirava seu paletó, deixando-a ajudá-lo a tirar a camisa. Depois, a pele deles se encontrou e os dois suspiraram.

O amanhecer ostentava a luz rosada que anunciava as tempestades. Mas ali, naquela cama estreita, reinavam a paz e a paciência. Cada toque, cada sabor era sorvido com alegria silenciosa.

Mesmo quando ela estremeceu, quando a necessidade se transformou em urgência, ela sorriu e trouxe novamente para junto dos seus os lábios de Andrew.

Ele não tinha pressa, queria acariciar o corpo dela para sempre, em ritmo próprio. E quando ela arqueou o corpo, com um gemido de prazer, eles rolaram em busca de mais e mais.

Ele percorreu as costas dela com beijos, depois a virou para acariciar-lhe os seios. As mãos dela passeavam pelo corpo dele, explorando-o, testando-o, excitando-o. Quando as respirações se tornaram um arfar, e o sol tomou conta do céu, ele deslizou para dentro dela.

Dançaram em ritmo lento e constante, saboreando, prolongando o prazer. Pertencendo um ao outro. Ela subia e descia com ele, escalavam-se, unidos quando chegaram ao clímax, apertando-se quando estremeceram juntos. Ir até o fim com ele era como mergulhar nas nuvens.

Depois, ele a deitou ao seu lado, enterrou o rosto no cabelo dela.

— Eu ainda gosto do seu estilo, Andrew. — Ela suspirou sobre o ombro dele. — Realmente gosto.

Ele se sentia inteiro novamente, curado. — Eu gosto da sua tatuagem, Annie. Realmente gosto.

Ela gemeu. — Caramba, eu tinha esquecido.

— Eu nunca mais vou conseguir olhar pra uma borboleta da mesma maneira. — Quando ela riu e levantou o rosto, ele continuou sorrindo. — Levei muito tempo pra me dar conta do que eu precisava, do que me faz feliz. Me dá uma chance de te fazer feliz. Eu quero construir uma vida e uma família com você.

— A gente esculhambou tudo da primeira vez.

— A gente não estava pronto.

— Não. — Ela tocou no rosto dele. — Parece que agora a gente está.

— Eu quero que você seja minha. — Ele beijou a palma da mão dela. — Me deixa ser seu. Você deixa, Annie?

— Deixo. — Ela deitou a mão sobre o coração dele. — Deixo, Andrew. Eu deixo.

RYAN ESTAVA DE PÉ NA SALA DE MIRANDA TENTANDO IMAGINAR a cena. Ah, ele ainda conseguia visualizar claramente a situação

da noite anterior. Essas coisas se fixam na mente e raramente desaparecem sem grande esforço.

Havia uma mancha terrível no tapete, as janelas estavam sujas e o pó utilizado pela equipe de investigação da polícia cobria cada pedaço de chão.

Quão longe a bala teria jogado o corpo de Richard?, perguntava-se. Quão perto um do outro ele e o assassino teriam estado? O suficiente, pensou, para que as balas tivessem deixado pólvora na camisa dele. Perto o suficiente para que Hawthorne tivesse olhado o assassino nos olhos e visto a morte neles.

Ryan tinha certeza disso.

Deu um passo atrás, foi até a porta, passou os olhos pela sala.

Mesa, cadeiras, janela, o abajur que fora aceso. A bancada, os arquivos. Ele conseguia ver tudo.

— Você não devia estar aqui, sr. Boldari.

— Eles retiraram a fita de proteção — Ryan disse sem se virar. — Parece que os investigadores já pegaram tudo o que queriam aqui.

— Melhor a sala ficar fechada, por enquanto. — Cook esperou que Ryan saísse, depois fechou a porta. — A dra. Jones não precisa ver tudo isso de novo, precisa?

— Não, não precisa.

— Mas você queria ver outra vez.

— Eu queria ver se conseguia imaginar a cena.

— E conseguiu?

— Não completamente. Não parece ter nenhum sinal de luta, parece, detetive?

— Não. Tudo em ordem, fora a mesa.

— A vítima e o assassino devem ter ficado tão próximos quanto nós dois agora. Você não acha?

— Com uma diferença de poucos centímetros. É, ele conhecia quem apertou o gatilho, Boldari. Você conheceu a vítima, não?

— Rapidamente, quando ele chegou, na sexta, e eu estive com ele outra vez na noite em que morreu.

— Nunca se encontraram antes disso?

— Não, nunca.

— Eu fiquei me perguntando isso, já que você trabalha com arte, e ele também.

— Tem muita gente em muitas áreas desse negócio que eu não conheço.

— É, mas você sabe, é um mundo pequeno.

— É, mas você transita por aí com muita facilidade.

— Você também — Ryan murmurou. — Você acha que eu subi aqui ontem à noite e dei dois tiros no Richard Hawthorne?

— Não, não acho. Várias testemunhas disseram que você estava lá embaixo quando os tiros foram dados.

Ryan encostou-se na parede. Sentia a pele pegajosa, como se o horror daquela sala tivesse grudado nele. — Sorte a minha por ser um cara sociável.

— É... claro que algumas dessas pessoas têm alguma relação com você, mas outras não. Então eu acho que você está limpo. Parece que ninguém consegue dizer onde a dra. Jones, a dra. Miranda Jones, estava na hora.

Ryan desencostou rapidamente da parede, quase com violência, antes que pudesse controlar-se. Mas o movimento fez com que os olhos de Cook brilhassem. — Vocês dois ficaram bem amigos.

— O suficiente pra eu saber que a Miranda é a última pessoa no mundo capaz de matar alguém.

Displicentemente, Cook pegou um chiclete, ofereceu outro a Ryan, depois desembrulhou-o enquanto o outro continuava a encará-lo. — É engraçado pensar no que as pessoas podem fazer com a motivação certa.

— E a dela seria?

— Pensei muito a esse respeito. Tem o bronze, o daqui, o que foi roubado de maneira bem escorregadia, bem profissional. Rastreei o

número de roubos com o mesmo padrão. Alguém sabe o que está fazendo, alguém muito bom no que faz, e com muitas conexões.

— Então, agora a Miranda é uma ladra, uma expert em roubo de obras de arte?

— Ou então ela conhece um — ele acrescentou com um ligeiro sorriso. — Engraçado como a documentação da peça sumiu também. Ainda mais engraçado é que eu fiz uma busca na fundição que eles usam aqui, e descobri que alguém mais andou passando por lá. Alguém que se disse estudante do instituto, inventou uma história sobre estar procurando informações sobre uma estatueta de bronze que havia sido fundida lá há mais ou menos três anos.

— E o que é que isso tem a ver com o que aconteceu, exatamente?

— O nome que ele deu na fundição não bate com os registros daqui. E o bronze em que ele estava tão interessado era a estátua do Davi com o estilingue. Parece até que ele tinha um desenho.

— Então isso deve ter alguma coisa a ver com o seu roubo. — Ryan inclinou a cabeça. — Fico feliz de saber que você tá fazendo progressos.

— Ah, eu sempre faço. Parece que a dra. Jones, Miranda Jones, deu um curso sobre bronzes renascentistas.

— Como ela é especialista no assunto, eu imagino que já tenha dado vários, pelo menos que tivessem a ver com o assunto.

— Um dos alunos usou a fundição pra fazer um *Davi*, um tempo depois que a estatueta desaparecida chegou pra ser testada por ela.

— Nossa, fascinante.

Cook ignorou o sarcasmo no tom de Ryan. — É, isso significa que tem uma porção de pontas soltas esperando pra serem amarradas. O aluno saiu do curso logo depois que o bronze ficou pronto. E parece que alguém procurou a mãe dele, disse que era daqui, querendo entrar em contato com ele. O garoto se mudou para San Francisco. Algumas noites atrás, resgataram o corpo dele na baía.

— É uma pena saber disso.

— Você tem família em San Francisco.

Desta vez, os olhos de Ryan se estreitaram, flamejaram.

— Cuidado, detetive.

— Só fiz um comentário. O garoto era um artista, você tem uma galeria lá. Pensei que pudesse conhecê-lo. O nome dele era Mathers, Harrison Mathers.

— Não, eu não conheci um Harrison Mathers, mas posso descobrir com facilidade se a gente tem algum trabalho dele.

— Talvez não seja uma má ideia.

— Esse Mathers é o que você chamaria de mais uma ponta solta?

— Ah, sim, uma dessas coisas que deixam a gente com a pulga atrás da orelha. Depois eu comecei a pensar naquela história do bronze incrível de Florença, o que acabou sendo descoberto como nem tão incrível assim. Acho que a dra. Jones deve ter ficado extremamente chateada com aquilo, e também com o fato de a mãe ter dispensado os serviços dela. Descobri que alguém roubou a estatueta, foi direto pra reserva do Museu Nacional lá e pegou a peça, num átimo. Agora, por que alguém ia querer uma coisa, se arriscar nesse tipo de roubo, se era um troço que não valia nada, além do preço do metal?

— A arte é um mistério subjetivo, detetive. Talvez alguém tenha se apegado a ela.

— Pode ser, mas quem fez isso é profissional, não um ladrãozinho qualquer. Profissionais não perdem tempo, a menos que tenham um bom motivo. Você concordaria comigo, não concordaria, sr. Boldari? Sendo você um profissional?

— Com certeza. — Ah, se ele não gostasse desse detetive, Ryan se divertiu. — Detesto perder tempo.

— Exato. Isso faz com que eu me pergunte que valor esse bronze tem pra alguém.

— Se eu vir a estatueta, faço uma avaliação e te aviso. Mas posso dizer que se esse bronze fosse verdadeiro, se valesse milhões, a

Miranda não mataria por ele. E eu acho que você concorda comigo — Ryan acrescentou. — Sendo você um profissional.

Cook riu. Havia alguma coisa errada com aquele cara, pensou. Mas era alguém de quem era fácil gostar. — Não, eu não acho que ela tenha matado ninguém, e não consigo imaginá-la pegando estátuas pelo mundo afora. A mulher tem a integridade estampada no rosto. É por isso que eu sei que, no fundo, ela está escondendo alguma coisa. Ela sabe mais do que está dizendo. E se você é amigo dela o suficiente, Boldari, vai convencê-la a me contar antes que alguém resolva que ela é dispensável.

ELA SE PERGUNTOU O QUANTO PODERIA REVELAR, QUE RISCO corria se contasse. Na Galeria Sul, rodeada por mestres da arte, sentou-se e encobriu o rosto com as mãos. Sofria.

Sabia que Cook estava no andar de cima. Vira-o entrar e, como uma criança evitando uma bronca, escapulira pelo corredor, esperando que ele passasse.

Quando sua mãe entrou, ela deixou as mãos caírem sobre o colo.

— Achei que ia encontrar você aqui.

— Ah, claro. — Miranda se levantou e pegou uma taça de champanhe de outras amontoadas sobre a mesa. — Revivendo as glórias do passado. Onde mais eu estaria? Para onde mais eu iria?

— Não consegui encontrar o seu irmão.

— Espero que ele esteja dormindo. Foi uma noite difícil. — Não acrescentou que ele não estava dormindo, pelo menos não na própria cama, quando ela saíra de casa pela manhã.

— É, pra todos nós. Eu vou ao hospital. Seu pai vai me encontrar lá. Espero que Elise esteja com ânimo pra uma visita, e ela tinha a expectativa de ser liberada hoje à tarde.

— Manda um beijo meu pra ela. Vou tentar passar lá mais tarde, ou no hospital ou no hotel, se ela já tiver tido alta. Por favor, diz pra ela que, se preferir, pode ficar lá em casa o tempo que quiser.

— Seria esquisito.

— Eu sei, mas vou fazer a oferta mesmo assim.

— Generoso da sua parte. Ela... foi sorte ela não ter se ferido mais gravemente. Poderia ter sido... Ela podia ter sido encontrada como o Richard.

— Eu sei que você é fã dela. — Miranda colocou a taça exatamente onde estava antes. Foi cuidadosa para certificar-se de que o pé se encaixaria exatamente na marca deixada na toalha. — Mais, eu acho, do que você sempre foi dos próprios filhos.

— Não é hora de pieguice, Miranda.

Ela levantou o olhar. — Você me odeia?

— Que coisa ridícula, e que hora mais inapropriada de dizer uma coisa dessas.

— Quando é apropriado perguntar pra minha mãe se me odeia?

— Se isso tem a ver com o que aconteceu em Florença...

— Ah, vem de muito mais longe, é muito mais profundo do que o que aconteceu em Florença, mas esse episódio serve, por enquanto. Você não me defendeu. Nunca me defendeu. Eu esperei por isso a vida inteira, pelo momento em que finalmente ia poder contar com você. Por que você nunca esteve nem aí pra mim?

— Eu me recuso a sustentar esse seu comportamento. — Com o olhar gelado, Elizabeth se virou e afastou-se.

Miranda nunca saberia o que a fez ignorar uma vida inteira de treinamento, mas cruzou o salão, segurou o braço de Elizabeth e virou-a com uma violência que deixou as duas estarrecidas. — Você não vai fugir de mim até me responder. Tô de saco cheio de ver você fugindo de mim, literal e metaforicamente. Por que você nunca conseguiu ser uma mãe pra mim?

— Porque você não é minha filha. — Elizabeth deixou escapar, os olhos azuis em chamas. — Você nunca foi minha. — Ela libertou o braço com um puxão, a respiração ofegante, já que o controle lhe faltava. — Não se atreva a me encostar contra a parede depois de

tudo que eu sacrifiquei, de tudo que eu suportei porque seu pai resolveu fazer a filha bastarda passar como se fosse minha.

— Bastarda? — Seu mundo, já ameaçado, caiu diante de seus pés. — Eu não sou sua filha?

— Não, você não é. Dei minha palavra que nunca te contaria. — Enfurecida por ter permitido que o cansaço e a raiva minassem seu autocontrole, Elizabeth foi até a janela, olhou para o lado de fora. — Bem, você é adulta, e tem o direito de saber.

— Eu... — Miranda levou a mão ao coração, porque não tinha certeza de que ele continuava a bater. A única coisa que conseguia fazer era encarar as costas rígidas da mulher que tão repentinamente se tornara uma estranha. — Quem é a minha mãe? Onde ela tá?

— Ela morreu há muitos anos. Não era ninguém — Elizabeth acrescentou, virando-se. O sol não era generoso com mulheres de certa idade. Sob seu reflexo, Miranda pôde ver que Elizabeth parecia cansada, quase doente. Depois, uma nuvem encobriu o sol e o momento se esvaiu. — Um dos... interesses de curta duração do seu pai.

— Ele teve um caso.

— O sobrenome dele é Jones, não é? — Elizabeth disse com amargura, depois fez um gesto com a mão, como se estivesse aborrecida. — De qualquer maneira, ele foi imprevidente, e a mulher engravidou. Ela não era, aparentemente, tão facilmente descartável como as outras. Charles não tinha nenhuma intenção de casar com ela e, quando ela se deu conta disso, insistiu que ele resolvesse o problema. Foi uma situação difícil.

Uma pontada de dor interrompeu-lhe o choque. — Ela também não me queria.

Com um ligeiro dar de ombros, Elizabeth voltou e sentou-se.

— Não faço ideia do que aquela mulher queria. Mas o que ela escolheu foi obrigar o Charles a criar você. Ela me procurou, explicou a situação. As minhas opções eram: me divorciar e conviver com

o escândalo, perder o que tinha começado a construir aqui no instituto e desistir dos meus planos pro meu próprio negócio. Ou...

— Você ficou com ele. — Além do choque, da dor profunda, havia uma raiva latente. — Depois de uma traição como essa, você ficou com ele.

— Eu tive que escolher. Escolhi o que era melhor pra mim. Não sem sacrifício. Tive que me recolher, perder meses enquanto esperava você nascer. — A lembrança ainda lhe vinha à tona como um ácido. — Quando você nasceu, tive que te apresentar como minha filha. A sua existência me magoa, Miranda — ela disse, dura. — Pode ser injusto, mas é a realidade.

— Isso, vamos ser práticas. — Incapaz de suportar, ela desviou o olhar. — Vamos nos ater aos fatos.

— Eu não sou uma mulher maternal, nem pretendi ser. — Elizabeth gesticulou novamente, com alguma impaciência na voz. — Depois que o Andrew nasceu, eu não tinha nenhuma intenção de ter outro filho. Nunca. Depois, por circunstâncias que não foram criadas por mim, eu tive que assumir a responsabilidade de criar a filha do meu marido como se fosse minha. Você era uma lembrança da falta de cuidado dele comigo, da falta de integridade no meu casamento. Pro Charles, você era uma lembrança de um mau passo, de um cálculo malfeito.

— Cálculo malfeito — Miranda disse baixinho. — É, acho que isso é exato também. Agora não é nenhum mistério o porquê de vocês dois nunca terem sido capazes de me amar, nunca terem sido capazes de amor nenhum, na verdade. Não tá dentro de vocês.

— Você foi muito bem cuidada, teve uma boa casa e uma educação excelente.

— E nenhum momento de afeição verdadeira — Miranda finalizou, virando-se novamente. O que viu foi uma mulher rígida, de ambição desmedida, alguém que trocara emoção por conquista de objetivos. — Passei a minha vida inteira me esforçando pra merecer a afeição de vocês. Eu tava perdendo meu tempo.

Elizabeth suspirou, levantou-se. — Eu não sou um monstro. Você nunca foi prejudicada, nem negligenciada.

— Não precisou.

— Eu fiz o melhor por você, te dei todas as oportunidades pra você crescer na sua área. Inclusive em relação ao Bronze Fiesole. — Ela hesitou, depois abriu uma das garrafas de água que o pessoal da limpeza ainda não retirara.

— Eu peguei os seus relatórios, as radiografias, levei tudo pra casa. Depois de me acalmar, depois que o constrangimento diminuiu, eu não achava que você pudesse ter cometido um erro tão absoluto, ou que falsificaria os resultados dos testes. Nunca duvidei da sua honestidade.

— Ah, muito obrigada — Miranda disse secamente.

— Os relatórios, os documentos foram roubados do cofre da minha casa. Eu podia não saber ainda, mas queria pegar alguma coisa antes de vir pra cá. E descobri que haviam sido roubados.

Ela serviu um copo d'água, depois deu um gole. — Eu quis pegar as pérolas da sua avó pra trazer e guardar num cofre de banco que tenho aqui. Ia dar o colar pra você antes de ir embora.

— Por quê?

— Talvez porque, apesar de você nunca ter sido minha, sempre foi dela. — Ela colocou o copo na mesa. — Não vou pedir desculpas pelo que fiz, nem pelas minhas escolhas. Não vou pedir que você me entenda, assim como nunca consegui entender você.

— Então, eu vou ter que viver com isso? — Miranda perguntou, e Elizabeth levantou uma sobrancelha.

— Eu vivi com isso. E vou pedir que o que foi dito aqui seja guardado em segredo. Você é uma Jones, e, como tal, tem a responsabilidade de manter a honra do nome.

— Ah, claro, e que nome! — Ela balançou a cabeça. — Eu conheço as minhas obrigações.

— Eu tenho certeza disso. Tenho que ir encontrar o seu pai. — Ela pegou a bolsa. — A gente discute isso com ele em outra oportunidade.

— Pra quê? — Subitamente, Miranda ficou cansada, cansada demais para se preocupar, para considerar, para tomar cuidado. — Nada mudou, é isso?

— Não.

Depois que Elizabeth se foi, Miranda deixou escapar uma gargalhada e foi até a janela. A tempestade que ameaçara o dia todo estava se avolumando no céu.

— Você tá bem?

Ela deixou o corpo cair para trás quando Ryan apoiou as mãos em seus ombros. — Quanto você ouviu?

— Quase tudo.

— Ouvindo escondido de novo — ela murmurou —, se esgueirando feito um gato. Não sei o que sentir.

— Seja lá o que for, tá certo. Você tá por sua conta, Miranda. Sempre esteve.

— Acho que tem que ser assim.

— Você vai falar com o seu pai sobre isso?

— Qual seria a vantagem? Ele nunca me viu, nunca me ouviu. E agora eu sei o motivo. — Ela fechou os olhos, virou o rosto na mão dele. — Que tipo de gente é essa, Ryan, de onde é que eu venho? Meu pai, a Elizabeth, a mulher que me deu pra eles.

— Eu não conheço essa gente. — Ele a virou gentilmente, até que ficassem cara a cara. — Mas conheço você.

— Eu sinto... — Respirou profundamente e deixou que o sentimento viesse. — Alívio. Desde que eu me lembro, sempre morri de medo de ser como ela, de não ter escolha, na verdade. Mas eu não sou. Não sou.

Com um estremecimento, encostou a cabeça no ombro dele.

— Nunca mais vou precisar me preocupar com isso.

— Eu sinto pena por ela — ele murmurou. — Por ter se fechado pra você. Por ter se fechado pro amor.

Miranda sabia o que era amar, agora, conhecia o terror e a emoção que o amor provocava. Acontecesse o que acontecesse, era grata

por aquela parte dela ter tido aberta. Mesmo que a fechadura tivesse sido arrombada por um ladrão.

— Eu também. — Ela permaneceu ali mais um momento, depois ficou de pé por conta própria. — Vou levar a caderneta do Richard pro Cook.

— Me dê um tempo para ir a Florença. Eu não queria ir embora hoje, não depois de você ter tudo isso pra processar. Vou amanhã à noite, se conseguir, ou logo de manhã. A gente diminui o tempo pra trinta e seis horas. Deve dar.

— Eu não posso te dar mais que isso. Preciso que isso acabe.

— Vai acabar.

Ela sorriu, achou mais fácil do que imaginava. — E nada de invadir quartos, nem remexer em cofres, nem caixas.

— De jeito nenhum. Assim que eu encerrar com os Carter.

— Ah, pelo amor de Deus!

— Eu não vou roubar nada. Não resisti às pérolas da sua avó? E ao ouro italiano da Elise? Até mesmo aquele camafeu lindo, que eu poderia ter dado pra uma das minhas sobrinhas? Eu tive que ser um herói.

— As suas sobrinhas estão muito novas pra medalhões. — Ela deixou escapar um suspiro e encostou a cabeça no ombro dele novamente. — Eu não ganhei o meu até fazer dezesseis anos. Minha avó me deu um lindo, com formato de coração, que ela ganhou da mãe.

— E você colocou uma mecha do cabelo do namorado dentro.

— Difícil. Eu não tinha namorados. Ela sempre colocava a foto dela, de qualquer jeito, e a do meu avô. Pra me lembrar das minhas raízes.

— Funcionou?

— Claro. Uma boa cria da Nova Inglaterra sempre se lembra das suas raízes. Eu sou uma Jones — disse baixinho. — E Elizabeth tava certa. Eu posso nunca ter sido dela, mas sempre fui da minha avó.

— Vai ter as pérolas dela, agora.

— É, e vou cuidar delas como um tesouro. Eu perdi o medalhão alguns anos atrás. Isso partiu o meu coração. — Sentindo-se melhor, aprumou-se. — Preciso chamar a manutenção. A gente tem que colocar as coisas no lugar de novo. Eu quero abrir a exposição pro público amanhã.

— Faz isso — ele murmurou. — Te encontro em casa mais tarde. Fica quietinha aqui, por favor, senão eu vou ter que ir atrás de você.

— Pra onde mais eu iria?

# Capítulo Trinta

Andrew assobiava ao entrar em casa. Sabia que um sorriso estava plantado em seu rosto. Estivera ali o dia todo. Não era só o sexo — bem, ele pensou, saltando os degraus da escada, o sexo não havia feito nenhum mal. Fora uma longa seca para o bom e velho Andrew J. Jones.

Mas ele estava apaixonado. E Annie também o amava. Passar o dia com ela fora a experiência mais excitante, mais tranquila, mais incrível que já tivera. Quase espiritual, concluiu com um risinho.

Haviam preparado o café da manhã juntos e comido na cama. Conversaram até ficar roucos. Tantas palavras, tantos sentimentos e pensamentos clamando para sair. Ele nunca fora capaz de falar com alguém da maneira como falava com Annie.

A exceção era Miranda. Mal podia esperar para contar para a irmã.

Eles se casariam em junho.

Não seria uma festa grande, formal, nada como o que ele e Elise haviam feito. Mas algo simples e romântico, era isso que Annie

queria. No jardim de casa, com os amigos e música. Convidaria Miranda para ser madrinha. Ela adoraria.

Entrou no quarto. Queria tirar aquele smoking amarrotado. Levaria Annie para jantar e, amanhã, compraria um anel para dar a ela. Ela disse que não precisava de um, mas aquele era um desejo que ignoraria.

Queria ver esse anel no dedo dela.

Tirou o paletó, jogou-o para o lado. Desejou estar fora daquele quarto ainda naquela semana. Ele e Annie não se mudariam para ali depois do casamento. A casa seria de Miranda. O sr. e a sra. Jones iriam procurar uma casa assim que voltassem da lua de mel.

Ele a levaria para Veneza.

Ainda sorria ao tentar livrar-se das abotoaduras. Com o canto dos olhos, viu um ligeiro movimento. Uma dor explodiu em sua cabeça, uma explosão, vermelha, dentro de seus olhos. Seus joelhos fraquejaram quando ele tentou se virar para revidar. A segunda pancada fez com que ele se chocasse contra uma mesa e apagasse.

A TEMPESTADE IRROMPEU. MIRANDA AINDA ESTAVA A UM quilômetro de casa quando a chuva se derramou sobre o para-brisa. Relâmpagos rugiram tão próximo que seus companheiros, os trovões, chacoalhavam o carro.

A neblina insinuava-se, cobrindo o chão, escondendo a lateral da estrada. Para concentrar-se, Miranda desligou o rádio e sentou-se bem na beira do banco.

Mas sua mente reprisava os acontecimentos.

A ligação de Florença, depois o roubo, John Carter saindo da cidade enquanto ela se atrasava. O bronze no cofre do escritório da mãe. Quem tinha acesso a ele? Somente Elizabeth.

Mas, se sua associação com Ryan lhe ensinara alguma coisa, fora que trancas podiam ser arrombadas.

Richard fizera os testes; portanto, ganhara acesso ao bronze. Quem trabalhara com ele? Quem trouxera a arma para o instituto e a usara?

John? Ela tentou imaginar a cena, mas continuava vendo-o como alguém acolhedor, preocupado. Vincente? O escandaloso, amigável, familiar Vincente? Poderia um deles ter dado dois tiros em Richard, ter atacado Elise?

E por que no seu escritório, por que durante um evento onde centenas de pessoas circulavam no andar de baixo? Por que correr tanto risco?

Porque teria impacto, Miranda deu-se conta. Porque isso colocaria seu nome mais uma vez nos jornais, associado a um escândalo. Porque arruinaria a abertura da exposição e ofuscaria todo o seu esforço.

Era pessoal, só podia ser. Mas o que ela fizera para criar esse tipo de animosidade e obsessão? Quem ela ferira? John, pensou. Se fosse derrubada, se fosse forçada a pedir demissão do instituto, ele seria a substituição lógica. Significaria promoção, um salário maior, mais poder e prestígio.

Poderia ser tão simples assim?

Ou Vincente. Era quem a conhecia havia mais tempo, o mais próximo. Ela fizera algo que pudesse ter-lhe causado inveja, ressentimento? Seria uma questão de dinheiro para comprar as joias, as roupas, pagar as viagens incríveis que faziam sua jovem esposa feliz?

Quem mais? Giovanni e Richard estavam mortos, Elise, no hospital. Elizabeth...

Será que uma vida de ressentimento teria dado espaço para tamanho ódio?

Melhor deixar que a polícia descobrisse, disse para si mesma, e espantou a tensão de seus ombros ao estacionar o carro na frente de casa. Em menos de trinta e seis horas, ela passaria o caso pérfido para Cook.

O que significaria usar a noite revendo tudo o que poderia dizer a ele. E o que não poderia.

Pegou sua pasta. A caderneta de Richard estava ali dentro e ela pretendia lê-la de cabo a rabo naquela noite. Talvez tivesse deixado passar alguma informação ao folheá-la rapidamente.

O fato de seu guarda-chuva estar no porta-malas, em vez de estar no banco de trás do carro, só comprovava que seu pensamento estava longe das medidas lógicas e práticas. Usou a pasta como proteção sobre a cabeça e correu até a varanda.

Ficou encharcada, de qualquer maneira.

Dentro de casa, passou a mão pelo cabelo para tirar o excesso da chuva, e chamou por Andrew. Não o via desde que deixara o hospital na noite anterior, mas o carro dele estava parado no lugar de sempre. Já era hora de os dois também terem uma conversa.

Era hora de contar tudo, confiava nele o suficiente para fazer isso.

Chamou novamente, enquanto subia a escada. Droga, queria tirar aquela roupa molhada, tomar um banho quente. Por que ele não respondia, pelo menos?

Provavelmente estava dormindo, pensou. O homem dormia como um morto. Bem, ele teria que ser um pouco como Lázaro, porque ela queria contar tudo o que podia antes que a mãe deles chegasse.

— Andrew? — A porta do quarto não estava completamente fechada, e ela bateu antes de empurrá-la. O quarto estava um breu e, apesar de ela achar que ele a xingaria peremptoriamente, procurou o interruptor para acender o abajur. Disse um palavrão quando a luz não acendeu.

Mas não estavam sem energia. Droga, ele esquecera de trocar a lâmpada de novo. Seguiu adiante com a intenção de sacudi-lo e tropeçou nele.

— Andrew, pelo amor de Deus! — Com o brilho de um relâmpago, ela o viu a seus pés, ainda vestindo o smoking da noite anterior.

Não era a primeira vez que cruzava com ele desmaiado, esparramado no chão e fedendo a álcool.

Primeiro sentiu raiva, um sentimento violento que a fez dar as costas e sair do quarto, deixando-o onde estava. Depois, veio o desapontamento, e o pesar a invadiu.

— Como você pôde fazer isso de novo? — murmurou. Agachou, na esperança de que ele não estivesse tão fora de si que fosse incapaz de se levantar e ir para a cama.

Surpreendeu-se repentinamente por não sentir cheiro de uísque, nem do suor azedo que era característico. Estendeu o braço, sacudiu-o, depois, suspirando, deitou a mão sobre a cabeça dele.

E sentiu o calor. O sangue.

— Meu Deus, Andrew! Não, não, por favor. — Seus dedos manchados e trêmulos buscaram o pulso do irmão. E ao seu lado uma luz foi acesa.

— Ele não morreu. Ainda. — A voz era suave, uma leve risada encerrava as palavras. — Você gostaria que ele continuasse vivo, Miranda?

NORMALMENTE, RYAN DETESTAVA REPETIR-SE, MAS ENTROU na suíte de Elizabeth exatamente como fizera antes. Não era hora para sofisticação. O quarto estava silencioso e vazio, mas isso não importava para ele.

Encontraria uma maneira de passar por qualquer ocupante.

No quarto de dormir, pegou a caixa de joias exatamente como fizera duas noites antes. E removeu a tranca.

Era apenas uma suspeita, uma pedra de gelo em suas entranhas, mas aprendera a seguir seus instintos. Analisou as fotografias antigas, não viu qualquer semelhança peculiar. Depois, pensou, talvez algo na região dos olhos. Talvez houvesse algo em volta dos olhos daquela mulher.

Usando uma pequena ferramenta, tirou o conteúdo da elegante peça oval. Ela fizera uma inscrição debaixo da sua foto, não na do marido. Ele imaginara que faria isso.

E seu sangue congelou no momento em que leu: *Miranda, pelo seu décimo sexto aniversário. Nunca se esqueça de onde você veio nem de onde deseja chegar. Vovó.*

— Peguei você! — Ele disse e enfiou o medalhão no bolso. Pegou o celular ao mesmo tempo que cruzava às pressas o corredor.

— ELISE — MIRANDA FORÇOU-SE A FALAR CALMAMENTE, mantendo os olhos no rosto de Elise, não na arma que estava apontada para o centro do seu peito. — Ele tá muito ferido. Eu preciso chamar uma ambulância.

— Ele aguenta um pouco. — Com a mão livre, ajeitou a bandagem limpa na base da própria cabeça. — Eu aguentei. É incrível como você perde o equilíbrio rápido com uma boa pancada na cabeça. Você pensou que ele estava bêbado, não foi? — Os olhos dela brilharam de deleite diante da ideia. — É realmente perfeito. Se eu tivesse pensado nisso, e se tivesse tido tempo, teria esvaziado uma garrafa em cima dele. Só pra montar a cena. Mas não precisa se preocupar, eu só dei duas pancadas, nem tantas vezes nem com tanta força quanto usei com o Giovanni. Mas o Andrew não me viu. O Giovanni sim.

Com medo de que Andrew sangrasse até morrer, enquanto ela não fazia nada, Miranda pegou uma camiseta no chão, enrolou-a e apertou-a contra a ferida.

— O Giovanni era seu amigo. Como você teve coragem?

— Eu não teria precisado matá-lo se você o tivesse deixado fora dessa história. O sangue dele está nas suas mãos, exatamente como o do Andrew, agora.

Miranda fechou as mãos, pressionando as próprias palmas com as unhas. — E o Richard?

— Ah, o Richard! Ele se matou. — Uma pequena ruga de irritação se formou em sua testa. — Ele começou a despedaçar logo depois do Giovanni. Pedacinho por pedacinho. Chorava como uma criança, ficava dizendo que isso tinha que acabar. Não era pra ninguém ter morrido, ele dizia. Bem — ela balançou os ombros —, mudança de planos. Ele morreu na hora em que te mandou aquele e-mail ridículo.

— Mas você mandou os outros, os fax.

— Ah, foi. — Com a mão livre, Elise segurou o delicado colar de ouro em volta do pescoço. — Eles te assustaram, Miranda? Te confundiram? Te encheram de dúvidas?

— Isso. — Mantendo os movimentos lentos, puxou um lençol ao pé da cama e cobriu o irmão. — Você também matou o Rinaldi.

— Aquele homem vivia me perturbando. Ficava insistindo que o bronze era verdadeiro, como se um encanador pudesse saber alguma coisa. Inclusive, ele invadiu a sala da Elizabeth, falando, reclamando. E isso fez a sua mãe começar a pensar. Dava pra ver.

— Você tem o bronze, mas nunca vai conseguir vender.

— Vender? Por que eu ia querer vender? Você acha que isso tem a ver com dinheiro? — Levou a mão ao peito e riu. — Nunca teve a ver com dinheiro. Tem a ver com você. Com você e comigo, Miranda. Como sempre.

Um relâmpago iluminou os vidros da janela atrás de Elise, suas pontas iradas rasgando o céu. — Eu nunca te fiz nada.

— Você nasceu! Você nasceu com tudo na mão. A filha premiada. A eminente dra. Jones, cria dos Jones do Maine e seus pais altamente respeitáveis, essa porcaria de ascendência, seus empregados, sua avó enxerida na casa enorme da colina.

Ela fez gestos amplos, e Miranda sentiu o estômago revirar de medo ao ver a arma sendo apontada em todas as direções. — Você sabe onde eu nasci? Num hospital público. Vivi num apartamento nojento de dois cômodos, porque o meu pai não me reconheceu,

não assumiu a responsabilidade. Eu merecia tudo que você tem, e consegui. Mas tive que trabalhar pra isso, tive que implorar pra ter bolsas de estudo. Eu garanti minha ida para as mesmas escolas que você foi. Eu te observei, Miranda. Você nunca se deu conta da minha presença.

— Não. — Miranda removeu o pano da cabeça de Andrew. Achou que o sangramento estava diminuindo. Rezou para que não fosse simplesmente um pensamento positivo.

— E você nem se dava ao trabalho de socializar, né? É incrível como toda essa grana fez você ser tão chata. E eu tendo que contar moedas enquanto você morava numa casa boa, era servida, coberta de glória.

— Me deixa chamar uma ambulância pro Andrew.

— Cala a boca! Cala essa porcaria dessa boca. Eu não terminei. — Ela se adiantou, sacudindo a arma. — Você cala a boca e escuta, senão eu atiro nesse filho da mãe aqui e agora.

— Não faz isso! — Instintivamente, Miranda colocou-se entre a arma e Andrew. — Não machuca o meu irmão, Elise. Eu vou te ouvir.

— Fica calada! Jesus, eu detesto essa sua boca. Você fala e todo mundo escuta. Como se você cuspisse moedas antigas de ouro. — Ela chutou um sapato que estava no chão e ele bateu na parede. — Devia ter sido eu, sempre, e teria sido, se o desgraçado que engravidou a minha mãe, que prometeu tudo pra ela, não fosse casado com a sua avó.

— Minha avó? — Miranda balançou a cabeça ao tempo que seus dedos deslizavam para sentir o pulso de Andrew. — Você tá tentando me dizer que o meu avô era seu pai?

— O velho desgraçado não conseguia ficar com a braguilha fechada, nem quando tinha mais de sessenta anos. A minha mãe era jovem e idiota, achou que ele ia largar a mulherzinha gelada dele pra casar com ela. Estúpida, estúpida, estúpida!

Para registrar seus sentimentos, ela pegou um peso de papel de ágata na mesa e jogou por cima da cabeça de Miranda. O objeto chocou-se contra a parede como uma bala de canhão.

— Ela se deixou usar. Deixou o desgraçado cair fora sem pagar, nunca fez nada pra obrigá-lo a pagar, então a gente viveu sem um tostão. — Seus olhos brilhavam, enfurecidos, e ela virou a mesa com força.

Mais uma Jones, Miranda pensou, frenética, mais uma ligação descuidada e uma gravidez inconveniente. Girou nos calcanhares, preparou-se. Mas a arma a acompanhou, apontada na direção do centro do seu corpo. E Elise sorriu.

— Eu te observei. Sempre te observei. Planejei durante anos. Você é a minha meta desde que eu me entendo por gente. Entrei pra mesma área. Era tão boa quanto você. Melhor. Fui trabalhar pra você. Casei com o seu irmão inútil. Fiz a sua mãe não viver sem mim. Sou uma filha pra ela, coisa que você nunca foi.

— Ah, é verdade — Miranda disse, com absoluta sinceridade. — Você é sim. Pode acreditar, eu não significo nada pra ela.

— Você é o centro de tudo. Eu teria a sua posição, mais cedo ou mais tarde. Você devia ser quem corre atrás de migalhas. Lembra do *Davi*? Aquilo foi um golpe e tanto pra você, não foi?

— Então foi você que o roubou, mandou o Harry fazer uma cópia.

— O Harry era muito entusiasmado. É ridículo como é fácil manipular os homens. Olham pra mim e pensam: ela é tão delicada, tão adorável! E tudo que eles querem fazer é transar e nos proteger.

Ela riu novamente, desviando o olhar para Andrew. — Isso, eu posso dizer pelo seu irmão. Ele era bom de cama. Era um bom efeito colateral, mas partir o coração dele foi melhor. Ver o cara se agarrar ao álcool sem saber o que ele tinha feito pra me perder. Pobre, pobre Andrew!

Então, a expressão dela mudou novamente, tão caprichosa e volátil quanto a tempestade lá fora. — Eu ia acabar colocando-o nos

eixos novamente, depois que tivesse acabado com tudo. Acabado com você. Que bela ironia seria! Ainda vai ser — ela acrescentou, sorrindo outra vez. — Essa figurinha de quinta que ele arrumou agora não vai ser nem uma lembrança quando eu voltar pro Maine. Quer dizer, se eu deixá-lo viver.

— Não tem necessidade de machucar o Andrew. Não é culpa dele, Elise. Me deixa chamar uma ambulância. Você pode continuar apontando a arma pra mim. Eu não vou tentar fugir. Mas me deixa chamar uma ambulância pra ele.

— Não tá acostumada a implorar, não é? Mas você até que faz isso bem. Você faz tudo bem, Miranda. Eu vou pensar no seu caso. — Ela inclinou a cabeça, como um aviso, quando Miranda se levantou. — Cuidado. Eu não mataria você, não de primeira, mas podia deixá-la aleijada.

— O que é que você quer? — Miranda exigiu uma resposta. — O que é que você quer, afinal?

— Eu quero que você escute! — ela gritou, sacudindo a arma de maneira que oscilasse entre a cabeça e o coração de Miranda. — Eu quero que você fique parada aí e escute o que eu tenho a dizer, que faça o que eu mandar, quero você de joelhos quando eu terminar. Eu quero tudo!

— Tudo bem. — Quanto tempo teria?, Miranda pensou freneticamente. Quanto tempo teria até que Elise perdesse o controle, disparasse a arma? — Eu tô ouvindo, o *Davi* foi só pra ganhar prática, não foi?

— Ah, você é inteligente. Sempre tão inteligente. Era um plano B. Eu sabia que podia manchar a sua reputação com ele. Mas eu sou paciente. Tinha que ter alguma coisa maior, do jeito que a sua estrela andava subindo. Tinha que ser uma coisa mais importante. Aí apareceu *A Senhora Sombria*. Eu tive certeza, na hora em que a Elizabeth mandou te chamar, que lá vinha um troço importante, eu sabia que era a hora. Ela confiava em mim. Eu fiz por onde. Bajulando e venerando todos os caprichos dela durante anos.

"A Standjo também vai ser minha — ela acrescentou com segurança. — Eu vou estar na cadeira da diretoria quando chegar aos quarenta."

Miranda desviou o olhar para o lado, em busca de uma arma.

— Olha pra mim! Olha pra mim enquanto eu tô falando com você!

— Eu tô olhando pra você, Elise. Tô ouvindo. Era *A Senhora Sombria.*

— Você já viu peça mais linda? Alguma coisa tão poderosa?

— Não. — A chuva que caía lá fora atingia a janela como se fosse o rufar de tambores anunciando uma guerra. — Não, nunca. Você queria o bronze. Não posso te culpar por isso. Mas você não poderia fazer tudo sozinha. Aí você chamou o Richard.

— O Richard estava apaixonado por mim. Eu era louca por ele. — Ela disse quase carinhosamente. — Eu poderia ter casado com ele. Por um tempo, pelo menos. Ele era útil, teria continuado sendo bastante útil. A gente fez os testes à noite. Eu tinha a combinação do cofre da Elizabeth. Foi ridiculamente fácil. Tudo que eu tive que fazer foi dar um jeito de te atrasar. Eu disse que não era pra machucar seriamente. Queria você saudável pra poder te destruir.

— O Richard fez a cópia.

— Como eu disse, ele era muito útil. Eu fiz uma parte do trabalho. A gente queria passar dos testes básicos e enganar algumas das pessoas mais envolvidas. Você foi perfeita, Miranda. Você soube na hora que viu, exatamente como eu. Era impossível se enganar. Você sentiu, não sentiu? O poder daquela peça, a glória.

— É, eu senti. — Ela pensou ter ouvido Andrew se mexer, mas não podia ter certeza. — Você vazou as informações pra imprensa.

— A Elizabeth é tão rigorosa com essas coisas. Regras e regulamentos, canais apropriados, integridade. Ela reagiu exatamente como eu esperava, não importa eu ter dado um empurrãozinho enquanto dizia que eu tinha certeza de que não havia sido a sua intenção. Você só tinha se deixado levar. Entusiasmo. Eu te defendi, Miranda. Eu fui brilhante.

O telefone tocou enquanto as duas se encaravam. E Elise abriu lentamente um sorriso. — A gente vai deixar a secretária atender, pode ser? A gente ainda tem muito pra conversar.

POR QUE DIABOS ELA NÃO ATENDIA? RYAN ABRIA CAMINHO na tempestade, os pneus deslizando no asfalto molhado enquanto acelerava. Ela saíra do instituto para ir para casa. Não estava atendendo o celular nem o telefone de casa. Segurando o volante com uma das mãos, pressionou a tecla de busca e encontrou o número do hospital.

— Elise Warfield — disse. — Ela é uma paciente.

— A dra. Warfield teve alta esta noite.

Um frio gelado percorreu suas entranhas novamente. Pisou no acelerador, fazendo com que o carro derrapasse violentamente. Indo contra um hábito da vida inteira, ligou para a polícia.

— Quero falar com o detetive Cook.

— EU VOU PRECISAR DAS CÓPIAS, MIRANDA. ONDE ELAS ESTÃO?

— Não estão comigo.

— Você sabe que isso é mentira, e você mente mal. Eu realmente preciso das cópias. — Elise deu um passo à frente. — A gente quer que fique tudo direitinho no final, não quer?

— Por que eu te daria as cópias? Você vai me matar de qualquer maneira.

— Claro que vou. É a única coisa lógica a fazer, não é? Mas... — Ela mudou a posição da arma e o coração de Miranda quase parou. — Eu não precisaria matar o Andrew.

— Não. — Rapidamente, Miranda levantou as mãos, num gesto de rendição. — Por favor.

— Me dá as cópias e eu não faço isso.

— Elas estão escondidas no farol. — Longe de Andrew, pensou.

— Ah, perfeito. Será que você adivinha onde eu fui concebida? — Elise riu até que lágrimas brotassem em seus olhos. — Minha mãe me contou que foi levada por ele pra lá, pra ele pintar um quadro dela. Depois, chegou a hora da sedução. Que bom que tudo vai terminar onde começou! — Elise gesticulou com a arma. — Eu vou atrás de você, boa e doce Miranda.

Depois de um último olhar para o irmão, ela se virou. Sabia que a arma estava apontada para as suas costas. Para a sua coluna, imaginava. Num lugar maior, ela teria alguma chance. Se pudesse, distrairia Elise por um instante apenas, poderia tentar. Era maior, mais forte e era sã.

— A polícia tá chegando perto — disse para Elise, mantendo o olhar à frente. — O Cook tá decidido a fechar o caso. Ele não vai desistir.

— Depois de hoje à noite, o caso vai ser encerrado. Continua andando. Você sempre anda com tanta pose, Miranda, melhor manter a consistência.

— Se você atirar em mim, o que é que você vai dizer?

— Eu espero que não seja necessário. Mas, se for, vou colocar a arma na mão do Andrew, o dedo dele no gatilho, e atirar de novo. Vai ser confuso, mas, no final, a conclusão lógica vai ser que vocês discutiram por causa de negócios. Você atacou o seu irmão, ele atirou em você. A arma é sua, no final das contas.

— É, eu sei. Não deve ter sido fácil pra você dar uma pancada na própria cabeça, depois de matar o Richard.

— Um galo, alguns pontos. Obtive muita simpatia depois disso, e foi muito bom pra me deixar com a ficha limpa. Como é que uma criaturinha frágil como eu teria coragem de fazer um ataque daquele?

Ela encostou a arma na base da espinha de Miranda. — Mas você e eu sabemos que eu posso fazer muito mais.

— É, a gente sabe. Vamos precisar de uma lanterna.

— Pega uma. Você ainda guarda a sua na segunda gaveta da esquerda, eu imagino. Uma criatura bem metódica...

Miranda pegou a lanterna e ligou-a ao mesmo tempo em que testava seu peso. Poderia servir como arma. Tudo de que precisava era uma oportunidade.

Abriu a porta dos fundos e saiu ao encontro da chuva. Pensou em correr, em aproveitar a neblina. Mas a arma ainda estava pressionada às suas costas. Estaria morta antes de dar o primeiro passo.

— Parece que a gente vai se molhar à beça.

O corpo curvado devido à chuva e ao vento, ela caminhou firmemente até o ponto. A distância se fazia imperativa agora. Ouvia as ondas se quebrando violentamente, provocadas pela tempestade. Cada rasgo de relâmpago no céu iluminava rapidamente o abismo.

— O seu plano não vai funcionar aqui, Elise.

— Continua andando, continua andando.

— Não vai funcionar. Se você usar essa arma contra mim, agora, eles vão saber que tinha mais alguém aqui. Vão saber que não poderia ter sido o Andrew. E vão te descobrir.

— Cala a boca. Que é que isso te importa? Você vai estar morta mesmo.

— Você nunca vai ter tudo que eu tenho. É isso que você realmente quer, não é? O nome, a origem familiar, a posição. Isso nunca vai ser seu.

— Você tá enganada. Eu vou ter tudo. E você, em vez de simplesmente arruinada, vai estar morta.

— O Richard tinha uma caderneta. — Ela usou a luz circular da torre do farol para guiá-la, mudando a direção da lanterna. — Ele escreveu tudo. Tudo o que ele fez.

— Mentirosa!

— Tudo, Elise. Tá tudo documentado. Eles vão saber que eu tava certa. Morta ou viva, eu ainda vou levar a glória. Tudo o que você fez vai ter sido pra nada.

— Cachorra! Sua cachorra mentirosa!

— Mas eu minto mal. — Dentes cerrados, ela fez um movimento brusco com o corpo. A força da pancada alcançou Elise no braço

e a fez cair no chão. Miranda pulou para cima dela, tentando pegar a arma.

Ela estivera errada, percebeu. A sanidade não era uma vantagem. Elise lutava como um animal, com unhas e dentes. Ela sentiu uma dor aguda, seguida de um calor no pescoço, um jorro de sangue ao rolar com a outra pelo chão pedregoso em direção à beira do penhasco.

RYAN GRITOU O NOME DELA AO ENTRAR CORRENDO EM casa, gritou e gritou enquanto subia as escadas. Quando encontrou Andrew, o terror comprimiu seu coração.

Ouviu o rugido do trovão, depois o eco de tiros. Com o medo encharcando-lhe a pele, atravessou às pressas as portas da varanda.

Ali, recortado pela luz dos relâmpagos, ele viu duas figuras enroscadas no penhasco. Rezando pela primeira vez na vida ao pular a cerca, viu quando elas despencaram.

ESTAVA SEM AR, A GARGANTA ARDENDO. HAVIA DOR EM todo lugar, cheiro de sangue e de medo. Ela agarrou a ponta escorregadia da arma, tentou apontá-la para longe. O revólver girou em sua mão, uma, duas vezes, e a fúria do som fez com que seus ouvidos doessem.

Alguém gritava, gritava, gritava. Ela tentou cravar seus saltos para equilibrar-se e percebeu que suas pernas balançavam no espaço. Nos espasmos de luz dos relâmpagos, pôde ver o rosto de Elise sobre o seu, contorcido, a boca escancarada, os dentes à mostra, os olhos cegos de loucura. Neles, por um apavorante segundo, conseguiu ver a si mesma.

Ouvia seu nome vindo de algum lugar, em gritos desesperados. Como se respondesse, revirava-se, contorcia-se violentamente. Como Elise estava agarrada a ela, as duas rolaram pelo abismo.

Pôde ouvir a gargalhada de uma mulher, ou talvez fosse um choro enquanto tentava se agarrar às pedras e à terra com os dedos, ao sentir-se sendo arrastada para baixo.

Milhares de orações povoavam a sua cabeça, milhares de imagens misturadas. As pedras arranhavam sua pele, e seu corpo lutava para segurar-se à parede do penhasco. Resfolegando, desesperada de pavor, olhou por sobre o ombro e viu o rosto branco de Elise, os olhos sombrios, viu-a soltar a mão da pedra para apontar a arma — e depois, a viu cair.

Tremendo, soluçando, Miranda encostou o rosto na face fria do penhasco. Seus músculos latejavam, seus dedos ardiam. Logo abaixo, o mar que sempre amara sacudia-se impaciente enquanto esperava por ela.

Sentiu um tremor na boca do estômago, uma náusea subindo-lhe pela garganta. Lutando contra essa sensação, levantou o rosto de encontro à chuva, viu a beirada logo acima de sua cabeça e observou o rasgo de luz que cruzava a escuridão, vindo da torre do farol, como se para guiá-la.

Não morreria daquela maneira. Não perderia daquela maneira. Manteve o foco do olhar e lutou para encontrar uma reentrância onde pudesse apoiar os pés. Conseguiu escalar um centímetro, depois mais um e seu pé escorregou.

Estava pendurada pela ponta dos dedos quando Ryan apareceu na beira do penhasco.

— Jesus! Meu Jesus, Miranda, aguenta firme! Olha pra mim. Miranda, olha pra mim, pega a minha mão.

— Eu tô escorregando!

— Pega a minha mão. Você tem que esticar o braço, só um pouquinho. — Ele se segurou nas pedras escorregadias e estendeu as duas mãos para ela.

— Eu não posso soltar. Os meus dedos estão congelados, não posso soltar. Eu vou cair!

— Não, você não vai. — O suor escorria-lhe pelo rosto, juntamente com a chuva. — Pega a minha mão, Miranda. — Apesar de apavorado sorria para ela. — Anda, dra. Jones. Confia em mim.

Ela deixou o ar escapar num soluço selvagem, irregular. Retirou seus dedos dormentes da rocha e estendeu-os para ele. Por um brevíssimo instante, sentiu-se pendurada, muito perto da morte. Depois, a mão dele agarrou a sua com firmeza.

— Agora a outra. Eu preciso das suas duas mãos.

— Meu Deus, Ryan! — Cega, ela cedeu.

Quando o peso dela dominou seus braços, ele pensou que os dois cairiam. Andou para trás, culpando a chuva, que fazia com que as mãos dela escorregassem, que parecia transformar as pedras em vidro. Mas ela o estava ajudando, empurrando o próprio corpo com os pés, a respiração um silvo, devido ao esforço.

Ela usou os cotovelos na beirada, fazendo pressão para baixo, arranhando-os ao arrastar-se pelos últimos centímetros até o topo.

Quando caiu por cima dele, Ryan a envolveu nos braços, colocou-a no colo e ninou-a sob a chuva.

— Eu vi você cair. Achei que estava morta.

— Era pra eu estar. — Enterrou o rosto no peito dele, onde o coração batia desgovernado. A distância, ouviram os gritos de sirenes. — Se você não viesse, eu não teria aguentado muito tempo.

— Você teria aguentado. — Ele afastou a cabeça dela, olhou-a nos olhos. Havia sangue em seu rosto. — Você teria aguentado — repetiu. — Agora você pode se amparar em mim. — Ele a pegou no colo, para levá-la para casa.

— Não me deixa por um tempo.

— Eu não vou deixar.

# Epílogo

Mas ele a deixou. Ela deveria ter sabido que ele o faria. O ladrão filho da mãe.

Confie em mim, ele disse. Ela confiou. Ele salvara sua vida, simplesmente para deixá-la, desprotegida, em pedaços.

Ah, ele esperara, Miranda pensava enquanto andava de um lado a outro no quarto. Ficara com ela até que suas feridas cicatrizassem. Ficara ao seu lado até terem certeza de que Andrew estava fora de perigo.

Seus braços a envolveram protetoramente quando ela relatou o pesadelo que vivera com Elise.

Ele até mesmo segurara sua mão enquanto davam a Cook a versão dos eventos ligeiramente alterada por Ryan. E ela deixara. Corroborara tudo o que ele dissera, adicionando detalhes pertinentes para mantê-lo longe das grades.

Ele salvara-lhe a vida, afinal de contas. O verme.

Depois, desaparecera sem uma palavra, sem um aviso. Fizera as malas e se fora.

Ela sabia exatamente para onde ele tinha ido. Ele era a única pessoa, fora ela, que sabia da existência do guarda-volumes. Ele fora atrás da *Senhora Sombria*. Não duvidava disso agora, fora atrás dela e do *Davi*. Provavelmente já os teria passado a um dos clientes por uma gorda soma e estaria se divertindo numa praia tropical, tomando rum enquanto passava bronzeador no bumbum de alguma loira.

Se nunca mais o visse... mas é claro que não o veria. Os negócios que tinham em comum — a parte legal dos negócios — estavam sendo administrados pelo gerente de sua galeria. A exposição era sucesso absoluto. Ele se beneficiara disso e do seu envolvimento na solução de vários assassinatos.

Miranda tinha sua reputação de volta. A imprensa internacional era só elogios a ela. A brava e brilhante dra. Jones.

Elise quisera destruí-la, e, no final, acabara coroando-a.

Mas ela não tinha os bronzes, e ela não tinha Ryan.

Precisou aceitar que nunca teria nenhum deles.

Agora, estava só numa casa grande e vazia, Andrew enfiado na casa da noiva enquanto se recuperava. Ele estava feliz e se curando, e ela era grata por isso. E miseravelmente invejosa dele.

Tinha sua reputação, tudo bem, pensou. Tinha o instituto e, talvez, finalmente, a certeza do respeito dos pais, se não do seu amor.

Ela não tinha vida alguma.

Portanto, criaria uma nova. Passou a mão, impaciente, pelo cabelo. Aceitaria o conselho das pessoas e tiraria longas e merecidas férias. Compraria um biquíni, se bronzearia e teria um caso.

Ah, sim, isso iria acontecer, pensou com desdém, e abriu as portas da varanda para respirar o ar morno da noite primaveril.

As flores que plantara em grandes jardineiras de pedra enchiam o ar com seu perfume. A doçura dos botões, a graça dos cravos, o charme das verbenas. Sim, ela estava aprendendo coisas adoráveis e simples, usando o tempo para aprender. Para apreciar.

Para se dedicar ao momento.

Branca e cheia, a lua elevava-se acima do mar, navegava no céu com as estrelas e dava à paisagem oceânica que ela amava uma aura

mística e íntima. O mar entoava sua canção rude, com uma arrogância que a fazia ansiar.

Ele fora embora havia duas semanas. Ela sabia que não voltaria. Ela tiraria suas férias, mas ficaria ali mesmo. Era ali que precisava estar. Em casa. Construindo o lar que nunca lhe fora dado. Ela terminaria o jardim, mandaria pintar as paredes. Compraria novas cortinas.

E, apesar de não pretender confiar em homem nenhum pelo resto da vida, pelo menos sabia que podia confiar em si mesma.

— O momento seria mais mágico se você estivesse vestindo um robe comprido e esvoaçante.

Ela não se virou de uma vez. Ainda tinha controle suficiente para isso. Girou lentamente.

Ele sorria para ela. Vestido em seus trajes negros de ladrão, de pé, Ryan sorria para ela no quarto.

— Jeans e camiseta — ele continuou. — Apesar de você ficar muito bem assim, essa roupa peca pela falta de romantismo de um robe de seda esvoaçando ao sabor da brisa. — Ele foi até a varanda. — Oi, dra. Jones.

Ela o encarou, sentiu os dedos dele tocando-lhe o rosto, onde um hematoma ainda não havia desaparecido por completo. — Seu filho da mãe — ela disse, dando-lhe um soco.

O gesto fez com que ele desse vários passos para trás, turvou sua visão. Mas tinha bom equilíbrio. Mexeu o maxilar cuidadosamente, secou o sangue no canto da boca. — Bem, essa é uma maneira e tanto de dizer oi. Com certeza você não ficou muito feliz de me ver.

— A única maneira de eu ficar feliz seria te ver atrás das grades, seu canalha. Você me usou, mentiu pra mim. Confia em mim, você falou, e o tempo todo estava era atrás dos bronzes.

Ele passou a língua sobre os dentes e a gengiva, sentiu gosto de sangue. Caramba, a mulher tinha um soco eficiente. — Isso não é inteiramente correto.

Ela cerrou o punho, pronta para usá-lo novamente. — Você foi pra Florença, não foi? Você saiu daqui, entrou num avião e foi pra Florença atrás das estátuas.

— Claro. Eu te disse que faria isso.

— Ladrão miserável.

— Eu sou um excelente ladrão. Até o Cook acha isso, embora nunca tenha conseguido provar. — Sorriu outra vez, passou os dedos pelo cabelo cheio e escuro que a brisa desarrumara de maneira sexy. — Agora eu sou um ladrão aposentado.

Ela cruzou os braços. Seu ombro esquerdo ainda estava dolorido da noite no penhasco, e a dor era menor quando o segurava.

— Imagino que você possa viver muito bem com o que conseguiu pelos bronzes.

— Um homem não precisaria trabalhar nunca mais, em muitas vidas, pelo que vale o Michelangelo. — Apesar de ela cerrar os punhos, ele a observava atentamente enquanto pegava um charuto. — Ela é a coisa mais exótica e linda que eu já vi. A cópia era boa, dava vazão ao poder dela. Mas não era capaz de captar aquele coração, aquele espírito, aquela essência. Fico bobo como alguém que tenha visto as duas possa ter confundido uma com a outra. *A Senhora Sombria* canta, Miranda. Ela é incomparável.

— Ela pertence ao povo italiano. Pertence a um museu, a um lugar onde possa ser vista e estudada.

— É a primeira vez que você se refere a ela assim. Antes, você sempre dizia a estátua, o bronze, nunca "*ela*".

Ela se virou para o gramado, viu o jardim — o seu jardim, agora — brilhando sob o luar.

— Eu não vou discutir pronomes com você.

— É mais que isso, e você sabe. Você aprendeu uma coisa que deixou passar esses anos todos, na sua busca por conhecimento. A arte é viva.

Ele deixou escapar a fumaça de uma tragada. — Como tá o Andrew?

— Agora você quer falar sobre a minha família. Ótimo. Ele tá muito bem. A Elizabeth e o Charles também. — Era assim que pensava neles, agora. — Eles voltaram para as suas vidas separadas, e,

apesar da Elizabeth sofrer pela perda da *Senhora Sombria*, vai muito bem, obrigada. Ela sofreu mais pela Elise. Pela quebra de confiança e de afeição. — Virou-se. — Eu sei como ela se sente. Eu sei exatamente como é ser usada e descartada desse jeito.

Ele começou a se encaminhar para ela, depois mudou de ideia e recostou-se na parede. Sedução, desculpas, palavras melosas não seriam a melhor estratégia com Miranda naquele estado de espírito.

— A gente usou um ao outro — ele a corrigiu. — E fez um bom trabalho, diga-se de passagem.

— E agora acabou — ela disse friamente. — O que é que você quer aqui?

— Eu vim pra te oferecer um acordo.

— Jura? Por que eu faria um acordo com você?

— Muitas razões me vêm à cabeça. Responde primeiro: por que você não me entregou pra polícia?

— Porque eu mantive a minha palavra.

— Só isso? — Como ela não respondeu, ele encolheu os ombros, mas se sentiu incomodado. — Tudo bem, então, direto aos negócios. Eu trouxe uma coisa que você vai gostar de ver.

Depois de jogar o charuto por cima da grade, ele voltou para o quarto. Pegou sua bolsa, tirou o conteúdo cuidadosamente embalado. Antes mesmo que ele abrisse o embrulho, ela soube, chocada demais para falar.

— Linda, não é? — Ele levantou a estátua como um homem segura a amante, com cuidado e posse. — Foi amor à primeira vista pra mim. Ela é uma mulher que deixa os homens de joelhos, e sabe disso. Nem sempre é gentil, mas fascina. Não é de admirar que assassinatos tenham sido cometidos por ela.

Olhou para Miranda, analisou sua aparência, a luz do luar sobre seus cabelos e seus ombros. — Você sabia que, quando eu encontrei o bronze, guardado numa caixa de metal, trancado numa cômoda naquela garagem imunda, onde o carro da Elise tava escondido, aliás, quando tirei a estátua dali e a segurei assim pela primeira vez,

juro que ouvi o som de harpas. Você acredita nesse tipo de coisa, dra. Jones?

Ela mesma quase podia ouvir, como nos próprios sonhos.

— Por que você trouxe *A Senhora Sombria* pra cá?

— Imaginei que você ia gostar de vê-la de novo. De ter certeza de que eu estava com ela.

— Eu sabia que você estava com ela. — Ela não conseguia evitar. Aproximou-se e passou os dedos sobre o rosto sorridente. — Soube disso durante duas semanas. Assim que me dei conta de que você tinha ido embora. Eu tive certeza. — Ela levantou o olhar do bronze para o rosto dele. Aquele rosto bonito e traiçoeiro. — Não esperava que você voltasse.

— Na verdade, pra ser sincero, nem eu. — Ele colocou o bronze na mesa de pedra. — Nós dois conseguimos o que queríamos. Você, a sua reputação. Quase se tornou uma celebridade. Ganhou sua defesa. Mais que isso, foi laureada. Imagino que tenham aparecido ofertas de editoras e de Hollywood pra contar a sua história.

Era verdade, e isso continuava a constrangê-la. — Você não respondeu à minha pergunta.

— Vou chegar lá — ele murmurou. — Eu mantive o acordo. Nunca concordei em devolver o *Davi* e, quanto a ela, nunca combinei nada além de descobrir onde ela estava. Descobri, e agora ela é minha; então, tem um novo acordo na mesa. Quanto você quer por essa estátua?

Ela precisou de muita força de vontade para não deixar o maxilar cair. — Você tá falando em vender pra mim? Você quer que eu compre uma propriedade roubada?

— Na verdade, eu estava pensando numa troca.

— Uma troca? — Ela pensou no Cellini que ele cobiçava. E no Donatello. Suas mãos começaram a coçar. — O que é que você quer por ela?

— Você.

Seus pensamentos, rápidos, pararam subitamente. — Como? Eu não entendi.

— Uma dama por uma dama. Parece justo.

Ela foi até o final da varanda, depois voltou. Ah, ele era pior do que um verme, ela concluiu. — Você espera transar comigo em troca de um Michelangelo?

— Deixa de ser boba. Você é gostosa, mas ninguém é tão gostosa assim. Eu quero o pacote completo. Ela é minha, Miranda. Eu posso até reivindicar privilégios por ter encontrado o bronze, embora não tenha certeza de que vai dar certo. Mas ela tá comigo, não com você. Nos últimos dias me ocorreu, não sem desconforto, que eu te quero mais do que a estátua.

— Eu não estou acompanhando.

— Tá, sim. Você é inteligente demais pra não entender. Ela pode ser sua. Pode colocar em cima da lareira ou mandar de volta pra Florença. Pode usar como peso de porta, eu não tô nem aí. Mas você vai ter que me dar o que eu quero por ela. Eu gosto da ideia de morar aqui.

Ela sentia uma pressão terrível no peito. — Você quer morar aqui?

Ele estreitou os olhos. — Sabe, dra. Jones, acho que você não tá fingindo que é boba. Você só não tá entendendo. É, eu quero morar aqui. É um bom lugar pra criar os filhos. Olha só, você ficou pálida como um fantasma. Meu Deus, isso é uma das coisas que eu amo em você. Sempre tão chocada quando alguém interrompe a sua lógica. E eu te amo, Miranda, além da razão, além da lógica.

Ela emitiu algum som, nada que se identificasse com palavras, ao passo que seu coração claudicava dentro do seu peito. Tropeçava. Caía.

Ele foi até ela, mais divertido que assustado. Ela não moveu um só músculo. — Eu realmente vou insistir na questão dos filhos, Miranda. Sou irlandês e italiano. Que mais você poderia esperar?

— Você tá me pedindo em casamento?

— Estou trabalhando pra chegar lá. Você pode ficar surpresa com o fato de que isso não é mais fácil pra mim do que pra você. Eu disse que te amo.

— Eu ouvi.

— Caramba, como você é teimosa... — Ele parou de falar, inspirou fundo. — Você quer o bronze, não quer? — Antes que ela pudesse responder, ele segurou seu queixo. — Você tá apaixonada por mim. — Quando as sobrancelhas dela se juntaram, ele sorriu. — Nem precisa se dar ao trabalho de negar. Se você não estivesse, teria me entregado pra polícia assim que descobriu que eu tinha ido atrás dela.

— Eu teria superado.

— Mentirosa. — Baixou a boca, encostou seus lábios nos dela. — Aceita o acordo, Miranda. Você não vai se arrepender.

— Você é um ladrão.

— Aposentado. — Ele moldou o quadril dela com uma das mãos, enfiou a outra no bolso. — Toma, vamos oficializar essa história.

Ela se esforçou para desvencilhar-se do beijo e puxou a mão quando ele começou a deslizar o anel em seu dedo. O anel, ela percebeu com surpresa e prazer, que ele lhe dera antes.

— Deixa de ser cabeça-dura. — Ele pegou a mão dela, esticou seus dedos e colocou o anel no lugar. — Aceita.

Agora ela reconhecia a pressão em seu peito. Era seu coração batendo forte novamente. — Você pagou pelo anel?

— Jesus! Paguei, paguei pelo anel.

Ela considerou a situação por um instante, observou o brilho da joia. Ele que sofra um pouco, pensou. Desejou. — Vou devolver a estátua pra Itália. As explicações de como ela veio parar nas minhas mãos vão ser esquisitas.

— A gente vai pensar em alguma coisa. Aceita o acordo, caramba!

— Quantos filhos?

O sorriso dele se ampliou lentamente. — Cinco.

Ela deixou escapar uma gargalhada. — Por favor! Dois!

— Três, com uma opção.

— Três e ponto final.

— Feito. — Ele começou a baixar a cabeça, mas ela bateu com a mão em seu peito. — Eu não acabei.

— Você teria acabado, *darling*, se eu tivesse te beijado — ele disse, com arrogância suficiente para fazê-la lutar contra um sorriso.

— Nenhum serviço por fora — disse prontamente. — Por nenhum motivo.

Ele gemeu. — *Nenhum* motivo?

— Nenhum motivo.

— Eu estou aposentado — ele murmurou, mas precisou afagar a dor no peito. — Nenhum serviço por fora.

— Você vai me entregar todas as identidades falsas acumuladas durante a sua carreira brilhante.

— Todas? Mas... — Ele se interrompeu. — Tudo bem. — Sempre poderia conseguir outras, caso as circunstâncias o empurrassem para isso. — Próximo item?

— Tá bom, já chega. — Ela acariciou a face dele, depois emoldurou-lhe o rosto. — Eu te amo além da razão, além da lógica — ela murmurou, cuidando das palavras que devolvia a ele. — Eu aceito o acordo. Aceito você, mas isso significa que você me aceita. Aceita a maldição dos Jones. Eu não dou sorte.

— Dra. Jones. — Ele levou os lábios às mãos dela. — Sua sorte está prestes a mudar. Confia em mim.

Este livro foi impresso na Divisão Gráfica da
DISTRIBUIDORA RECORD DE SERVIÇOS DE IMPRENSA S.A.
Rua Argentina, 171 - Rio de Janeiro/RJ - Tel.: 2585-2000